유진홍 교수의
감염강의
42강

임상각론

유진홍 교수의
감염강의
*42*강

첫째판 1쇄 인쇄 | 2022년 9월 19일
첫째판 1쇄 발행 | 2022년 10월 14일

지 은 이   유진홍
발 행 인   장주연
출 판 기 획   김도성
책 임 편 집   이민지
편집디자인   양은정
표지디자인   김재욱
발 행 처   군자출판사(주)
　　　　　등록 제4-139호(1991. 6. 24)
　　　　　본사 (10881) **파주출판단지** 경기도 파주시 회동길 338(서패동 474-1)
　　　　　전화 (031) 943-1888   팩스 (031) 955-9545
　　　　　홈페이지 | www.koonja.co.kr

ISBN   979-11-5955-924-2
　　　　979-11-5955-922-8 (세트)
정가   80,000원

2020년 벽두부터 우리나라를 비롯하여 전 세계를 강타한 코로나 19 온 누리 돌림병은 건강도 건강이지만 아예 우리 삶이 돌아가는 양상 자체를 바꿔 놓았습니다.

아직 변변한 백신이나 치료제가 없던 당시였으니, 거리두기와 각자도생이 최선이었지요.

의과대학 교수 생활의 패턴도 바뀌었습니다.

예를 들어 학생 강의.

난생 처음 비대면 수업이라는 걸 하게 되어 파워포인트 강의록을 만들며 매 슬라이드마다 녹음을 입히느라 허공(정확하게는 마이크)에 대고 떠들어야 했습니다.

말이 쉽지, 학생은 아무도 없고 그저 모니터만 바라보며 최소 2시간을 떠든다는 게 그리 녹록하지 않은 노릇이고, 어딘지 모르게 허전함을 느꼈습니다.

사실 의대 교수하는 건 강의하는 맛도 있어서 하는 겁니다.

강의실에서 초롱초롱한 학생들을 마주 보고(일부는 조는 치들도 있습니다만) 내 페이스대로 들었다 놨다 하며 진행하는 그 맛.
당시엔 몰랐었는데, 막상 이걸 못 하게 되니 대면 강의가 그리워지더군요.

그러던 차에 연말에 우리 학과원 중 교육 담당 교수가 보내온 차기 20회짜리 강의 계획서를 무심히 읽다가 엉뚱한 충동이 일어났습니다.
'내가 그냥 20회짜리 강의를 다 하면 어떤 모습일까?'
대면 강의에 대한 그리움(?)이 아마 원인이었을 겁니다.

음..
그래서 이 저서의 집필이 시작됩니다.
좀 무모하지만 20번의 강의를 한다는 일종의 simulation 하에 20단원을 써 보기로 하고 무작정 첫 단원부터 자판을 두드렸습니다.
처음엔 가벼운 마음으로 개시를 했지만, 집필하다 보니 20단원으로는 턱도 없 다는 걸 서서히 자각을 합니다. '이거, 일이 점점 커지네?'
그래서 '하나 더, 하나 더' 하다 보니 어느덧 42단원까지 오고 말았습니다.

이 저서는 대면 강의에 대한 갈망(?)으로, 강의실에서 강의하는 그대로 simu-lation하여 기술하였습니다.
정통 교과서는 아니니 쫄지 마세요.
각 장마다 너무 깊게는 안 들어가고, 개념을 잡아주는 수준으로 수위 조절을 하려고 애는 많이 썼습니다.
항상 책을 집필하면서 일관되게 행했던 의도이지만, 감염학 분야에 대한 진입 장벽을 최대한 낮추고, 독자로 하여금 최선을 다해 개념 정립을 시켜주려 노 력을 했습니다.

이렇게 또 제 이름을 건 다섯 번째 저서가 나오는군요.

어떤 저서에 대해 eponymous moniker라고 칭하는 표현이 있습니다.

자기 이름을 내건 책을 일컫는 용어입니다.

대표적인 예로 Gray 해부학, Harrison 내과학, Robbins 병리학 등이 있습니다.

이런 분들하고 감히 동급으로 논하자는 의도는 아닙니다.

학자라면 누구나 갖고 있는 소망이지만, 사후에도 지속적으로 기억되는 행운을 누리는 걸 보면 참으로 부럽기만 합니다.

제 저서들의 수명이 얼마나 될지는 모르겠지만, 그래도 이렇게 흔적을 남긴다는 것 자체를 저는 행복하게 생각합니다.

이번 저서를 집필하는 과정에서도 역시 제 삶의 영원한 반려자인 제 아내가 맨 첫 번째 독자가 되어 아낌없는 비판과 등짝 스매싱을 선물해 주었습니다. 그리고 화가의 길을 걸으면서도 기꺼이 시간을 내어 귀엽고 익살스러운 cartoon 삽화들과 이모티콘을 그려준 사랑하는 금지옥엽 내 딸 유여진 화백, 제 학과원들, 군자출판사 모든 직원들, 그리고 모든 분들께 진심으로 감사를 드립니다.

코로나 19도 결국 지나가는 2022년 초여름에 접어들며,

저자 **유진홍**

추천사

유진홍 교수가 책을 낸다고 추천사를 부탁해 왔다. 자료를 받고 보니 엄청난 분량의 책인데, 이걸 혼자서 다 썼다고 하니 놀랍다. 감염학 전반에 걸친 이야기를 쉽게 이해할 수 있도록 쓴 글을 보며, 제목 또한 학술 서적의 냄새가 덜 나게 선정한 것을 알았다. 학생들에게 강의하듯 쓴 책이라지만 1권, 2권 합하니 1,000페이지가 넘는다. 정말 대단하다.

유교수가 우리 학회의 학술지 담당 무임소이사이기는 하지만, 나의 임기 시작 이래 지속되는 코로나 팬데믹으로 인해 매번 온라인 회의만 하니, 가까이 접촉하기 힘들어 깊은 대화를 나누어 보지는 못했는데 원고를 읽으며 그의 깊은 내공을 느낀다.

더욱 놀라운 것은 전문 의학 지식을 쉽게 이해할 수 있도록 기술했을 뿐 아니라, 기억하고 있어야 할 내용이 말미에 간단히 정리되어 있다. 복잡하지 않고, 과하게 깊지도 않고, 재미있고, 다음 장이 무엇일지 궁금하기조차 하다. 중간에 들어가는 삽화도 재미있다. 따님이 그렸다는데...

나이가 드니 보내온 PDF 파일을 컴퓨터 화면으로 읽는 것이 쉽지는 않다. 읽다가 가물가물 해지니 한참을 쉬었다 다시 본다. 그러다 보니 원고 마감에 밀려서 아쉽게도 끝까지 세세히 읽어보지 못했다. 인쇄물로 나오면 천천히 전부 다시 읽어볼 예정이다.

사실 의사가 쓴 책은 쉽게 쓴다고 해도 전문 용어가 많이 나와 어렵다는 말을 많이 듣는데, 이 책은 전문 의학 이야기지만 주 전공이 아닌 의사에게도 재미있고 쉽게 읽힌다.
의사는 물론 환자도 한번 읽어 보시기를 권하고 싶다. 다만 두 가지 장벽이 있다.
첫째가 가격이다. 일반인이 지출하기에는 높은 가격이다.
둘째는 영문으로 된 의학용어가 있어 어려울 것이다. 도서관에서 최소 1권 총론 부분이라도, 빌려 읽어보라고 하고 싶다.

신종 전염병이 5년 주기로 출현하는 세상이다. 도서관마다 필수로 구비해야 할 책이라 믿어진다. 유 교수의 끊임없는 발전을 기원한다.
발간을 축하합니다.

2022년 9월
가을바람이 불어오는 파주 헤이리마을에서
정지태
대한의학회장

추천사 ✦

유진홍 교수의 다섯 번째 책 발간을 진심으로 축하하면서 내심 그의 폭넓은
식견에 감탄하고 또 글을 재미있고 시원스럽게 써제끼는 내공이 부럽기까지
합니다. 먼저 낸 책들이 모두 우수도서로 선정되면서 독자들의 반응이 뜨거웠
는데, 이번 책은 그간의 책들을 총망라하는 감염학 강의교재 형식입니다.
그의 감염학 강의를 직접 들어보지 못하였지만 강의를 들은 후학들은 유진홍
교수가 비유법의 달인이라고 입을 모읍니다. 어려운 내용을 적절하면서 수강
생이 잘 아는 사례로 예를 들어 쉽게 이해하도록 설명하는 능력이 탁월하다는
것인데, 그런 능력이 앞선 책과 같이 이 책에서도 곳곳에서 번뜩입니다.

이 책은 제목에서 보여주듯 모두 42개의 강의록 형태로 구성되며 임상의답게
감염을 일으키는 병원체는 모두 적으로 봅니다. 제1부는 감염에 대한 공통사항
을 다루는 총론적인 소개로, 1강 '적을 알자'로 시작하여 13강의 '총체적 난국-
패혈증'까지 이어집니다. 개별 질환이 아니라 감염 질환에 대한 일반적인 속성
을 병원체와 인체의 면역반응 줄다리기 개념으로 재미있게 소개하는데, 이 1부
의 기본 지식을 잘 이해하면 각론이 재미있고 쉬워지게 편집하였습니다.

제2부는 임상각론으로 개별 병원체와 이로 인한 임상적인 문제 발생의 기전과 진단, 치료를 잘 요약하여 설명하고 있습니다. 감염증의 핵심인 세균의 특성을 임상적인 중요도와 관련하여 14강부터 24강까지 설명하고 있으며, 그 가운데에서 특별히 결핵을 임상과 치료로 나누어 다루고 있습니다. 25강은 진균(곰팡이)을 소개합니다. 보통 감염학 책이 병원체 분류학 중심 체계로 편집되고 있는 데에 비하면 이 책은 역시 임상 중요도에 기반하여 26-28강은 면역저하나 세포 또는 장기이식과 관련된 감염을 소개하고 있습니다. 그리고 나서 29강의 감기부터 시작하여 인체 장기나 조직에서 일어나는 감염을 소개하고 있습니다. 37강은 멀레어리아(말라리아가 아니고)라는 독특한 이름으로 국내 문제와 더불어 세계적인 질병으로 말라리아를 소개합니다. 38강은 국내에서 중요한 전신 열성 감염증, 39-41강은 에이즈를 다루고 있으며, 42강은 이 책에서 보는 또 하나의 특징인 생물 테러를 소개합니다. 이 각론들은 확실한 실전용 야전 교범급입니다.

이 책에서 유진홍 교수는 병원체의 생물학적인 특성과 병원체에 대한 인체 반응의 근거중심 학술적인 지견을 잘 정리하여 알기 쉽게 설명하고 있습니다. 그런데 이런 학술적인 내용은 다른 책에서도 다 잘 다루고 있는 부분이기도 합니다만 이 '유진홍 교수의 감염강의 42강' 책의 숨은 가치는 이러한 학술적인 지견에 근거하면서 노련한 임상가로서의 풍부한 경험, 환자에 대한 애정, 감염으로 인한 고통을 극복하려는 임상가의 고뇌와 노력을 이어서 만드는 스토리에 있습니다. 그 전공이 무엇이든 실제 진료에 임하는 의사라면 모두 읽어보고 진료 현장 바로 옆에 두어 참고하는 환자와 의사 모두에 도움이 되는 책임에 틀림없습니다.

2022년 9월

홍성태

Journal of Korean Medical Science 편집인

서울대학교 의과대학 명예교수

'유진홍 교수의 감염강의 42강' 발간을 가톨릭의대 내과학교실을 대표하여 축하드립니다. 메르스와 코로나를 겪으면서 감염에 대한 국민들의 인식이 높아진 시점에 감염에 대한 책자를 발간하게 되어 시기적절하다고 생각되며 이 책을 통하여 감염에 대한 이해의 폭을 넓히는 계기가 되기를 기대합니다.

이번 발간되는 감염강의 42강은 뚝심 있는 유진홍 교수가 아니면 쓸 수 없는 명작이라고 생각됩니다. 책을 쓰기로 마음먹은 순간부터 자료수집, 정리, 개발, 검토에 이르기까지 얼마나 세세히 신경 써 저술하였는지 유진홍 교수의 숨은 노력이 책 속에 고스란히 배어 있음을 알 수 있습니다. 또한 이 책은 쉬운 감염학 책입니다. 감염학을 전공한 의사로서 다양한 감염에 대한 임상 경험에 해박한 지식을 곁들여 하나하나 쉽게 설명하였습니다.

자신이 하고 있는 전문 분야를 일반인들이 알기 쉽게 책으로 만드는 것이 쉽지 않습니다. 특히 내과학 중에서 감염학은 용어가 쉽지 않고 일반인들이 접근하기에는 문턱이 높아 일반인을 위한 책을 만드는 것이 어려운 숙제였습니다. 이번에 발간되는 책자를 읽어보니 가장 큰 장점은 부담 없는 제목부터 누구나 관심을 가지고 읽을 수 있도록 눈높이를 조절한 점입니다.

저는 이번 '유진홍 교수의 감염강의 42강' 발간이 외국의 어느 감염 책과 비교해도 손색이 없다고 생각됩니다. 영문판도 제작되어 전 세계에서 읽히는 감염학 저서가 되기를 기대합니다.

2022년 9월

양철우

가톨릭대학교 내과학교실 주임교수

Ⅰ 총론

Ⅱ 임상각론

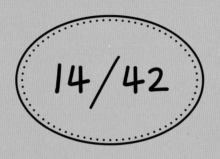

제14강

그람 음성균을 알아보자

그람 음성균을 알아보자

먼저 Gram-negative bacteria부터 개괄적으로 공부해 봅시다.

G(-)균 입장은 모르겠지만, 우리 입장에서는 G(-)균의 속살은 관심 밖이고 그 균이 그 속살을 둘러싸고 있는 구조, 즉 envelope가 바로 집중 탐구 대상입니다.

G(-)균과 G(+)균의 envelope 구조는 기본적인 구성은 같지만, 자세히 들여다 보면 그 세부 사항들이 다릅니다. 이는 이 균들이 야기하는 병리 기전에서 차이가 나는 근본적인 이유이기도 합니다.

G(-)균에는 outer membrane과 이에 박혀 있는 lipopolysaccharide (LPS)나 porin 같은 구조물이 있는 반면에 G(+)균에는 그런 구조물이 없습니다. G(+)균은 peptidoglycan 층이 매우 두껍고 튼실한 반면에 G(-)균의 경우는 비교적 얇은 편입니다. G(+)균은 LPS가 없는 대신 lipoteichoic acid나 teichoic acid가 있습니다.

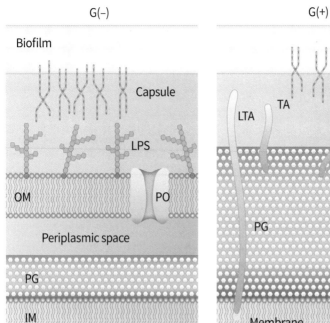

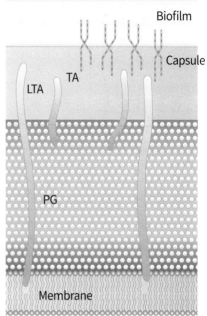

G(−)

G(+)

Biofilm

Biofilm

Capsule

Capsule

TA

LTA

LPS

OM

PO

Periplasmic space

PG

IM

PG

Membrane

OM: Outer membrane
IM: Inner membrane
PG: peptidoglycan
PO: porin.

LTA: Lipoteichoic acid
TA: Teichoic acid.

좀 더 자세히 들여다봅시다.

1. Outer membrane

G(+)균에는 없는 G(−)균 고유의 구조입니다.

G(−)균 구조의 가장 전방에 위치하고 있습니다. 물론 capsule이 더 외곽에 위치하지만 그건 고정 구조물이 아닌 분비물이니까 별도로 다루겠습니다.

Lipid bilayer로서 inner leaflet이 phospholipid layer이고, outer leaflet이 질병을 일으키는 핵심입니다.

여기에는 lipopolysaccharide가 떡하니 꽂혀서 바깥까지 가지를 쳐 나가며 위협적인 위용을 자랑하고 있고, 아울러 각종 물질들, 심지어는 항생제까지도 출입하는 통로인 porin들이 박혀 있습니다.

Porin은 마치 총신(barrel)처럼 생겼으며, 안이 물로 차 있어서 주로 hydrophilic molecules가 들어오는 것을 조절하는 기능을 합니다. 제6강 '항생제에 저항하다' 단원에서 언급한 바 있지만, G(-)균은 이 porin을 변형시키거나 아예 없애버리는 식으로 항생제에 내성을 보입니다. 이렇게까지 하면 보통 거의 모든 항생제가 듣지 않는 다약제 내성이 됩니다. 하지만 세상에 공짜는 없는 법. 이는 세균 입장에서는 최후이자 최악의 수단인데, 항생제뿐 아니라 정말 필요한 생활 필수품도 못 들어오기 때문입니다.

LPS는 G(-)균이 일으키는 병리 기전의 주된 원흉이자 인체 면역 체계 입장에서는 대표적인 PAMP입니다.
Outer membrane에서 잔뜩 가지를 치면서 밖으로 뻗어 나와 있습니다.
구성은 lipid A (이게 바로 endotoxin), core phosphorylated polysaccharide, 그리고 반복되는 단위들로 이뤄진 oligosaccharide side chains (O antigens)입니다. 특히 O antigen은 각종 G(-)균의 serotype 분류에 유용합니다.
화학적 성상 때문에 lipophilic (hydrophobic) molecules가 잘 뚫고 들어가지 못 합니다. 그래서 detergents, dyes, lipophilic antibiotics (FQ, TC, macrolide, lincosamide)가 애를 먹습니다.

2. Inner membrane

Inner membrane은 곧 cytoplasmic membrane이며 phospholipid bilayer 구조입니다.

이 막이 하는 일의 핵심은 다음과 같이 요약할 수 있습니다:

Protein motive force, 그리고 에너지 저장.

이 막은 cytoplasm으로 들어가는 마지막 관문으로, 각종 molecules가 들락날락하는 것을 조절하는 역할을 합니다. 이는 크게 두 가지 요소가 있는데, 하나가 고농도에서 저농도로 흐르는 diffusion force이고, 나머지 하나가 electrostatic force입니다. 이는 수소 이온 같은 양 이온의 경우 막에 넘쳐나는 (+) charge에서 저 건너편 (-) charge 방향으로 확산되어 들어가며, 염소 같은 음이온은 그 와중에 저절로 양 이온의 반대 방향으로 들어오는 원동력입니다. 수소 이온이 이동하게끔 하는 전기 경사를 electrical potential gradient라 합니다.

이 diffusion force와 electrostatic force를 합쳐서 electrochemical gradient라 부르고, 결국 농도 차이와 전기 경사의 차이로 수소(proton) 이동이 되게끔 해주는 힘이라 해서 proton motive force라 부릅니다. 즉, 이 힘을 받은 proton은 이를 고스란히 에너지로 탑재하여 막을 통과하려고 달려 오는 것입니다.

Inner membrane에는 특화된 ion들만 선별해서 통과시키는 ion channel이 있으며, 막에 걸쳐서 transmembrane ATP synthase가 자리잡고 있습니다. 이는 proton motive force로 추진력을 얻어 들어오는 수소 이온을 통과시켜 주면서, 그 힘을 통행료로 받아내어 ATP synthase를 작동시켜서 ATP를 생산해 냅니다. 이게 소위 oxidative phosphorylation 되시겠습니다. 이는 다시 말해서 ATP를 만드는 phosphate 결합에 통행료로 받은 에너지를 저장하는 셈입니다.

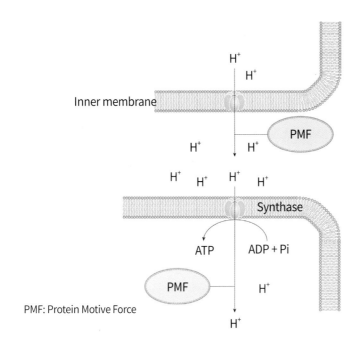

PMF: Protein Motive Force

세균은 이걸로 먹고 삽니다.

사람도 세부 사항이 다를 뿐이지, 세균과 같은 방식으로 ATP를 생산하고 그걸로 에너지를 얻어서 생존합니다. 단, 이는 세포 안에 있는 미토콘드리아가 대행해 주는 업무입니다. 미토콘드리아 자체가 과거에 세균이었고 지금은 공생체로 입주해 있는 것이니까 가장 잘 할 수 있는 일을 하는 것이죠.

이렇게 세균이 살아가는 수단에 더하여 항생제와의 싸움에 사용하는 무기인 efflux pumps가 자리 잡고 있고, solute transporters가 있으며, 나중에 세포 내 signal transmission에 사용될 histidine kinase signaling proteins도 있습니다.

3. Periplasmic space

이는 inner & outer membrane 사이에 위치한 풀장입니다. 여기에는 pepti-doglycan layer와 여러 중요한 protein들이 잔뜩 모여 있는, 어쩌면 가장 활발한 시장인 셈입니다. 바로 이 곳에 PBP로 불리는 transpeptidase, oxidore-ductase, isomerase, protease, detoxifying enzyme, solute-binding pro-teins, chaperones 등등이 우글거립니다. 특히 beta-lactam 항생제가 들어와서 본격적인 전투를 벌이거나, beta-lactamase를 내서 반격을 하는 시가전의 전장이 되는 곳입니다.

4. Peptidoglycan

Periplasmic space에서 inner membrane 쪽으로 위치한 구조물로, cell wall을 이룹니다. G(+)균에서는 두툼하게 마련되어 있어서 비중이 크지만, G(-)균에서는 이에 비해 훨씬 얇은 구조로 되어 있습니다.

이는 멍청하게 자리만 차지하고 있는 정적인 구조물이 아닙니다. 항상 꾸준하게 remodeling을 하고 있어요.

증식하고 살림해야 하니까. 그래서 항생제가 작용하는 주된 타겟인 겁니다. 만약 이 구조물이 부실해지면 세균은 osmotic pressure에 의해서 터집니다.

구조에 대한 자세한 설명은 제4강 '내가 가진 무기-항생제' 단원에서 자세히 설명되어 있으니 참조 바랍니다.

5. Secretion system

Outer membrane과 inner membrane에 걸쳐서 설치되어 있습니다. 현재까지 9가지 유형이 밝혀져 있는데, 제가 보기에 우리 임상가들은 모두 다 알 필요는 없고 type III secretion system (T3SS) 정도만 주목하면 되지 않을까 합니다.

T3SS는 좀 황당한 세균 도구입니다. 주사기 모양으로 생겨 갖고, 본래의 역할인 분비만 하는 게 아니라 아예 host cell membrane에 주사기를 꽉 하고 꽂습니다. 주로 phagosome에 꽂아서 host가 살균 업무를 하지 못하게 하는 물질을 주입합니다. 그렇게 해서 evasion을 하는 겁니다.
주로 구사하는 대표적인 G(-)균주들로는 *Salmonella, Yersinia, Vibrio, P. aeruginosa, Shigella* (evasion 외에 이동을 유도하는 기능에 더 치중합니다. 자세한 내용은 해당 단원에서) 등이 있습니다.

6. Flagellum(편모)

복수형은 flagella입니다.
한 마디로 말해서 세균의 프로펠러입니다.
그래서 motile bacteria의 원동력 엔진입니다.
이것도 PAMP입니다. 조금 더 자세히 말하면 구성 성분인 flagellin이 그러합니다. 이것이 H-antigen이며 역시 serotype의 수단이기도 합니다.

7. Pilus(선모)

복수형은 pili입니다. 다른 명칭으로는 달라붙는 역할을 하는 pili라는 의미로서 fimbriae로 부르기도 합니다.

소위 말하는 나노 구조의 기관입니다.

용도가 의외로 다양합니다.

일단 찍찍이 기능으로서 균들끼리 뭉치거나 인체 세포에 짝짝 달라붙는 기능을 합니다. 소위 말하는 adhesin으로, type I pili가 전형적인 adhesin입니다. 이를 통해 인체에 colonization을 하고 biofilm 형성을 통해 장차 퍼져 나가는 교두보를 구축합니다.

또한 일종의 생식기(?) 기능도 합니다.

소위 bacterial conjugation의 도구인데요. plasmid의 개입 아래 다른 세균에 pili를 꽂아서 자기의 유전자를 전달합니다. 이런 식으로 세균들끼리의 유전자 교환이 이루어집니다.

8. Capsules

세균의 가장 바깥에 polysaccharide layer로 끈적거리며 떡칠이 되어 있는 구조물입니다. 염증 및 면역 반응 유발 물질로서 세균의 병리 기전에 주도적인 원인을 제공합니다. 특히 phagocytosis가 잘 안 되도록 저항을 하게 하는 주범입니다. 끈적거리니까 달라붙기도 잘 합니다. G(+)와 G(-)균 모두에서 중요한 생존 수단입니다.

면역을 유발하기 때문에 백신의 재료가 됩니다만 polysaccharide라는 한계 때문에 memory cell 유도가 어려워서 일정 기간마다 추가 접종이 필요하다는 단점이 있습니다. 이에 대해서는 제10강 '다가올 침략에 대비하자'에서 자세히 설명한 바 있습니다.

9. Circular chromosome

겉을 둘러싼 envelope 구조 외에 한 가지 더 알아 보고 싶은 건 바로 chromosome입니다.

세균, 즉 prokaryotes의 DNA는 circular chromosome입니다.

반면에 우리 같은 eukaryotes는 linear chromosome입니다.

왜 다를까요?

이는 일단 질문을 다음과 같이 조정해서 이유를 풀어가 보는 게 좋습니다.

"Eukaryote의 DNA는 linear chromosome임을 증명하여라."

이는 "만약 circular chromosome이었다면?"이라는 전제를 하고 풀어갑니다.

소위 말하는 일종의 귀류법(proof by contradiction) 되시겠습니다.

"2의 제곱근이 무리수임을 증명하라."

1978학년도 서울대학교 입학시험 수학 문제로 출제되기도 하여 유명해진 바로 그 문제가 좋은 예입니다.

"만약 이것이 유리수였다면…" 하면서 논리를 전개해야 합니다.

같은 방식으로 linear DNA의 장단점을 따져보면 왜 세균의 DNA가 circular인지 이유를 알 수 있습니다.

사실 그 이유가 완전히 밝혀진 건 아닙니다.

크게 보면 오랜 세월 진화 과정 속에서 적자생존을 거친 결과로 봅니다.

Prokaryotes만 살던 시절에는 다 circular chromosome이었을 겁니다.

그런데 eukaryotes가 등장하죠.

처음엔 linear chromosome이 아니었을 겁니다.

이는 prokaryotes 시절과는 비교도 안 되게 훨씬 많은 gene을 보유하기 시작합니다.

그 큰 덩치에 여전히 circular chromosome 모양을 유지할 수 있었을까요?

덩치가 큰 만큼 chromosome도 무거워진 무게를 감당하지 못하여 기울어지다가 결국 꼬여버릴 겁니다.

꼬이고 또 꼬이면 증식 등의 필수 업무를 할 수 없게 되고, 이는 곧 죽음을 의미합니다.

그러면 어떻게 해야 할까요?

그동안 고수해 오던 circular 모양을 포기하고 한 줄로 좍 펼치는 수밖에 없습니다.

그리고 감당할 수 없게 길게 늘어난 가닥은 차곡차곡 접어서 꼭꼭 포개어 넣어야 합니다(tight coiling & dense packing). 그 결과 eukaryotes의 chromosome은 평소엔 이불 개어 넣듯이 잘 싸서 핵 속에 보관되어 있는 겁니다.

또한 linear chromosome이 유리한 이유는 그 많은 양의 gene에서 transcription하는 작업이 circular chromosome보다 훨씬 용이합니다.

그러나 단점 또한 만만치 않습니다.

소위 말하는 end replication problem이 그렇습니다.

이는 증식 cycle을 한 번 돌 때마다 끝단에서 조금씩 야금야금 gene의 소실이 일어납니다.

Circular chromosome에서는 일어나기 불가능한 작은 사고들입니다.

이 작은 소실들은 처음에야 별 티가 안 나죠.

하지만 계속 이 소실들이 축적된다면 결국 가서는 큰 문제가 생깁니다.

그래서 eukaryote들이 해결책으로 내 놓은 것이 양 끝단에 뚜껑을 씌우는 것이었습니다.

이게 바로 telomere (repetitive non-coding terminal DNA sequences)입니다.

그러나 telomere 자체도 확고한 구조는 아니라 종종 mutation이 일어나서 역시 양 끝단 DNA 조각들이 찔끔찔끔 소실되는 현상은 일어나긴 합니다. 이게 바로 우리의 노화와 암 발생의 원인이 되는 것이기도 합니다.

여기까지 보면 왜 세균이 circular chromosome인지 저절로 설명이 될 것입니다.

원래 circular 모양이 원조였습니다.

Eukaryotes와 비교해서 단출한 gene 구조들이라 소박한 circular chromosome이라 해도 증식 등의 기능 발휘에 아무런 어려움 없이 잘 살 수 있습니다.

그래서 circular chromosome인 것입니다.

물론 예외 없는 법칙은 없지요?

*Borrelia burgdorferi, Streptomyces spp.*는 세균들 중에 gene의 가짓수가 월등하게 많아서 circular가 아니고 linear chromosome 구조입니다.

한편, eukaryotes 세포 안에 있는 mitochondria의 DNA는 circular입니다. 이 자체가 애당초 정식 eukaryotes가 아니고 태고 시절부터 세포 안에 양자로 들어온 일종의 bacteria니까 당연하기도 합니다.

임상적으로 중요한 G(-) bacteria의 종류는 크게 Enterobacteriaceae와 non-Enterobacteriaceae로 나눠서 보는 것이 간편합니다.

> 추천 도서
>
> Proton motive force에 대해 좀 더 알아보고 싶다는 생각 안 드십니까? 그런 분께는 닉 레인(Nick Lane) 저, 바이털 퀘스천(Vital question)이란 책을 권합니다.

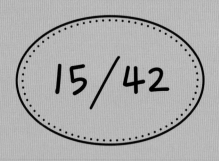

제15강

그람 음성균
- Enterobacteriaceae

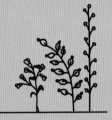

그람 음성균
- Enterobacteriaceae

장내 세균은 Family Enterobacteriaceae Order Enterobacteriales의 가계도에 속해 있습니다.

Gram (-) non-spore-forming bacilli로 유사시 산소 없는 환경에서도 살 수 있는 능력을 보유하는데(facultative anaerobe), 하긴 그래야 컴컴하고 숨 막히는 창자 안에서 살 수 있겠지요.

프로펠러 기능의 flagella를 갖고 있어서 기동성이 있다고 합니다만, 다 그렇지는 않아요. 예를 들어 *Klebsiella*나 *Shigella*가 그러합니다.

기본적으로 창자가 본거지이지만, 사실은 주변 환경 어디에나 널리 분포되어 서식합니다. 또한 위장관뿐 아니라 비뇨 생식기에도 살고 있으며, 병원에 입원한 경우, 특히 면역 저하자나 장기 입원 환자에서는 oropharynx에도 많이 서식합니다. 즉, 원내 폐렴의 기반이 되는 것이지요.

이들은 내성의 측면에서도 주류입니다. 외부 문물을 참으로 잘 받아들이는 개방성이 좋습니다. 그래서 plasmid나 transposon 같은 mobile element의 출입을 통하여 ESBL을 탑재하고, carbapenemase로 많이들 무장하는 등, 내성의 총 본산 역할을 합니다.
한 마디로 의료 감염 분야에서 공공의 적입니다.

Enterobacteriaceae에 속하는 종들 중에 임상적으로 자주 만나는 중요한 종들로는 *Escherichia coli, Klebsiella pneumoniae, Citrobacter species, Enterobacter species, Morganella morganii, Proteus species, Providencia species, Serratia marcescens, Salmonella enterica, Shigella species, Yersinia species* 등이 있습니다.

그럼 *Escherichia coli*부터 진도를 나가 봅시다.

1. *Escherichia coli*

1885년에 Theodore Escherich가 신생아 분변에서 발견한 균으로 다들 잘 아시다시피 인체 장내 세균들 중에 우리에게 가장 친숙한 균종입니다. 평소에는 호기성 균이지만, 산소가 모자라는 환경, 그러니까 장에서 자주 연출되는 그런 상황에서는 잽싸게 혐기성 대사로 전환할 수 있는 facultative anaerobe입니다.
대다수는 인체에 해를 안 주는 공생균이지만, 일부 몰지각한 균이 병원체로서 작용합니다.
외국 문물을 받아들이는 데 있어서 매우 개방적이라서 *Klebsiella* 종과 더불어 각종 내성의 보고입니다. 다양한 내성은 plasmid나 transposon 같은 mobile elements를 통해 이루어지기 때문에 같은 세대의 동료 균들도 얼마든지 타락시킬 수 있는 horizontal gene transfer를 즐겨하며, 이것이 우리로 하여금 감염관리를 더욱 어렵게 만드는 이유이기도 합니다.

인체에 질환을 일으키는 virulence는 하나하나 각개 전투가 아니며, 항상 유유상종으로 떼를 지어 모이는 법입니다. 이렇게 virulence를 일으키는 gene들이 모인 것이 pathogenicity island, 즉 일종의 조직 폭력단인 셈입니다.

병원성 *E. coli*는 창자 내부를 주 무대로 하며 설사를 일으키는 diarrheagenic *E.coli* (DEC), 그리고 창자를 벗어나 전신에 질병을 일으키는 extra-intestinal pathogenic *E. coli* (ExPEC)로 분류됩니다.

1) DEC
여행자 설사의 가장 흔한 원인균이며, 설사뿐 아니라 발열 및 패혈증까지 가는 경우도 있습니다. 이에 해당하는 유형은 다음과 같습니다.

(1) ETEC (Enterotoxigeni *E. coli*)
독소(toxin)로 설사를 유발합니다. 음식 섭취 후 수 시간에서 이틀 정도의 잠복기를 지나 증상이 시작됩니다. 이들이 내는 toxin은 크게 heat stable toxin (ST)과 heat-labile toxin (LT)의 두 가지가 있습니다.

LT는 adenylyl cyclase 작용을 과도하게 하여 세포 내에 cAMP가 과잉 축적됩니다. 이는 곧 protein kinase의 활성으로 이어지고, 여기서 cystic fibrosis transmembrane conductase regulator (CFTR)가 작동하게 되어, chloride를 잔뜩 분비하게 됩니다. 그 결과 그만큼의 sodium과 물이 대량으로 소장 안에 끌려 나옵니다. 즉, 설사, 좀더 자세히 말하면 secretory diarrhea가 유발되는 것이죠.

ST는 LT보다 더 심각한 상황을 초래합니다. 이는 장 세포의 guanylin receptor에 달라 붙어서 세포 내 cGMP가 과잉 축적되게 합니다. 그 결과는 LT와 유사하게 protein kinase G의 과도 활동으로 이어지고 CFTR의 과도 활동에 이어 더 많은 설사가 유발됩니다.

다행히 증상은 5일 이내로 가라앉습니다.

치료는 수액 보충 등의 일반적인 보조 치료인데, 항생제는 항상 주는 것이 아니고 면역 저하자나 설사 증상이 지나치다고 판단될 때, 고열 등의 증상으로 혹시 패혈증까지 갈 수도 있다는 우려가 들 때 비로소 줍니다. 항생제 선택은 azithromycin, levofloxacin, rifaximin 등을 한 번 주는 걸로 하는데, 주 목적은 앓는 기간을 단축하는 데 있다는 것을 명심합시다. 설사가 너무 심하면 지사제인 loperamide를 줄 수도 있지만, 가급적 신중하게 판단하는 것이 좋겠습니다.

(2) EPEC (enteropathogenic E. coli)

여행자 설사를 일으키기도 하지만, 특히 소아에서 집단 설사 사례의 원인균이기도 합니다. 잠복기는 비교적 짧아서 3시간 이내로 발병합니다. Secretory diarrhea 양상입니다.

설사 기전은 ETEC처럼 toxin 매개가 아니라 물리적입니다. 전자 현미경 병리 소견을 보면 세균들이 장 상피 세포의 lumen 쪽으로 다닥다닥 달라붙으면서 microvilli가 거의 다 소실되어 민둥산이 되어버린 병변을 보입니다. 이것이 바로 attaching & effacing (A/E) lesion으로, EPEC의 전형적인 소견입니다.

(3) STEC (Shiga toxin-producing E. coli)

STEC에 포함되는 것이 EHEC (enterohemorrhagic E. coli)입니다.

무엇보다 hemolytic uremic syndrome (HUS)을 일으키기 때문에 가장 주목받는 유형입니다.

HUS는 thrombotic microangiopathy, anemia, thrombocytopenia, renal failure를 주 증상으로 하는 증후군이며 이러한 증상들은 Shiga toxin에 의해 매개됩니다. 치명률이 0.5-11% 정도이며 치유되더라도 30% 정도는 후유증에

시달립니다.

이를 일으키는 EHEC로 유명한 것이 *E.coli* O157:H7 입니다.

독일에서 집단 발병했던 O104:H4도 한 때는 EHEC로 알려졌으나, 이는 다음에 설명할 EAEC로 밝혀졌으니 혼동하지 마시기 바랍니다.

원래 초식 동물, 예를 들어 소에서 살고 있었고, 이 소를 도륙해서 제공되는 덜익힌 소고기나, 이 균에 의해 오염된 농작물을 섭취하면서 걸리게 됩니다.

평균 잠복기는 2-3일 정도 됩니다.

이는 bowel transit time의 잣대로 보면 당연한 결과입니다.

보통 음식을 섭취하면 곧장 위장까지 도달하지만, 그때부터 지체되기 시작하여 2-4시간을 소모합니다. 그 다음에 작은 창자로 넘어가서 8시간 정도를 머물고, 큰 창자를 지나 직장을 거쳐 대변으로 최종 배출되기까지 총 40-50시간 정도 걸립니다.

소아는 상대적으로 장관의 길이가 짧아서 30시간 정도 걸린다고 보면 됩니다.

대부분의 경우는 1주일 내로 회복되지만 운이 나쁜 4-20% 정도는 중증으로 진행되어 HUS까지 갑니다.

국내에서는 매년 100명에서 200여 명 정도 발생해 왔습니다.

이 질환을 매개하는 Shiga toxin은 Stx-1과 Stx-2가 있습니다.

특히 Stx-1은 *Shigella*가 내는 toxin과 아미노산 딱 하나만 다르고 완전히 똑같습니다.

반면에, Stx-2는 반절 정도만 같습니다.

한때 Shiga-like toxin이라는 용어도 쓰였습니다만, 이젠 그냥 Shiga toxin이라고 불러주세요.

구조를 보면 A1B5 모델입니다.

B subunit이 주로 Binding(결합)을 담당하는 반면, A subunit은 숙주의 ribosome에 있는 28S rRNA에서 Adenine을 떼어 내는 게 본연의 임무입니다 (depurination).

먼저, pentameric B subunit은 달라붙는 역할을 합니다. 이는 인체 장 상피 세포의 globotriaosylceramide (Gb3)와 glycosphingolipids에 달라붙습니다. 이후 endocytosis를 거쳐 세포 안으로 들어가, 이번에는 A subunit의 활약으로 ribosome을 무력화시킵니다.

A subunit이 adenine을 떼어 낸 영향은 다음과 같습니다:

원래 ribosome은 translation 과정을 통해 amino acid를 하나씩 가져와서 조립하여 polypeptide를 만들어 필요한 단백질을 생성해야 합니다. 그런데 adenine을 떼어 내 버리면 어떤 amino acid를 가져와야 할지를 매칭해야 할 기준 참조 자료가 사라집니다.

따라서, protein 만들기를 할 수 없기 때문에 그 결과 ribosome이 아무 성과도 내지 못하며, 궁극적으로는 침범당한 해당 세포가 죽을 수밖에 없습니다.

이 toxin과 같은 A1B5 구조를 하고 있는 toxin이 콜레라 toxin입니다.

그런데 하는 짓은 정반대입니다.

오히려 adenine을 붙임으로써(ADP ribosylation), adenylyl cyclase가 과도하게 작동하도록 조장하여 대량의 설사를 유발합니다. 이에 대해서는 콜레라 단원에서 다시 다루겠습니다.

이 toxin은 세포 내 signal transduction에도 영향을 끼쳐서 inflammation과 세포의 apoptosis를 유도하여 세포의 죽음까지 초래합니다.

인체 내에서 이 Gb3 receptor가 가장 많이 널려 있는 곳은 신장입니다. 더 자세히 설명하자면, glomerular endothelial cells, mesangial cells, podocytes, renal tubular cells 등입니다.

그래서 신장 기능이 주로 해를 입는 것입니다.

또한 백혈구에도 달라붙어서 혈류를 타고 전신을 누빕니다. 그러다 보니, 전신의 endothelial cell도 손상을 받습니다. 이 endothelial injury로 인하여 endothelial cell은 흑화가 됩니다.

그래서 thrombosis를 만들고, 각종 염증 지향 cytokine들이 쓸데없이 난무하기 시작합니다.

그리하여 좁아터진 혈관을 지나는 적혈구들이 마구 깨지고(microangiopathy, hemolysis), 혈소판은 쓸데없이 소모되어 절대 수가 부족해지고(thrombocytopenia), 혈류가 각 장기에 원활하게 공급되지 못하여 해당 장기들은 다발성으로 기능을 제대로 못 합니다(microthrombosis, multi-organ failure).

아무래도 신장에서 시작된 것이니, 장기 부전의 첫 희생은 신장이 치르게 됩니다.

그 결과는 다음과 같습니다.

혈액 파괴(hemolytic)와

신 부전(uremic)으로 이뤄진

총체적 난국(syndrome)이 되는 것입니다.

패혈증과 언뜻 유사한 병리 기전이지만, HUS의 경우에는 coagulation factors의 낭비는 일어나지 않습니다.

고로, DIC (disseminated intravascular coagulation)과는 다릅니다.

그래서 D-dimer 수치는 정상입니다.

HUS는 *Shigella*나 *E. coli* O157:H7만 전담해서 일으키는 질환이 아닙니다.

*Campylobacter*나 일부 바이러스(예: HIV)도 일으킬 수 있습니다.

HUS는 주로 소아에서 오고, 성인에서는 thrombotic thrombocytopenic purpura (TTP)가 옵니다.

이는 metalloproteinase인 von Willebrand factor-cleaving protease (VW-FCP), 일명 ADAMTS13 (a disintegrin and metalloproteinase with a thrombospondin type 1 motif, member 13)이 무력화되면서 vWF가 과잉으로 남아 돌면서 혈소판 작용이 지나치게 올라간 결과로 초래됩니다.

TTP의 경우는 Gb3 receptor와는 무관하게 혈액 응고 체계 범주에서 진행되는 질환입니다.

그런데, Gb3 receptor는 성인보다 소아에 훨씬 많습니다.

따라서 HUS는 소아에서 호발할 확률이 더 높은 것입니다.

그리고 TTP가 HUS보다 신기능 장애 발생이 적은 이유도 Gb3 receptor와 관련이 있습니다.

다시 강조하지만, Gb3 receptor가 신체에서 가장 많이 있는 곳은 신장입니다.

그러므로 HUS가 TTP보다 신장 기능이 고장날 확률이 훨씬 더 높습니다.

반면에 TTP는 HUS보다 전신 증상이 더 자주 일어납니다.

HUS는 Gb3 receptor가 많은 신장 이상으로 시작하는 반면에, TTP는 전신에 걸친 vWF의 과잉이 주요 문제입니다. 즉, 어느 특정 장기에 국한된 것이 아니고, 신체 전반에 걸친 총체적인 난조인 것입니다.

따라서 TTP가 HUS보다 열도 더 나고 중추신경계 이상 증세도 더 많을 수밖에 없습니다.

이외에 atypical HUS도 있는데, factor H에 문제가 생기거나 다른 조절 기전의 문제로 alternative complement pathway가 쓸데없이 과잉 활성화된 결과로 나타납니다.

임상 증상을 보면, 혈변이 나타나고 나서 5-10일 정도에 HUS가 발현됩니다.

처음에 균을 섭취하고 2-3일 지나야 소장과 혹은 대장에 정착을 하는데, 그 와중에 장 점막이 파괴됨으로써 혈변 내지 점액 변이 시작됩니다. 이게 바로 이질 증세입니다.

이질 증세가 나타나는 와중에 Shiga toxin이 혈류로 흘러 들어가서 신장에 도달하며, 앞에서 설명한 endothelial cell injury와 thrombosis 등의 과정을 거쳐 HUS까지 유발할 수 있습니다.

그래서 본격적으로 HUS가 발현되기까지 이질 증세 시작 후 5-10일 만큼의 시일이 더 걸리는 것입니다.

HUS까지 나타나면, 치료는 수액 공급 등의 일반적인 돌봄이 우선이며, 항생제는 되도록이면 쓰지 않는 게 좋습니다. 항생제를 쓰면 오히려 더 악화되기 때문입니다.

상당히 모순적인 방침이라는 느낌을 받으실 텐데, 결론부터 얘기하자면 이게 맞습니다.

잊어서는 안 될 것이, HUS는 균 본체가 몸소 위해를 가하는 것이 아니라 균에서 나온 물질(toxin)들이 이 모든 재앙을 불러오는 것입니다. 따라서 항생제로 균을 제대로 죽이는 데 성공을 하더라도 균 본체로부터 독소가 오히려 더 많이 흘러나오는 결과를 초래하기 때문에 항생제 사용은 되도록 삼가는 게 좋습니다.

그렇다면 항생제는 STEC 질환에서 상극이냐?

그건 아닙니다.

항생제를 첫 증상이 발생하고 3-4일 내로 쓰는 건 맞습니다. 그러나 그 기한이 지나 생기는 HUS에서는 쓰지 않는 것을 원칙으로 합니다.

EHEC는 제2급 감염병으로, 발병 시 입원 및 격리 치료가 원칙이며 환자, 보균자의 배설물에 오염된 물품은 소독하여야 합니다. 격리 해제는 증상이 완전히 소실된 후 24시간 후부터, 항생제 치료를 했을 경우 항생제 치료를 중단하고 48시간이 지난 후 24시간 이상의 간격을 두고 시행한 대변배양 검사에서 2회 연속 음성이 확인되는 것을 기준으로 합니다.

EHEC 환자의 밀접 접촉자는 노출 시점부터 10일간 수동 감시에 놓입니다.

(4) EAEC (enteroaggregative *E. coli*)

2011년 북부 독일에서 일어났던 *E. coli* O104:H4 outbreak의 원인균은 처음에는 EHEC로 오해받았으나, 분석 결과 EAEC로 판명되었습니다. 이는 원래 STEC하고 놀던 Shiga toxin encoding phage가 이 균으로 들어오는 바람에 탄생한 STEC-EAEC hybrid 괴물인 셈입니다.

역시 여행자 설사의 원인균이며, 개발 도상국의 소아 성장 장애의 원인이기도 하고, 에이즈 환자에서 만성 설사의 원인이기도 합니다. 소화기뿐 아니라 비뇨기 감염도 일으킬 수 있는 균입니다.

병리 조직을 현미경으로 들여다 보면, aggregative adherent fimbriae에 의해 상피 세포에 마치 벽돌 쌓듯이 엉겨 붙는 "stacked-brick" 소견을 보인다는 것에서 이 이름이 붙었습니다.

EAEC는 이렇게 벽돌처럼 장 점막에 달라 붙은 뒤, 끈적거리는 biofilm을 형성하고 toxin을 내면서 장 점막에 염증을 유발하여 설사를 초래합니다. 보통 8시간에서 이틀 정도의 잠복기를 가진 후 복통, 설사, 오심 구토 등을 일으킵니다. 혈변은 흔하지 않지만, Shiga-toxin을 지닌 O104:H4 유형의 균이라면 HUS까지도 갈 수 있습니다.

(5) EIEC (enteroinvasive *E. coli*)

이 균은 뒤에 다룰 이질균, 즉 *Shigella*와 동일하게 취급합니다. 조금 더 순한 맛이긴 해도 구별이 거의 불가능합니다. 왜냐하면, 사실은 출생의 비밀로 잃어버린 형제이니까.

(6) 추가적인 pathotypes

DAEC (diffusely adherent E. coli)가 설사를, AIEC (adherent-invasive E. coli)가 Crohn's disease에 영향을 끼치는 균입니다만, 더 자세히 다루지는 않겠습니다.

2) ExPEC (Extraintestinal pathogenic E. coli)

이는 commensal & DEC와는 엄연히 다른 종류입니다. 공통점이라고는 전혀 없으니 같은 E. coli라도 그냥 별개의 종이라고 간주하는 게 속 편합니다. DEC와는 pathogenicity island가 전혀 다릅니다. 저쪽이 돈 코룰레오네 마피아라면, 이쪽은 그냥 삼합회로 생각하시면 됩니다.

전반적으로 다음과 같은 종류들이 있습니다:
비뇨생식기 감염을 일으키는 uropathogenic E. coli (UPEC), sepsis 일으키는 SEPEC, pneumonia 일으키는 놈, neonatal meningitis 일으키는 NMEC, 그리고 cellulitis, bone & joint infection, 복강 내 감염을 일으키는 놈들이 있습니다.

질병이 일어나는 장소에 따라 분류는 했는데, 사실은 다 같은 놈들입니다. 질병을 일으키는 양상이 달라서 분류했을 뿐입니다. 이것이 의미하는 것은 사실 더 나쁜 뜻을 갖고 있습니다.
장기를 가리지 않고 여기저기 쉽게 옮겨 다니며 말썽을 부릴 수 있다는 뜻이지요.
이는 대부분 장에서만 노는 DEC와 다른 점이기도 합니다.

UPEC는 원래 출발점이 vaginal 혹은 fecal microbiota이며, 고향에 얌전히 있지 않고 기어 나와 비뇨기 감염 내지 신우신염을 일으킵니다. 일단 기어 나오면 adhesin으로서 type I fimbriae를 매개로 bladder epithelial cells에 정착합니다. 이후 epithelial cells로 침투하고 증식합니다. 수가 많아지면 intracellular bacterial communities (IBCs)를 형성하며, 여기서 끊임없이 균들을 파견하면서 비뇨기 감염이 자꾸 재발하는 원인이 됩니다. 신장으로 가면 hemolysin을 써서 신 상피 세포에 구멍을 내서 손상시킵니다. 약 1/3에서 cytotoxic necrotizing factor를 내며 Rho GTPases를 불활성화시키고, actin 모임을 재구성합니다. 그리하여 submucosal edema, 즉 염증을 유발합니다. 특히 고유의 siderophore를 활용하여 인체 세포의 철분을 약탈함으로써 병리 기전 양상이 더 악화됩니다.

이에 대해서는 나중에 APN 단원에서 다시 복습하도록 하겠습니다.

SEPEC은 GNB bacteremia의 가장 많은 원인입니다. 다양한 virulence factors를 활용하여 전개합니다.

나이가 많거나 cirrhosis, 면역 저하 환자의 경우는 예후가 좋지 않습니다. 특히 비뇨기 감염에서 sepsis로 오는 경우가 잦습니다. 결국은 다 같은 놈들이라고 했지요? 그 다음이 장에서 translocation되는 겁니다. 특히 HIV 같은 면역 저하 환자의 경우, 이런 식으로 꾸준하게 인체 면역계에 시비를 걸어서 자잘한 싸움들을 지나치게 치름으로써 면역계가 지치게 만듭니다. 결과는 항상 국지전이 지속되는 만성 염증 상태.

이는 HIV 단원에서 다시 다루기로 하겠습니다.

2. *Klebsiella*

Klebsiella 균은 1885년에 Trevisan이 처음 발견하였는데, 19세기 말 Theodor Albrecht Edwin Klebs 박사를 기리는 의미에서 *Klebsiella*라고 명명되었습니다.

사람에게서 병을 일으키는 종은 *Klebsiella pneumoniae, K. oxytoca*, 그리고 *K. granulomatis*로 총 3가지입니다. 사실 *K. pneumoniae*는 여러 형제들로 구성되어 있습니다.

우리에게 유명한 *K. pneumoniae*의 정식 명칭은 *K. pneumoniae subspecies pneumoniae*입니다. 나머지 형제들은 *K. pneumoniae subspecies ozaenae, K. pneumoniae subspecies rhinoscleromatis*입니다. 그냥 번거로워서 줄여 부를 뿐입니다.

한때 *Klebsiella* 가문이었던 *K. planticola, K. ornithinolytica, K. terrigena, K. variicola*는 이제는 *Raoultella* 가문으로 딴 살림을 차렸습니다.

모두가 non-motile 균입니다.

사람의 nasopharynx와 소화 기관에 원주민으로 서식하고 있을 뿐 아니라 환경에서도 흔히 서식합니다.

또한 다른 그람 음성균과는 달리 병원 내 감염뿐 아니라 병원 밖 지역 사회 감염에서도 중요한 위치를 차지하고 있습니다.

대표적인 것이 간 농양이나 술 많이 마시다가 잘못 걸리는 *K. pneumoniae* 폐렴이죠.

그러나 대부분은 원내 감염에서 주로 말썽을 부리며, 특히 내성을 참으로 다양하고도 현란하게 발휘하여 우리 임상가들을 곤혹스럽게 합니다.

*K. pneumoniae*가 병독성을 나타내는 원천은 고유의 polysaccharide capsule에 있습니다.

참으로 다양한 항원들과 특히 끈적거리는 물질들을 잔뜩 내어서 여기저기 달라 붙고, 인체 면역 체계에도 저항을 합니다. Capsular type K1과 k2는 특히 병독성이 강합니다.

이러한 전형적인 예로 hvKP (hypervirulent 혹은 hypermucoviscous *K. pneumoniae*)가 있습니다.

이 hvKP는 이름 그대로 유난히 병독성이 강한 KP입니다.

공식적으로는 1986년 대만에서 처음 인지되었고, 처음에는 다수의 사례가 태평양 인접 아시아인들에게서 나왔습니다. 특히 미국에서는 베트남 사람들에서 주로 나왔기 때문에 유별나게 아시아인들만 골라서 괴롭히는 균으로 간주되기도 했었습니다. 솔직히 인종 차별적인 시각도 살짝 느껴집니다.

주로 간 농양 환자에서 나오는데, 일반적인 간 농양 환자들과 다른 점은 평소 간 담도 부위에 특별한 이상은 없었다는 것입니다.

배양된 집락을 보면 유난히 끈적끈적거리는 점액들을 잔뜩 두르고 자라난 모습을 보입니다.

그래서 균 배양할 때 쓰는 루프로 슬쩍 떠 보면 5 mm 이상 끊어지지 않고 매달려 올라오는 현상을 볼 수 있는데, 이를 string test 양성이라 하며 hvKP 여부를 급히 알 수 있는 유용한 지표입니다.

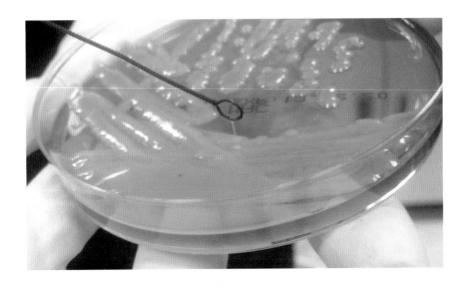

기존의 KP (classic KP, CKP)에 비해 유난히 신체 내 구석 구석 여기저기로 퍼지는 경향이 매우 강합니다.

혈관 같은 순환계를 타고 전이하는 특징이다 보니, 근본적으로 각 장기로 가는 혈관을 틀어막는 경향이 있습니다. 예를 들어, 같은 폐렴이라 해도 hvKP에 의한 폐렴은 CKP에 의한 폐렴과는 병변이 근본적으로 다르죠.

CKP 폐렴은 기관지를 타고 균이 증식하여 생기는 폐렴인 반면에, hvKP에 의한 폐렴은 혈관을 타고 가서 막음으로써 해당 부위가 괴사에 빠지게 만듭니다. 즉, 일종의 폐 색전증인 셈입니다.

간, 폐뿐 아니라 눈(endophthalmitis), 중추 신경계(meningitis, brain abscess) 등 다른 장기들까지 기능을 망가뜨리며 병변을 만드니 hvKP 감염의 예후는 CKP에 비해 매우 나쁠 수밖에 없습니다.

이 hvKP가 CKP보다 병독성이 더 강한 이유는 아직 확립이 안 되었지만, 일단은 철분 대사와 관계가 있는 것으로 추정되고 있습니다. 그 근거는 hvKP의 siderophore (aerobactin)가 CKP의 siderophore보다 10배 정도 더 강력하다는 데에 있습니다.

그리고 유난히 전이를 잘 하는 이유는 *K. pneumoniae*가 근본적으로 엉덩이가 무거운 균종이고(non-motile), hvKP가 끈적거리는 놈이라는 특징을 갖고 있기 때문에 혈류에 휩쓸려 가다가 어느 장소에 주저 앉으면 끈끈하게 들러붙어서 다시 일어서기가 힘들다는 데에 있지 않을까 추정합니다.

*K. pneumoniae*는 유난히 plasmid 등의 교류가 활발한 매우 개방적인 균입니다. 따라서 내로라 하는 ESBL과 carbapenemase가 우글거리는 온상이 되고, 그 결과로 다제 내성균이 많습니다.

같은 *K. pneumoniae*라 해도 유난히 외부 문물을 더욱 잘 받아들이는 엘리트 균주라면 상황이 더 나빠집니다. 대표적인 예가 ST258 균주인데, 대표적 carbapenemase인 KPC 유전자를 지닌 Tn4401이 이 ST258에 얹혀지면 가장 뛰어난(?) CPE가 됩니다.

K. pneumoniae가 일으키는 3대 질환은 비뇨기 감염, 폐렴, 균혈증입니다.
그 다음으로 liver abscess의 주요 원인균이며, 다른 복강 내 감염 등도 주요 질환입니다.

*K. pneumoniae*에 취약한 환자들은, 매일 술독에 빠져 살거나, 당뇨, 악성 암, 말기 신부전, 면역 저하 환자 등입니다.
폐렴은 알콜 중독자들이 잘 걸리는 community-acquired pneumonia가 대표적인 사례입니다.
병변은 주로 상엽에서 생기는 경향이 있고, 피와 점액이 섞인 붉은 벽돌색 가래를 뱉는 것이 특징입니다.
상엽을 차지하는 병변이 도가 지나치면 용적이 늘어나서 흉부 X선 소견을 보면 buldging fissure 소견을 보이며, 이게 더 진행되면 abscess까지 만들어집니다.

그러나 이는 *K. pneumoniae*만 독점하는 고유의 소견은 아니고, 다른 균도 충분히 이런 양상을 보일 수 있어서 구분이 어렵긴 합니다. 하지만 실전에서 대개는 잘 맞아요.

Liver abscess는 앞서 언급한 바와 같이 다른 장기로 전이를 잘 하는 경향이 있습니다. 기존에 간 담도계 질환을 기저 질환으로 앓던 이들에게서 호발하는데 그건 CKP의 경우이고, hvKP의 경우엔 아무런 기저 질환도 없던 사람이 뜬금없이 liver abscess가 생기는 일이 많습니다.

비뇨기 감염은 주로 CAUTI와 연관됩니다.

그 밖에 necrotizing fascitis, spinal infections, septic arthritis, cardiac infections, mycotic aneurysm 등의 원인이 됩니다.

항생제들 중에서 ampicillin은 유감스럽게도 모두 내성이므로 쓸 수 없습니다. 다제 내성이 아니라면 3세대 cephalosporin이나 fluoroquinolone, aminoglycoside 등을 사용할 수 있지만, 앞서 언급한 바와 같이 ESBL 생성균이라면 carbapenem을, CRE/CPE라면 colistimethate를 임상 양상에 따라 사용할 수밖에 없습니다.

3. *Enterobacter*

*Enterobacter*는 *E. coli*처럼 Enterobacteriaceae에 속하는 장내 세균인데 한때 우글거렸던 가족들이 *E. cloacae* 외에는 거의 다 출가를 해서 족보가 꽤 꼬였습니다. *E. aerogenes*는 *Klebsiella aerogenes*로(그러나 motile합니다), *E. sakazakii*는 2007년 이후 *Cronobacter sakazakii*로, *E. agglomerans*는

*Pantotea agglomerans*로, *E. hafniae*는 *Hafnia alvei*로 족보를 바꾸었습니다. 그래도 이들 옛 멤버들은 아직 옛 정이 남아서 *Enterobacter*를 논할 때 같이 다루어 주고 있습니다.

배양하면 끈적거리는 점액상 집락(mucoid colonies)모양으로 자란다는 점과 임상 질환 양상 등이 *Klebsiella*와 상당히 유사합니다. 다만, 동정 과정에서 urease 음성 및 ornithine decarboxylase 양성이라는 생화학적 특징의 차이와 꼼지락거리며 움직일 수 있다(motile)는 점으로 이 둘을 구별합니다. 단, *K. aerogenes*는 motile하므로 예외입니다.

AmpC 효소가 잘 가동되어서 선천적으로 ampicillin에 내성이며 cephalo-sporin 2세대까지 저항할 수 있습니다. 그리고 자체 돌연변이에 의해서 3세대 cephalosporin에게까지 반항하는 균들이 최근 증가했고, plasmid를 매개로 한 ESBL, carbapenemase 등도 발현됩니다.

임상 양상, 치료 원칙은 *Klebsiella pneumoniae*와 동일하게 보시면 되겠습니다. 단, 치료에 있어서 3세대 cephalosporin 사용은 실패할 위험이 높으므로, 아예 4세대 cephalosporin부터 일차 선택 약제로 삼는 것이 좋겠습니다.

4. *Serratia*

*S. marcescens*는 철자를 많이들 헷갈리는데, s 앞뒤로 c가 하나씩 있다고 생각하면 안 틀려요.
쎄라치아라고들 발음하는데 이탈리아 사람이 아니라면 "써레이시아"라고 발음해 주시면 되겠습니다.

저는 이 균이 톱날을 시사하는 단어에서 이름이 유래한 줄 알았습니다만, 1819년에 이탈리아의 Bartolomeo Bizio가 옥수수 죽이 발갛게 변색된 원인균으로서 규명하면서 물리학자인 Serafino Serrati에게 헌정하면서 붙인 이름이더군요. 종명인 marcescens는 라틴어로 '부패함'을 의미합니다.

이 균은 prodigiosin을 냄으로써 배지에서 종종 발간색 집락을 보입니다.

가끔 성체가 피를 흘리는 기적을 보였다는 일화들을 접하신 적이 있을 겁니다. 이건 아마 신자라면 몰라도 종교 없는 분이라면 *Serratia* 균에 의한 현상이었을 것으로 의심해도 될 듯 합니다.

주변 환경 여기저기에 많이 분포하고 있는데, 일부 예외는 있겠지만, 건강한 사람에서는 정상 세균총은 아닌 것으로 간주되고 있습니다.

비뇨기 감염, 균혈증, 폐렴의 원인균이며, 특히 중추 신경계와 눈에 감염 질환을 일으키는 경향이 있습니다.

내성 양상은 *K. pneumoniae*와 유사하게 까다롭습니다.

일단 ampicillin과 1세대 cephalosporins는 안 들으며, 다제 내성을 보이는 경향이 있으므로, 이에 맞춰서 항생제 선택을 조정해야 하겠습니다.

5. *Proteus*

대부분이 *P. mirabilis*이고 일반 성인의 50% 정도에서는 정상 세균총이기도 합니다.

그 밖에 *P. vulgaris*, *P. penneri*가 있으며, 이 둘은 정상 세균총으로 보긴 어렵고 만성 기저 질환 환자에서 잘 나타납니다.

배양을 하면 swarm phenomenon이라는 재미있는 소견을 볼 수 있습니다.

Swarming이란, 한 마디로 변화무쌍하게 둔갑을 반복한다는 것이 표현된 것입니다. 처음엔 신나게 집단 질주하며 자라나다가, 잠깐 단체로 쉬고 하는 과정을 되풀이하다 보니 층층시야의 pattern을 만들게 됩니다. 마치 나무의 나이테가 만들어지는 원리와 흡사합니다. *Proteus*라는 이름 자체가 "변화무쌍하게 둔갑을 한다" 뜻에 어원을 두고 있으니까 이에 걸맞은 소견인 셈입니다.

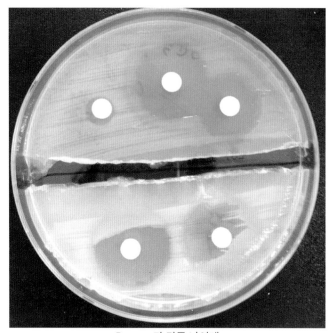

*Proteus*가 만든 나이테

임상적으로는 비뇨기 감염이 대표적인데, 특히 소변을 알칼리화시키기 때문에 결정, 즉 돌멩이가 만들어지기 쉬운 여건을 조성합니다. 그래서 요로결석에서 잘 동반되는 균이기도 합니다.

원내 폐렴에서 폐 상엽에 생길 경우 *Proteus*를 의심해 볼 가치가 있으며, 특히 비뇨기 감염이 선행하는 경우도 많습니다. 그런데 *Proteus*는 cavity 형성을 안한다는 면에서 *Klebsiella*와 구별됩니다.

항생제로는 tetracycline, ampicillin, 1세대 cephalosporin은 제외하고 나머

지는 잘 들을 확률이 높습니다.

6. Citrobacter

이 균은 자라는 데 있어서 citrate를 유일한 carbon source로 쓴다는 데에서 그 이름이 유래했습니다.

*C. freundii, C. koseri*가 대표적이며, 임상적으로 *Enterobacter*와 *Acinetobacter* 감염과 유사한 양상을 보입니다.

이 또한 내성 양상이 온건하지 못하기 때문에 imipenem, amikacin, 4세대 cephalosporins을 선택할 경우가 많습니다.

7. Morganella

*Morganella morganii*가 대표적인 균입니다.

오랜 기간 동안 요관을 거치하고 있는 환자에서 비뇨기 감염의 원인균이 되곤 합니다.

임상 실전에서는 만약 *Proteus* 종이나 이 균이 나온다면 비뇨기 감염이 아니라 해도 urine pH를 확인해 볼 필요가 있습니다. 만약 알칼리라면 비뇨 생식 기계에 돌멩이가 있을 가능성을 의심해 볼 가치가 충분합니다.

역시 내성 때문에 되도록이면 piperacillin/tazobactam, imipenem, amikacin, cefepime을 주로 선택하는 것이 좋겠습니다. 물론 돌멩이를 제거하는 것도 병행되어야 하겠죠.

8. Salmonella

*Salmonella*는 그람 음성 막대균이며 꼼지락거릴 수 있고(motile), 세포 안으로 침투해서 나쁜 짓을 하는 병원균(intracellular pathogen)입니다.

1880년 Karl Eberth가 염병 환자의 비장과 Peyer's patch에서 처음 발견했으며, 4년 후 Georg Theodor Gaffy가 이 균의 배양에 성공합니다. 그로부터 1년 후 Theobald Smith가 돼지의 창자에서 분리한 후 동정에 성공을 합니다. 이 균의 이름은 그의 지도 교수인 Daniel Elmer Salmon에 헌정하여 1900년에 *Salmonella*로 정식 명명이 됩니다.

*Salmonella*의 분류는 일단 typhoid에 해당하는 균이냐 아니냐로 구분합니다. 우선 장티푸스를 일으키는 Invasive salmonellosis (typhoidal)의 범주로 해서 *S. typhi & paratyphi*가 있습니다. 이는 사람에게만 감염됩니다. 그리고 장티푸스가 아닌 non-invasive salmonellosis (nontyphoidal, NTS)가 있습니다. 이는 사람보다는 동물에게 주로 감염이 일어나요. 예를 들어 *S. Dublin*은 소, *S. Arizonae*는 파충류에 호발합니다. 사실 *Salmonella* serotype의 40%가 파충류에서 나옵니다.

여기까지만 알아도 임상에 지장 없습니다만, 그래도 group A에서 D까지는 어떤 종이 있는지는 아는 게 좋습니다. 왜냐하면 배양 검사 결과지에 그렇게 보고되거든요.
소위 Kauffman-White scheme의 O Ag에 근거를 둔 분류로, 원래는 A, B, C1, C2, D, E로 나눕니다만, 그냥 A, B, C, D로 4개만 외웁시다. 그것도 라임을 맞춰서 발음하면 쉽게 외워집니다.

먼저 Group D : *Salmonella typhi*, 그리고 *enteritidis*

이후부터는 다행히도 rhyme이 딱딱 맞아요.

Group A: *paratyphi* A (이건 쉽죠?)

Group B: *paratyphi* B (...) 그리고

Group C: *paratyphi* C (...) 그리고..

choleraesuis ← C로 시작하잖아요.

이러면 다 암기가 됩니다.

그래도 정통 분류법은 알고 넘어갑시다.

정식으로는 species - subspecies - serovar의 틀로 명명합니다.

Species는 2개로 나뉩니다:

- *Salmonella enterica*

- *Salmonella bongori* ← 이건 냉혈동물, 예를 들어 파충류에만 서식합니다.

Subspecies of *S. enterica*는 총 6개로, *S. e. enterica, salamae, arizonae, di-arizonae, houtenae, indica*입니다. 우리 임상가들은 *S. enterica*만 신경 쓰고 나머지는 몰라도 됩니다.

Serovar는 무려 2,500개가 넘습니다. 그러므로 안 외워도 돼요.

참고로 체계만 알아보죠. 총 3단계를 거치는데: somatic O antigen of LPS → surface Vi antigen (*S. typhi*와 *paratyphi-C*에 한해서), 그리고 flagella H Ag 입니다.

그래서, 정식 명명법은 Genus-species-subspecies-Serovar입니다.

단, 명명하고 호칭하는 데 있어서 규칙이 하나 있는데, *Genus*는 시작 글자가

대문자, *species*, *subspecies*는 소문자로 쓰면서 모두 이탤릭체이지만, Serovar는 종을 결정하는 생화학적 성상이 아닌 혈청형으로 구한 것이라 시작문자를 대문자로 쓰되, 이탤릭체로 쓰지 않습니다.

그럼 *Salmonella typhi* 를 정식으로 표기해 봅시다:
Salmonella enterica subspecies *enterica* serovar Typhi.
줄여서 *Salmonella* Typhi.
그러나 실제로는 그냥 *Salmonella typhi*라고 해도 되는 것도 허용되었습니다.
실전에서는 결국 제자리네요.

특히 장티푸스에 준해서 병리 기전을 살펴 봅시다.
일단 이 균에 오염된 무언가를 섭취해야 합니다. 보통 1,000,000마리의 세균이 감염 성립에 필요한 최소한의 수입니다.
인체에 들어오면 fimbriae를 매개로 하여 intestinal epithelial cell에 달라붙습니다.
이후 복잡한 기전을 거치면서 질환을 완성해 나갑니다.
그 복잡한 기전들의 실타래에서 핵심은 다음 4가지입니다:

Peyer's patch, M-cells (microfold cells), PhoP/PhoQ system (two component regulatory system), Type III secretion system (T3SS).

병리 기전이 일어나는 첫 장소 Peyer's patch부터 봅시다.
Peyer's patch는 한마디로 우범지대입니다.
소장과 십이지장에 걸쳐서 약 100여 개 정도 있는 lymphoid follicle들입니다.
장점막에 인접해서 M-cell을 선두로 세우고 그 밑으로 macrophage, dendritic cells, T-lymphocytes, B-lymphocytes 등이 '어디 건수 없나' 하고 잔뜩 모여있습니다.

특히 ileum에서 cecum으로 'ㄴ' 자로 급커브를 도는 구간을 주목합시다.

거기는 급커브를 도는 만큼 혈류도 상대적으로 덜 가고, 따라서 순찰자들도 덜 옵니다.

그래서 장티푸스뿐 아니라 허혈성 장염, 결핵성 장염 등등 각종 장 질환들이 가장 호발하는 우범지역입니다.

따라서 Peyer's patch의 존재 의미는 우범지역의 순찰과 감시업무(immune surveillance)입니다.

여기서 사고가 터지면 병원체와 더불어 각종 염증세포가 몰려들고, 아수라장이 됩니다.

그리하여 잔뜩 붓고, 심하면 장이 꼬이거나(intussusception) 터지기도(perforation) 합니다.

M-cell (microfold cell)은 마치 잠복 근무하는 형사처럼 장 점막세포들 사이사이에 은밀히 박혀 있으면서 감시의 눈을 번뜩이다가 병원체가 나타나면 잽싸게 꿀꺽 삼킵니다.

어떻게 들어갈까요? 병리 기전을 좀 아는 이들 중엔 흔히 receptor-mediated endocytosis를 연상하는 이들도 꽤 있을 것이지만 그건 non-phagocytic cell의 기전입니다. 세균을 만나는 바로 그 지점에서 주름 장식(membrane ruffling)이 마치 카펫처럼 스르륵 하고 나와서 bacteria를 혓바닥처럼 날름 감싸며 세포 안으로 삼킵니다. 이건 자발적인 게 아니고 나중에 설명할 T3SS가 조장한 것입니다. 세포 내에 들어온 *Salmonella* 균은 vesicles에 들어 앉아 세포 안에 기거합니다. 이 상태로 균을 압송해가지고, 자기 뒤에 대기하고 있는 antigen presenting cells (APCs)에게 넘겨줍니다. 이를 받은 APC, lymphocytes들은 곧장 그 아래에 있는 lymphatic system으로 들어가서 할 일을 수행하기 시작합니다.

그런데, 얼핏 보면 이 M-cell이 균을 체포한 것 같지만, 실은 역이용을 당한 겁니다.

교활한 *Salmonella* 균은 잡혀서 압송당해주는 척 하면서 APCs를 택시 삼아 lymphatics 순환도로를 타고 온 몸에 퍼진다는 것.

이런 식의 기만술은 *Salmonella*만 하는 짓이 아닙니다. 예를 들어 *Shigella*, *Yersinia*, *E. coli*, 그리고 세균뿐 아니라 prion도 그런 짓을 하고, 특히 바이러스가 그런 교활한 짓을 잘 합니다.

대표적인 예로 poliovirus와 reovirus, CXCR4-tropic HIV가 있습니다.

그럼 왜 삼켜진 균이 죽지를 않는 걸까요?

여기에 관여하는 것이 PhoP/PhoQ system입니다.

정식으로는 two-component regulatory system으로, 이들이 하는 일은 한마디로 바꿔치기와 host를 기만하는 것입니다.

PhoQ가 세균 외부 환경의 변화를 감지하는 sensor이고 PhoP가 host를 기만하는 regulator입니다.

앞서 말한 M-cell에 의해 압송되는 척하면서 macrophage 속으로 들어온 *Salmonella*는 원래 가만 있으면 macrophage 세포 내의 phagosome 내에서 처참하게 녹아 죽을 운명입니다.

그런데 *Salmonella*는 magnesium 농도가 낮아진 것을 기준으로 하여 PhoQ를 통해 자신이 phogosome 내에 있음을 즉각 인지합니다. 그 순간 phos-phorylation을 하면서 PhoP에게 phosphate 즉, 에너지를 전달합니다.

그러면 PhoP는 그 힘으로 DNA에 가서 달라 붙으면서 virulence gene의 발현을 조절하게 되는데, 그 결과 outer membrane protein의 발현과 Lipopoly-saccharide의 변형을 시키고, 이로 인해 세균 세포 표면을 변형시킵니다. 그렇게 해서 세균 살해 작용이 지장을 받게 됩니다.

이것만으로도 충분치 않은지 *Salmonella*는 host 포섭용 주사기 type III se-cretion system (T3SS)을 사용하여 host의 phagosome membrane에 꽂아 뭔가를 주입합니다. 그 '뭔가'가 바로 자신을 묵인하도록 해주는 host 포섭용 물질들입니다. 결국 phagosome 내에서 행해지기로 예정되었던 세균의 사형 집행은 취소가 됩니다.

그 물질들이 하는 일 또 한 가지는 host cell의 운동 기관인 actin cytoskeleton에 작용해서 APCs를 택시처럼 운행하게 만들어 전신에 퍼지게 하는 겁니다.

이렇게 evasion이 이루어지는 와중에 장 상피에는 분비를 조장하는 염증 지향성 cytokine이 작동을 하여 neutrophil을 비롯한 염증 세포들이 총동원됩니다. 그리하여 LPS에 의한 TLR4 활성화, flagellin에 의한 TLR5 활성화 등으로 더욱 악화되고, 결국 장 상피가 파괴됩니다.

그런데, 염증 양상이 *Salmonella typhi*와 non-typhoidal *Salmonella* (NTS)균이 좀 다릅니다. Typhoid 경우는 monocytic inflammation 위주라서 설사가 상대적으로 적은 편이며 NTS는 neutrophilic 이라 설사가 더 많습니다. 장티푸스의 경우에 설사를 보기가 좀 드문 이유가 바로 여기에 있습니다.

다음 *Shigella* 편에서도 다루겠지만 *S. typhi*와 *Shigella*균은 처음엔 동일한 과정을 밟습니다.

그러나 장 점막으로의 침투가 성공하고 장의 염증을 유발한 시점부터 *Salmonella*와 *Shigella*는 각자의 장래를 다르게 선택합니다.

*Shigella*는 non-motile한 성격도 있고 해서 그냥 장 점막에 남아 동네 깡패로 분탕질치는 쪽을 택하고, 반면에 *Salmonella*는 flagella라는 엔진도 달고 있는 이상, 전국구로 더 넓은 세상으로의 이동을 택합니다.

그리고 APCs를 택시 삼아 lymphatics 고속도로를 달려 혈관으로 이동해서 전신으로 퍼집니다. 이것이 primary bacteremia입니다.

이 때는 세포 내에 숨어 있으므로 아직 임상적인 증상이 나타나진 않습니다.

이들은 liver, spleen, bone marrow, lymph node 등에 안착하고, 증식을 계속합니다. 이때가 잠복기입니다.

그러다 보면 증식의 임계점에 다다르고, 결국 혈류로 다시 나오게 되며, 드디어 본격적인 임상증상이 시작됩니다. 이 때가 바로 secondary bacteremia입니다.

세균이 나오니 임상증상이 발현되는 것도 있지만, host가 세균과 더불어 세균이 내는 물질에 면역능을 발휘하다 보니 염증이 더욱 악화되는 역설적인 상황도 고열, 복통 등의 임상증상 발현에 큰 몫을 합니다.

그 결과 간이나 비장이 붓고 비대해지며 담즙에 실려 Peyer's patch로도 다시 돌아가게 되어, 거기서 추가적으로 장 염증이 악화되고, 심하면 터지거나 출혈이 일어나기도 합니다.

임상 경과를 봅시다.

NTS는 주로 gastroenteritis 양상입니다. 일부 8%에서 bacteremia까지 갈 수 있습니다.

짧게는 반나절에서 이틀, 길게는 일주일 정도의 잠복기를 지나 오심, 구토, 설사를 보입니다. 대량의 설사나 혈변은 드뭅니다. 앞서 언급했지만 변에서 주로 neutrophil이 관찰됩니다.

대개는 3-7일 내로 좋아집니다만, 어르신들이나 면역 저하자는 치명적인 경과를 밟을 수도 있습니다.

장티푸스는 typhoid fever라고 부릅니다.

명칭에 '-oid'가 있으니 뭔가 오리지날이 있고 이와 비슷한 무엇이라는 건 충분히 추정할 수 있지요. Typhoid의 원조 질환은 typhus fever입니다.

전자는 원인균이 각각 *Salmonella typhi* 혹은 *paratyphi*, 후자는 *Rickettsia prowazeki*로 밝혀지기 전까지는 이 두 질환은 구분이 되지 않고 그냥 '염병'

이라고 불렸습니다.

Typhus라는 말은 그리스어로서 hazy, 즉 김이 모락모락 나는 그런 상황을 의미합니다.

당시엔 항생제도 없던 시절이므로, 염병에 한 번 걸리면 속수무책으로 악화되고, 급기야는 의식이 흐려지면서 헛소리를 하거나 그대로 혼수 상태로 빠지곤 했었다는 것이 반영된 용어입니다. 요즘이야 그 정도까지 진행하는 경우는 드물기 때문에 좀처럼 볼 수는 없는 증상이지만요.

치료 안 하면 4주 정도 지겹도록 오래 열이 나고, 세포 내 감염의 특징대로 relative bradycardia가 나타납니다.

요즘은 보기 힘들지만 탈모증을 보일 수도 있고, 발병 초기의 피부 소견인 rose spot을 볼 수도 있습니다. 이는 발병 첫 주가 끝나면서 몸통에 나타나는 연어 색깔의 희미한 피부 발진으로, 만약 운 좋게(?) 이를 포착하면 장티푸스 진단의 단서로서 도움이 됩니다만, 사실은 항생제 치료로 인하여 발현이 잘 되지 않고, 2주 접어들면 금방 사라지기 때문에 보기 힘듭니다. 제 경험으로도 rose spot을 본 경우가 다섯 건도 안 됩니다.

제가 전공의하던 1980년대만 해도 정말 흔했어요. 실제 국내 자료를 보면 1970년대 이전 꽤 못 살던 시절에는 매년 5,000명 정도씩 발생을 했다고 합니다만, 요즘은 매년 200명도 보기 힘듭니다. 그 중에서도 해외에서 유입되는 비율이 40% 선으로 꽤 많습니다.

지금은 보기 힘들지만, 치료를 받지 않은 상태에서 그냥 임상적으로 나아버리고 난 후 계속 균을 배출하는 보균자가 되기도 합니다. 환자의 10% 정도가 그러한데, 보통 3개월 지나면 정상화가 됩니다. 그러나 1-4% 정도는 1년 넘게 꾸준히 균을 배출하기도 합니다. 이 경우를 만성 보균자라고 하며, 특히 담도계나 방광에 해부학적 이상 소견이 있을 경우 더욱 그러합니다. 만성보균자는 담석이 있을 경우 담낭절제술이 권고됩니다.

진단은 배양에서 *Salmonella typhi*나 *paratyphi*가 증명되면 확진입니다. 혈액 배양에서 나오는 경우가 40-80% 정도이고, 항생제가 배양 전에 투여되었어도 골수를 배양하는 경우는 5일 정도까지는 나올 가능성이 50-90% 정도로 꽤 높습니다.

Widal test들 아직도 많이 하십니까?

아직도 Widal test가 장티푸스를 진단하는 방법인 줄 알고 있는 분들이 의외로 많아요.

하지 마세요.

양성 질병 예측도가 형편 없습니다.

진단 방법으로서의 가치가 없어요.

배양 이외에 복부 CT가 진단적 가치가 높습니다. 열나는 환자에서 실시한 복부 CT를 볼 때는 ileal thickening 소견 없나 눈 부릅뜨고 봅시다.

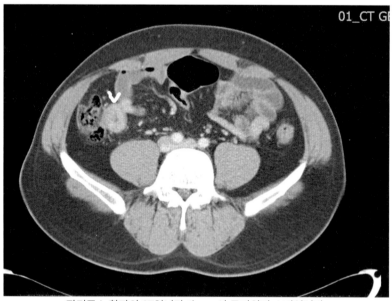

장티푸스 환자의 CT입니다. Ileum이 두꺼워진 소견입니다.

장티푸스와 NTS의 치료 원칙은 꽤 다릅니다.

NTS 장염은 항생제를 섣불리 꺼내들지 말고, 설사 환자 돌보듯이 수분 전해 질을 잘 맞춰주는 것을 우선으로 합니다. 항생제는 신생아나 순환기 질환을 지닌 50세 이상 혹은 면역 저하자인 경우로 좀 까다롭게 기준을 적용합시다. 보통 FQ, TMP-SMX, 또는 amoxicillin을 2-3일 정도 주거나 해열될 때까지 줍니다. 사실 같은 얘기입니다. 면역 저하자는 악화의 위험이 있으니 7-14일 정도 줍니다.

장티푸스는 3세대 cephalosporin이나 FQ를 7-14일 주거나, 혹은 해열되고 5일간 더 줍니다. 이것도 사실은 같은 얘기입니다. 좀 더 오래 주는 경우는 CD4 < 200/mm^{3}인 HIV 환자로, 6주까지도 연장 투여할 수 있습니다.

우리나라는 자주 발생하지도 않아서 그런지 내성문제가 그리 크지 않지만 인 도와 동남아시아는 내성균이 말썽입니다. 앞서 언급했듯이 해외 유입 사례가 꽤 많으므로 다음 원칙에 준해서 항생제 투여 단계를 밟습니다:

일단 nalidixic acid에 대한 내성이 있는지부터 보고 괜찮으면 ciprofloxacin 같은 fluoroquinone을 줍니다.

내성이 있다면 DCS (decreased ciprofloxacin susceptibility; 0.125-0.5 μg/ mL)입니다.

이 경우는 ceftriaxone, azithromycin, 혹은 고용량(쉽게 말해서 곱절) cipro- floxacin을 줍니다.

만약 ciprofloxacin MIC > 1 μg/mL를 비롯한 다제 내성이라면 ceftriaxone, cefixime, azithromycin, 혹은 고용량 ciprofloxacin으로 공략합니다.

장티푸스는 국가 지정 제2급 감염병으로, 입원 격리 치료가 원칙입니다. 격리 해제 기준 은 유증상자는 증상이 소실되고 항생제 치료 완료 48시간 후 24시간 이상 간격으로 연 속 3회 배양 검사 음성일 경우로 잡습니다.

9. Shigella

이질은 혈변과 점액변을 동반한 설사를 통칭하던 것으로 원인 병원체는 두 가지였습니다. 1859년에 *Entamoeba histolytica*가 이질의 원인 중 하나로 규명되었고 1897년 Shiga Kiyoshi에 의해 *Shigella*균이 규명되었습니다.

*Shigella*는 47가지 serotypes가 있으며 다음과 같이 4 group으로 나뉩니다.

A: *S. dysenteriae* – 고전적인 이질균인 셈입니다.
B: *S. flexneri* – 개발 도상국에서 종종 나옵니다.
C: *S. boydii*
D: *S. sonnei* – 이건 한 가지 type 외엔 없으며 꽤 잘 사는 나라에서 주로 나옵니다.

발견되던 당시에는 상상도 못 했겠지만, 오늘날 whole genome sequencing 이라는 최첨단 분석을 한 결과, *Shigella*와 EIEC는 virulence를 공유하는 사실상 동족으로 재분류되었습니다.

실제 현재 가계도를 보면 *Shigella*균은 Family Enterobactericeae, 그리고 tribe Escherichieae로 등재되어 있습니다. 결국 알고 보니 남매지간이었던 것입니다.

국가 지정 제2급 감염병으로, 1950년대까지는 국내에서 기승을 부렸으며, 이후 감소하다가 세기말에 다시 반등하기도 했습니다. 현재는 매년 100-200여 명 발생하는 수준이며, 해외 유입 비율이 40% 정도 차지하고 있습니다. *S. sonnei*가 주종이며 가끔 *S. flexneri*도 나옵니다. 외국에서는 동남 아시아, 아프리카, 중미에서 주로 발생합니다.

*Shigella*균은 그람 음성균들 중에 가장 전염력이 세서, 100마리 미만의 적은 숫자로 인체에 들어가도 이질을 일으킬 수 있습니다. 소수 정예로도 대형 사고를 칠 수 있기 때문에 2차 감염, 즉 환자와 밀접 접촉한 사람들에게도 쉽게 전염이 되는 것입니다.

창자까지 도달하기 전후는 앞서 언급한 *Salmonella*와 거의 동일합니다.

섭취 → 창자 도달 → 대기하고 있던 M-cell이 반갑게 맞이해서 삼킵니다.
→ 뒤에 대기하던 macrophage 등의 antigen presenting cells에게 압송해서 넘김.
그리고 phagocytosis 되었지만 세포 안에서 죽지 않고 잘 삽니다.

여기까지는 같습니다.
이 시점부터 *Salmonella*와 *Shigella*는 각자 다른 길을 가기 시작합니다.

*Salmonella*는 macrophage를 타고 lymphatics를 통해 결국 전신으로 퍼져나가는 반면에, *Shigella*는 macrophage를 택시로 이용할 생각을 안하고, apoptosis를 유도하여 죽입니다. 아이고, 아까워라. 그리고 장 근처를 배회하며 거기서 파괴와 약탈을 자행합니다.
처음엔 enterotoxin (shET-1)을 내서, 물 설사를 유발하지만, 시일이 지나면 장 점막 세포를 마구잡이로 파괴함에 따라 혈변, 점액변으로 바뀝니다.

*Shigella*는 *Salmonella* 같은 flagella를 갖고 있지 않아서 이동 능력이 없고 (non-motile), non-encapsulated, 즉 capsule이 없습니다. 이 두 가지는 얼핏 보면 생존에 불리해 보이지만, 사실은 병리 기전에 있어서 오히려 유리한 무기가 됩니다.

Capsule이 없다는 것이 의미하는 것은 phagocytosis가 매우 잘 된다는 뜻입니다. Salmonella의 병리 기전에서 이미 접한 바와 같이 Shigella 또한 phagocytosis 당하는 것이 자신에게 유리하게 역이용하는 과정이 됩니다. 이는 섭취 후 식균 당하는 첫 단계에서 작동합니다.

Non-motile 균이라 해도 Shigella는 주변 인체 세포의 부축을 받아 이동하는 방법을 씁니다. 나중에는 추진 엔진(actin polymerization)까지 마련해서 세포와 세포 사이를 이동합니다. 그 기반은 Shigella도 사용하는 type III secretion system에 있습니다.

Salmonella와 같은 모델 제품을 쓰지만, 주입하는 내용물은 다릅니다.

이걸 인체의 장점막 세포에 꽂고 effectors (VirA, OspB~G, IpaA~D, IpgD 등)을 주입해서 Shigella가 원하는 쪽으로 장점막 세포가 움직이게끔 유유히 조종하기 시작합니다. 좀 더 자세히 기술하자면, 장 점막 세포로 하여금 혓바닥을 날름 내밀게 해서, 밖에 흘러나온 Shigella 균들을 삼켜서 안에 들입니다. 원래 장 점막 세포는 식균 작용을 하는 놈이 아닌데도 말이죠. 이는 IpaD가 관여합니다.

장 점막 세포 안에 들어오면 내부 기관들중에 actin 성분들(cytoskeletons)을 주섬주섬 모아서 재배열하여(actin polymerization), 원래는 움직일 수 없는 Shigella 균들에게 flagella 유사품을 꼬리에 붙여줘서 Shigella 균들에게 기동력을 선사합니다. 이 균이 non-motile, 즉 원래 기동성이 없음에도 불구하고, 세포 안에만 들어가면 이동 능력이 생기는 이유가 바로 이것입니다. 이리하여, 장점막 세포와 세포 간의 이동을 자유롭게 하도록 해 주며(IcsA & B가 관여), 그와 동시에 장 점막 세포의 apoptosis를 유도하여 죽게 만듭니다.

또한 점막 세포에서 cytokine을 분비케 하여 neutrophil들이 떼거지로 몰려 옵니다.

이 neutrophil떼들은 철거반의 임무를 수행하여 장 점막에 염증을 만듭니다. 쉽게 말해서 파괴한다는 말씀.

이 모든 일들로 인하여 초래되는 결과는?

장 점막의 파괴죠.

그래서 혈변, 점액변이 나오는 겁니다.

여기서 더 나아가 중증으로 가는 HUS는 이미 *E. coli* 대목에서 설명한 바 있으니 참조바랍니다.

임상 양상은 혈변과 점액변으로 대표되는 이질 증상입니다. 하지만 처음부터 그런 건 아닙니다.

일단 1-4일, 최대 8일 정도의 잠복기를 거쳐서 처음엔 물 설사를 주로 합니다. 이는 초반에 enterotoxin (shET-1)이 작동한 결과입니다. 아직 Shiga toxin이 본격 작동을 하기 전이고, 장 점막 파괴도 많이 진전된 것이 아니기 때문입니다. 이 단계를 지나면 드디어 혈변, 점액변이 시작됩니다.

1시간에도 몇 번씩, 설사 한 번 하고 나서도 또 나올 것 같아서 다시 유턴, 하루에도 스무 번 이상 화장실로 가는 현상이 그 유명한 tenesmus입니다. 이 증상을 보이면 병변이 distal colon이나 rectum임을 알 수 있습니다.

치료를 받지 않아도 일주일 정도 고통 받다가 절로 나을 수는 있습니다만, 5세 미만의 소아는 심각한 양상으로 진행되기도 합니다. 여기서 심각한 양상이란 앞서 다루었던 HUS와 toxic megacolon입니다.

진단은 대변 검체에서 백혈구(호중구) 염증 세포가 잔뜩 보이는 게 단서이고, 기왕이면 균이 직접 배양되는 게 가장 좋습니다. 그러나 현실은 *Shigella* 균이 생각보다 허약한 놈이라서, 대기에 노출되면 급격하게 깨지고 죽습니다. 그래서 가능한 신속하게 배지(예: *Salmonella-Shigella* selective agar)에 접종해야 합니다.

발병 3일 이내로 항생제를 주는데, 앓는 기간의 단축뿐 아니라 남에게 옮길 위험도 제거하기 위함에 목적이 있습니다. 단, HUS로 넘어가면 주지 않는 게 좋습니다. 그 이유는 앞에서 설명한 바 있습니다.

FQ (ciprofloxacin) 3일간 주며, *Shigella dysenteriae* type I 같이 심한 경우는 5일, 면역저하 환자의 경우는 7-10일을 줍니다. 그 밖에 ceftriaxone 1.0 g qd 3-5일, azithromycin 500 mg qd 3일을 주기도 합니다.

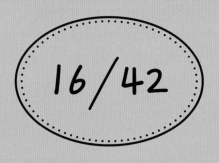

제16강

그람 음성균
- Enterobacteriaceae에
속하지 않는 그람 음성균들

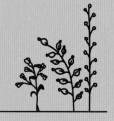

그람 음성균
- Enterobacteriaceae에
속하지 않는 그람 음성균들

1. *Pseudomonas species*

Pseudomonas 하면 초록색을 연상할 것입니다. 초록색 고름을 특징으로 하기 때문입니다.

수술받은 창상에 초록색 고름이 생기는 현상은 19세기 중엽부터 여러 의사들이 보고를 하기 시작했었는데, 1882년에 처음으로 이 균이 순수하게 분리되었고 1894년 독일의 식물학자 Walter Migula가 *Pseudomonas*라는 이름을 붙여 주었습니다. *Pseudo-*는 그리스어로 '가짜'이고 *-monas*는 라틴어로 '단위' 혹은 '단일성 개체'를 뜻하므로 '가짜 단세포 생물'이라는 의미가 됩니다. 이는 일종의 원충인 *Monas*와 외모가 비슷해서 붙인 이름이었습니다. 한편 *aerugi-nosa*는 라틴어 *aerugo*에서 유래했는데, 이는 구리가 녹이 슬면 볼 수 있는 초록색(verdigris)을 의미합니다. 우리 말 용어로는 초록 녹(綠)에 고름 농(膿)자를 써서 녹농균으로 부릅니다.

이 균이 임상적으로 매우 위중한 균이라는 것이라고 본격 알려진 것은 20세기 초반부터였습니다.

그람 음성 막대균이고, 기동성이 있으며, 필요하면 산소없는 환경에서도 혐기균처럼 살아갈 수 있고, 각종 험악한 환경에서도(심지어 소독액 속에서도) 끈질기게 생존하는 능력을 갖추었습니다.

그러니 병원 환경 어디에서나 서식할 수 있으므로 병원 감염의 주요 원인균으로서 위세를 떨치고 있습니다.

환경, 특히 습기 많거나 싱크대처럼 아예 물이 넘치는 곳 여기저기 표면에 biofilm을 생성하고 있으면서 원내 전파의 시발점이 될 수 있으며, 이에 못지 않게 의료진의 손, 기구 등이 매개의 원인이 됩니다. 이뿐 아니라 장기간의 항생제 사용으로 인하여 선택압을 통해 내성 균주들이 발흥하는 것도 중요한 요인입니다.

음식도 원인으로 의심을 받고는 있으나 확립된 것은 아닙니다. 그래도 백혈병 병동 입원 환자같이 neutropenia 상태일 경우에는 엄격히 규제되고 있습니다.

감염관리의 시각에서는 너무나 당연한 것이지만 무엇보다 손 위생을 철저히 하는 것이 가장 중요합니다.

인체 내에서 정상적인 정착민(normal flora)은 아닐 것 같아도, 실제로는 2%에서 많아야 5% 선으로 극히 드물지만 피부나 점막 등에 정상 세균총으로 살고 있기도 합니다.

그러나, 병원에 입원하면 microbiome이 변하는 바람에 그 비중이 늘어나서 인체 내 서식 확률이 50%를 종종 넘어섭니다. 이는 피부 점막 장벽이 무너진 경우, 예컨대 인공 호흡기를 달고 있거나 각종 카테터를 꽂고 있거나, 수술을 받거나, 심한 3도 화상을 입은 경우에 확률이 더 올라갑니다. 물론 면역 저하 환자의 경우도 마찬가지.

그래서 방어 능력이 유의하게 감소된 환자에서 주로 질환을 일으키는 기회 감염, 즉 강자에 약하고 약자에 강한 이 녹농균의 야비한 속성이 발휘되는 것입니다.

녹농균은 *Escherichia coli*나 MRSA와 더불어 전 세계적으로 모든 의료 기관에 토착화되어 있습니다.

이들 중에서도 가장 시급하게 대처를 해야 하는 균입니다.

왜냐하면 이놈들은 진짜로 파괴력과 전투력이 극강인 놈들이기 때문입니다.

이놈들이 무장하고 있는 병독성 인자(virulence factor)들은 다른 균들은 비교도 되지 않을 만큼 양적으로나 질적으로나 다양하고 강합니다.

먼저, 최선두에 나서는 pili나 flagella는 인체나 기구에 잘 달라붙고, 기동성을 가지며, biofilm 형성을 합니다.

T1SS (type 1 secretion system)은 alkaline protease 같은 toxin을 내어 fibrin을 억제합니다. 그 결과, 장애물이 생기지 않으니 저지받지 않는 채로 마음껏 전신에 퍼질 여건이 마련됩니다.

T2SS는 exotoxin A, phospholipase C, protease IV, elastase 등을 내서 cyto-toxicity와 염증, 그리고 정착을 합니다.

여기까지는 원거리 공격을 하는 미상 발사체이고, T3SS부터는 백병전으로서 인체 세포에 직접 주입하는 주사기입니다. 각종 toxin을 주입하여 부당하게도 immune evasion의 혜택을 누립니다.

그람 음성균이니 endotoxin은 기본으로 난폭하게 휘둘러대는 무기입니다.

아울러 미끌거리는 alginate를 내는데, 이는 extracellular polysaccharide로서 mucoid colony phenotype을 발현합니다. 특히 cystic fibrosis 환자에서

유난히 발휘되지요. 이는 opsonization에 저항하여 antiphagocytic activity를 보이며, macrophage가 내는 radical을 무력화시키고, PMN chemotaxis를 억제하며, complement activation도 방해합니다.

P. aeruginosa가 내는 초록색의 주범은 pyoverdin입니다.
Pyo-는 고름이니까 pyoverdin은 초록색 고름을 만드는 물질이란 뜻입니다.
이 물질은 그냥 색깔만 담당하는 장식용 물질이 아니고 사실은 siderophore입니다.
즉, 녹농균이 먹고 살기 위해 인체와 치열하게 철분 쟁탈전을 하는 물질인 것입니다.

녹농균은 초록색 말고도 종종 푸른색도 보이는데, 이는 pyocyanin에 의한 것입니다.
이 cyan은 푸른색이므로, 푸른색 고름을 만드는 물질이란 뜻입니다.
주된 작용은 산소와 반응하여 산소 radical을 만들어서 조직을 파괴하는 역할을 합니다.
또한 quorum-sensing molecules을 통해 감염된 세포들끼리 비상 연락망을 긴밀히 운용하면서 biofilm 생성을 비롯한 각종 virulence를 자체적으로 조절합니다.
여기까지만 나열해도 virulence가 참으로 다양하고 현란합니다.

이것뿐인가요?
내성 능력 또한 극강입니다.
날 때부터 갖고 있는 저항성만 해도 porin의 변질, efflux pump, 항생제 파괴 효소(주로 AmpC beta-lactamase) 등 다양하게 갖추고 있습니다.

Porin 변성을 통해 outer membrane으로의 투과성을 감소시킵니다. 정상 porin들 중에 주종인 OprF는 내성에 관여하진 않습니다. 균도 먹고 살아야 하니까요. 좀 덜 중요한 porin들이 내성에 참여합니다.

OprD는 carbapenem을 제외하고 웬만한 항생제는 통과시키지 못하도록 변질되며, 아예 소실로 저항하기도 합니다. 물론 그만큼 균도 생계에 있어서 손해를 감수해야 하지만요.

OprM은 펌프로서 efflux system 기능을 합니다.

이들 모두에게 별로 영향을 안 받는 건 무지막지하게 구멍을 뚫어 대는 poly-myxin 밖에 없습니다. 그래서 다제 내성균에서 거의 유일하게 치료제로 쓰이는 겁니다.

녹농균이 쓰는 efflux pump는 RND (resistance-nodulation-division) family로 분류됩니다. 이는 주로 FQ, aminoglycosides, beta-lactams, TC, macrolide를 집중적으로 퍼내서 쫓아냅니다.

이들 중 MexAB-OprM은 meropenem도 쫓아내지만, imipenem은 건드리지 않습니다.

MexXY-OprM은 cefepime을 쫓아내지만 ceftazidime에는 작용하지 않습니다.

그래서 가끔씩 경험들 하시겠지만, meropenem에는 내성인데 imipenem에는 감수성이라는 좀 괴상한 검사 결과가 나오기도 하는 겁니다.

한편, antimicrobial modifying enzymes도 선천적으로 생성해 내기도 합니다. 주로 chromosome에 마련된 AmpC gene에 의해 내는 beta-lactamase입니다. 이는 4세대 cephalosporin이나 carbapenem에는 별 작용이 없습니다. 그러나 enzyme을 통한 내성은 사실상 외부 mobile elements의 도움을 빌어서 발휘합니다.

즉, plasmid를 매개로 한 ESBL, carbapenemase, fluoroquinolone 내성까지 받아 무장합니다.

그래서 웬만한 항생제에 대한 내성률이 매우 높습니다.

ESBL은 plasmid를 매개로 TEM, SHV, OXA, CTX-M, PER, VEB, GES gene을 받아서 항생제들에 저항합니다. 특히 ESBL을 넘어 carbapenemase까지 포괄할 수 있습니다. VIM (Verona integron-encoded metallo-beta-lactamase), IMP, NDM, KPC 등이 그러합니다(사실 이건 *Klebsiella pneumoniae*가 더 문제이긴 합니다). 또한 aminoglycoside modifying enzyme도 plasmid를 통해 무장을 합니다. 주된 것으로는 nucleotidyl transferase (2')-I가 gentamicin과 tobramycin을, acetyltransferase (6')-II가 netilmicin 계통을 망가뜨립니다. 그나마 amikacin은 잘 버티어 내긴 합니다.

임상 양상을 봅시다.

녹농균이 나오면 *Acinetobacter*나 VRE처럼 colonization인지 진짜 감염 질환인지를 따지는 차원은 넘어섭니다. 물론 예외도 있지만 사실상 진정한 감염 질환으로 판단하는 경우가 더 많습니다.

다시 강조하지만, 병독성이 강한 놈이고 내성이 악랄하여 치료제 선택의 폭이 좁기 때문입니다.

녹농균 균혈증은 그람 음성균들 중에서는 상대적으로 많지는 않습니다만, 일단 생기면 치명률이 최소 60%를 넘나듭니다. 위험군으로는 면역 저하자, 노인, 입원 경력자, 이미 녹농균이 배양된 경력이 있는 환자, 수술 받은 경력, invasive devices, 장기간 항생제 투여받은 경력이 있는 환자입니다.

자주 볼 수는 없지만 전신에 퍼지면서 피부 혈관의 microthrombosis와 vasculitis로 주위가 불그스름하게 둘러싸인 회색 딱지 소견이 나타날 수도 있는데 이는 ecthyma gangrenosum이라 합니다. 물론 이러한 병변은 다른 균도 가능하고 바이러스와 진균도 가능한 소견이라 이것만 가지고 녹농균 균혈증이라고 성급히 진단해서는 안 되겠습니다. 그래도 특히 hematologic malig-nancy 환자들이 영문을 모르게 고열에 시달리면서 이런 병변을 보이면 의심해 볼 가치가 있을 것입니다. 어차피 면역 저하자의 경험적 항생제 선택 시 녹농균을 우선 순위로 놓고 시작합니다.

원내 폐렴은 입원하고 이틀 이상 지나서 생기는 경우이며, 치명률이 40%에서 최대 80%까지 이릅니다. 노년층이거나 장기간 ventilator를 걸고 있거나, 항생제 기왕력이 있거나, 혹은 녹농균이 많이 나오는 병동에 있는 환자들이라면 위험군으로 간주합니다.

VAP의 경우, MRSA와 더불어 가장 빈번히 일으키는 원인균입니다.
원인은 일단 외부에서는 의료진의 손에 의한 전파이며, 환자 신체 내부에서도 oropharynx와 stomach에 서식하다가 aspiration을 통해 폐렴으로 진행할 수도 있습니다. 이는 길게 생각할 필요 없이 MDR인 경우가 대부분이라 보고 임하는 게 좋겠습니다. 그래서 통상적인 기간보다 더 오래 투여해야 합니다. 보통 모르면 2주 주지만 사실상 이보다 더 오래 주어야 할 겁니다.

Cystic fibrosis 환자에서의 bronchiectasis에 있어서 가장 흔한 원인균인 것은 이미 잘 알려져 있습니다.
항상 서식하면서 폐렴이 자꾸 재발하는 양상을 보입니다. 원인은 CFTR gene 이상으로 호흡기계의 섬모 움직임과 작동에 이상이 생겨 균을 제대로 쫓아내지 못하는 바람에 감염이 성립되는 것입니다. 거기에다 biofilm 생성과 다제 내성까지 설상가상으로 겹칩니다.

화상 환자에서 MRSA와 더불어 가장 흔한 원인균이기도 합니다.

치료 면에서는 고민할 거리가 많습니다.

1980년대만 해도 carbenicillin이나 piperacillin이 잘 들던 좋은 시절이었습니다만, 지금은 위험 부담이 너무 큽니다. 결국 항생제 감수성 결과들을 면밀히 검토해서 적절한 무기를 선택해야 하며, 경험적으로는 다제 내성균을 의식해서 강경 대응해야 합니다.

현재는 anti-pseudomonal cephalosporin인 ceftazidime이나 sulbactam/cefoperazone, 4세대인 cefepime 등을 선호하게 되고, 아울러 pipercillin/tazobactam, aminoglycoside, fluoroquinolone, aztreonam 등도 선택의 대상이지만, 이 또한 요즘 내성률이 만만치 않습니다.

게다가 carbapenem에 대한 내성률도 어느덧 위험 수위라서 colistimethate 까지 동원하는 사례가 빈번해지고 있습니다.

최근 개발된 ceftolozane/tazobactam, ceftazidime-avibactam은 녹농균의 PBP에 친화성이 강하고, porin이나 efflux pump로 구사하는 저항에도 별로 영향을 받지 않기 때문에 metallo-beta-lactamase에는 별 효과가 없는 게 단점이긴 하지만 많은 가능성을 제시해 주고 있습니다.

녹농균에는 2가지의 항생제를 주는 combination therapy를 반드시 하라던 때가 있었습니다. 그러나, monotherapy와 비교해서 특별히 효과가 더 우월하다는 것이 검증되지 않았고, 단일 약제만으로도 충분한 효과를 보이는 경우도 많기 때문에 필수 지침은 아닙니다. 그래도 위중한 환자라면 combination therapy를 하는 게 인지상정인 것이 현실입니다.

녹농균은 여기까지 하고, 이제부터는 녹농균과 비슷한 성격을 지닌 소수 균들을 짚어보겠습니다.

2. *Stenotrophomonas maltophilia*

한 때 *Pseudomonas maltophilia*로 분류되었으나, *Xanthomonas maltophilia* 를 거쳐 현재는 *Stenotrophomonas maltophilia*로 정착되었습니다.
습한 환경을 선호하고, 면역 저하 환자의 기회 감염 원인균이라는 점에서 녹 농균과 닮은 점이 많습니다.

다만 선천적으로 carbapenem과 aminoglycoside를 비롯한 거의 모든 항생제 에 내성이며, TMP/SMX 혹은 일부 fluoroquinolone (moxifloxacin) 같은 일 부 항생제에만 듣습니다. 가끔 minocycline, ampicillin/sulbactam, ceftazi-dime-avibactam이 사용될 수도 있습니다.

3. *Burkholderia*

B. cepacia complex는 원래 *B. cepacia, B. multivorans, B. cenocepacia, B. vietnamiensis, B. stabilis* 등을 비롯한 20여 종의 균들을 통칭하는 패거리 입니다.
역시 습한 환경을 선호하는 등, 녹농균과 거의 유사한 행보를 보이는데, 그나 마 덜 나와서 다행일 정도로 더 악질입니다. 치료는 *S. maltophilia*와 동일한 원칙을 적용합니다.

*B. pseudomallei*는 유비저(melioidosis)의 원인균입니다.
병명인 meli는 그리스어 *melis*에서 왔으며, 이는 당나귀가 걸리는 질환이라는 뜻입니다.

이는 말이나 나귀가 걸리는 질환인 glanders와 유사한 질환으로 이 glanders의 원인균인 *B. mallei*와 유사하다 해서 pseudo-를 붙여 *B. pseudomallei*로 명명된 것입니다.

(여기서 *mallei*는 라틴어로 soliped를 뜻하는 *malleus*에서 유래했습니다.)

진흙이나 논 등에서 서식하며, 동남아 호주 기타 인도 중국 아프리카 카리브해 중남미에서 특히 비가 내리는 기간에 호발합니다. 이는 피부를 통해 직접 혹은 aerosol을 들이키면서 감염됩니다.

대개는 무증상이나, 재수 없으면 수년에 걸쳐서 나타날 수도 있습니다.

접촉 부위에 국한해서 피부 고름집 내지 궤양 정도의 경증일 수도 있으나, 심하면 이런 병변이 reticuloendothelial system을 따라 온몸에 걸쳐 생깁니다. 여기에 폐렴까지 겹치면 패혈증까지 가서 치명적인 경과로 진행할 수도 있습니다. 이렇게까지 가는 경우가 유증상자의 절반 정도이며, 나중에 1/4 이상은 septic shock으로 사망합니다.

동정 과정에서 *P. aeruginosa*로 자주 오인되어서 적절한 치료를 받지 못하는 경우가 많습니다.

항생제 선택도 문제지만, 치료 기간이 매우 길기 때문입니다.

결국 유비저 위험 지역 방문력과 담당 임상의사의 판단이 더 중요합니다.

항생제들 중에 penicillin, ampicillin, 1-2세대 cephalosporins, aminoglycosides는 듣지 않습니다.

보통 ceftazidime, meropenem, imipenem, 혹은 TMP-SMX를 처음 10-14일 동안 집중 투여하고, 이후 TMP-SMX를 3개월 동안 더 줍니다. 만약 osteomyelitis라면 좀 더 오래 줘야 하는데, 6주-6개월까지도 주고 나서 TMP-SMX 3개월을 더 주며, 중추 신경계 감염이라면 8주-6개월-TMP-SMX 3개월 방침으로 임합니다.

4. Acinetobacter

"개굴개굴 개구리 노래를 한다.

아들, 손자, 며느리 다 모여서.."

- 이동찬 작사 홍난파 작곡 동요 '개구리' 중에서.

그런데 자세히 보니 개구리들 중 한 마리가 유일하게 팬츠를 입고 있다.

그래서 물었다.

"왜 너만 입고 있니?"

그 개구리가 대답하길 "전 때밀이 개구리인데요?"

- 1960년대 유행했던 우스개로, 대표적인 아재 개그입니다.

음.. 죄송합니다.

*Acinetobacter*종은 그람 음성균으로 coccobacilli입니다. 도말해서 얼핏 보면 올챙이 알 모양으로 집결해서 우글거리는 외양을 보입니다.

본질적으로 의료 기관에서 쓰는 기구들, 다른 세포, 혹은 자기들끼리 끈적거리며 달라붙는 성질을 가지고 있어서, 단독으로 다니기보다는 이렇게 떼거지로 뭉쳐 있습니다. 이는 이 균의 표면에 무수히 달려 있는 type IV pili 때문입니다. 이 pili가 촉수를 내밀어서 어딘가에 문어 빨판처럼 붙으면, 그 빠는 힘에 의해 균이 이동해서 달라붙게 됩니다. 이를 현미경 소견으로 균들이 마치 경련하듯 떠는 모습으로 보여서 'twitching motility'이라 부릅니다. 이 type IV pili에 의한 twitching의 의미는 이동에 있다기보다는 달라붙는다는 것에 있습니다. 이는 병독성 발현의 시작과 더불어, 나중에 다룰 biofilm과도 밀접한 관계가 있습니다.

Acinetobacter 균의 일반적인 특징들은 바로 이 뭉쳐서 끈적거리는 데에 있습니다.

비록 flagella가 없기 때문에 non-motile 균으로 분류되지만, twitching motility 정도는 있기에 꿈틀거리면서 조금씩은 움직입니다.

*Acinetobacter*라는 이름 자체도 A- '없다'와 -cineto- 그리스어로 kineto, 즉 움직인다는 뜻이며, bacter는 그리스어로 small stick, 작은 막대기라는 뜻입니다. 이를 합쳐서 '안 움직이는 세균'이라는 의미입니다.

물이나 특히 흙에서 주로 서식하며 심지어 소독액 속에서도 질기게 생존합니다. 일단 달라붙으면 악착같이 끈적거리며 버티고, 소독액에서도 살아남고, 웬만한 항생제에는 선천적으로 내성입니다.

게다가 plasmid 같은 기동성 갖춘 유전자들을 활발하게 받아들이고 잘 전파를 하기도 하니 내성 창궐의 온상이기도 합니다.

*Acinetobacter*는 1911년 Beijerink가 흙에서 이 균을 발견하여 처음에는 *Micrococcus calcoaceticus*로 명명되었다가 나중에 *A. calcoaceticus*가 됩니다. 이 이름은 배양 과정에서 유래한 것으로, calc는 limestone 내지 chalk, 즉 석회나 분필을 의미하며 aceticum은 이름 그대로 아세트산을 의미합니다. 즉, calcium acetate가 들어간 배지에서 배양했기 때문에 그렇게 명명되었습니다. 이후 1954년 Brisou와 Prevot에 의해 다른 *Acinetobacter* 종들이 발견되었고, 이는 훗날 프랑스의 학자인 앙드레 르보프(Andre Lwoff)에게 헌정하는 의미로서 *Acinetobacter lwoffii*로 명명됩니다.

1968년 Baumann (*A. baumannii*의 기원이 된 장본인)은 이 균종을 '안 움직인다'는 특징을 반영해서 *Acinetobacter*로 이름 붙이자는 제안을 하였고, 1971년에 *Acinetobacter* 종으로 명명이 됩니다.

처음에는 3종 정도로 시작했으나, 이후 새로운 종들이 발견되기를 거듭하여 오늘날엔 38종에 이릅니다.

이들은 크게 다음 세 가지로 분류합니다.

- *Acinetobacter calcoaceticus-baumannii* complex (Acb complex)
- *Acinetobacter lwoffii*
- *Acinetobacter haemolyticus*

Acb complex는 동정이 까다로워 구분하기가 어려워서 아예 하나로 묶어버렸는데, *A. baumannii, A. pittii* (genomic species 3), *A. nosocomialis* (genomic species 13TU), 그리고 A. calcoaceticus의 4종으로 구성됩니다.
*A. baumannii*는 한때 *A. calcoaceticus*의 변종으로서 *A. calcoaceticus subspecies anitratum*으로 불리기도 했으나, 오늘날엔 *A. baumannii*로 간단히 정리되었습니다.

*Acinetobacter*는 병독성(virulence)의 측면에서 볼 때 녹농균(*Pseudomonas aeruginosa*) 혹은 황색 포도알균(*Staphylococcus aureus*)보다 파괴력이 강하진 않습니다. 독소(toxin)라고 해 봐야 피 설사를 유발하는 verotoxin 정도입니다.
물론 다른 균들처럼 protease, phospholipase, catalase 등의 무기도 갖추고 있지만 그람 음성균이라면 기본으로 무장하고 있는 것입니다.

Outer membrane protein A는 인체의 상피 세포에 달라 붙어서 미토콘드리아를 고장 내서 결국 세포를 죽일 수 있지만 다른 균종에 비해 강력한 인상은 주지 못하고 있습니다.
그럼에도 불구하고 자기들끼리 뭉치는 경향과 biofilm으로 끈질기게 버티는 능력이 출중하기 때문에 병원 감염에 있어서 최상위권의 비중을 차지합니다. 거기에다가 다른 균종들에 비하여 강력한 내성 능력까지 겸비함으로써 더욱 탄탄한 수비력을 갖춥니다.

*Acinetobacter*균은 날 때부터 듣지 않는 항생제 종류가 꽤 많아서, penicillin이나 ampicillin, carboxypenicillin 같은 차세대 penicillin들, 혹은 1세대 cephalosporin 항생제들이 아예 듣지 않습니다. 거기에 chloramphenicol, tetracycline 계열, trimethoprim/sulfamethoxazole 등도 선천적으로 효과가 없고, 운 나쁘면 aminoglycoside도 듣지 않습니다.

게다가 신문물에 매우 개방적이라 plasmid 같은 mobile element들을 잘 받아들여서 후천적으로 새롭고 강력한 내성까지 갖춥니다. 또한 항생제 융단 폭격으로 상황이 불리하다 싶으면, efflux pump로 퍼내서 쫓아 버리거나 평소에 영양분이나 전해질이 드나들던 통로(porin channel, outer membrane protein)를 모조리 닫아 버림으로써 심지어는 carbapenem까지 포함한 거의 모든 항생제와의 교류를 거부하는 다제 내성균이 되기도 합니다. 적극적으로 항생제와 맞서서 두들겨 부숴버리는 능력도 있어서, 특히 carbapenem까지 무력화시키는 carbapenemase를 낸다면 본격적인 악질이 되어 버립니다. 이는 class-D OXA carbapenemases가 대표적이며, 더 나쁜 점은 biofilm과도 내통한다는 것입니다. 이를 CRAB (carbapenem-resistant *A. baumannii*) 혹은 다른 항생제들에게 까지 저항한다는 의미에서 MRAB (multidrug-resistant *A. baumannii*)이라고 합니다.

이 모든 병독성과 내성 발현은 이에 필요한 온갖 무기를 생산해 내는 유전자들이 모인 병원성 군도(病原性 群島; pathogenicity islands)를 보유하고 있기 때문입니다.

*Acinetobacter*의 내성 능력은 항생제에만 국한되지 않아서 소독제 chlorhexidine 같은 물질에 대해서도 잘 버티며, 세균에게 가혹한 환경일 수 있는 마른 표면에서도 수 십일 동안 살아 남는 능력까지 가지고 있습니다(*A. baumannii*의 경우 한 달 버티기도 가능합니다).

내성 *Acinetobacter*가 배양되면 전파를 방지하기 위한 접촉 주의(contact precaution)를 기본으로 깔고 나서, 항생제로 공격을 해야 하는지 여부를 판단해야 합니다.

저는 이 균이 다른 종류의 세균들과 같이 배양되는 경우엔 MRAB이라 하더라도 항생제 공격 대상에서 일단 다음 순위로 밀어 놓습니다. 세균들끼리도 암투가 있어서, 같이 나온 세균이 진짜 범인이고 MRAB은 주범이 아닐 가능성도 높기 때문입니다.

그러나 정상적으로는 균이 단 한 마리도 나오면 안 되는 검체, 예를 들어 혈액이나 뇌 척수액에서 나온다면 무조건 치료로 들어갑니다. 참 어렵습니다만, 이러한 원칙은 환자 개개인마다 심사 숙고하여 판단해야 합니다.

*Acinetobacter*에 쓸 항생제들 중에 aminoglycoside나 ampicillin에 듣는 착한 놈이 나오면 다행입니다. 특히 이렇게 비교적 착한 놈들은 sulbactam에 약하기 때문에 ampicillin/sulbactam을 선호합니다. 그러나 실제 상황은 안 착한 놈들이 훨씬 많아요.

대개 aminoglycoside나 ampicillin은 기본으로 안 듣고, cephalosporin 제제나 tetracycline, fluoroquinolone까지 내성인 경우가 많습니다. 이렇게 적어도 3가지 종류 이상의 항생제가 안 듣는 것이 바로 다제 내성(multidrug-resistance)입니다.

이런 경우는 carbapenem을 줄 수밖에 없습니다.

그리고 carbapenem까지 안 듣는 다제 내성균이라면 polymyxin (colistimethate sodium)을 줍니다.

5. *Vibrio cholerae*

*Vibrio*는 서론에서 언급한 17세기 van Leeuwenhoek이 최초로 미생물들을 발견하던 와중에, 휘어진 막대 모양을 하고 매우 잘 움직이던 막대균에게 진동한다(vibration)는 의미로 vibrion이라고 호칭한 데서 유래한 이름입니다. *Vibrio*는 1854년 Filippo Pacini가 처음 발견하였고, 1884년 Roberto Koch가 다시 발견해서 comma bacillus라고 이름을 붙여주었습니다. 이후 *Vibrio*로 개명하게 됩니다.

*Vibrio*균은 그람 음성 oxidase 양성의 curved bacilli, 혹은 쉼표(comma) 모양의 균입니다.
혈청형이 200가지가 넘지만, 콜레라는 O1과 O139가 핵심입니다.
O1이 classic 콜레라이며 Inaba, Ogawa biotype으로 분류되고, 최근엔 El Tor biotype이 대세입니다.
O1은 capsule이 없지만, O139는 있습니다. O139는 1992년 방글라데시를 비롯한 동남아에서 신규 출현한 놈입니다. 현재는 다시 O1이 주종으로 돌아왔습니다.
오로지 사람에게만 생기므로 인수공통 감염병은 아닙니다.

*Vibrio cholerae*균이 서식하는 곳은 민물(강)에서 짠물(바다)로 이행하는 중간 영역 그 어디쯤인 하구 퇴적지입니다. 여기에 수온이 20도를 넘는다는 조건까지 갖춰야 제대로 생존할 수 있습니다. 그래서 콜레라나 *V. vulnificus*는 추운 겨울에 발생하기 어려운 겁니다.

역사적으로 많은 사람들이 몰살되었던 악명 높은 역병입니다.
역사에 기록된 것으로는 1817년부터이지만, 그 전에도 빈번했을 겁니다. 전 세계 유행은 그 이후 총 일곱 번 있었습니다.

최근 콜레라는 전 세계적으로 대부분 아프리카와 아시아, 중동, 중남미, 카리브 해 등의 약 50개국에서 발생하였습니다. 특히 2017년 예멘, 2021년 소말리아 콜레라 유행이 큰 사건이었고, 하이티와 방글라데시는 아주 대표적으로 잘 발생하는 나라입니다.

우리나라는 이제는 흔하지는 않지만, 1980년대부터 2003년까지 연간 100여 명 내외로 꾸준히 발생하고는 있었습니다. 이후는 해외 유입환자가 대부분인데 2016년에 오랜만에 경상도 지역에 3명의 국내 환자가 발생하기도 했습니다만, 이후부터 현재까지는 모두 해외 유입 사례뿐입니다.

콜레라하면 반드시 언급해야 할 위대한 선각자가 바로 John Snow (1813-1858)입니다.

그는 1854년 런던의 콜레라 유행 때 최초로 제대로 된 역학 조사를 통하여 발원지를 밝혀내고 성공적으로 진압을 합니다. Germ theory가 나오려면 아직 몇 십 년을 더 기다려야 했던 시대였으니 정말 놀라울 뿐입니다.

이렇게 콜레라 유행의 근원을 추적하고 해결한 일련의 과정들이 바탕이 되어 최초로 본격적인 epidemiology라는 학문이 시작됩니다.

콜레라는 toxin이 모든 걸 좌지우지하는 질환입니다.

콜레라 toxin도 Shiga toxin처럼 A1B5 구조입니다.

그러나 Shiga toxin과는 하는 짓이 다릅니다.

B5는 장 점막의 GM1 ganglioside를 receptor로 삼아 달라 붙은 뒤 세포 안으로 들어갑니다. 여기까지는 Shiga toxin과 대동소이합니다. 그러면 나머지 A subunit가 본격적인 활동을 시작하는데, 이제부터 다른 기능을 발휘합니다.

소위 ADP-ribosylation입니다.

즉 NAD+(nicotinamide adenine dinucleotide)에서 ADP-ribose를 뚝 떼어다가 GTP-binding protein에 갖다 붙이는 것입니다.

Shiga toxin이 adenine을 뚝 떼어내는 depurination을 하는 것과 정 반대의 짓입니다.

ADP-ribosylation을 하면, 그걸 받은 G-protein, 혹은 GTP-binding protein은 adenylyl cyclase를 폭주시킵니다. 다시 말해, G-protein은 조금도 쉴 생각 없이 adenylyl cyclase에게 "쉬지 말고 계속 일해!!!"라고 채근하며, adenylyl cyclase 또한 영문을 모르고 계속 일을 합니다.

그 결과, ATP를 가져다가 phosphate 2개(~PPi)를 떼고 끊임없이 cyclic AMP를 계속 만들어냅니다.

이 멈출 수 없는 폭주는 계속되며 cAMP는 계속 쌓입니다.

그 결과, 같이 어울리는 protein kinase A (PKA)가 쓸데없이 과도하게 CFTR (cystic fibrosis transmembrane conductase; 설사가 있는 곳에 항상 단골로 출현하는 효소죠) Chloride channel protein을 과로시키고, 그 결과로 chloride (Cl^-)가 지나치게 많이 장 내로 나가게 합니다.

그와 동시에 Sodium (Na^+), bicarbonate (HCO_3^-), potassium (K^+)도 장 내로 잔뜩 쫓겨납니다.

Sodium과 chloride가 만나니 뭐가 만들어진다? → NaCl, 즉 소금이 만들어지죠.

소금이 장 내에 잔뜩 있으면 뭐가 딸려 나온다? → 물이 딸려 나오죠. 그것도 대량으로.

그 결과가 우리가 잘 알고 있는 콜레라의 살인적인 대형 설사인 것입니다.

덤으로 bicarbonate까지 대량 빠지니까 metabolic acidosis까지 초래됩니다.

이렇게 대규모 설사가 조장되면?

→ 위험 수위까지 탈수가 오고, 혈압이 떨어집니다. 이게 바로 뭐다?

→ Shock, 그러니까 hypovolemic shock이 되고, 첫 24시간 동안 체중 1 kg당 250 mL 이상 물을 잃으면 죽음까지 이릅니다.

참고로 대략 5% 수분 손실이면 갈증이 오고, 5-10% 손실이 오면 혈압이 떨어지고 피부가 쭈글쭈글해집니다. 그리고 10%를 넘어가면 드디어 소변이 안 나오기 시작하고 의식이 흐려집니다.

설사는 쌀뜨물 같은 모양(rice-water stool)입니다.
열은 나지 않습니다. 전신에 퍼진 게 아니라 어디까지나 장에 집중적으로 달라 붙어서 일어나는 일이니까 열이 날 이유가 없습니다.

검사실에서는 TCBS, TTG, MacConkey agar로 배양해서 진단합니다.
MacConkey agar에서는 무색 혹은 핑크색 colony를 일부 보입니다.
TTG (taurocholate tellurite gelatin) agar 혹은 Monsur's agar로는 회색의 halo 모양을 보이는 colony입니다.
그리고 TCBS (thiosulfate citrate bile-salts sucrose)가 있습니다.
Thiosulfate와 citrate는 Enterobacteriaceae가 자라지 못하게 하고, bile salt는 그람 양성균이 자라지 못하게 합니다. 이렇게 해서 오로지 *Vibrio* 균만 자랄 수 있는 여건이 마련됩니다. 여기서부터는 sucrose가 핵심이 됩니다. 이 sucrose를 fermentation시키면서 노란색의 colony로 자라면 *V. cholerae*로 확진 됩니다.
만약 sucrose를 fermentation 못시키면 초록색의 colony가 나타나는데, 이때는 *V. parahaemolyticus*와 *V. vulnificus*로 진단되는 것입니다.

콜레라의 치료는 깊게 생각할 거 없습니다.
무조건 최대한 빨리 수분 손실을 회복시켜줘야 합니다.
입으로 먹을 수 있으면 oral rehydration solution을 만들어서 줍니다.
한마디로 설탕물 + 소금물 + 바나나 갈은 것인데, 물 1리터에 소금을 차 숟가락 절반, 설탕을 차 숟가락 6개, 바나나를 갈아서 섞으면 완성됩니다.
위중증의 탈수라면 경구가 아닌 주사로 수분 회복을 해 줘야 합니다.

Ringer's lactate 주사와 함께 K⁺ supplement를 경구로 먹입니다.

쌀로 미음을 쒀서 Do it yourself 레시피로 하는 것도 효과가 있습니다.

이렇게 수분을 충분히 공급하면 장 점막에 남아있는 glucose-sodium (Na^+) co-transport system에 의해 이전에 잃은 양을 벌충할 수 있으며, 덤으로 chloride와 물도 같이 딸려 들어와 흡수됨으로써 회복의 길로 갈 수 있습니다.

항생제는 꼭 줘야 하는 것은 아닙니다.

질병 앓는 기간을 줄이고, 남아있는 균들을 최대한 소탕하기 위한 목적일 때만 투여합니다. 우선적으로 erythromycin이나 azithromycin 같은 macrolide를 주고, tetracycline 계열이나 fluoroquinolone을 차선책으로 합니다. 치료 기간은 3일입니다.

증상이 있는 환자는 contact precaution에 준하여 격리를 합니다.

격리를 해제하려면 설사 증상이 소실된 지 48시간이 지난 이후 24시간 간격으로 2회 대변 배양에서 음성이 확인되어야 합니다. 밀접 접촉자는 마지막 접촉 시점부터 5일간 발병 여부를 감시합니다.

백신에 대해서는 제10강 '다가올 침략에 대비하자'에서 설명한 바 있으니 참조하시기 바랍니다.

백신은 둘 다 경구용인데, killed vaccine으로 WC-rBS와 BivWC가 있습니다. 전자는 O1에 cholera toxin B subunit가 들어 있고, 후자는 O1에 O139 항원이 들어 있으며, 2년마다 booster를 줍니다. 방어율은 접종 후 첫 몇 개월 동안은 60-85% 정도입니다.

경구 live attenuated vaccine은 CVD 103-HgR가 있는데, 썩 우수한 편은 아닙니다.

6. *Vibrio vulnificus* and others

Vibrio 균은 콜레라만 있는 게 아닙니다.

The water is wide. 세상은 넓고, 온도는 섭씨 20도로 적당하며, 하구에 어패류는 무한정으로 많습니다.

그래서 *V. cholerae* 외에 사촌들이 더 있습니다.

일단 우리나라에서 여름철에 자주 발생하는 *V. vulnificus*가 있고, 장염을 일으키는 *V. parahaemolyticus*가 있으며, 가끔씩 우리를 혼비백산케 하는 짝퉁 콜레라인 non-O1/O139 *V. cholerae*가 있습니다.

먼저 *V. vulnificus*부터 봅시다.

주로 수온이 섭씨 20도를 넘어가는 여름철에 발생하는데, 이 균에 오염된 어패류를 생식하거나, 상처 난 피부가 오염된 바닷물을 접촉할 때 감염됩니다.

임상적으로 크게 3가지가 있습니다.

하나는 오심, 구토, 설사, 복통을 보이는 gastroenteritis입니다. 이는 더 이상의 합병증으로 발전하지는 않고 일반 식중독처럼 단기간 앓고 끝납니다. 이 정도 걸린다면 상당히 행운인 셈입니다.

그리고 문제의 primary sepsis가 있습니다.

약 한 나절 정도의 잠복기를 지나 발열, 오한, 무력감 등으로 시작하며, 1/3에서 혈압이 떨어지고, 그 다음 날쯤 되면 주로 하지에 특징적인 피부 병변이 나타납니다. 먼저 발적으로 시작하여 papule, ecchymoses, vesicle, bullae로 점차 일이 커지다가 급기야는 괴사까지 옵니다. 백혈구 수치는 상승보다는 저하인 경우가 더 많고, 혈소판은 당연히 바닥을 치며 coagulation profile에 이상을 보입니다.

치명률이 정말 높아서, 정성껏 치료를 해도 환자의 절반 이상이 사망합니다. 솔직히 제 개인적 임상 경험으로는 실제 치명률은 이보다 더 높아서, 제대로 이겨 본 기억이 거의 없어요.

주로 간 질환을 기저 질환으로 갖고 있는 환자에서 호발하며, 그 밖에 혈액 질환, 만성 신부전, 면역 억제제 복용자 등에서도 발생합니다. 간단히 말해서, 간경화가 있는 분이 여름철에 생선회를 먹는 것은 매우 위험한 행위라고 해도 과언이 아니라고 생각합니다.

국내에서는 1982년에 처음으로 공식 보고되었는데 아마 전부터 있긴 있었을 겁니다. 워낙 질환 자체의 외양이 흉측하여, 언론에서는 '괴질'이라는 무시무시한 표현으로 보도를 했던 기억이 생생합니다. 이후부터 본격적으로 환자 발생이 보고되기 시작하였는데, 주로 해안을 접한 영호남 지역에서 호발하였습니다. 매년 100명 채 안 되게 꾸준히 보고되고 있습니다.

치료는 괴사성 피부 병변에 대한 수술적 치료와 함께 항생제를 집중 투여해야 합니다.

일단 3세대 cephalosporin을 기본으로 깔고, FQ이나 tetracycline 계통 항생제를 병용합니다.

물론 sepsis에 준한 치료가 기반이 되어야 하겠지요.

Wound infection은 primary sepsis와는 달리 기저 질환이 없는 이에게서 발병합니다. 손상된 피부가 오염된 물에 접촉할 때 균이 침입하여 발생합니다. Primary sepsis와 비교해서 치명도는 덜 하지만, 환자에 따라 중증까지 갈 수도 있습니다. 한 나절 정도의 잠복기를 거쳐서 피부 병변이 시작되며, 하루 이내로 환자들의 과반수에서 primary sepsis 때와 같은 괴사성 병변이 나타납니다. 물론 이는 국소적으로 진행되는 질환이라 primary sepsis 처럼 전신에 퍼지는 양상은 아닙니다. 치료 방침은 괴사성 병변에 대한 수술적 중재와 더불어 항생제의 투여입니다.

*V. parahaemolyticus*는 특히 일본에서 활발하게 연구가 잘 된 균입니다. 1951년 일본에서 먼저 본격 보고가 되기 시작한 탓이죠. 어패류 생식 후 생기는 장염의 원인균으로서 일본만 놓고 보면 거의 1/4 정도를 차지합니다.

1968년에 Wagatsuma는 fibrin을 제거한 사람 혹은 토끼 혈액에다가 carbo-hydrate source로서 mannitol을 갖춘 7% 고농도 salt의 blood agar를 만듭니다. 여기에 장염 환자의 설사 변에서 분리된 균을 추가해서 hemolysis 소견을 얻으면 *V. parahaemolyticus*로 진단됩니다. 이를 Kanagawa phenomenon이라고 합니다. 그런데, *V. parahaemolyticus*라 하더라도 이 현상이 안 나오면 이 균에 의한 장염이 아닌 것이 됩니다.

*V. parahaemolyticus*가 모두 다 hemolysis를 일으키는 게 아니라 겨우 1-2% 정도만 가능하기 때문입니다.

왜냐하면 hemolysis를 일으키는 이유가 thermostable direct hemolysin (TDH)라는 toxin 때문이며, 이를 보유한 *V. parahaemolyticus*만이 장염을 일으킵니다.

이 toxin은 검사에서는 hemolysis를 보이지만, 실제 장염에서는 장 상피 세포에 cytotoxin과 enterotoxin으로서 작용합니다. 역시 전형적인 설사의 기전으로서, 장상피로 하여금 장 내에 chloride를 과도하게 뿜게 하고, 당연히 다량의 sodium과 물이 딸려 나오게 됩니다. 한 마디로 설사죠.

빠르면 4시간, 길게는 4일 정도 잠복하다가 장염 증세가 시작되며 3일 정도 앓습니다. 재수 없으면 혈변, 점액변 같은 이질 증세를 보일 수도 있고, 아주 드물게 sepsis로 갈 수도 있습니다.

그래도 대개는 알아서 좋아지기 때문에 너무나 중증이라면 몰라도 항생제를 굳이 줘야 할 경우는 별로 없습니다. 항생제 선택은 다른 *Vibrio*와 대동소이합니다.

Non-O1/O139 *V. cholerae*는 가끔 원내에서 배양 보고가 되어 "콜레라다!"하며 잠시 동안 헛소동을 일으키기도 합니다. 이는 이름만 콜레라지, 우리가 아는 그 무시무시한 콜레라가 아닙니다. O1과 O139 항체에 대해 응집 반응을 안하는 균이기에, 전혀 다르고 좀 더 순한 맛의 콜레라로 보시면 되겠습니다.

주로 장염을 일으키며 가끔 중이염이나 wound infection, bacteremia도 있습니다.

하루, 이틀 정도 잠복기를 지나 복통, 설사(양이 적습니다)를 일으키며 이틀에서 길면 일주일 정도 앓습니다.

항생제는 장염일 경우는 굳이 줄 필요는 없으나, 장 이외의 증세가 있다면 투여하는 게 좋겠습니다.

*V. alginolyticus*는 드물게 발생하는 *Vibrio* 감염으로, wound infection뿐 아니라 otitis나 eye 감염도 일으킬 수 있습니다. 동족들 중에 가장 높은 salt 농도(10% 이상)를 거뜬히 견딥니다. 임상적으로는 심각한 경과로 가는 일은 드물며, tetracycline 정도만 줘도 잘 듣습니다.

7. Neisseria meningitidis

그람 음성균인데 지금까지 소개한 것들과는 달리 bacilli가 아니고 diplococci의 외모입니다.

오로지 사람에게만 있습니다.

이 균이 일으키는 질환이 워낙 살벌해서 오해하기 쉽지만, 사실은 정상 성인의 8-25%에서 nasopharynx에 서식하고 있는 정상적인 선량한 주민입니다.

그렇다면 어떤 놈들이 병을 일으키냐 하면, 병독성을 가진 놈들, 즉 polysaccharide capsule을 가진 일부 몰지각한 놈들입니다.

이 capsule은 현재까지 13가지 혈청형이 밝혀져 있는데, 사람에게 질환을 일으키는 혈청형은 A, B, C, Y, W, X의 여섯 가지입니다. A형은 주로 아프리카와 아시아에 흔하고, B와 C형은 호주와 미주 대륙에 많습니다.

도말 소견으로, 그람 음성 diplococci 모양입니다.

국내에서는 제2급 감염병으로 매년 20건 이하 정도 보고되고 있지만, 실제로는 더 많을 것으로 추정됩니다.

한때 군인들이 호발 집단이었습니다. 그러나, 2012년에 군부대에 대한 국가주도 수막알균 예방 접종 사업을 대대적으로 실시하기 시작한 이래로 현재 군인들에게서 발생하는 경우는 확연히 줄었습니다.

최근 국내의 혈청형 분포를 보면 B형이 차지하는 비중이 다수로 떠오르고 있습니다. 현재 국내에서 접종하는 백신이 B형은 예방하지 못하기 때문에 이에 대한 보완 조치가 필요한 현실입니다.

전파 과정은 contact 혹은 침 방울에 의하여 이루어집니다. 남에게 전파된 수막알균은 곧장 nasopharynx에 달라 붙은 후 증식을 하는데, 1% 이하의 극소수가 혈액까지 흘러 들어가 질병을 일으키는 것입니다.

수막알균의 기본적인 virulence factor는 outer membrane 구성 성분인 lipooligosaccharide (즉, endotoxin)과 polysaccharide capsule, 그리고 adhesion 관련 인자들(type IV pilin adhesin이 대표적)입니다. 이미 여러 세균 단원에서 익혔다시피, adhesion은 모든 병리 기전의 시작이며, endotoxin은 sepsis를 유도하는 역할이고, capsule은 phagocytosis에 저항하는 역할을 합니다. 그 밖에 catalase와 superoxide dismutase를 내서, 세포 안에서 radical에 의한 공격을 막아내고, 살아가는 데 필요한 연료인 iron을 약탈하며, 특히 complement가 매개하는 살해 시도를 저지합니다.

Complement 말이 났으니 말인데, 이들 균에 대한 인체 방어기전의 핵심 열쇠는 바로 이 complement가 쥐고 있습니다. 이는 bactericidal activity와 opsonophagocytosis에 있어서 핵심 역할을 하는데, alternative pathway에 있어서 factor H binding protein을 통해 factor H를 방해함으로써 제대로 진행되지 못하게 합니다. 또한 porin도 TLR2에 인지되면서 factor H뿐 아니라 C3b, C4b, C4b binding protein에도 결합함으로써 결국 late complement components (C5-C9)까지 가지 못하고 membrane-attack complex (MAC)를 제대로 조성하지 못하게 됩니다. 최종 결과는 complement factor들이 모여서 해야 할 일을 못하게 되는 것이죠. Porin은 그 외에도 pili와 함께 합동 작업을 하여 인체 세포 안으로 들어가는 것과 그 세포의 apoptosis를 유도하는 작업까지 합니다.

임상에서는 meningitis와 fulminant meningococcemia의 두 가지 질환이 치명적이고 중요합니다.

평균 3-4일(2-10일)의 잠복기를 거쳐서 증상이 시작됩니다.

수막염은 균이 blood-brain barrier (BBB)를 통과하여 지주막하로 들어감으로써 시작됩니다. 균의 pili는 CD46을 선호하는데, 이는 특히 수막알균의 유입 경로로 추정되는 choroid plexus와 meningeal epithelia에 풍부하다는 점에서 질병 기전과 밀접한 관계가 있습니다. 일단 들어가고 나면 endotoxin의 매개로 강렬한 염증 반응이 일어납니다. 그리하여 균 증식과 더불어 염증 반응이 신나게 진행되면서 CSF 내의 endotoxin, IL-6, TNF-α, IL-1, IL-1Ra, IL-10 농도가 혈중 농도의 수백-수천 배 높게 나옵니다. 이들 물질은 BBB의 permeability를 더 높이게 되어 더 많은 침입을 허용하게 되고, 그 결과 뇌 실질의 부종으로 인한 뇌압 상승, 뇌 세포의 apoptosis, 혈관 내 응고로 인한 ischemia 등의 악순환에 빠집니다.

그리하여 열과 두통 등의 수막염 증상은 물론이고, 더 진행하면 의식 저하까지 와서 사망까지 갈 수 있습니다. 환자의 절반 정도에서 petechiae가 나타나는데, 실제로 보고 있으면 시퍼렇고 거무죽죽한 멍이 점차 커지는 게 아예 실시간으로 보일 정도입니다. 제가 전공의 시절에는 이런 실시간 진행 양상을 보이는 환자들이 정말 많았습니다. 그런데 그 당시 흔히 보던 손바닥 크기 정도 멍들을 보이는 양상은 요즘 들어서는 보기 어렵습니다. 1990년대 중반부터 만나던 수막알균 환자들의 멍은 진짜 조그만 점상 출혈 정도만 나타납니다. 왜 이렇게 임상 양상이 변했는지는 저도 잘 모르겠어요.

어쨌든 수막염 환자가 응급실로 내원하면 통상적인 신경학적 진찰뿐 아니라 반드시 몸 구석구석 샅샅이 뒤져서 점상 출혈이 있는지를 확인하셔야 합니다. 이제는 출혈성 피부 병변이 노골적으로 나타나지 않기 때문에, 수막알균 수막염을 자칫하면 놓칠 수 있습니다. 타인에게 전염되기 쉬운 균이므로 이렇게 처음부터 철저하게 가려내려는 노력이 필요합니다.

같은 이유로, 수막알균이 배양 검사에서 확인될 때까지 3일 여를 기다리지 말고, 당일에 뇌척수액 그람 염색에서 그람 음성 diplococci가 나오는지를 속히 확인해야 합니다. 임질균 외에는 그람 음성균으로서 cocci 모양을 보이는 건 수막알균 외에는 생각할 수 없기 때문에 당일 확인이 가능합니다.

Fulminant meningococcemia는 그람 음성균에 의한 septic shock 중에서도 가장 급격히 치명적인 경과를 밟습니다. 특징적으로 petechiae나 purpura 같은 출혈성 피부 병변을 보이며 거의 필연적으로 disseminated intravascular coagulation이 합병됩니다. 치명률은 50%를 넘나듭니다.
Fulminant meningococcemia가 극단적으로 치달은 예가 Waterhouse-Friderichsen syndrome입니다. 이는 DIC-induced microthrombosis, hemorrhage, tissue injury 등의 과정 중에 adrenal failure까지 합병되는 경우로, 심한 stress에 대한 정상적인 hypercortisolemic response를 보이지 못합니다.

한편, 이 질환을 앓는 도중에 arthritis가 심심치 않게 발생하기도 합니다(약 10%). 언제 발생하느냐가 중요한데, 질병 초기 며칠 사이에 발생하면 수막알균이 직접 관절을 손상했다는 의미이고, 더 늦은 시기에 발생한다면 immune complex deposition에 대한 면역반응이라 관절염에 준해서 치료해야 합니다.

치료는 3세대 cephalosporin을 줍니다. Penicillin G도 좋은 선택이지만 내성이 증가하는 추세라 완전히 신뢰할 수는 없습니다. 이 밖에 meropenem을 사용할 수도 있습니다. β-lactam allergy 인 경우 fluoroquinolone을 쓸 수 있습니다. 치료는 적어도 5-7일 정도 해 주어야 합니다. 비말 격리는 1인실에서 항생제 주고 24시간 동안 합니다.

앞서 언급했듯이 전염성이 강하기 때문에 치료뿐 아니라 접촉자 관리도 중요합니다.

환자의 증상 시작 7일 전부터 항생제 치료 후 24시간까지의 기간 동안 밀접 접촉한 이들이 대상이 됩니다. 사실상 응급실에서 환자를 근접해서 본 의료진과 환자와 동거하는 가족, 친지들이 되겠지요. 흔히 rifampin, ciprofloxacin (500 mg 한 번), azithromycin (500 mg 한 번)을 줍니다. Rifampin의 경우 600 mg씩 하루 2번 총 2일간 복용합니다. 그러나 15-20%에서 제거 실패를 보이고 있어서 최고의 예방책은 아니므로, 우선적으로는 ciprofloxacin이나 ceftriaxone 250 mg IM 한 번으로 완료하는 게 좋습니다. 특히 후자의 경우 임산부에서도 안전하게 사용할 수 있는 방안입니다.

백신은 quadrivalent meningococcal polysaccharide vaccine (serogroups A, C, W, Y)을 투여하는데, 현재 국내에서는 Menactra와 Menveo가 쓰입니다. 접종 대상으로는 complement 결핍 환자, sickle cell anemia, asplenia, 혹은 splenectomy 받은 환자들입니다. 그 외에 군인, 중동지방 순례자들, 6-12월 사이에 사하라 사막 이남으로 여행하는 경우도 접종 대상에 해당하며, 수막알균 유행 지역으로 가는 경우에도 맞아야 합니다. 미국에서는 기숙사 생활을 시작하는 대학 신입생들은 반드시 접종받도록 권고하고 있습니다.

문제는 B형은 국내에서 해결이 안 된다는 점입니다. 그 이유는 태아의 신경세포 표면에 표현된 alpha-2,8-N-acetylneuraminic acid와 유사한 구조를 가지고 있어서, 인체 면역 체계가 이 B 혈청군을 self로 인식하므로 immunogenicity를 발휘하지 못하기 때문입니다.

현재 Outer membrane vesicle (OMV) 기반으로 백신이 나와 있습니다.

8. *Haemophilus influenzae*

*H. influenzae*는 1892년 독일의 미생물학자 Richard Pfeiffer가 발견한 그람 음성 coccobacillus입니다. 이름에서 알 수 있듯이, 그는 이 균을 발견할 당시에 한참 유행하던 influenza의 원인 병원체가 바로 이것이라고 착각을 하였지요. 뭐, 어쩌겠습니까? 바이러스에 대한 기초가 아직 정립되기 이전의 시대였으니까요.

사람에게만 감염병을 일으키는 균입니다.

특기할 만한 사항으로는 전체 genome sequence가 낱낱이 규명된 최초의 균이기도 하다는 사실입니다.

크게 혈청 typing이 되는 종류와 안 되는 종류가 있습니다.
여기서 typing의 기반이 되는 것은 capsule의 존재 여부입니다.
Serotype은 6가지로, a부터 f까지 있습니다. 이들 중에서 특히 사람에게 문제가 되는 병원체가 b형(Hib)입니다. 이 Hib의 capsule 성분은 polyribitol ribose phosphate (PRP) polymer이며 병리기전의 주범이자, 인체가 면역 반응을 보이는 과녁이기도 합니다. 즉, 백신의 과녁입니다. 이 Hib는 사람에게서 전신 침습성 감염을 일으키는데, 주로 소아에서 침습성 질병을 많이 일으킵니다. 특히 수막염의 주요 원인균들 중 하나죠.

말하자면...
약자에 강한 병원체, 즉 기회 감염을 일으키는 놈입니다. 보통 바이러스 질환이 먼저 선행하고 나서 약해진 신체에 잘 침입합니다. 소아 수막염의 경우는 뒤끝이 있어서, 청력 이상을 장애로 남기기도 합니다. 그 밖에 소아의 폐렴,

epiglottitis나 cellulitis를 일으키기도 합니다.

물론 나머지 a, c-f형이 착하다는 건 아니며, 이들도 침습성 감염을 일으키기는 마찬가지입니다. 비중이 Hib에 비해 현저히 작을 뿐이죠.

이들에 속하지 않는 non-typeable균은 capsule이 없습니다. 그렇다고 해서 이들이 착하지는 않고, 국소적이나마 점막 감염을 일으킵니다. 주로 소아에서 중이염을 일으키며, 성인에서 폐렴의 원인균이 되기도 합니다.

배양을 할 때 blood agar의 일종인 chocolate agar (*N. meningitidis*의 배양에도 쓰입니다)를 사용하면서 factor V (nicotinamide adenine dinucleotide)와 factor X (hemin)을 추가해 줍니다. 이들 factor는 뭐 대단한 건 아니고 이 균이 좋아하는 먹이쯤으로 생각하시면 되겠습니다.

치료는 3세대 cephalosporin, ampicillin/sulbactam, FQ를 주로 선택합니다.

백신은 capsule의 PRP (polyribitol ribose phosphate)를 겨냥한 것으로, 생후 2개월 이상 5세 미만의 소아를 대상으로 생후 2, 4, 6개월에 3회 기초 접종 후 12-15개월에 추가 접종을 합니다.

환자가 발생했을 때, 그 가정에 4세 미만의 Hib 백신 미접종 혹은 불완전 접종 소아가 1명이라도 있거나, 기초 접종을 완료하지 않은 12개월 미만의 소아가 있거나, 혹은 Hib 백신 접종력에 관계없이 면역기능이 억제된 소아가 있는 경우에는 chemoprophylaxis를 해야 합니다. 단, 환자 이외에는 가족들이 모두 4세 이상이라면 대상이 아닙니다. 그러니까, 사실상 4살 미만의 아이들만 복용하겠군요.

보육시설에서 60일 이내에 2명 이상의 침습 질환이 발생한 경우에도 2차 감염 위험이 높다는 징조이므로 역시 시행해야 합니다. 물론 딱 1명만 발생하면 굳이 그럴 필요는 없습니다. 약제로는 rifampicin 600 mg을 하루 한 번, 총 4일간 복용시킵니다.

*H. influenzae*와 사촌으로 *H. ducreyi*가 있습니다. 이 놈은 매독의 chancre와 유사한 성매개성 병변인 chancroid를 일으키는 원인균으로, chancre와는 달리 통증이 있는 것이 특징이며, 특히 HIV와 많은 연관이 있습니다.

9. Bordetella pertussis

백일해(百日咳; Pertussis, 혹은 Whooping cough)는 국가 지정 제2급 감염병입니다.

원인균은 *Bordetella pertussis*로 그람 음성 coccobacilli입니다.

1906년에 Bordet와 Gengou에 의해 균이 처음 분리되었습니다. 균 이름도 발견자 이름에서 온 것이죠.

이 균은 오직 사람만 담당합니다.

*B. parapertussis*도 원인균이긴 하나 좀 순한 맛이고, 사람뿐 아니라 양도 감염시킵니다.

백일해는 세균성 급성 호흡기 감염증으로 전 세계적으로 발생하고 있습니다. 모든 연령대에서 발생하지만 주로 소아에서 호발합니다.

Pertussis는 Per-는 과잉으로, 심하게의 뜻이고 - tussis는 기침을 의미합니다. 즉, 너무나 심하게 기침을 한다는 뜻이죠.

Whooping은 기침을 발작적으로 한참 하다가 숨을 다 뱉어낸 직후 '끄윽~~' 하고 다시 숨을 크게 들이 마시는 것을 말합니다.

그럼 백일해는 정말 100일간 기침해서 백일해일까요?

그럴 리가 없다는 건 눈치 채셨을 겁니다.

실제로 whooping cough를 하는 시기는 백일해의 2번째 단계인 paroxysmal stage인데, 항생제 치료를 못 받으면 짧게는 1주, 길게는 6주 가며, 성인의 경우는 평균 36일에서 48일 정도입니다

'100일'의 진짜 뜻은 이렇게 '오래 간다'는 뜻에서의 '百日'인 것입니다.

이 균이 질환을 일으키기 위해서는 모든 병원체들이 그렇듯이 인체 세포에 달라 붙어야 합니다. 이를 위해 백일해 균은 FHA (filamentous hemagglutinin)과 FIM (fimbria)를 사용하여 trachea에 달라붙습니다. 이는 백신에서 중요한 과녁이기도 합니다. 또한 PRN (peractin)과 특히 PT (pertussis toxin)이 달라 붙는 데 관여합니다. PT는 앞서 다룬 cholera toxin과 Shiga toxin처럼 A-B 구조입니다.

역시 B subunit이 binding & attachment 담당이고, A subunit이 그 후를 맡습니다.

그런데, 하는 짓은 cholera toxin과 같이 ADP-ribosylation을 하되, 오히려 adenylyl cyclase를 억제합니다.

또한 TCT (tracheal cytotoxin)과 DNT (dermonecrotic toxin)이 IL-1을 통해 nitric oxide synthase를 활성화시켜서 국소적으로 조직을 파괴합니다. 이후 macrophage, neutrophil 등의 염증 세포들이 몰려오면서 본격적으로 염증이 진행됩니다.

B. pertussis는 소아에서 pancreas의 beta-islet cell에 영향을 줘서 인슐린 과잉 분비를 유도하여 심한 저혈당을 일으킬 수 있습니다.

12. 그 밖에

16강

Capnocytophaga spp.(이름에서 알 수 있듯이 배양할 때 capno, 즉 이산화 탄소를 잘 먹어야 하는 균입니다) 중에서도 *C. canimorsus*와 *C. cynodegmi*, 그리고 *Pasteurella multocida*는 멍멍이와 야옹이에게 물렸을 때 감염되기 쉬운 균입니다.

치료 항생제로는 ampicillin/sulbactam이나 3세대 cephalosporin을 투여합니다. 물론 이들에게 물렸을 때 이들 균만 의식하지 마세요. 사실은 파상풍부터 먼저 해결하셔야 함을 잊지 마시도록.

Aeromonas spp도 종종 보고되는 균입니다. 이들은 주로 FQ, 혹은 3-, 4-세대 cephalosporin으로 치료합니다. 감수성에 따라 carbapenem을 줘야 할 수도 있습니다.

*Achromobacter xylosoxidans*도 가끔 보는데(*Alcaligenes*로 보고되기도 합니다), 이 놈은 다제 내성을 보이는 경우가 종종 있어서, carbapenem, tigecycline, colistimethate를 쓰게 됩니다.

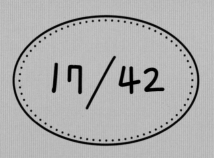

제17강

그람 양성균 - 포도알균

그람 양성균 – 포도알균

포도알균(*Staphylococcus*)은 현미경으로 관찰해 보면 포도송이들이 잔뜩 모여 있는 모양을 하고 있습니다. *Staphylo* -는 그리스어 Staphyle에서 왔는데, 포도송이라는 뜻이고- *coccus*는 역시 그리스어 kokos(동글동글한 열매)에서 왔습니다.

1880년 스코틀랜드의 외과 의사 Alexander Ogston경에 의해 처음 보고되었습니다.

1884년 독일의 Friedrich Julius Rosenbach가 이 균을 배양해 보다가, 두 가지 종류의 집락이 형성되는 것을 발견합니다. 하나는 노란 금색을 보였고, 나머지는 하얀색 집락이 자랐습니다. 그래서 전자를 황금색이라 하여 *Staphylococcus aureus*라고 명명합니다. 노란색을 띠는 이유는 병독성 인자들 중 하나인 staphyloxanthin을 내기 때문입니다. 이 물질은 인체 면역체계가 균을 죽이려고 생성해 내는 산소 radical을 중화시키는 기능을 합니다. 나머지 하얀색 집락은 coagulase-negative staphylococci (CoNS)이었겠죠.

*Staphylococcus*는 Family Staphylococcaceae에 Genus *Staphylococcus*의 가계도입니다.

*S. aureus*는 catalase 양성으로 산소 radical의 공격으로부터 자신을 방어합니다. 인체 피부 어디에서나 살고 있는 것은 물론이고, 주위 환경 어느 곳에서나 널리 퍼져서 서식하고 있습니다.

이는 coagulase 양성으로 fibrinogen을 fibrin으로 변환시킴으로써 앞에 놓인 장애물을 거침 없이 뭉개버리며 저돌맹진하여 전신에 퍼지는 전이성 감염을 잘 일으킵니다.

CoNS는 *S. aureus*보다는 병독성이 상대적으로 뒤지지만 이 또한 병원 감염에 있어서 중요한 위치를 차지하고 있습니다. 특히, prosthetic device 감염에서 중요한 원인균입니다.

포도알균은 항생제 개발사와 흐름을 같이 합니다. 1940년대에 처음 나온 penicillin은 결국 포도알균을 겨냥한 것이었습니다. 하지만 포도알균은 곧장 penicillinase를 내면서 이를 극복합니다. 그러나 penicillinase stable penicillin이 개발되면서 다시 밀리는 듯 했으나, 포도알균은 1960년에 곧장 MRSA (methicillin resistant *S. aureus*)를 등장시키면서 또다시 극복해 냅니다. MRSA는 특히 1980년 들어 주요 병원 감염 원인균으로서 대두합니다. 그리하여 1950년대에 개발되었다가 잊혀져 가던 vancomycin을 비롯한 glycopeptide가 다시 치료제로 쓰이기 시작합니다.

MRSA의 내성은 유전자인 *mecA*와 Staphylococcal Cassette Chromosome *mec* (*SCCmec*)에서 비롯됩니다. 이들과 VISA, VRSA에 대해서는 이미 제6강 '항생제에 저항하는 세균들'에서 자세히 설명하였으니 참조하시기 바랍니다.

1990년 들어서는 병원뿐 아니라 병원 밖의 지역 사회에서도 MRSA가 만만치 않게 발생하기 시작하는데, 이것이 바로 지역 사회에서 걸리는 MRSA (community acquired 혹은 associated MRSA, CA-MRSA)입니다.
CA-MRSA는 지역 사회에서 발발한 MRSA (community onset MRSA, CO-MRSA)와는 구별을 해야 합니다.
CO-MRSA는 병원에서 얻은 MRSA를 지닌 채로 지역 사회로 들어 갔다가 (요양원, 요양 병원 등으로 입원) 다른 환자들에게 옮겨진 사례들이라 사실상 HA-MRSA (Hospital-acquired MRSA)의 영역이기도 합니다.
보통 CA-MRSA는 피부 연조직 감염이 주종을 이루지만, 운이 나쁜 5-10% 정도는 necrotizing fasciitis, necrotizing pneumonia, 그리고 sepsis 같은 치명적인 경과를 밟기도 합니다.

현재 MRSA는 원내 감염의 주요 이환율과 사망률의 원인 주류로서 건재하며 토착화되어 있다고 할 수 있습니다.

*S. aureus*는 기회성 감염의 원인 병원균이지만, 평소에는 피부에 상재하며 별 말썽을 부리지 않고 우리와 공생하는 균이기도 합니다. 정상인의 비강에서 배양을 해 보면 약 40%에서 *S. aureus*가 나오거든요.

물론 당뇨나 말기 신부전, HIV, 약물 중독자 같이 기저 질환 문제가 있는 이들에게서는 더 빈번히 나오고 질환으로 발전할 소지가 높습니다. 혹은 피부 방어진이 무너지는 상황, 예를 들어 외상이나 수술로 인한 절개가 선행한다면 이 또한 감염 질환으로 진행할 수 있습니다. 즉, *S. aureus* 감염 질환은 그 환자 자신의 피부나 정상 상주 부위에서 비롯된 *S. aureus*에 의해서 생겼을 가능성이 높다는 것이지요.

병리 기전을 보면, 참으로 다양한 virulence factor들을 현란하게 구사하는데, 증식하는 시기에 따라 수요가 다르기 때문에 그때 그때 내는 virulence factor들이 다릅니다.

초반에 신나게 증식해 나가는 exponential phase는 한참 활발한 시기입니다. 이 시기에는 힘 있을 때 빨리 정착해야 하니까 주로 달라붙기, 뭉치 만들기 등에 치중합니다. 예를 들어 protein A, elastin-binding protein, collagen-binding protein, fibronectin-binding protein, clumping factor 등입니다. 이들을 MSCRAMMs (microbial surface components recognizing adhesive matrix molecules)라 합니다.

그러다가 어느 정도 안정권인 stationary phase에 접어들면, 비로소 편히 앉아서 그 동안 하고 싶어서 참았던 못된 짓을 합니다. 예를 들어 shock을 일으키는 TSST-1 (toxic shock syndrome toxin-1), enterotoxin B, alpha-toxin 등입니다.

이렇게 virulence factor들을 시기에 따라 발현시켰다, 말았다 하는 걸 조절하는 것이 *agr* (accessary gene regulator) system과 staphylococcal accessory regulator (*sar*)인데, 조절의 주요 기준은 quorum sensing 체계에 기반을 두고 행해집니다.

S. aureus 감염증은 몸소 염증을 유발하는 질환과 toxin이 매개하는 질환으로 나뉩니다.

이 균 자체가 본질적으로 abscess를 잘 만드는 화농성 균입니다. 이 놈이 일단 정착하면 각종 염증 세포들을 불러모아 싸움을 겁니다. 그래서 감염 부위에 염증을 만들고, 기회가 있으면 다른 곳까지 원정을 가서 또 다른 염증의 분점을 차립니다.

반면에 toxin에 의한 질환의 경우에는 균이 몸소 병변에 가서 염증을 만드는 게 아니고, toxin이 가서 인체 세포들의 작용에 심각한 고장을 내는 것입니다. 쉽게 말해서 화농성 질환은 백병전 혹은 보병전, toxin 매개 질환은 대포나 미사일을 쏘는 전투인 셈입니다. Toxin 매개 질환으로 흔한 게 식중독입니다. 이는 heat-stable enterotoxin에 의하여 즉각 효과를 보이기 때문에 섭취 1-6시간 내로 오심 구토를 일으키며, 대개 하루 정도 짧게 고통을 주고 끝납니다. 오심과 구토 위주로 증상이 나타나는 이유는 이 toxin이 vagus nerve와 중추 신경계 내의 구토 중추인 area postrema를 자극하기 때문입니다. 다른 식중독과 비교해서 설사나 발열은 거의 없다시피 합니다.

그러나 더 심각한 것도 많습니다. 대표적인 것이 staphylococcal toxic shock syndrome (TSS)입니다. 이는 조금 있다가 자세히 설명하겠습니다.

포도알균 감염 질환이 성립되려면 먼저 피부나 점막이 손상되어 그 부분에 상주해 있던 균이 무단으로 들어와야 합니다. 거기서 자리를 잡고, 인체 면역계가 가해오는 온갖 시련을 극복하고(사실은 회피하는 것입니다; 소위 evasion) 나면 정착 및 증식을 해서 본격적인 침투(invasion)를 시도하며, 그 때부터 비로소 질환이 시작됩니다.

앞서 염증 단원에서도 강조했지만, 가장 기본적인 virulence는 adhesion입니다.
하늘을 봐야 별을 따고, 산에 가야 범을 잡는 법이지요.

피부가 절개되거나 손상된 곳에 포도알균이 들어가게 되면 피부 아래 숨겨져 있다가 노출된 구조물에 일단 달라붙어야 합니다. 그 작업은 포도알균 표면에 있는 MSCRAMMs가 피부 밑에 숨겨져 있던 fibrinogen이나 fibronectin 같은 matrix molecules (e.g., fibrinogen, fibronectin)에 붙습니다(protein A는 예외입니다. 이건 adhesion이 아니라 immune evasion용입니다).

Prosthetic devices에 달라붙은 경우에는 biofilm을 만들어 자기 패거리들의 조직을 더욱 공고히 합니다.

이렇게 정착을 성공적으로 완수하고 나면 그 곳에서 개체 수를 불리며 주위 조직을 녹이면서 더욱 전진하기 위한 다양한 효소들, 예를 들어 serine proteases, hyaluronidases, lipase 같은 것을 분비합니다. 특히 lipase 같은 경우는 모낭 같이 기름기 질질 모여있는 부위에서 진가를 발휘합니다. 포도알균에 의한 피부 연조직 감염인 carbuncle, furuncle, 심지어 cellulitis까지 모두 모낭에서 시작되는 이유입니다.

포도알균이 인체 면역을 교묘하게 회피하는 짓은 여러 가지가 있습니다.
일단 구조 면에서 polysaccharide microcapsule을 두르고 있습니다. 앞서 다른 균들에서도 언급한 바와 같이, 이는 phagocytosis가 원활히 되지 못하도록 하는 방어막입니다. 인체에 감염을 일으키는 S. aureus의 경우 대개 capsular type 5와 8로 무장하고 있습니다. 그리고 이 capsule은 식균에 대한 저항뿐 아니라 농양이 만들어지는 기점이 되기도 합니다.

조금 전에 잠깐 언급했던 protein A는 Fc receptor로서 IgG1, G2, G4를 붙잡습니다. 그 결과 또한 phagocytosis 방해입니다.
그리고 chemotaxis inhibitory protein of staphylococci (CHIPS)와 extracellular adherence protein (EAP)은 호중구가 감염 부위로 달려오는 것을 저지합니다.

이런 모든 노력에도 불구하고 포도알균은 결국은 phagocytosis로 삼켜지긴 합니다. 그런 상황이 되어도 포도알균은 살 길을 찾습니다. 식균 속에 삼켜졌다 하더라도 마치 고래 뱃속의 요나처럼 잘만 생존합니다. 사실 osteomyelitis나 cystic fibrosis처럼 항생제를 장기간 때려 부어도 잘 낫지도 않고 자꾸 재발하는 근본적인 이유도 여기에 있습니다. 앞서 *Salmonella*나 *Shigella*도 식균 세포에게 잡아먹히는 게 꼭 불리한 것이 아니었고, 앞으로 소개할 *Listeria* 균도 식균된 후에도 오히려 잘 살아남기만 한다는 사실을 자꾸 접해 보니, 이쯤 되면 과연 phagocytosis가 우리 인체의 방어 기전으로서 과연 얼마나 가치가 있는지 회의감이 들기도 합니다.

한편 각종 toxin들도 작동을 하는데, 특히 그람 양성균 고유의 세포 벽 성분인 lipoteichoic acid가 그람 음성균의 endotoxin에 준하는 염증 반응을 유도하여, 극단적으로는 패혈증까지 몰고 갈 수 있습니다.

*S. aureus*에서 질병을 초래하는 toxin들은 3가지가 중요합니다. 하나가 세포 자체를 손상시키는 cytotoxins이고, 열을 유발하는 pyrogenic toxin이자 superantigens, 그리고 피부가 벗겨지는 exfoliative toxins입니다.

Cytotoxin을 열거하자면 먼저, staphylococcal alpha toxin은 인체 세포에 구멍을 내면서 염증의 시발점이 됩니다. 특히 주목할 toxin이 Panton-Valentine leukocidin (PVL)입니다. 이것도 인체 세포에 구멍을 내는 toxin으로, neutrophil, monocyte/macrophage를 주 대상으로 삼습니다. 특히 CA-MRSA의 대부분이 이것을 보유하고 있으며, 피부 및 연조직에 괴사성 병변을 유발하고, 폐렴일 때도 괴사 및 출혈을 초래하여 높은 치명률을 보입니다.

자, 그리고 문제의 superantigen을 다뤄봐야 하겠습니다.
이 pyrogenic toxin superantigen 혹은 TSST-1은 enterotoxin과 거의 유사

한 구조입니다. 원래 인체 내로 병원체가 들어오면 APC가 잡아다가 처리하기 좋게 항원으로 잘게 잘라서 T cell에게 선사를 합니다. 이때 필요한 매개체가 major histocompatibility complex (MHC) class II인데, 바로 여기서 정상적인 과정과 차이가 발생합니다. 먼저, 일반적인 항원은 MHC class II 내부의 groove로 얌전히 얹어져서 선사가 되는 반면에, enterotoxin은 MHC class II의 바깥쪽 invariant region에 붙어서 T cell receptors까지 걸치면서 vβ chain에 달라붙습니다. 이 부위는 T-cell에 있어서 민감한 부위로, 정상보다 훨씬 많은 수의 T-cell이 잔뜩 불어나게 됩니다. 비유하자면, 만약 어느 농산물을 사는데, 도매상, 소매상을 거치지 않고 산지에 직접 가서 거래하면 같은 돈 액수로 훨씬 더 많은 농산물을 살 수 있습니다. 이 경우가 딱 이런 사례입니다. 심하면 인체 내 T-cell 전체 수의 20%까지도 육박합니다.

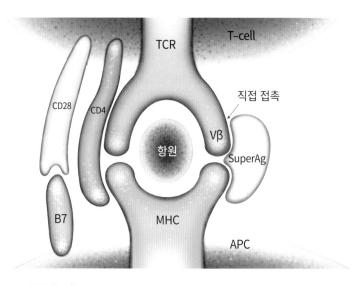

TCR: T-cell receptor
MHC: Major histocompatibility complex
APC: Antigen presenting cell
SuperAg: Superantigen

쓸데없이 많이 불어난 T-cell들은 무슨 짓을 할까요? 불어난 수만큼 염증 지향성 반응이 정비례합니다. 그것도 지나치게. 그 결과 소위 cytokine storm이 벌어집니다. 온 몸이 interferon-gamma, IL-1, IL-6, TNF 등의 도가니탕이 됩니다. 그 다음부터는 sepsis와 동일한 과정을 밟아서 궁극적으로 shock과 multi-organ failure가 옵니다. 이것이 toxic shock syndrome입니다.

참으로 enterotoxin은 이중성을 갖고 있습니다. Enterotoxin의 어느 부분이 작동하느냐에 따라 그나마 하루 정도만 앓고 마는 식중독이 될 수도 있고, 아니면 toxic shock syndrome이 될 수도 있으니 말입니다.

TSS는 1980년대에 탐폰을 주로 쓰는 젊은 여성들에서 호발하면서 주목을 받았습니다. 이로 인해 탐폰이 생리대 시장에서 퇴출이 되어 TSS는 일시적으로 감소했습니다만, 여성 생리와 무관한 사례들의 보고가 늘어나기 시작했습니다. 이는 주로 수술을 받거나 출산을 한 환자에게 거즈로 패킹을 한 증례들에서 발생했습니다. 결국 탐폰 사용과 같은 이치인 셈이었죠. 탐폰으로 인한 경우가 TSST-1이 원인이었다면, 그렇지 않은 경우는 대개 enterotoxin-B가 요인이었습니다. 환자는 열과 저혈압, 그리고 일광욕을 한 것처럼 전신이 벌건 소견을 보이곤 하다가 소화기 증상과 함께 급격히 진행을 합니다. 그러다가 multi-organ failure로까지 갑니다.

미국 Centers for Disease Control & Prevention (CDC) 진단 기준은 다음과 같습니다.
참고로, 원래 TSS 기준의 원형은 나중에 다룰 streptococcal toxic shock syndrome이며, 이 기준은 *Streptococcus* 종을 제외한 경우라는 전제 하에서 마련된 것입니다.

일단 임상적으로 다음 기준이 맞아야 합니다.

- 발열: 체온 ≥ 38.9°C (102.0°F)
- 발진: Diffuse macular erythroderma
- 발진 1-2주 후 껍질이 벗겨진다.
- 저혈압: 성인은 systolic blood pressure ≤ 90 mmHg; 16세 미만은 systolic BP가 같은 나이 대의 5th percentile 미만.
- Multisystem involvement(이 중 3개 이상이 맞아야 함):
  - 소화기: 증상 발현 시 구토나 설사
  - 근 골격계: 심한 근육통 혹은 creatine phosphokinase가 정상 최고치의 2배를 넘어야 함.
  - 점막: Vaginal, oropharyngeal, 혹은 conjunctival hyperemia
  - 신장: 혈청 BUN 혹은 creatinine이 정상 최고치의 2배를 넘거나, 비뇨기 감염이 아니라는 전제에서 pyuria (> 5 leukocytes/high-power field)
  - 간 담도: Bilirubin 혹은 transaminases 정상 최고치의 2배를 넘어야 함.
  - 혈액 소견에서 platelets < 100,000/mm^3
  - 중추 신경계: Disorientation 혹은 의식 수준 저하. 단, 이는 열과 혈압 저하에 의한 것이 아니어야 하며, focal neurologic sign이 없어야 함.

검사에서 다음 소견들이 모두 음성이어야 합니다. 만약 Group A-Streptococcus가 자라면 staphylococcal TSS가 아니라 streptococcal TSS가 되기 때문입니다.

- 혈액 혹은 뇌척수액 배양에서 아무 것도 자라지 말아야 합니다. 단, 혈액 배양에서 *S. aureus*가 자라는 것은 인정해 줄 수 있습니다.
- Rocky Mountain spotted fever, leptospirosis, 혹은 measles처럼 외양이 비슷한 질환들에 대한 serologic test가 양성으로 나오면 안 됩니다.

위 두 가지 큰 가지들을 기반으로, 임상 기준 5가지 중에 4개가 맞고, 검사 기준 2개가 맞으면 probable case(거의 틀림없다는 뜻이 됩니다), 검사 기준 2개와 임상 기준 5개가 모조리 다 맞으면 확진됩니다. 단, 환자가 피부 벗겨짐 양상이 나타나기 전에 사망하면 나머지 4개가 다 맞는 걸로 확진합니다.

치료는 sepsis 치료 원칙과 동일합니다. Sepsis 치료 지침과 살짝 다른 것은, IV immunoglobulin 사용에 대해 부정적이지는 않으며, glucocorticoid 사용은 추천되지 않는다는 점입니다. 항생제는 일단 clindamycin을 기반으로 해서 MSSA면 semisynthetic penicillin을, MRSA면 vancomycin을 파트너로 병합해서 투여합니다. 특히 clindamycin은 toxin 생성을 억제한다는 실험실 결과도 있고 해서 선호되고 있습니다.

Exfoliative toxins는 특히 신생아에서 staphylococcal scalded-skin syndrome을 일으키는 원인입니다. 여기서 'scald'는 데인 상처를 말하는데, 특히 뜨거운 김에 데인 경우를 burn보다는 scald라고 칭합니다. 이 toxin은 근본적으로 serine protease로서 피부의 깊지 않은 표피에 해당하는 desmosomal cadherins을 잘라주기 때문에 껍질이 벗겨지는 현상이 나타납니다. 이는 피부에서도 granular level에서 뜯겨 나가는 것입니다. 그래도 epidermis가 완전히 다 뜯기는 건 아니라서 다행입니다.
또한 피부에서도 일부만 벗겨지는 것이기 때문에 점막은 손상을 입지 않습니다. 그래도 뜯겨나간 범위가 너무 넓으면 상당한 양의 수분이 소실되므로 위험한 지경까지 갈 수 있습니다.

CoNS는 S. aureus보다 상대적으로 덜 독한 편이라 자칫 임상에서 좀 소홀히 다루어지는 면이 있습니다. 하지만 이들은 엄연히 prosthetic-device infection의 가장 흔한 원인균입니다. 또한 endocarditis에서 차지하는 지분도 크며 면역 저하 환자에서도 S aureus 못지않게 치명적으로 작용할 수 있습니다.

그러므로 무시하지 맙시다. 이들 중에는 아무래도 *S. epidermidis*가 맏형 노릇을 할 것입니다. 이 또한 피부 상재균이며, 피부가 손상되거나 면역 저하시 배신을 하고 질환을 일으킵니다. *S. saprophyticus*는 비뇨기 감염에서 아마도 *E. coli* 다음으로 흔한 원인균입니다. 가끔씩 보고되는 균입니다만, *S. lugdunensis*와 *S. schleiferi*는 상당한 악질이니, 강경하게 대처하는 것이 좋습니다. 병리 기전은 coagulase 외에는 *S. aureus*와 대동 소이합니다. 특히 device에 adhesion한 이후 biofilm을 형성하는 것이 결정적입니다.

사실, CoNS는 배양되었을 때 이것이 진정한 pathogen인지 아닌지를 판단하는 것이 가장 고민되는 일입니다. 감염이 아닌 오염인 경우가 빈번하기 때문이죠.

보통 혈액 배양의 10-20% 정도만 진짜 bacteremia인 경우가 많습니다. 하물며 혈액 이외의 장기에서 배양되는 경우라면 더 고민이 될 겁니다. 이는 다시 배양해서 동일한 균주가 또 나오고, 발열이나 병변 의심 부위의 발적이나 고름이 보이는 소견, leukocytosis, 그리고 패혈증을 시사하는 소견들까지 어우러져야 임상적으로 유의한 감염으로 판단할 수 있겠습니다.

각 부위별, 장기별 임상 양상에 대해서는 향후 장기별 강의에서 다루도록 하겠습니다.

포도알균 감염 치료의 원칙은 적절한 항생제와 더불어 만약 감염 부위가 확실하게 포착된다면 할 수 있는 한 제대로 제거를 해 주어야 합니다. 예를 들어 abscess가 형성되었다면 절개와 배농을 해 주거나 device 감염이라면 이를 제거하는 식으로 말이죠.

MSSA라면 vancomycin이 아니라 1세대 cephalosporin이나 nafcillin같은 semisynthetic penicillinase-resistant penicillins, clindamycin을 우선하는

것이 원칙입니다. 실제 MSSA의 경우 cefazolin이 vancomycin보다 효과가 더 낫습니다.

MRSA라면 vancomycin을 비롯한 glycopeptide, daptomycin을 선택합니다. Vancomycin 치료 실패나 VISA, VRSA인 경우에는 linezolid 혹은 tedizolid를 투여합니다.

MRSA에는 cephalosporin이 별 효과가 없지만 그것은 4세대까지의 얘기이고, 최근엔 5세대인 ceftaroline이 새로운 MRSA 치료제로 쓰입니다. 이는 vancomycin이나 daptomycin 치료 실패의 상황에서도 좋은 선택지입니다. Telavancin, dalbavancin, oritavancin 같은 lipoglycopeptides도 MRSA와 VISA에 쓸 수 있습니다.

Streptogramin 계열인 quinupristin/dalfopristin도 MRSA와 VISA에 사용할 수 있습니다.

Tigecycline도 MRSA에 의한 피부 연조직 감염이나 복강 내 감염에 쓸 수는 있으나, bacteremia에는 쓰지 못 합니다.

지금까지 소개한 MRSA 치료 약제들은 다 주사용이라, 만약 피치 못하게 경구 약제를 써야 하는 상황이 되면 많은 고민을 안겨줍니다. 현재로서는 linezolid 경구제제가 있긴 합니다만, 다른 대안도 있습니다.

일단 rifampicin을 기본으로 해서 trimethoprim-sulfamethoxazole, cipro-floxacin, minocycline, doxycycline, clindamycin을 조합하여 쓸 수 있습니다. 물론 입원이 필요한 중증이 아니고, 항생제 감수성 검사에서 잘 들을 수 있다는 근거가 주어져야 합니다.

사실 rifampicin은 prosthetic device 감염과 osteomyelitis에서 다른 anti-MRSA 항생제와 병합하여서 사용하기도 합니다.

치료 기간은 혈액 배양의 경우 음전된 시점부터 2주입니다만, *S. aureus* bac-teremia는 치료 시작하고 3-4일 내로 승부가 안 나면 4-6주 정도는 충분히 주는 것이 좋겠습니다. 왜냐하면 전신 감염이기 때문에 어디에 어떻게 처박혀서 암약을 할 지 모르기 때문입니다. 대표적인 예가 endocarditis, 혹은 meta-static infection입니다.

특히 endocarditis가 같이 합병되었을 가능성이 매우 높으므로, transesoph-ageal echocardiography를 시행해서 확인해 주는 것을 권장합니다. 그 밖에 어디 다른 부위에라도 이상한 조짐이 보이면 간과하지 말고 철저히 규명하도록 합니다.

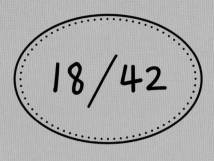

제18강

그람 양성균 - 사슬알균

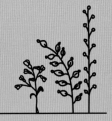

그람 양성균 - 사슬알균

*Streptococcus*는 사슬을 뜻하는 그리스어 Strepto-와 포도같이 동그란 과일을 뜻하는 -coccus를 합쳐서 만들어진 이름입니다. 우리 말로는 사슬알균이죠. 그람 염색하고 현미경으로 보면 사슬 모양으로 배열되어 있어서 그렇습니다.

400x

이 이름은 19세기 말에 외과 의사 Albert Theodor Billroth가 명명했습니다. 이름이 친숙하죠? 네, 맞습니다. 위암 수술법의 창시자 Billroth, 바로 그 분입니다.

사슬 모양은 증식할 때 이들 균 하나하나가 군기가 잘 잡힌 군대처럼 모두가 한 방향 축으로만 갈라지기 때문에 나온 결과입니다. 반면에 포도알균은 증식 과정에서 균들이 갈라지는 방향 축이 제각기 멋대로이기 때문에 나중에 가면 마치 포도송이처럼 뭉치가 되어버립니다.

그람 양성균이고, oxidase 음성이며, 특히 catalase 음성인 것이 중요한 특징입니다. 호기균이지만 나쁜 상황에서는 혐기균으로의 변신도 가능합니다.

사슬알균은 hemolysis 양상과 Lancefield grouping으로 분류를 합니다.

먼저 hemolysis를 보면, 완전히 용혈, 불완전한 용혈, 그리고 용혈이 전혀 일어나지 않는 경우로 나뉩니다.

18강

완전한 용혈을 일으키는 균을 beta-hemolytic streptococci라 하며, 곧 이어 설명할 Lancefield group A-D, G-H가 이에 해당됩니다.
불완전한 용혈의 경우는 노출되는 hemoglobin의 철분이 산화됨으로 인하여 녹색을 띠게 되는데, 이를 alpha-hemolytic streptococci라 합니다. 여기에 해당하는 게 *Streptococcus pneumoniae*와 viridans streptococci입니다.

(alpha-hemolysis)

용혈이 전혀 안 일어나는 경우가 gamma-hemolytic streptococci이며, 이에 속하는 것이 Lancefield group D streptococci (*Enterococcus* 포함)입니다.

한편 Lancefield grouping은 균 세포벽의 carbohydrate antigen에 붙는 antisera에의 반응으로 분류한 체계입니다. 그런데, 사슬알균이 모두 다 해당되는 건 아니어서, *S. pneumoniae*와 viridans streptococci는 이 분류에서 제외됩니다.

이 분류에 속하는 균들 중에 사람에게 질병을 일으키는 주요 군은 group A, B, C, G, 그리고 group D입니다.

Group A에는 *S. pyogenes*가 있습니다. 주로 일으키는 질환으로는 streptococcal pharyngitis, acute rheumatic fever, 피부 연조직 감염, streptococcal toxic shock 등이 있습니다.

Group B에는 *S. agalactiae*가 있습니다. 여성 비뇨 생식기관에 잘 서식하기 때문에 산모와 신생아에서 감염을 잘 일으킵니다. 산모의 자궁내막염, 신생아의 meningitis, sepsis의 주요 원인균입니다. 그런데, 실전에서는 고령의 남성들에서도 종종 생기곤 합니다.

Group C와 G는 antisera에 둘 다 반응을 해서 굳이 구분을 짓지 않고 한꺼번에 취급합니다.

Group D에 해당하는 것이 *S. gallolyticus*(혹은 *S. bovis*)이며, *Enterococcus*도 해당되었지만 gene sequence 결과 먼 친척으로 밝혀져서 따로 살림을 차려 나갔습니다.

1. Group A streptococci (GAS)

GAS는 오로지 *S. pyogenes*만 있습니다. 고름을 만든다(pyogen-)는 이름에 걸맞게 suppurative infection을 일으키며, pharyngitis나 cellulitis처럼 국소적인 질환부터 sepsis, toxic shock syndrome같이 치명적인 질환, 또한 감염 질환뿐 아니라 뒤끝이 작렬하는 질환인 poststreptococcal glomerulonephritis, rheumatic fever까지 범주가 제법 넓습니다.

질병을 초래하는 virulence factor들은 매우 다양합니다.
크게 세균 표면의 구성분과, 세균이 분비하는 성분들로 나눌 수 있습니다.

가장 대표적인 표면 성분으로 M protein이 있습니다.
이는 세포벽에 뿌리를 박고 털처럼 나 있는 꽈배기 모양의 구조물로, serotyping 혹은 M protein gene인 *emm* typing의 근간으로 100여 종이 분류되기도 합니다. 이는 plasma fibrinogen과의 결합으로 complement activation을 방해하고 phagocytic killing에 저항하는 역할을 합니다.

분비물로는 polysaccharide 성분들이 있는데, hyaluronic acid를 선호해서 달라 붙습니다. 이는 특히 pharnygeal epithelial cell에서 잘 일어나기 때문에 pharyngitis 발병의 이유이기도 합니다.

Streptolysin S & O는 세포를 손상시키며, hemolysis를 일으킵니다.
그 밖에 streptokinase, DNAse 등이 있는데, 특히 pyrogenic exotoxin(일명 erythrogenc toxin)이 문제입니다. 이는 일단은 scarlet fever를 일으키는 원인 물질인데, speA (streptococcal pyrogenic exotoxin A), speB, speC의 세 가지가 있습니다. 그런데, speA와 speC가 바로 superantigen으로 작용합니다.

병리 기전은 이쯤 하고, 임상 질환들을 훑어 봅시다.

앞서 언급한 pharyngitis는 주로 소아의 질환입니다. Pharynx에, 혹은 편도에 누가 봐도 확실한 purulent exudate가 보이고 throat 배양에서 GAS가 나오면 확진됩니다. 그런데 사실 이 질환은 바이러스가 더 유력한 원인이지요. 치료 자체가 어려운 것도 아닙니다. Benzathine penicillin 12MU 근육 주사 1방, 혹은 1세대 cephalosporin 경구 제제, macrolide 등을 5일 정도 주면 됩니다. 그런데, 치료를 하는 목적이 꼭 치료 자체에만 있는 것이 아니죠.
진짜 목적은 acute rheumatic fever와 suppurative complication의 예방에 더 있습니다.

피부 연조직 감염은 impetigo같이 상대적으로 덜 심각한 질환부터(치료 방침은 pharyngitis와 동일) 심하면 bullous impetigo, cellulitis, 그리고 소위 "살 파먹는 박테리아"라고 와전된 necrotizing fascitis까지 다양합니다. 이는 특히 PSGN이라는 뒤끝이 남을 수 있기 때문에 경증인 경우라 해도 무시하면 안 됩니다.
피하와 근육의 경계선인 fascia를 넘지 않는 것이 cellulitis이고, 이는 penicillin을 비롯한 beta-lactams 투여로 충분히 치료가 가능합니다. 그러나 fascia를 넘는다면 그때부터는 수술적인 치료가 개입되어야 하며, 항생제도 clindamycin을 기본으로 하여 beta-lactam을 병합해 줍니다.

Cellulitis의 범주에서 erysipelas(단독, 丹毒)는 과거엔 꽤 흔했고, 요즘도 종종 만나는 질환입니다.
이는 GAS뿐 아니라 group C & G도 일으킬 수 있습니다. 임상적 양상은 꽤 전형적이라 진단이 그리 어렵지 않습니다. 마치 중국 경극 여배우처럼 양 뺨에 벌건 발적이 생기는데, 잘 보면 경계가 명확하고, 윤곽을 이루는 경계선이 살짝 올라와 있습니다.

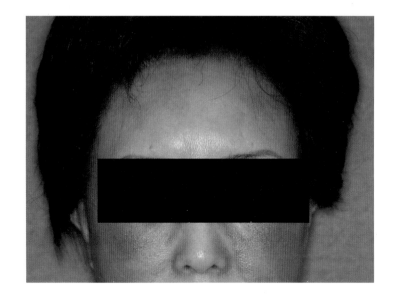

병변을 만져보면 마치 오렌지 껍질 같은 촉감이며 이를 peau d'orange 질감이라고 합니다. 이는 병변이 superficial lymphatics를 따라 염증이 생기기 때문입니다.

원래는 얼굴에 생기는 경우가 많았지만, 요즘은 하지에 생겨서 오는 일도 꽤 있으니, 진단 시 너무 얼굴에만 집착하지 마시길.

Scarlet fever(성홍열)은 국가 지정 제2급 감염병입니다.

항생제가 없던 시절에는 이 질환으로 소아들이 많이 사망했었습니다. 고전 소설 '작은 아씨들'에서도 네 자매들 중 막내 베스의 사인으로 이 질환이 비중 있게 다뤄지지요.

우리나라에서는 주로 늦겨울에서 초봄에 많이 발생합니다. 확진 사례는 매년 100명 내외이지만, 2012년부터 신고범위가 의사환자까지 확대되어, 현재 매년 2천-1만 명 정도 규모로 보고되고 있습니다.

임상 양상은 딱 streptococcal pharyngitis인데, 거기에 덤으로 특징적인 피부 병변이 펼쳐집니다.

피부 발진은 발병 첫날에서 다음날 몸통에서 시작하여 양 사지로 퍼집니다. 그러나 손바닥, 발바닥은 깨끗합니다. 일단 점상 출혈 병변이 있고, 팔꿈치 접히는 안 쪽에 붉은 선이 나타나는 Pastia's line을 보입니다.

피부를 만져보면 sand paper처럼 까끌까끌합니다.

아울러 입 주위 창백함(circumoral pallor), 혀의 미뢰가 커지면서 과장되기 때문에 꼭 딸기처럼 보이는 strawberry tongue도 나타납니다.

보통 일주일-열흘 정도면 피부 발진은 소실되면서 손바닥과 발바닥에서 껍질이 벗겨집니다.

사실 이 병변들은 홍역이나 Kawasaki 병, drug allergy 등과 구별이 힘듭니다. 제 경험으로는 홍역과는 정말 구별을 못하겠더군요.

이 질환의 원인 virulence factor는 앞서 언급한 pyrogenic exotoxin, 혹은 erythrogenic toxin입니다. 이들을 이루는 멤버가 speA, B, 그리고 C인데, 문제는 이들이 얌전하게 성홍열만 일으키고 퇴장하는 게 아니라는 사실입니다. 특히 speA는 PSGN과 acute rheumatic fever 합병증에도 관여합니다.

그러나 무엇보다 위협적인 것은 speA와 speC가 superantigen으로서 작동하여 일으키는 toxic shock-like syndrome입니다. 기전에 대해서는 앞서 포도알균 단원에서 다뤘으니 참조하시기 바라며, 다음과 같은 미 CDC의 streptococcal toxic shock syndrome 진단 기준을 숙지하고 진료에 임해야 하겠습니다.

GAS 감염이라는 조건 하에서 다음 사항들이 맞아야 합니다:

우선 임상 기준은

• 저혈압: 성인은 systolic blood pressure ≤ 90 mmHg; 16세 미만은 systolic BP가 같은 나이 대의 5th percentile 미만.

- Multisystem involvement(이 중 2개 이상이 맞아야 함)
  - 신장: 혈청 creatinine이 2 mg/dL이상, 혹은 정상 최고치의 2배를 넘음.
  - 혈액 응고 이상: platelets < 100,000/mm^3 혹은 DIC (clotting time 연장, fibrinogen 감소, fibrin degradation products 양성)
  - 간 담도: Bilirubin 혹은 transaminases 정상 최고치의 2배를 넘어야 함.
  - Acute respiratory distress syndrome (ARDS)
  - 전신에 erythematous macular rash가 있으며, 나중에 껍질이 벗겨질 수도 있음.
  - 괴사성 피부 연조직 질환: necrotizing fasciitis, myositis, 혹은 gangrene
- 검사 기준: 배양에서 GAS가 나옴.

임상 기준이 맞고 검사 기준에서 GAS가 배양된 검체가 nonsterile site에서 나온 경우 probable case로 간주합니다.
반면에 임상 기준이 맞고 GAS가 sterile site에서 배양된 것이라면 확진입니다.

치료는 sepsis에 준해서 하되, 항생제 선택은 toxin 생성을 견제한다는 기대하에 clindamycin을 기본으로 깔고 penicillin-G 2-4MU q 4 hours 혹은 적절한 beta-lactam을 병합하는 걸로 합니다. 아울러 sepsis에서는 부정적인 방침이었던 intravenous immunoglobulin이 toxic shock에서는 2 g/kg 한 번 주는 걸로 권장이 되고 있습니다.

GAS가 주로 인두나 피부 연조직 부위 감염이 주류이지만 폐렴 또한 일으킬 수 있습니다. 이 때는 환자의 반 정도에서 pleural effusion이 동반되며, 거의 empyema일 확률이 높습니다. 그래서 drainage를 조기에 해 주어야 후환이 없습니다.

2. Group B streptococci

여기에 해당하는 종도 *S. agalactiae* 하나뿐입니다.

앞서 언급했듯이 신생아나 출산 전후의 여성에게 호발합니다.

이 균종을 진단하는 방법으로 CAMP test가 있습니다.

CAMP 하니까 무슨 그럴듯한 용어의 약자 같습니다만, 실은 이 검사법을 발명한 Christie, Atkinson, Much, Peterson, 총 4명 이름의 앞 글자를 따서 명명했습니다. 조금 허무하죠?

이 검사는 *S. aureus*의 도움이 필요합니다.

*S. aureus*가 내는 beta-lysin과 *S. agalactiae*가 내는 hemolytic heat-stable phospholipase의 synergy를 이용한 검사이기 때문입니다. 먼저, sheep RBC agar 평판 배지에 *S. aureus*를 횡단해서 발라 놓습니다. 그리고 정중앙을 향해 GBS로 추정되는 검체를 수직선으로 내리 긋습니다. 단, 두 선이 닿으면 안 됩니다. 양쪽의 toxin이 직접 닿는 게 아니고 확산으로 슬슬 퍼져나가며 만나게 해야 하기 때문입니다. 만약 GBS가 맞는다면 두 균의 synergy로 적혈구의 용혈이 더 과장되게 나타납니다. 즉, 화살촉 모양으로 나타나면 그 검사는 양성입니다.

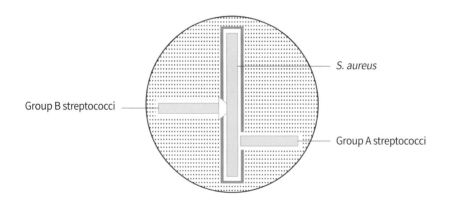

Group B streptococci

S. aureus

Group A streptococci

이 검사는 *Listeria monocytogenes*의 동정에도 쓰입니다.

GBS는 GAS에 비해 penicillin이 잘 듣지 않기 때문에, 더 고용량으로 사용해야 합니다. 폐렴이나 신우신염, 농양일 경우에는 12 MU, 심장이나 중추신경계 감염일 경우에는 18-24 MU을 투여합니다. 이게 여의치 않으면 ceftriaxone 혹은 cefotaxime이나 vancomycin을 쓰게 됩니다. Clindamycin이나 macrolide, FQ도 잘 들을 것 같지만, 실제로는 내성률이 의외로 높아서 실패할 위험이 좀 큽니다. 저라면 안 씁니다. Penicillin 혹은 ampicillin에 gentamicin을 병용해서 투여하는 것도 괜찮습니다.

3. Group C & G streptococci

이 두 group은 같이 취급합니다. *S. anginosus* group에는 *S. anginosus, S. intermedius, S. constellatus*가 있고 소의 유방염 원인균인 *S. dysgalactiae* subspecies *equisilis, S. equi* subspp. *zooepidemicus* 혹은 equi가 있습니다. 균 이름들에서 추정하겠지만, 사실 이 균들은 주로 동물들, 특히 가축들에서 주로 질환을 일으킵니다. 그래서 환자에서 배양되어 나올 때는 과연 진짜 병원체인지 고민을 하게 됩니다. 전반적으로 GAS와 유사한 질병 spectrum이며, 치료 원칙도 이에 준해서 시행합니다.

4. Group D non-enterococcus

한 때 *S. bovis*로 불렸었는데, 현재는 *S. gallolyticus* (subspp. *gallolyticus* 혹은 *pasteurianus*), *S. infantarius* (subspp. *infantarius* 혹은 *coli*)가 이에 속합니다. 사실 *S. bovis*로 통일되어 불릴 때가 편했는데, 분류가 복잡해지면서 참... 주로 bacteremia가 많으며, endocarditis가 동반될 수 있습니다. 잘 알려져 있다시피, 이 균이 나오면 대장암 가능성이 높아서 거꾸로 진단되는 경우도 많습니다.

치료는 penicillin G나 ceftriaxone으로 충분합니다만, endocarditis 동반할 경우가 많기 때문에 4주 정도는 투여하게 됩니다(gentamicin을 같이 주게 되면 2주).

5. viridans streptococci

이름을 거꾸로 쓴 데서 알 수 있듯이, 단일 균종이 아니고 Lancefield grouping으로 분류가 잡히지 않는 여러 종의 사슬알균들이 모인 잡탕 집단입니다. 이 viridans라는 이름은 라틴어로 viridis, 즉 녹색이라는 뜻입니다. 용혈 반응에서 alpha-hemolysis를 보이기 때문이지만, 사실 이들 집단 중에서 극히 일부만 alpha-hemolytic streptococci이고, 나머지는 gamma, 즉 non-hemolytic streptococci입니다.

특히 입 속에 많이 서식하는데, *S. mutans, S. sanguinis*는 충치를, *S. pericoronitis*는 치주염을 주로 일으킵니다. 우리가 아침마다 이를 닦느라 칫솔질을 하면 30분 안팎으로 일시적인 bacteremia가 생기는 원인도 이놈들입니다.

전반적으로 병원성이 썩 강한 편은 아닙니다만, 임상에서는 subacute bacterial endocarditis의 원인균으로서 중요한 비중을 차지합니다. 충치를 만드는 기전을 심장 판막에 그대로 적용한 결과이겠지요. 또한 neutropenia 환자에서 bacteremia의 호발 원인균들 중 하나이기도 합니다.

*S. pneumoniae*와 hemolytic pattern이 같아서 감별을 해야 하는데, 무엇보다 optochin (ethylhydrocupreine hydrochloride) test에 저항을 하고, bile salt에도 잘 견디어 내며 Quellung test 음성인 것으로 구분이 됩니다.

6. *Streptococcus pneumoniae*

폐렴알균은 국가지정 제2급 감염병입니다. 각종 community-acquired infection의 가장 흔한 원인균이라 워낙 친숙해서 여러 선생님들이 신고하는 것을 자주 까먹는 질환이기도 하지요.

그람 염색 후 현미경으로 보면 칙칙폭폭 기차놀이하는 GAS와는 달리 한 쌍씩 다정하게 다니기 때문에 diplococci로 불리기도 하였습니다.

1881년에 파스퇴르를 비롯한 여러 학자들이 거의 동시 다발적으로 발견하여 1926년에 *Diplococcus pneumoniae*로 명명되었는데, 1974년에 *Streptococcus pneumoniae*로 재 명명되어 오늘날에 이르고 있습니다.

앞서 viridans streptococci에서 언급했지만, 폐렴알균 동정을 하기 위해서는 다음 조건들이 맞아야 합니다:

- alpha-hemolysis
- optochin에 죽는다.
- bile salts (sodium deoxycholate)에 죽는다.

즉, 똑같은 alpha-hemolysis라 해도 optochin이 들으면 폐렴알균, 안 들으면 viridans streptococci입니다.

Sodium deoxycholate는 detergent 역할을 함으로써 세포막 성분을 용해시킵니다.

Optochin은 1911년에 원래 항생제로 쓰려고 개발되었던 것이지만, 결국은 동정용으로 용도가 바뀌었습니다.

그런데, optochin이 꼭 폐렴알균을 다 죽이는 건 아닙니다. 폐렴알균도 저항하는 놈들이 있거든요.

그래서 bile salt solubility와 필요하면 ribosomal RNA용 DNA probe를 사용하여 동정에 완벽을 기합니다.

Quellung reaction도 폐렴알균을 동정하는 수단입니다.

Quellung은 독일어로 swelling이란 뜻인데, 이를 개발한 이의 이름을 따서 Neufield reaction이라고도 합니다.

어느 특정 capsular type을 가진 폐렴알균을 토끼에게 주사해서 항 capsule 혈청을 얻습니다.

그 혈청을 아직 정체를 모르는 폐렴알균과 반응시킵니다. 만약 궁합이 딱 맞으면 capsule이 크게 부풀어 오르면서 빛에 대한 굴절력도 커져서 현미경으로 보면 확연히 부은 창백한 halo로 보이면 양성입니다.

이 항 혈청도 원래는 항생제가 나오기 전 시대에서 치료 용도로 시도하였던 것입니다만, 항생제가 나오면서 치료 수단으로서의 가치는 사라지고 진단 (serotyping)용으로 바뀐 것입니다.

혈청형(serotype)은 현재까지 90여 가지가 규명되었습니다.

발견된 순서대로 번호를 매기는데, 주로 덴마크식 체계(Danish numbering system)를 사용합니다.

크게 46가지 serotype이 있고, 내부에 형제 친척뻘인 놈들을 끼리끼리 모읍니다.

맨 처음 발견된 놈에게는 A를 주지 않고, 일단 F를 줍니다. 이후부터 A, B, C, ...
예를 들어, serogroup 23: 23F, 23A, 23B... 하는 식입니다.

숫자가 낮을수록, F, A일수록 사람에게 병을 일으키는
놈일 가능성이 높습니다.

발견 순서대로니까 당연하지요?

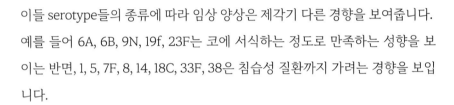

이들 serotype들의 종류에 따라 임상 양상은 제각기 다른 경향을 보여줍니다.
예를 들어 6A, 6B, 9N, 19f, 23F는 코에 서식하는 정도로 만족하는 성향을 보이는 반면, 1, 5, 7F, 8, 14, 18C, 33F, 38은 침습성 질환까지 가려는 경향을 보입니다.

국내에서 폐렴알균은 community-acquired pneumonia의 25-30%, meningitis의 약 35%를 차지하는 것으로 보고되었습니다. 현재 질병관리청이 주도하는 국가 감염병 감시를 통하여 invasive pneumococcal infection의 surveillance가 꾸준히 진행되고 있습니다.

우리 몸이 폐렴알균의 침입에 저항하는 면역 반응은 일차적으로 capsular polysaccharide를 겨냥합니다.
Complement, phagocytes, capsule specific antibodies가 주도를 하는데, 이들 셋 중 하나라도 빠지면 수비망이 뚫립니다.

아시다시피 capsule은 opsonization이 제대로 이뤄지지 않게 방해하는 역할을 합니다.
만약 opsonization이 안 된다 해도 폐렴알균이 제거당할 기회는 한 번 더 주어집니다.

다름아닌, unopsonized pathogens도 전문적으로 죽이는 장기인 비장 (spleen)이 처형 장소로서의 역할을 합니다. 물론 opsonization이 잘 된 놈들도 비장에서 처형되지만, 그보다는 간에서 주로 처형이 이뤄집니다.

따라서 비장이 적출된 이의 경우, 가뜩이나 opsonization도 잘 안 되는 균인데 이를 보완할 두 번째 기회마저 배앗기는 셈입니다. 그래서 비장 적출 환자가 폐렴알균(아울러 *Haemophilus influenzae, Neisseria meningitidis*) 감염에 취약한 것입니다.

폐렴알균은 무엇보다도 내성이 가장 큰 문제입니다.

내성 기전은 PBP의 변질로 발현하는데, PBP2B'와 PBP2X'는 각각 low- & high-level penicillin 내성을, PBP1A'는 3세대 cephalosporin 내성을 발휘하는 데에 관여합니다.

그 밖에 *erm*B와 efflux pump인 *mef*A로 macrolide 내성(MLS 내성)도 보입니다.

폐렴알균의 내성에 대한 보다 자세한 사항은 제6강 '항생제에 저항하는 세균들' 단원에서 설명하였으니 참조하시기 바랍니다.

이렇게 내성이 가혹하다 보니 폐렴알균의 치료에서 penicillin이 설 자리는 더 이상 없습니다.

현재로서는 3세대 cephalosporin이나 respiratory fluoroquinolone이 우선 선택 항생제입니다.

Meningitis에 대해서는 vancomycin 30-60 mg/kg/day 더하기 cefotaxime 8-12 g/day 혹은 ceftriaxone 4 g/day를 줍니다.

폐렴이나 bacteremia의 경우 cefotaxime 혹은 ceftriaxone을 주며, vanco-mycin을 추가할 수 있습니다. 또한 levofloxacin 500-750 mg이나 moxifloxacin 400 mg을 투여할 수 있습니다.

이 밖에 clindamycin이나 azithromycin (첫날 500 mg, 다음날 250 mg) 혹은 clarithromycin을 줄 수 있습니다만, MLS 내성이 유의한 수준이기 때문에 주의를 요합니다.

폐렴알균 vaccine은 현재 두 가지 종류가 있습니다:

Polysaccharide vaccine (23가 백신, Prodiax)과
Protein conjugate vaccine (13가 백신, Prevenar)입니다.

Polysaccharide vaccine (PPV23)은 한 번 맞고 나서 5년 후엔 다시 또 맞아야하는 반면, protein conjugate vaccine (PPCV13)은 한 번 맞으면 추가 접종이 필요 없습니다.
왜냐하면 protein conjugate vaccine은 memory cell이 유도되지만, polysaccharide vaccine은 그렇지 않기 때문입니다.

23가 vaccine이 감당하는 serotype은 1-5, 6B, 7F, 8, 9N, 9V, 10a, 11A, 12F, 14, 15B, 17F, 18C, 19F, 19A, 20, 22F, 23F, 33F입니다.
13가 PPCV는 4, 6B, 9V, 14, 18C, 19F, 23F, 1, 3, 5, 6A, 7F, 19A입니다.

질병관리청에서 발표한 2009년부터 2013년까지 국내 폐렴알균 serotype 현황을 보면 19F, 19A, 11A, 3, 6A, 6B, 23F, 23A가 66%를 차지했다고 합니다. 따라서 웬만한 serotype은 거의 다 포괄한다고 봐도 무방하겠습니다.

만성 질환을 가졌지만 면역 상태는 정상인 19-64세의 성인은 PPSV23을 접종합니다.

그러나 면역저하자, asplenia, CSF leakage, 인공 와우 이식 상태인 경우는 이전 백신 접종력 여부에 따라 PCV13을 먼저 접종 후 최소 8주 후에 PPSV23을 접종합니다.

65세 이상의 노인 중 이전 접종력이 없고 정상면역 상태인 경우에는 PPSV23을 1회 접종하고, 이전 접종력이 없는 면역저하자, asplenia, CSF leakage, 인공 와우 이식 상태인 경우 PCV13을 먼저 접종 후 최소 8주 후에 PPSV23을 접종합니다.

특히 splenectomy 받는 환자들의 vaccination이 중요한데, 원칙적으로 수술 2주 전에 PCV13 접종을 완료합니다. 그게 안 되면 수술 2주 지나서 접종합니다. 이후 최소 8주가 지나면 PPSV23을 추가로 접종하며, 5년 후 다시 PPSV23을 추가로 접종합니다. 한편, 같이 줘야 하는 meningococcal vaccine (Men-Veo)는 역시 수술 2주 전에 혹은 2주 후에 접종을 먼저 하고, 8주 지나서 다시 부스터로 접종을 합니다. 이것 또한 5년 후 다시 접종을 하는 것이 좋습니다. *Haemophilus influenzae* type b vaccine은 수술 2주 전, 혹은 2주 후에 한 번 접종하면 족합니다.

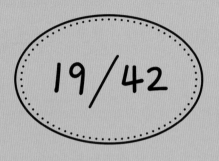

제19강

그람 양성균 - 장알균과 기타

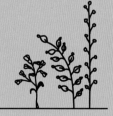

그람 양성균
- 장알균과 기타

1. *Enterococcus*

*Enterococcus*는 우리말로 '장알균'으로, 이 이름이 시사하듯이 창자에서 발견된 균입니다.

1899년 프랑스의 Thiercelin이 장에서 diplococci를 발견해서 enterocoque로 명명했습니다.

1906년 Andrews와 Horder도 심내막염 환자의 분변에서 이 균을 발견하였는데, 모양이 사슬알균 모양이고 분변(feces)에서 나왔기 때문에 자연스럽게 *Streptococcus faecalis*라고 명명합니다.

1919년에는 Orla-Jensen이 *S. faecium*을 발견합니다.

1937년 James Sherman이 이 균종들을 사슬알균으로 편입하면서 사슬알균 체계를 앞서 언급한 pyogenic 균(예: *S. pyogenes*), viridans streptococci, 젖산 발효시키는 사슬균, 그리고 장알균까지 크게 4가지로 정리합니다. 오늘날 이 분류는 더 이상 쓰이지 않지만, 그래도 동시대에 사슬알균을 분류하신

Lancefield 할머니의 분류와도 딱 맞아 떨어지기도 합니다. 즉, pyogenic 균들은 Lancefield 할머니 분류에서 A-G (D는 제외)군에 해당하고, viridans는 nontypeable 종류, 그리고 장알균은 D군이니까요. 어쩌면 사슬알균을 파악하는 데 있어서 훨씬 실용적이기도 합니다.

1968년에는 *S. casseliflavus*가 새로 편입됩니다. 배양하면 노란 집락을 보이기 때문에 라틴어로 노란색을 의미하는 *flavus*란 이름이 붙은 겁니다. 80년대에는 닭에서 새로운 균이 발견되었는데, 암탉을 뜻하는 gallina에서 따와 *S. gallinarum*이라 명명됩니다.

1980년대에 들어 16S rRNA sequencing을 통해 분류가 대대적으로 개정됩니다.

그 결과, 이들은 사슬알균의 모양을 하고 있지만 거의 친척 관계가 아니라는 사실을 알게 되어 1986년에 *Streptococcus*가 아닌 *Enterococcus*로 따로 살림을 차리게 되어 오늘날에 이릅니다.

*Enterococcus*로 바뀌면서 합류한 종들로는 *E. hirae*(라틴어로 창자라는 뜻), *E. raffinosus* (raffinose를 대사하는 성질 때문) 등이 있습니다.

이들은 1980년대 전까지만 해도 그다지 중요한 균종은 아니었습니다. 그런데, 1986년에 유럽에서, 그리고 1988년에 미국에서 VRE가 말썽을 부리게 되면서 불길한 전조를 보이더니 21세기에 들어서는 병원 감염을 주도하는 주요 내성균으로서 지금 이 시각에도 우리를 괴롭히고 있습니다.

장알균의 주류를 이루는 것은 *E. faecalis*와 *E. faecium*입니다.

이 중에서도 *E. faecalis*가 개수 면에서 대략 *E. faecium*과 비교해서 10-100대 1 정도로 대다수를 차지했었습니다. 그러나 최근 20년 사이에 이 두 균종 간의 점유율은 어느덧 뒤집혀서, 현재 원내에서 배양되는 장알균을 보면 이제는 *E. faecium*이 더 자주 출현합니다. 그 이유가 아직 완벽하게 규명된 것은 아니지만, 아무래도 항생제 사용량의 증가와 *E. faecium*이 더 강한 내성 능력을 발휘한 것이 적지 않게 기여를 했을 것입니다. 원래 *E. faecium*은 태고적부터 크게 2개의 가문이 있었는데, 이 중에서 ampicillin을 비롯한 항생제에 내성 유전자를 보유한 가문이 결국 살아남아 오늘날 주류가 된 것으로 추정되고 있습니다.

E. faecium 중에서도 특히 엘리트는 CC17 (clonal complex)입니다.
이는 기본적으로 vancomycin을 비롯한 glycopeptide 내성을 주도하며, 주요한 병독성 인자인 *esp* 유전자도 보유하고 있고, 혹시 근처에 MRSA라도 있으면 vancomycin 내성 유전자를 전파할 소지도 갖고 있어서 문제가 됩니다.
VRE 나오는 환자를 격리해야 하는 가장 기본적인 이유입니다.

*E. faecalis*도 엘리트가 있습니다. CC2, CC9인데, 이들 또한 vancomycin 내성 유전자를 보유하고 있습니다.
여러 연구 보고들에 의하면 같은 VRE라도 VRE-*faecalis* 감염은 VRE-*faecium*보다 사망률이 약 반 정도 낮다고 합니다. 이는 독성의 차이라기보다는 항생제 선택의 폭이 전자가 조금이라도 더 넓기 때문인 것으로 봅니다.
어쨌든 VRE-*faecium* 감염이 실전 임상에서 더 예후가 나쁜 쪽인 것은 분명합니다.

장알균은 평소 위장관과 비뇨생식계의 microbiota에 서식하지만 1%에 불과한 비중이고, 병독성이 낮아 정상인에서는 쉽게 감염을 일으키지 않습니다.

위장관은 집락을 이루고 살아가는 혐기균과 일부 그람 음성균들이 서식하는 치열한 경쟁 사회인데, 이들이 몇 안 되는 장알균을 얌전히 놓아둘 리가 없지요. 이를 colonization resistance라 합니다.

장 안에서 주류인 혐기균과 그람 음성균이 lipopolysaccharide 내지 flagellin 등을 흘리면 이를 창자 내 세포인 Paneth cell이 toll-like receptor를 매개로 인지하여 REGIII-ɣ (regenerating islet-derived protein 3 gamma)를 내어, 특히 그람 양성균(장알균 포함)을 꼼짝 못하게 합니다. 이렇게 팍스 로마나가 유지되지만, 만약에 혐기균과 그람 음성균이 몰락하는 상황이 온다면 어떻게 될까요?

그런 상황이 초래되는 전형적인 예가 바로 항생제의 융단 폭격입니다.

이후 호랑이가 없는 숲에서는 토끼가 왕 노릇을 하는 것입니다.

이러한 상황이 잘 빚어지는 층이 노인, 면역저하자, 만성 기저질환자 또는 장기간 병원에 입원 중인 환자들입니다. 그래서 이들 환자 군에서 장알균으로 인한 요로 감염, bacteremia, wound infection 등의 기회 감염증이 잘 일어납니다.

다시 강조하지만, *Enterococcus faecalis*와 *E. faecium*은 대단한 반항아라서 선천적으로 웬만한 항생제들에는 말을 잘 안 듣습니다.

예를 들어 penicillin, cephalosporin 등의 각종 beta-lactams에 내성입니다. 단, 5세대 cephalosporin에는 아직은 듣습니다. 또한 clindamycin, TMP/SMX에도 내성입니다.

Aminoglycoside도 듣는 균이 있고, 저항하는 놈들도 꽤 됩니다.

거의 모든 beta-lactams 항생제가 안 듣는 이유는 주로 penicillin binding protein (PBP)에 있습니다.

*E. faecalis*는 PBP 4가, *E. faecium*은 PBP 5가 이들 항생제에 대한 친화성이 매우 낮습니다.

Aminoglycoside도 이들 세균의 세포벽 구조가 두툼해서 잘 침투하지 못 합니다.

TMP/SMX는 감수성 검사에서는 잘 듣는 걸로 나오지만, 실제로는 주변 환경에서 folate를 공급받기 때문에 이를 극복하는 경우가 많습니다.

게다가 enterococci는 외부 유전자들도 쉽게 받아들입니다. 이런 성질 때문에 enterococci의 genome을 분석해 보면 전체의 무려 1/4이 외부에서 온 것이기도 합니다.

이들이 추가로 받아들여서 보충하는 내성은 실로 다양해서, 일단 PBP의 돌연변이를 일으키는 gene을 잘 받아들여서 beta-lactams 내성이 대폭 강화됩니다.

추가로 macrolide나 chloramphenicol, TC, FQ, aminoglycoside 내성도 더 보강됩니다.

그러나 아무래도 가장 위협적인 것은 vancomycin 내성의 획득일 것입니다.

내성을 매개하는 plasmid는 페로몬 반응성(pheromone-responsive)입니다. 내성을 받을 장알균은 자기 chromosome에서 lipoprotein의 일종을 밖으로 내는데, 그게 바로 세균들 세계에서의 pheromone입니다. 이를 다른 장알균이 인지하여 페로몬을 분비한 장알균에게 가서 aggregation substance를 plasmid에게 냅니다. 그러면 페로몬을 분비한 장알균은 이를 받아주는 물질인 enterococcal binding substance을 내어 짝짓기(conjugation)에 들어갑니다. 이런 과정을 통해 내성 인자가 장알균에서 다른 장알균으로 전파되는 것입니다.

장알균의 virulence factors는 대략 3종류로 분류됩니다.

하나가 균 표면에 있는 것으로, 당연히 adhesin, 즉 달라붙는 것을 주로 담당합니다.

이는 방금 conjugation 과정을 설명하면서 언급했습니다.

이 adhesin들은 특히 endocarditis가 생기는 과정의 시작이기도 합니다.

그 밖에 가장 기본적인 adhesin으로서 pili가 있고, *E. faecalis* surface protein (ESP) 등도 중요한 adhesin입니다.

또 하나의 virulence 물질은 장알균의 분비물입니다. 예를 들면 enterococcal hemolysin, cytolysin 등으로 인체의 적혈구, 백혈구, 대식세포 등을 파괴합니다. 또한 gelatinase, serine protease 같은 proteases는 주변을 파괴하며 전진하는 수단입니다.

나머지 virulence factors로 중요한 것은 stress를 극복하는 기능입니다. 예를 들어, *E. faecalis* stress protein (Gls24)은 장 내에서 bile salts에 저항하게 해줍니다.

Enterococci가 문제가 되는 이유는 아무래도 vancomycin을 비롯한 glyco-peptide 내성 때문일 것입니다.

Vancomycin-resistant enterococci (VRE)는 전세계적으로 문제가 되는 대표적인 균주로서, 국내에서도 병원 감염에 있어서 큰 문제입니다.

VRE의 내성 기전에 대해서는 제6강 '항생제에 저항하다' 단원에서 매우 자세하게 설명해 놓았으니 참조하시기 바랍니다.

VRE는 국가 지정 제4급 감염병입니다.

국내에서는 1990년대 후반부터 본격적으로 원내 건수가 증가하기 시작했습니다. 아무래도 사용하는 항생제 종류들이 다양해지다 보니까 그대로 반영된 것이 아닐까 하고 개인적으로 추정하고 있습니다. 현재도 질병관리청 표본 감시 자료를 보면 VRE 발생 빈도는 계속 증가 중입니다. 혈액 검체에서 2012년부터 0.04건/1,000 hospitalization days에서 2020년 0.07건으로 올랐으며, 혈액 외의 임상 검체에서도 0.29건에서 2020년 0.60건으로 늘어났습니다.

VRE 보균 및 감염의 위험 요인으로는 우선 오랜 재원 기간이 있습니다. 장알균은 오래 버티는 능력이 뛰어나서, 의료진의 손에 묻으면 약 1시간 정도 달라붙어 있으며, 의료 기구 등에는 약 120일까지도 달라붙어 있을 수 있습니다. 이 정도면 다른 곳이나 다른 사람에게 옮겨 가는 데 충분한 시간이죠. 시간을 충분히 가지니 아무래도 기회가 많아집니다. 그리고 장기간의 항생제 투여, 요양 병원 등의 장기 요양시설 재원, 말기 신부전, 당뇨, VRE 보균자와의 접촉 등도 있습니다.

VRE는 보균자나 감염자, 의료인의 손으로부터 직접 전파되기도 하지만, 오염된 의료기구, 환경 등을 통해서도 전파될 수 있습니다.

여기서 우리를 잠깐 헷갈리게 하는 것이 있습니다.

VRE는 각자의 내부에서 온 것이냐, 아니면 외부에서 들어온 것이냐는 겁니다.
VRE 자체가 출현하게끔 조성하는 것은 항생제 투여로 인한 선택압으로 각자의 장에서 VRE가 살아남는 상황일 겁니다. 여기까지 보면 VRE는 내부에서 비롯된 것으로 간주하기 쉽습니다. 사실 차라리 그게 나아요.
그렇다면 항생제 사용만 엄격하게 규제하면 다 해결될 테니까요.
그러나 VRE는 그렇게 생존한 놈들이 타인에게 옮겨 가는 것이 진짜 문제입니다.
의료진의 손을 타고, 혹은 의료 기구, 물품 등을 매개로 전파되는 것이기 때문에 VRE의 감염관리는 이러한 과정들을 적재 적소에서 차단하는 것이 핵심입니다.
정리해 보자면, 내인성과 외인성 모두 맞습니다.
항생제로 인한 장 내부 질서의 붕괴가 2차적으로 외부 침략을 허용한 것입니다.

다행히 VRE가 달라붙더라도 더 진행하여 감염 질환까지 가는 경우는 대략 10건에 질환이 1 정도의 비율로 아주 높지는 않습니다. 질환까지 가려면 그 환자의 면역 및 방어 체계가 거의 무너져 있어야 합니다.

대표적인 것이 호중구 부족, 심한 점막의 염증, 이식받은 경우 등이며, 거기에 더해서 중환자실에 입원하고 있으면서 하필이면 옆 환자가 VRE 배출자인 경우나, 입원 기간의 장기화 등도 질환까지의 발전에 크게 기여를 합니다.

VRE의 위험성은 다른 세균들에게 glycopeptide 내성을 전달할 수 있다는 사실에 있습니다.

VanA, VanB VRE는 USB처럼 여기저기 내성 유전자를 배달하기 때문에, 특히 *S. aureus*와의 교류 가능성에 대한 우려가 매우 높습니다. 실제로 VRE에서 포도알균으로 *van*A 유전자가 배달된 사례들도 보고되었지요.

이는 숙주를 가리지 않고 닥치는 대로 배달하는 *Inc18* plasmid가 *Tn1546* (*van*A를 탑재한)을 얹어서 *S. aureus*에게 넣어 주는 것으로 이루어집니다.

그나마 불행 중 다행인 것은, 이 plasmid는 전달 속도가 매우 느리고, 또한 매우 불안정해서 *van*A 유전자를 끝까지 배달하지 못하는 경우가 더 많다는 것입니다. 또한 *S. aureus*에게 *van*A를 전달해 주는 균은 전적으로 *E. faecalis*입니다. 반면에 *E. faecium*은 그러지 않습니다. 실제 VRE의 주류가 *E. faecium*이고 *E. faecalis*는 비주류인 이상, *S. aureus*를 vancomycin 내성인 VRSA로 타락시키는 일은 매우 드물 수밖에 없습니다.

임상 검체에서 enterococci가 배양되는 경우 단순한 집락인지 아니면 진정한 감염균인지를 우선 구별합니다. 쉽지는 않은 과정이지만, 임상적인 증세와 걸맞는지를 가지고 판단들 하셔야 합니다.

항생제 치료의 원칙은 각 질환들 중에서 특히 가장 까다로운 endocarditis 치료인 beta-lactam + aminoglycoside 조합을 기준으로 삼습니다. 먼저 beta-lactam(감수성이 있다면 ampicillin부터)으로 cell wall을 공략해서 붕괴시키면 aminoglycoside가 그 틈을 타고 세균 세포 안으로 들어가 ribosome을 공략하는 synergy를 도모하는 것입니다.

같은 이치로 glycopeptide + aminoglycoside 조합도 괜찮은 방안입니다.

E. faecalis와 E. faeicum은 좀 다르게 접근합니다. 내성과 악질성이 다르니까요.

당장 ampicillin이 다릅니다.

E. faecium은 ampicillin 내성이라 해도 MIC ≤ 64 μg/mL라면 하루 30 g까지의 고용량으로 투여할 만합니다. 거기에다 aminoglycoside, 주로 gentamicin이나 streptomycin을 같이 줍니다. 단, amikacin이나 tobramycin은 열이면 열 모두 실패하므로 주지 말아야 합니다. 그리고 gentamicin도 MIC ≥ 512 μg/mL라면 못 줍니다.

혹시 aminoglycoside toxicity가 염려된다면 ampicillin + ceftriaxone이 대안입니다. 놀랍게도 ceftriaxone이 아주 쓸모없는 건 아니라는 말씀.

그런데, 이 모든 것도 만약 VRE라면 아무 쓸모가 없습니다.

이 경우에는 linezolid가 정석입니다.

Tedizolid도 쓸 수 있지만, E. faecalis에만 씁니다.

Quinupristin/dalfopristin은 E. faecium에만 씁니다.

Daptomycin도 쓸 수 있으나 미 FDA 승인은 안 되어 있습니다. 그리고 다시 강조하지만 폐렴에는 쓰면 안 되는데, 그 이유는 surfactant와 갈등을 하기 때문입니다.

같은 lipoglycopeptide라 하여도 telavancin은 안 들으니까 쓰면 안 되며, oritavancin은 쓸 수 있습니다.

그 밖에 피부 및 연조직 감염이나 복강 내 감염인 tigecycline을 사용할 수 있으며 단순한 요로감염에서는 fosfomycin 혹은 nitrofurantoin을 우선 염두에 둡니다.

VRE 환자는 원내 감염관리에서 중요한 비중을 차지합니다. VRE가 분리되는 환자는 1인실 격리를 원칙으로 하지만 그럴 사정이 안 된다면 cohorting할 수도 있습니다. 그나마 그럴 병실도 절대 모자란다면 부득이 병상끼리 1 m 이상 간격과 커튼 같은 물리적 차단막을 설치해서 운용합니다. 격리 해제 시에는 배양 검사를 3일-1주 간격으로 시행하여 연속 3회 이상 음성인 경우를 기준으로 삼습니다.

2. Listeria monocytogenes

개인적으로 이 균에 대해서는 감정이 참 안 좋습니다. Listeriosis 증례마다 좋게 끝났던 기억이 거의 없거든요.

국가 지정 제4급 감염병으로 이 균에 오염된 식품 섭취를 통하여 감염됩니다.

이 균의 이름은 추측하신 대로 수술 전 소독의 창시자 Joseph Lister에게 헌정된 것입니다.

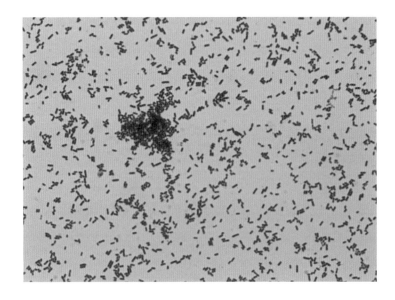

그람 양성 rod(막대 균)입니다, cocci가 아닙니다.

세포 내에서 죽지도 않고 잘 살아나는 생존왕입니다.

먼저 언급했듯이 beta-hemolysis를 보입니다.

적정 체온뿐 아니라 냉장고 온도에서도 잘 자라므로 냉동 식품이라고 무조건 안심해서는 안 됩니다.

병리 기전은 shigellosis와 매우 유사합니다.

인체 세포 안으로 들어가서 phagosome 안에 갇히지만 lysosome과 fusion 하여 처형당하기 전에 재빨리 탈출을 합니다. 이후 세포로 하여금 actin을 만 들게 해서 기동성을 얻은 다음, 세포와 세포 사이를 넘나들면서 이동하며 퍼 지게 됩니다. 이 균의 병리 기전을 접하다 보면, 예전에 학회 참석을 위해 여름 에 홍콩을 갔던 기억이 납니다. 아시다시피 홍콩은 굉장히 더워서 건물마다 에어컨이 설치되어 분주히 가동됩니다. 그리고 낮에는 이동할 때 웬만하면 고 온 환경인 건물 밖으로 나오지 않고 에어컨 영향 아래 있는 건물에서 구름다 리를 타고 다른 건물로 이동을 합니다. 예를 들자면 컨벤션 센터가 바로 옆의 회사 건물과 구름다리로 이어지고, 그 회사 건물은 그 옆의 쇼핑몰로 이어지 고 하는 식입니다. 그러다 보면 건물 밖으로 나오지 않고, 오로지 건물과 건물 을 통하는 걸 반복함으로써 결국 제 숙소까지 돌아올 수 있었습니다. *Listeria* 균도 이런 식으로 우리 몸 속을 헤집고 다닌다는 얘기입니다. 이런 식의 이동 양식은 *Listeria*뿐 아니라 *Shigella, Rickettsia, Burkholderia, Mycobacterium*도 합니다.

약 2-3주의 잠복기를 거쳐 경증부터 중증까지 다양하게 임상 증상이 나타납 니다.

원래 동물, 특히 가축들의 질환이라 과거에는 주로 축산업자나 수의사 등에서 국소 피부 감염 형태로 발생하곤 했지만, 현재는 발병 대상이 확대되었습니다. 특히 산모와 신생아, 노인, 그리고 이식받은 환자같이 면역 저하자에서 호발하며, 위 장관염뿐 아니라 sepsis, meningitis같은 심각한 질환을 일으킵니다. 그 밖에 암 환자나 스테로이드 등을 장기간 투여 받는 이나, 당뇨, 만성 신부전, 류마티스 질환, 간 질환 등의 만성 기저 질환자들에서도 호발합니다. 또한 산모와 태아 사이의 수직 감염도 가능하며 신생아실에서 person-to-person 전파도 일어난 사례들이 있습니다.

예후는 썩 좋지 않습니다.
임산부 감염인 경우 태아의 20%가 출산 이전에 사망할 수 있으며 신생아의 2/3가 태반을 통하거나 출산 당시에 감염됩니다. 출산 후까지 합하면 태아의 치명률은 절반 정도 됩니다.

Meningitis의 경우 다른 원인균들보다 brain 침투로 meningoencephalitis로 발전할 가능성이 더 높아서 후유증이 남기 쉬우며, 치명률은 20-30%선을 넘나듭니다. 게다가 노인이나 면역저하 환자에서 호발하므로 예후가 더 불리할 수밖에 없습니다. 그래서 같은 meningitis라 해도 노인이나 암 환자, 이식받은 환자라면 listeriosis는 기본으로 염두에 두고 치료에 임하는 것이 좋습니다. 무슨 말이냐 하면, 항생제 조합에 ampicillin을 꼭 넣으라는 뜻입니다.

치료는 ampicillin을 우선 선택합니다. 용량은 2g q 4-6h이고, 여기에 gentamicin 1.0-1.7 mg/kg q 8h를 추가합니다. TMP-SMX도 선택 약제입니다. 용량은 TMP 기준 15-20 mg/kg로 꽤 많습니다.
그 밖에 vancomycin, imipenem, meropenem, linezolid, TC, macrolides도 시도할 수 있습니다.
치료 기간은 좀 충분히 잡아야 해서, bacteremia는 적어도 2주, meningitis는 3주, brain abscess나 encephalitis는 6-8주, endocarditis는 4-6주 줍니다.

3. Corynebacterium

기왕이면 발음을 본토 발음으로 멋있게 해 볼까요-

"코리네박테리아"가 아니고 "커라이너 백티어리엄"이라고
하면 꽤 있어 보여요.

여기서 coryne-는 club, 즉 곤봉이라는 뜻입니다. 현미경으로 관찰하면 곤봉
모양이라서 그러합니다.

먼저 족보부터 확실히 하고 진도 나갑시다. 다 이유가 있어서 그럽니다.

Class Actinomycetia, Order Mycobacteriales 혹은 Corynebacteriales,
Family Corynebacteriaceae.

참고로 나머지를 따져보면:

Order Actinomycetales 혹은 Propionibacteriales - Family Actinomyceta-
ceae - Genus Actinomyces.

요 다음에 다룰 Actinomyces 균입니다.

Family Propionibacteriaceae - Genus *Propionibacterium.* 여드름 원인균이
죠.

Order Mycobacteriales - Family Mycobacteriaceae. 결핵균과 그 통속들입
니다.

Family Nocardiaceae - genus *Nocarida*, Rhodococcus. 역시 이 단원에서 다
룰 *Nocardia* 균입니다.

이래저래 다 한 통속. 어쩐지 끈적거리고 질질 끄는 임상 양상을 보인다는 공
통점이 있더라니.

중요한 질환으로 *C. diphtheria*에 의한 diphtheria가 있습니다.

나머지는 non-diphtherial Corynebacteria라 하고 일명 diphtheroids 혹은 coryneforms라 합니다.

대개는 무해한 균이지만, 소아나 면역 저하자에서는 병원균이 됩니다.

현미경으로 보면 metachromatic granules를 보이는데, 이는 균 내에 저장된 phosphate입니다.

1) *C. diphtheriae*

국가 지정 제1급 감염병 디프테리아의 원인균입니다.

이 질환의 특징인 위막(pseudomembrane)이 가죽처럼 보인다는 뜻의 그리스어 diphthera라는 단어에서 명칭이 유래했습니다. 1884년 *Klebsiella* 이름의 유래가 된 Edwin Klebs와 Friedrich Loeffler가 발견했습니다.

이 균은 단일 종이 아니고 subspecies가 4개로, *gravis, mitis, belfanti, intermedius*가 있습니다. 이들 중에 *gravis*가 가장 중증을 일으킵니다.

Loeffler's medium 전용 배지로 확진을 할 수 있습니다.

전염력이 상당해서 기초감염재생산지수(R0)가 보통 2 정도에서 최고 4까지 찍습니다. 주로 droplet으로 전염되지만, 간혹 피부 병변의 contact으로도 전파되며, fomite에 의해서도 전염이 가능합니다.

증상이 소실되어도 최소 2주에서 1달까지 전염이 가능합니다. 일부 chronic carrier의 경우 6개월 이상 균을 배출할 수도 있습니다.

주로 pharynx와 tonsil을 침범합니다. 이로 인해 toxin에 의한 호흡기 질환 및 피부 감염병을 일으킵니다.

원래는 착했을지도 모를 균이었을 겁니다. 그러나 diphtheria toxin gene을 지닌 bacteriophage를 만나서 비뚤어진 것이 우리가 만나는 *C. diphtheriae*인 것입니다. Diphtheria toxin은 A와 B subunit으로 구성되어 있습니다. 역시 B subunit이 binding을 담당하고, A subunit이 본격적인 활동을 합니다.

주요 작용은 세포 내 ribosome에서 NAD+-dependent ADP ribosylation을 통해 elongation factor-2 (EF-2)를 억제함으로써 peptide 생성 과정에서 A와 P site로 원활하게 이동하지 못하게끔 합니다. 그 결과 protein synthesis가 막히므로 해당 세포가 죽게 됩니다. 이 작용은 *P. aeruginosa*의 exotoxin A도 동일하게 발휘하는 것이기도 합니다. 이렇게 하여 죽은 세포들, 세균들, 그리고 여기에 몰려온 염증 세포들과 더불어 나온 산물인 fibrin까지 얽혀서 pseudomembrane이 만들어집니다. 그 결과 물리적으로 막히니까 숨 쉬기가 힘들어집니다.

평균 2-5일 정도의 잠복기를 지나 fever, sore throat, fatigue 등이 있다가 2-3일 이후에 상기도에 pseudomembrane이 보이기 시작합니다. 여기서 제대로 치료를 받지 못하면 1-2주 정도에 80%에서 기도 폐색을 유발할 수 있으며 치명률은 60%여까지 치솟습니다. 한편 앞 목에 있는 림프절이 부어서 마치 황소 목덜미 같은 모습을 보일 수 있으며, 성대까지 침범당하면 croup처럼 쉰 목소리와 더불어 개 짖는 기침 소리를 내게 됩니다.
피부 디프테리아의 경우는 주로 사지에 있는 다발성 ulcer가 주요 병변입니다.

제대로 적절한 치료를 받지 못한다면 sepsis, myocarditis, neuritis 등의 합병증이 생길 위험이 높습니다.
특히 myocarditis가 무서운데, 환자의 약 1/4에서 생길 수 있으며 치명률 또한 25% 정도로 꽤 높습니다.

학창 시절에 소아과 수업에서 들었던 일화가 아직도 기억에 남는군요. 1970년대에 디프테리아에 걸려 입원했던 소아가 1-2주 정도 지나서 하필 퇴원 통보를 한 날에 sudden death를 했습니다. 나중에 사인이 디프테리아에 의한 myocarditis였다고 합니다.

19강

이렇게 치명률이 상당히 높지만 이제는 백신으로 예방할 수 있기에 요즘은 거의 볼 수 없습니다. 국내에서는 1987년 1명의 환자 발생을 마지막으로 2022년 현재까지 더 이상의 보고가 없습니다.

치료는 항생제보다는 항 독소가 더 중요합니다. 되도록 빨리 투여하는 것이 필요하므로 배양 검사 없이 경험적으로 투여합니다. 이 항 독소는 희귀의약품으로 가능한 빨리 국립중앙의료원에 신청하여 받아서 20,000-100,000 unit을 1시간 이상에 걸쳐 정맥 주사합니다.

항생제는 항 독소의 보조적인 역할입니다. 이는 균의 증식을 억제하여 toxin 생산을 견제하는 데에 의미가 있습니다. 주로 erythromycin 500 mg을 하루 4번, 혹은 procaine penicillin G 60만 unit을 하루 2번 근육 주사로 14일간 투여합니다. 이 밖에 rifampicin, TC, clindamycin을 사용할 수도 있습니다.

2) Non-diphtherial *Corynebacterium*

먼저 *C. striatum*부터 봅시다.

본래는 주로 nasopharynx에 서식하면서 공존하는 무해한 균으로 간주되었습니다만, 이제는 원내에서 기회 감염의 원인균으로서 더 이상 이젠 무시 못합니다.

주로 면역저하자와 특히 prosthetic device가 삽입되어 있는 상황의 환자들이 위험군입니다.

제 경우는 신경외과에서 종종 진료 의뢰가 들어오는 감염 합병증입니다.

이게 최근 재평가되는 이유는 내성이 심각하게 다양한 수준이라 그렇습니다.

기본적으로 class A beta-lactamase를 내고 aminoglycoside, macrolide에 내성을 보입니다.

치료는 내성균이라면 vancomycin, Qp/Dp, linezolid를 줍니다.

*C. jeikeium*은 특히 혈액 종양 및 골수 이식 환자에서 sepsis, pneumonia, meningitis, osteomyelitis, prosthetic device infection의 원인균으로 macrolide를 비롯한 상당 수의 항생제에 내성입니다.

치료는 내성균의 경우 vancomycin, TC, linezolid로 선택합니다.

*C. urealyticum*은 urea-가 시사하는 이름 값대로 비뇨생식기 감염이 주종을 이룹니다.

주로 소변을 알칼리화함으로써 돌멩이, 즉 struvite calculi를 만듭니다. Struvite란 magnesium ammonium phosphate를 말합니다. 치료로는 vancomycin이나 linezolid를 줍니다.

4. Actinomyces

가계도를 다시 정리하면 Class Actinomyceta, Order Actinomycetales, Family Actinomycetaceae 가문입니다. 이름의 유래인 Actis-는 그리스어로 ray 혹은 beam을 뜻합니다. 마치 빛처럼 직선으로 hyphae 가지를 치면서 증식해 나가는 모습에서 명명되었습니다. 그 모양이 진균과 비슷해서 오해를 받아 -myces, 즉 곰팡이로 잘못 알려졌습니다. 이와 비슷한 오해를 받은 또 다른 균이 *Streptomyces*입니다.

기본적으로 facultative anaerobes입니다.

Endospore를 만들며, 아무데서나 잘 삽니다. 특히 흙에 많고, 동물들의 microbiota 주민이기도 합니다. 사실 흙에서 산다는 게 꽤 중요한 의의를 가지는데, 효소를 내어 식물 성분들을 분해함으로써 땅을 비옥하게 하는 데에 일정 부분 기여를 하기 때문입니다. 사람에서도 서식하는데, 주로 피부, 구강, 장, 그리고 여성의 vagina에서 삽니다. 산부인과에서 종종 actinomycosis를 만나는 이유입니다.

구강에서는 잇몸에 서식하던 균이 시술 과정에서 감염으로 발전하여 abscess 를 만들 수 있습니다.

이와 똑같은 병리 기전이 심장에서 재현되면 endocarditis가 되고, 소화기관 에 생기면 종괴가 되어 복벽이나 항문 주위로 sinus tract을 통해 연결되곤 합 니다.

조직 검사에서 sulfur granules (grains)가 관찰되는 것을 특징으로 합니다.

그런데 말입니다.

이 병변에는 놀랍게도 황(sulfur)이 전혀 없습니다. 잘못 알고들 계셨죠?

붕어빵에 붕어가 없고, 명월관에 명월이 없듯이 말입니다.

진짜 정체는 bacteria, Calcium phosphate, 인체의 염증으로 인한 부산물들 등이 모인 잡탕입니다.

그럼 왜 sulfur granule이라고 했을까요?

육안으로 보기에 sinus tract으로 지저분하게 나오는 분비물들이 노란색이라 서 무심하게 황이라고 간주한 탓입니다.

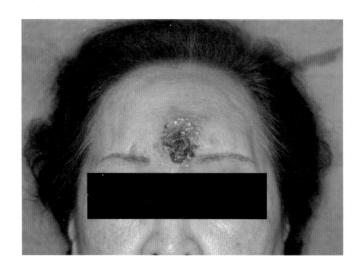

사실 이 소견은 actinomycosis만의 독점 특징이 아닙니다.

유사 사례로 *S. aureus, P. aeruginosa*가 일으키는 botryomycosis가 있습니다. 일명 pyoderma vegetans로, Botryo-는 라틴어로 bunch of grapes라는 뜻입니다.

이 또한 잘못된 용어입니다. 진균이 아니니까요.

원인으로 trauma, surgery, 이물질 같은 것이 선행하며, HIV, alcoholism, cystic fibrosis, steroid 장기 투여, 당뇨 환자 등이 위험군입니다.

피하에 종괴나 abscess가 있으며, 피부에 궤양이나 sinus tract으로 연결되어, 역시 노란색 알갱이들이 동반됩니다. 이 알갱이들의 정체는 세균과 염증 산물이 뒤섞인 고름입니다. Actinomycosis와 다른 점은 내부 장기와 연결되는 경우가 드물며, 있다 하더라도 복강보다는 폐와 주로 연결된다는 것입니다.

Actinomycosis는 부인과에서는 intrauterine device에 얽혀서 생기며 은근히 자주 만납니다.

치료는 penicillin이나 amoxicillin을 6-12개월 주며, doxycycline, sulfonamides, erythromycin, clindamycin도 대안입니다.

단, metronidazole, aminoglycoside, oxacillin, cephalexin, 그리고 잘 듣게 생긴 걸로 오해할 수 있는 FQ은 금기입니다.

전형적인 치료 양식을 예로 들면, Pencillin G 18-24MU을 2-6주 주사하고, 이후 외래에서 amoxicillin을 6-12개월 경구 복용시킵니다.

5. *Nocardia*

AFB 양성이라 결핵균으로 오인받곤 합니다.

그럴 만도 한 것이, 가계도를 보면 Order Mycobacteriales - Family Nocardi-aceae - genus Nocarida로 결핵균과 좀 가까운 사촌지간이라 그렇습니다. 세포 벽 구조를 봐도 결핵균처럼 풍부한 mycolic acids를 가지고 있습니다.

19세기 말 Etienne Nocard가 발견해서 자기 이름을 붙였습니다.

잘 생기는 원인들 중에 어린이 놀이터가 있습니다.

흙 장난을 하다가 걸리는 것이죠.

사실 놀이터에서 더 잘 걸리는 건 기생충, 그리고 돈을 파내게 되는 경우가 은근히 많습니다.

"땅을 파 봐라, 100원 동전이라도 나오나?"

나옵니다.

물론 요즘은 카드나 스마트 폰으로 결제들을 하니 현금이 나올 확률은 매우 낮아졌지만.

구강에 정상적으로 서식합니다.

감염은 inhalation이나 피부에 trauma를 받을 때 성립됩니다.

이 또한 진균과 흡사하게 hyphae growth를 보입니다.

산소 환경을 절대적으로 필요로 합니다.

사실 virulence가 강한 균은 아니라서 주로 면역 저하자의 기회 감염으로 나타납니다.

여기까지 보면 NTM과 참으로 비슷합니다. 먼 친척이니까 당연할지도 모르겠습니다.

피부에 생기는 감염증과 피부 외의 감염증이 있습니다.

피부는 주로 *N. brasiliensis*가 원인균이며, 이로 인해 생기는 종괴를 actino-mycetoma라고 부릅니다.

Actinomycosis와 헷갈리게 도대체 왜 이렇게 명명했는지 모르겠습니다.

그 밖에 lymphocutaneous disease, cellulitis, subcutaneous abscess도 일으킵니다.

드물게 disseminated nocardiosis가 합병될 수도 있습니다.

AFB 양성 소견을 보이는 *Nocardia* 사진입니다. 현미경 배율 1000배.

피부 이외에는 *N. asteroides*가 주 원인균입니다.

주로 천천히 진행하는 폐렴, 그리고 encephalitis나 brain abscess를 일으킵니다.

치료는 TMP-SMX나 minocycline을 6-12개월 투여하며, 중증은 입원해서 고용량 imipenem + amikacin으로 주거나 필요하면 linezolid를 쓸 수도 있습니다.

6. *Bacillus cereus*

국가 지정 제4급 감염병이며, 이 또한 endospore를 만듭니다.

우리가 즐겨 먹는 쌀 과자에 endospore가 있습니다.

물론 너무 겁먹을 필요는 없습니다. 그런 경우는 무해한 *Bacillus* 균입니다.

특히 가장 흔한 *B. subtilis*는 대표적으로 착한 균입니다.

그러나 일부 몰지각한 놈들이 심각한 병원체로 작동합니다.

대표적인 것이 *B. cereus*와 *B. anthracis*입니다.

가계도를 보면 Phylum Bacillota, Class Bacilli, Order Bacillales, Family Bacillaceae이며, 먼 친척으로 Phylum Bacillota에서 Class Clostridia로 갈라진 *Clostridium*이 있습니다.

*B. cereus*는 motile beta-hemolytic spore forming bacilli로 배양을 하면 보이는 wax 같은 colony 때문에 라틴어로 wax를 뜻하는 cereus란 이름이 붙었습니다.

식중독을 일으키는 주범이 바로 endospore로 heat stable enterotoxin을 냅니다. 즉, 끓여도 소용없다는 말씀이죠.

식중독은 2가지 유형으로, 설사형과 구토형이 있습니다. 특히 구토형은 전기 밥솥에 밥을 지어 놓고 실온에 방치하면 heat stable cereulide toxin이 잔류하였다가 섭취할 때 들어옵니다. 이는 구토와 인체 세포의 mitochondria 파괴 작용을 나타냅니다. 보통 섭취 1-5시간 후 오심, 구토를 보여서 *S. aureus* 식중독과 구별이 거의 안 됩니다. 그래도 6-24시간이면 회복되지만, 드물게 fulminant hepatic failure로 가는 경우도 있습니다.

치료는 수액 및 전해질 보충 등의 대증 치료로 충분하며 항생제 사용은 불필요합니다.
거의 희박하지만 skin infection도 일으킵니다.

원내 감염으로는 catheter-related blood stream infection을 일으킬 수 있습니다.
그런 경우는 vancomycin + FQ로 대처합니다.

탄저균인 *B. anthrasis*는 나중에 bioterror 단원에서 다루기로 하겠습니다.

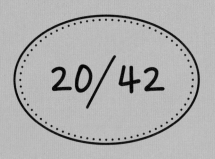

제20강

천의 얼굴을 가진 결핵
(Tuberculosis, TB)

천의 얼굴을 가진 결핵
(Tuberculosis, TB)

결핵은 임상 현장에서 수도 없이 많은 변수와 딜레마 때문에 결단을 내림에 있어서 아마도 가장 어려운 감염 질환일 것입니다. 당장 결핵인지 아닌지를 판단하는 문제부터 마주하게 되고, 치료 또한 너무나 다양한 상황에서 결정을 해야하며, 무엇보다 장기전이라 별별 일이 다 일어나고 자주 골탕을 먹습니다.

국내 결핵 환자 수는 의료 수준 및 생활 수준의 향상으로 인해 지속적으로 감소하고 있긴 하지만, 여전히 많이 보고되고 있습니다. 2020년 현재 신환은 인구 10만 명당 38.8명으로 여전히 감소 추세이지만, 65세 이상 노년층의 신환 발생 비중은 여전히 높습니다.

1. 결핵균

가계도를 보면 Phylum Actinomycetota, Order Mycobacteriales, Family Mycobacteriaceae, *Genus Mycobacterium*입니다.

진균도 아닌데 Myco-라는 접두어가 붙은 이유는 배양해 보면 마치 mold가 자라는 것 같은 모양을 보인 탓입니다.

Mycobacterium tuberculosis (MTB)는 오로지 사람에게만 서식합니다.

1882년 Robert Koch가 발견했고, 이 업적으로 1905년에 노벨상을 받습니다.

잘 아시다시피 성장과 생존에 산소가 절대 필요 요소입니다. 그래서 폐 결핵 때 주로 상엽에 병변이 생깁니다.

물기 하나 없이 사막같은 건조한 환경은 웬만한 세균들에겐 지옥이지만, 결핵 균은 수주 동안을 견딜 수 있습니다. 이는 결핵이 전염되는 과정에서 핵심 원 인으로도 작용합니다.

또 하나 중요한 특징이 acid-fast bacilli (AFB)입니다.

산에 잘 견딘다는 의미인데, 이를 이용한 것이 Ziehl-Neelsen 염색입니다.

요약하자면 빨갛게 염색한 후 산으로 씻어 내려 하는데, 안 씻겨 나가면 이후 파랗게 염색해도 굳건히 빨간색을 유지한다는 것입니다.

좀 더 정식으로 설명하자면, carbolfuschin으로 30초 염색하여 붉게 만들고, 곧장 acid alcohol을 15-20초 가하여 다시 탈색을 합니다. 그런데 MTB는 산 을 잘 견디므로 탈색이 되지 않죠. 마지막으로 methylene blue나 malachite green을 30초 가해서 푸른색 혹은 녹색으로 염색을 하는데, MTB는 바로 전 단계에서 탈색이 되지 않았으므로 여전히 빨간색을 유지하게 되는 겁니다.

결핵균의 가장 두드러지는 개성은 역시 cell wall입니다.

아주 묵직하고 두꺼운 기름층이 배둘레 햄처럼 세포 밖을 둘러싸며 자연스러운 방패 기능을 하고 있습니다. 치료가 까다롭고, 제대로 하더라도 너무나 오랜 시간이 걸리는 원흉입니다. 물론 동작이 매우 굼뜨다는 것도 원인이긴 합니다. 다른 균들은 한 번 증식하는데 몇 분 단위인 반면에, 결핵균은 한 번 분열과 증식에 18-24시간이나 걸리는 천하의 느림보이니까요.

저는 결핵균의 구조를 볼 때마다 돼지가 연상됩니다.

아시다시피 돼지는 피하 지방이 엄청나게 두껍습니다.

그래서 웬만한 뱀은 아무리 맹독을 지닌 독사라 해도 앙칼지게 돼지를 물어봤자 아무 소용이 없고, 오히려 맛있는 간식거리가 되고 맙니다.

돼지가 만독불침이듯이 결핵균도 세포벽의 상당 부분을 두껍게 차지하는 기름층 때문에 웬만한 항생제들이 듣지 않습니다. 이 기름층이 바로 mycolic acid입니다.

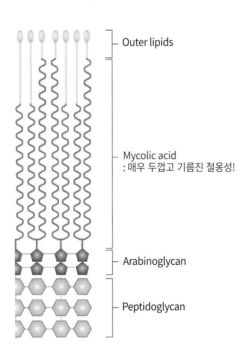

Outer lipids

Mycolic acid
: 매우 두껍고 기름진 철옹성!

Arabinoglycan

Peptidoglycan

이 mycolic acid는 arabinoglycan에 의해 기존의 peptidoglycan과 단단하게 결속이 됩니다. 그래서 다른 세균에 비해 *Mycobacterium*은 더 두툼한 철갑을 두르는 셈입니다.

또한 trehalose라는 disaccharide에 의해 mycolic acid가 양 쪽에 하나씩 결합하는 구조물도 만들어지는데, 이를 cord factor라 합니다. 이 구조물은 결핵균의 외모까지 영향을 미쳐서 균 모양이 길쭉하게 만듭니다. 그래서 cord factor라는 이름이 붙은 겁니다. 또한 결핵균의 virulence에도 중요한 기여를 합니다.

2. 병리 기전

결핵균이 전염되는 것은 여러 조건들이 맞아 떨어짐으로써 성립됩니다.

먼저 감염자가 기침이나 재채기, 혹은 수다를 떨면서 결핵균을 aerosol로 방출합니다. 이 aerosol은 갖가지 다양한 크기의 침 방울들로 구성된 일종의 안개 같은 성상인데, 대기에 노출되면 곧장 바싹 말라버리기 시작합니다. 그 결과 아주 작은 침 방울들만 남아 꽤 오랜 시간 둥실둥실 떠 있습니다. 앞서 언급했지만, 결핵균은 물 한 모금 없는 환경에서도 잘 버티므로 그런 열악한 상황에서도 죽지 않고 잘 버팁니다. 마침 그 환자가 결핵균을 방출한 장소는 밀폐되었거나, 혹은 매우 좁은 방이고, 사람들이 복작거립니다. 하필이면 환기도 잘 안 되는 곳입니다. 그리고 누군가가 반경 1미터 이내로 들어오게 되어 무심코 그 aerosol을 들이킵니다. 이렇게 해서 기본적인 조건들이 다 맞아 떨어졌습니다.

그런데, 새로 결핵균을 들이켰다고 해서 모두 다 감염이 되는 건 아닙니다. 대개는 그 사람의 기도에서 방어 기전이 작동하여 다 쫓아내기 때문입니다. 그러나 그 와중에 침입해 들어온 결핵균들 중 10% 미만이 용케도 잘 빠져나와 alveola까지 도달하면 본격적으로 감염 과정이 시작됩니다. 즉, 아무나 결핵에 걸리는 것이 아니고, 방어 능력에 문제가 있는 이들이 걸린다는 것입니다. 이 방어 능력은 cilliary movement에 의한 제거 능력, innate immunity, 그리고 cell mediated immunity의 총합입니다.

새로 들어온 결핵은 lymphatics를 들락거리며 1차 병변을 만듭니다. 다행히 진압되어 흉터가 남는 것으로 종결될 수도 있지만, 조용히 암약하다가 나중에 본격적인 2차 결핵으로 재 출현할 수 있습니다. 보통 초 감염된 이들 10명 중에서 1명꼴이, 그리고 이들 중 절반이 첫 1년 반 이내에 2차 결핵으로 진행합니다. 소위 reactivation에 의한 결핵입니다.

다시 처음 감염이 시작되던 시점으로 돌아와 조금 더 자세히 살펴봅시다. 성공적으로 alveola에 도달한 결핵균은 그곳 주민이자 자경단인 macrophage와 조우하게 됩니다. Macrophage는 결핵균을 검거하는 즉시 붙잡아 꿀꺽 삼킵니다. 이 과정에서 다양한 receptor들이 관여하는데, complement receptor (C3b를 받아들여서 phagocytosis를 원활하게 합니다), IgG Fc receptor, mannose receptor(나중에 phagosome-lysosome 융합과 cytokine 분비에 관여합니다) 등입니다.

그런데 결핵균은 macrophage 안으로 삼켜졌어도 끈질기게 살아남습니다. 이게 결핵 감염 과정의 핵심입니다.

어떻게 생존왕이 될까요?

요약하자면 산화 방지와 fusion 방지라고 보시면 됩니다.

먼저, 결핵균은 phagosome에 장착된 H⁺/K⁺ ATPase를 억제합니다. 그 결과 phagosome 내부를 acidification시키는 작업이 안 되어 쾌적한 환경이 됩니다.
또한 세포벽 성분인 lipoarabinomannan을 휘둘러서 세포 내로 calcium이 들어오는 것을 방해하여 Ca^{2+}/calmodulin pathway를 망가뜨립니다. 그 결과 phagosome-lysosome fusion이 좌절됩니다.
이렇게 결핵균이 두 가지 치명적인 기전을 무력화시키고 나면 본격적으로 증식을 하기 시작합니다. 그 수가 감당할 수 없을 만큼 불어나다 보면 macrophage는 붕괴가 되고, 결핵균들은 잔뜩 방출되어 다른 phagocytes를 찾아 들어가서 역사를 되풀이하게 됩니다.

이 과정은 결핵균이 macrophage 안에 있으면서 정적으로 이루어지는 게 아닙니다. 그 와중에도 macrophage는 돌아다니지요. 또한 다른 '깨끗한' macrophage도 주위에 오도록 동원합니다. 결국 macrophage는 살균이 아니라 오히려 결핵균을 태우고 여기저기 배달시켜주는 일을 하는 셈입니다.

물론 macrophage가 백전백패하는 것은 아닙니다. 절반은 앞서 설명했듯이 결핵균의 수작에 당하여 붕괴되지만, 나머지는 성공적으로 결핵균을 죽이긴 합니다. 그러나 면역 과정이 어디 그리 단순하던가요? 이 와중에 다른 면역 세포들이 주위로 몰려들어서 대 소동이 일어납니다. Lymphocytes, neutrophil 등이 몰려와서 졸지에 패싸움이 일어나고 여기저기 시체가 널리게 됩니다. Macrophage와 dendritic cell(이들을 통틀어서 histiocyte)은 싸움 와중에 얼굴 여기저기 멍도 들고 눈탱이도 밤탱이가 되다 보니 외모도 변하기 시작하여 epitheoid cell로 변하기도 하면서 자기들끼리 뭉칩니다. 그 결과 multinucleated giant cell이 됩니다.

본질적으로 결핵균을 죽이기 위함입니다.

그러나 의도했던 대로 되지는 않습니다.

이래 저래 결핵균은 끈질기게 살아 남습니다.

그렇다면 선택은 하나뿐입니다.

더 이상 활개치지 못하게 가두어 놓아야죠.

그리하여 histiocyte(결국 giant cell), lymphocyte 패거리와 싸움 와중에 쌓인 각종 시체들(caseating necrosis)이 결핵균과 진흙탕 싸움을 하면서 한 곳에 몰아 포위한 결과물이 바로 granuloma입니다.

그 주위를 fibrosis로 둘러싸고 석회를 침착시키면서 제한구역이 최종 완성됩니다.

20강

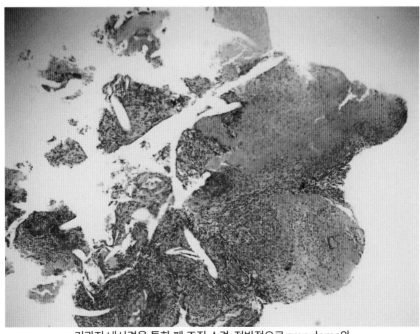

기관지 내시경을 통한 폐 조직 소견. 전반적으로 granuloma와
caseous necrosis, 그리고 5시 방향에 giant cell도 보입니다.

Granuloma에 갇힌 결핵균은 살아는 있지만 더 이상의 성장은 하지 못 합니다.

왜냐? 산소가 부족한 환경이 되니까요. 그래서 조용히 지내면서 훗날을 기약합니다.

이후 과정은 두 가지일 것입니다.
하나는 caseous necrosis가 더 진행되어 죽처럼 흐물흐물하게 변하다가 터지는 것입니다. 그러면 근처 기관지로 흘러나가 질환이 더 진행됩니다.

나머지 하나는 그대로 굳어버리는 것. 이를 latency, 즉 '잠복'이라고 하는데 사실은 잘못된 용어입니다. 결핵균은 증식을 안 할 뿐이지 여전히 제대로 활동할 능력은 유지하고 있으니까요. 그래서 '잠을 잔다'는 의미로 dormant bacilli라고 부르는 것이 더 합당할 것입니다.
또한 latent TB infection (LTBI)를 치료해야 하지 않느냐는 주장의 기반이 되기도 합니다.

결국 granuloma란 치열한 싸움을 전개한 끝에 깔끔하게 끝내지 못하고 언젠가는 재발할 소지를 남겨놓은 산물이라 할 수 있습니다.

3. 임상 양상

1) 폐 결핵-1차

보통 1차 결핵은 감염 후 곧장 생기는 것으로 폐 실질이라기보다는 lymphatic system을 기반으로 하는 염증이라 증상도 미미할 때가 많고 병변 부위도 중엽이나 하엽 쪽에 호발하는 등, 우리에게 익숙한 폐 결핵과는 다른 양상입니다. 우리가 임상에서 만나는 폐 결핵 환자들은 일단 소아 시절에 이 1차 폐 결핵 과정을 거치고 잠복을 하다가 소아를 벗어나 청소년 내지 성인이 된 시점에서 reactivation된 2차 폐 결핵인 것입니다.

그러나, 이건 통념일 뿐이고 실제로 우리나라처럼 폐 결핵이 만연한 나라에서는 성인 폐 결핵이라 하더라도 이제 막 생긴 1차 결핵인 경우도 많아서 굳이 구분을 지어야 하는지에 대한 회의론도 만만치 않습니다.

어쨌든 1차 폐 결핵은 결핵균이 체내에 lymphatics를 통해 폐 속에 새로 들어오면서 시작이 됩니다. 폐에 난생 처음 생기는 병변을 Ghon focus라 부릅니다. Lymphatics를 들락날락하니까 보통 hilar 혹은 paratracheal lymphadenopathy가 동반되어 있습니다. 이게 심해지면 기관지를 누르거나 기관지 안으로 터져서 더 악화될 수 있습니다. 환자의 2/3에서 흉막으로 잘 침투하여 pleural effusion을 일으킬 수 있으며, 폐 병변은 더 진행하여 cavitation을 만들 수 있습니다. 그래도 대부분은 그 정도까지는 안 가고 저절로 치유되어 calcium이 침착된 nodule을 남깁니다. 하지만 아직 면역 능력이 신통치 않은 소아나 성인이라 해도 영양 실조가 있거나 HIV 감염이라는 불리한 조건이라면 심각한 경과로 진행하여 bronchiectasis나 pneumonia, 심지어는 전신으로 퍼져서 meningitis도 합병될 수 있습니다.

2) 성인형 폐 결핵

1차 폐 결핵을 거쳐서 reactivation된 것을 말하지만, 앞서 언급했듯이 그냥 1차로 생기는 경우도 많으므로 2차라는 용어는 지양을 하고 성인형 폐 결핵으로 부르는 것이 더 좋겠습니다.

폐 부위에서도 주로 상엽의 apical 혹은 posterior segment에 호발합니다.

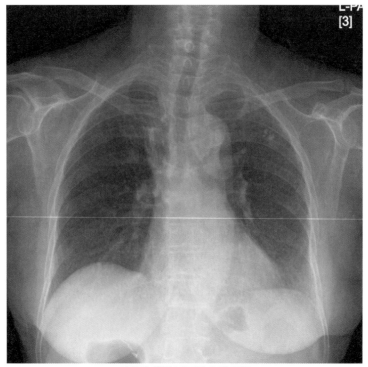

좌엽에 생긴 조그만 초기 결핵

결핵균 자체가 산소를 절대적으로 필요로 하기 때문에, 상대적으로 산소가 풍부한 상엽을 선호하는 것입니다.

같은 이유로 하엽 중에서도 superior segment에도 잘 생깁니다.

Cavitation이 되면 골치 아픈 상황으로 진행되는데, 기관지 안으로 터져 들어가 기관지를 타고 더 많은 병변의 분점을 차리기 때문입니다. 치료를 받지 않아도 운 좋게 낫는 경우도 있지만, 대개는 온 몸을 말려 버리는 중증으로 가게 됩니다. 그래서 치료를 제대로 해야 합니다.

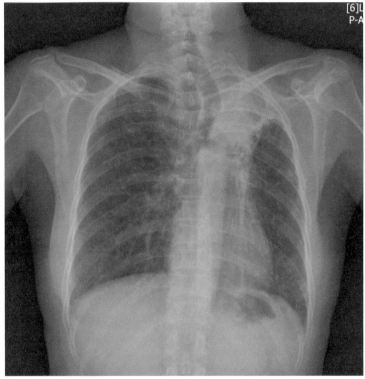

좌측 병변이 파괴되어 아예 찌그러진 병변입니다.

아직 진단이 안 된 초기에는 이유를 알 수 없는 열이 매일 나고(열이 안 나는 경우도 꽤 있습니다), 아침에 일어나면 등이 땀으로 흠뻑 젖어 있는 증상을 보입니다. 까닭 없이 쇠약해지고, 체중이 빠지며, 만성 기침에 시달립니다. 그러다 각혈을 하기도 합니다.

폐 실질은 통증을 느끼지 않지만, 흉막은 통각 신경이 있으므로, 이 부위를 침범하는 경우에는 흉통을 느낄 수 있습니다. 병변이 점차 범위를 넓히다 보면 호흡 곤란이 시작됩니다.

3) 흉막 결핵

폐의 결핵균이 직접 침범해서 생기기도 하지만, 흉막이 결핵균에 대해 hypersensitivity를 발현하는 바람에 생기기도 합니다.

폐 결핵 환자가 pleural effusion까지 동반되어 있으면 흉부 천자(thoracentesis)를 해서 삼출액이 exudate인지 여부를 규명해야 합니다. 결핵균이 직접 발견될 확률은 극히 희박하며, 따라서 배양을 해도 잘 안 나옵니다. Lymphocyte-dominat pleural fluid에서 adenosine deaminase (ADA) > 40 IU/L이고, ADA가 증가할 수 있는 다른 동반 질환이 없다면 결핵일 가능성이 높습니다. 그래도 역시 흉막 생검을 해서 병리 조직으로 확진하는 게 더 확실하겠죠. 전공의 때 참 많이도 했었는데, 가끔 최종 결과가 흉막이 아니고 skeletal muscle이 나올 때가 있어서 당혹해 했던 기억이 납니다. 그래도 대략 3/4 정도에서는 확진이 되었던 것 같습니다.

치료를 잘 받지 않으면 악화되어서 TB empyema까지 갈 수도 있습니다. 아차 하면 bronchopleural fistula까지 합병되므로 긴장해야 합니다. 이때는 항 결핵제 투여뿐 아니라 drainage도 같이 해 주어야 합니다. 빨리 조치를 안 하면 흉막이 섬유화가 됩니다. 그런 지경까지 오면 역시 흉부외과 선생님들께 의뢰해서 일일이 뜯어내야 합니다(decortication).

4) 결핵성 림프절

폐외 결핵 질환 중에 가장 흔합니다. 특히 소아와 HIV 환자에서 잘 생깁니다. 보통 posterior cervical 및 supraclavicular lymph node에 호발합니다. 종괴가 만져져서 신경이 쓰일 뿐이지 전신 증상까지 동반되는 경우는 그리 많지 않습니다. IGRA 검사에 음성이라면 결핵을 배제할 수도 있겠지만, 다른 검사 없이 IGRA 검사로만 결핵을 배제하면 안 됩니다. 그러므로 조직 검사와 배양을 통하여 최종 진단을 해야 합니다. 그래서 fine-needle aspiration biopsy로 하거나 외과 선생님들 통해 excision biopsy를 해서 병리 조직으로 증명합니다. 특히 수술로 생검하는 경우 평소 하던 대로 검체를 포르말린에 담그시는 분들이 의외로 적지 않아요. 그러면 균이 다 죽어서 tissue culture를 할 수 없으니 절대로 그렇게 하면 안 됩니다. 멸균 생리 식염수에 담가야 합니다. 생검 수술 들어가기 전에 이 사항을 신신당부하시고, 의뢰서와 처방 입력 시에도 꼭 언급하셔야 합니다.

수술로 제거하는 것은 얼핏 보면 확실한 해결책 같지만, 외과 선생님들이 썩 달가워하지는 않으세요. 정말 결핵이라면 수술 후 잘 아물지 않는 경우가 많아서 안 좋은 기억들이 많기 때문입니다. 그래서 무조건 제거하려고 달려들지 마시고, 앞서 언급했듯이 진단이 목적이거나, 항결핵제 치료에도 좋아지지 않는 경우, 혹은 lymph node가 오히려 커지거나 물컹물컹하게 변했다면 시행하는 걸로 정해 놓는 게 좋습니다.

5) 후두 결핵

보통 공동을 동반한 폐 결핵이 심하게 진행되다가 후두까지 먹는 경우가 많습니다. 후두를 침범하니까 당연히 쉰 목소리를 내는데, 기침도 만만치 않게 심해져서 전염력이 매우 높습니다.

6) 좁쌀 결핵(Miliary tuberculosis)

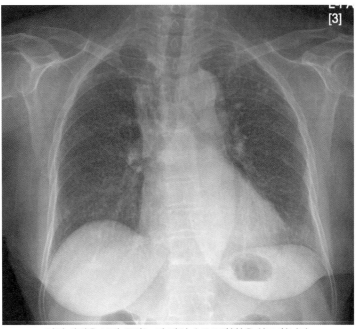

이런 사진을 보면 우리는 다 같이 속으로 합창을 하곤 합니다.
"퍼얼펄~, 눈이 옵니다."

좁쌀 결핵은 결핵균이 혈관을 타고 퍼진 결과로 생깁니다. 폐 사진을 보면 1-2 mm 크기의 자잘한 granuloma들이 혈관 배치를 따라 퍼져 있는 모양을 보입니다. 그게 마치 좁쌀처럼 보여서 좁쌀 결핵이라고 합니다...가 아니고 사실 miliary는 millet, 즉 기장이나 수수 모양이라고 표현한 겁니다. 원문 그대로 번역하면 기장 결핵 내지 수수 결핵이라고 해야 원칙적으로 맞습니다만, 한국인의 입장에서는 좁쌀이 더 와 닿기 때문에 초월 번역을 한 셈입니다. 사실 좁쌀과 기장은 흡사한 모양 때문에 지역에 따라 구분 안 하는 곳도 있습니다. 좁쌀은 영어권에서는 foxtail millet라고 합니다.

임상 증상은 폐 결핵처럼 발열, 오한, 야간 발한, 무력감, 체중 감소 등을 보입니다. 기침도 가끔씩 합니다.

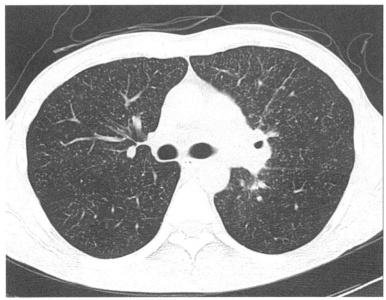

CT로 본 miliary TB.

좁쌀 결핵을 폐 사진으로 발견하기 때문에 폐에만 병변이 있다고 오해하기 쉬운데, 사실은 혈류를 타는 것을 기본 병리 기전으로 하기 때문에 사실상 전신에 퍼진다고 간주하는 것이 좋습니다. 그래서 hepatomegaly나 splenomegaly를 보일 수 있고 눈과 중추 신경계로도 좁쌀 결핵 소견을 의외로 빈번하게 보일 수 있으니 각별히 주의하여야 합니다.

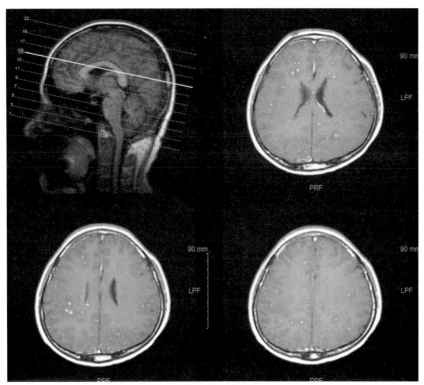

뇌에도 간 좁쌀 결핵

주의 깊게 안 보면 흉부 X선 사진에 뻔히 병변이 있음에도 불구하고 놓치는 일로 망신사는 경우도 꽤 많습니다. 기관지 병변이 아니고 혈관 병변이므로 객담 AFB 검사가 음성일 때가 훨씬 많습니다. Tuberculin skin test도 반 이상이 음성으로 나옵니다. 골수도 침범해서 빈혈이나 백혈구 감소증을 보이기도 합니다.

결핵균을 증명하고 싶으면 bronchoalveolar lavage와 transbronchial biopsy를 시행합니다.

그리고 영상에서 좁쌀 결핵 소견이라고 해서 속단은 해선 안 됩니다. 암의 전이나 sarcoidosis도 은근히 많다는 걸 잊지 마세요.

7) 중추 신경계의 결핵

제가 정말 싫어하는 감염 질환이 바로 결핵성 수막염입니다. 치료를 해도 뒤끝이 개운했던 적이 한 번도 없었으며, 적어도 한 가지 이상의 합병증으로 환자들이 고생을 했기 때문입니다.

이 또한 좁쌀 결핵처럼 결핵균이 혈관을 타고 중추 신경계로 침범해서 생깁니다.

일반적인 세균성 수막염처럼 급성 경과를 밟는다기보다는 2주 내외로 아급성 경과로 시작합니다. 애매모호한 두통이나 의식 수준이 정상인 듯 아닌 듯 보이고, 일반 결핵 증상처럼 쇠약한 소견을 보입니다. 제대로 진단을 못하면 급격하게 위험한 상태로 진행합니다. 주요 병변이 brain의 base이고 워낙 끈적거리는 질환이라 그 영역의 구조물들, 예를 들어 III-VI 신경을 눌러서 마비시키거나 cerebral artery를 눌러서 ischemia를 조장하거나 혹은 ventricle을 막아서 hydrocephalus와 뇌압 상승을 초래합니다. 이건 세균성 수막염에서도 마찬가지 합병증입니다만, 결핵성 수막염이 더 자주, 더 심하게 이런 합병증들을 가져오는 경향이 더 높습니다.

그래서 결핵성 수막염의 경우 뇌 CT나 MRI를 촬영해 보면 tuberculoma나 hydrocephalus 같이 뭔가 이상 소견이 적어도 하나 정도는 있습니다.

뇌척수액 검사를 할 때 MTB PCR은 모든 환자에서 하도록 합니다. 단, sensitivity가 높지는 않으므로, 음성이라고 해서 결핵균을 배제해서는 안 됩니다. Adenosine deaminase (ADA) > 5-10 IU/L이라면 결핵성 수막염으로 추정할 가치가 충분하긴 합니다. 그러나 ADA는 listerial meningitis, neurobrucellosis, lymphoma 등에서도 상승할 수 있으므로 섣불리 확진하면 안 됩니다.

예후는 진짜 안 좋습니다. 치료가 된다 하더라도 약 1/4에서 후유증이 남습니다.

다음 단원에서 언급은 하겠지만, 결핵성 수막염의 치료에 있어서 steroid의 역할과 중요성이 적지 않습니다.

제대로 잘 쓰면 증상이 더 빨리 좋아지고 생존율의 개선도 기대할 수 있습니다. 보통 dexamethasone 하루 0.4 mg/kg 용량으로 시작하여 매주 0.1 mg/kg씩 줄여가면서 4주간 유지합니다. 이후 하루 4 mg씩 경구로 주면서 역시 매주 1 mg씩 줄이면서 또 4주를 채웁니다.

8) 장 결핵

장 결핵은 요즘은 보기 힘들지만, 1980년대만 해도 임상 일선에서 꽤 자주 접하던 질환이었습니다.

가장 호발하는 부위는 역시 창자의 우범지대인 terminal ileum과 cecum입니다.

고열과 복통이 주 증상이고 혈변, 체중 감소, 무력감, 발한 등도 보입니다. 제가 전공의 시절에 만나본 환자들은 복수가 동반된 복막 결핵 환자인 경우가 정말 많았어요. 복막 생검도 참 많이도 했었죠. 물론 현재는 복강경을 통해서 생검을 해야 합니다. 지금도 그렇지만, 돌이켜 보면 옛날부터 우리는 교도소 담장 위를 아슬아슬하게 걸으면서 용케도 살아남은 것이었습니다. 식은 땀이 흐르는군요.

9) Tuberculous pericarditis

하필이면 pericardium에 인접한 종격동에 결핵 병변이 있어서 직접 침범 받거나, 아니면 혈액을 타고 침투하거나 해서 생깁니다.

대부분이 pericardial effusion을 동반합니다. 물론 심하면 tamponade까지 갈 수 있으니 pericardiocentesis가 필요합니다. Pericardial fluid로 배양을 해보면 MTB가 나오는 경우가 2/3 정도로 꽤 많습니다.

부위가 부위이니만큼 치명률이 40% 정도로 매우 높습니다. 치료를 받아도 쉽게 가지 않고 chronic constrictive pericarditis 등의 합병증도 자주 생깁니다.

치료에 있어서 결핵성 수막염과는 달리 steroid 사용은 권장되지 않습니다. 단, 양이 너무 많거나 constrictive pericarditis가 의심되는 경우 사용을 고려할 수 있습니다.

10) 비뇨생식기 결핵

비뇨생식기 결핵은 생각보다 꽤 있습니다. 폐 결핵이 동반되어 있는 경우가 많고 신장을 침범하니 자주 소변을 보거나 배뇨통, 야뇨증, 혈뇨, 옆구리 통증 등의 증상을 보이지만, 무증상인 경우도 종종 있습니다. 무증상이라 해도 뇨 분석 검사에서 거의 다 pyuria와 혈뇨를 보이므로 중요한 단서로 삼는 것이 좋습니다. CT나 MRI로 요로가 막혔거나 석회 침착, 혹은 deformity가 있는 걸로 진단을 시작할 수 있습니다.

비뇨생식기 결핵이 의심되면 뇨 AFB 배양을 실시합니다. 아침에 받은 소변으로 3차례 검사를 나갑니다.

11) 뼈 결핵

주로 척추나 고관절, 무릎처럼 체중을 받는 부위에 호발합니다.

척추 결핵(Pott's disease 혹은 tuberculous spondylitis)은 소아는 주로 upper thoracic spine에, 성인은 lower thoracic과 upper lumbar spine에 잘 생깁니다. 척추 주위로 cold abscess가 동반되는 경우도 많습니다. 이게 inguinal ligaments를 타고 슬슬 흘러내리거나 psoas muscle에 psoas abscess를 만드는 일도 자주 봅니다.

Pyogenic bacteria에 의한 vertebral osteomyelitis와 감별을 해야 하는데, 그 경우는 처음부터 disc를 침범하고 경과가 빠릅니다. 그래도 감별을 하려면 병변 부위에서 직접 검체를 채취해서 배양과 조직 검사를 해야 합니다.

제대로 치료 못 받으면 vertebral body가 무너져서 kyphosis가 초래됩니다. 더 나쁜 합병증은 spinal cord가 눌려서 생기는 paraplegia입니다.

결국 항 결핵제뿐 아니라 수술적 치료까지 가게 될 경우가 많습니다.

12) HIV 환자의 결핵

결핵은 HIV에서 가장 흔한 감염 합병증이자, 사망 원인이기도 합니다.

물론 CD4$^+$ cell count가 200/μL 미만이면 걸릴 위험성이 매우 높겠지만, 사실 결핵은 CD4$^+$ cell count와 관계 없이 언제라도 걸릴 수 있는 합병증입니다. HIV 환자에서 결핵이 위험한 또 하나의 이유는, 결핵의 특징인 원래 좀 느리게 진행되는 양상이 HIV 환자에서는 예외적으로 꽤 빠른 속도로 나빠진다는 것입니다. 면역이 저하된 상태이니 견제를 상대적으로 덜 받는 탓일 겁니다. 증상이 전형적이지 않은 경우가 많고, 객담 AFB 도말에서 양성이 안 나오는 일도 잦기 때문에 진단에 애를 먹습니다. 그리고 폐 이외의 장기에 결핵이 생기는 일이 HIV 아닌 사람들보다 더 많습니다.

치료에 있어서도 IRIS가 합병되는 일로 인해 많은 애를 먹습니다. 이는 나중에 HIV/AIDS 단원에서 다시 언급하겠습니다.

13) 잠복결핵(Latent TB)

결핵균에 감염되어 체내에 생존해 있는 균이 극소수 있지만, 증상이 없으며 외부로 배출하지 않아 다른 이에게 전염시키지 않고, AFB 도말, 배양, PCR 및 흉부X선 검사도 정상이라면 잠복결핵감염(latent tuberculosis infection, LTBI)이라고 합니다. 이는 tuberculin skin test나 IGRA로 찾아냅니다.

사실 전 세계 인구의 1/3에서 결핵균이 잠복을 하고 있고, 이들 중 10% 정도가 결국은 active TB로 발전하기 때문에 이 군을 집중적으로 치료(?)하면 결핵 발생을 줄일 수 있지 않겠냐는 생각에서 LTBI 치료 전략이 대두되기 시작합니다. 물론 이 방침은 논란이 많으며 반대의 목소리도 만만치 않습니다.

일단 검사는 결핵 환자와 접촉했거나, 결핵 발병 위험이 높은 군이거나, 결핵이 생기면 환자를 비롯한 다른 이들에게 끼칠 영향이 큰 의료인이나 유치원 및 학교 선생님들 등의 군에서 시행합니다. 물론 결핵 발병위험이 낮은 군에서는 권고되지 않으며, 결핵 치료 완료한 경력자들에게는 시행하지 않습니다.

TST를 할 경우 BCG 접종력이 있다면 위양성을 배제하기 위하여 IGRA를 추가로 시행하며, BCG 접종력이 없다면 TST 단독으로 LTBI를 진단합니다. BCG 접종력이 있더라도 TST 결과 15mm 이상이라면 IGRA 검사까지 할 필요 없이 양성으로 진단합니다. 과거 TST 검사에서 음성인 경우에도 TST 단독으로 진단합니다.

TST 양성 기준은 경결의 크기 10 mm 이상입니다만, HIV 감염자에게는 좀 더 엄격하게 적용해서 5 mm 이상이면 양성으로 판정합니다.

면역저하 환자에서는 IGRA 단독 혹은 TST+IGRA로 시행하며, 후자의 경우 두 검사 중 하나라도 양성이면 LTBI로 판정합니다.

4. 진단

별다른 이유 없이 2-3주 넘게 계속 기침을 한다면 결핵을 의심해 볼 가치가 높습니다. 일단 결핵 과거력이 있는지, 결핵 환자와 접촉을 했었는지 여부부터 알아봅니다. 그리고 본격적인 진단 과정에 들어갑니다.

1) 흉부 X선 검사

흉부 X선 검사부터 확인해 보는데, 결핵 병변이 의심될 경우, 혹시 과거에 찍어 놓은 것이 있다면 비교를 해 봅니다. 역시 결핵이라는 의심이 든다면 객담 AFB 검사로 들어갑니다.

초기에 폐렴으로 오인되는 경우도 적지 않습니다. 폐렴 치료를 열심히 했음에도 불구하고 별로 좋아지지 않으면 역시 결핵을 의심 질환에 넣고 본격적인 결핵 검사로 들어가도록 합니다. 사실 X선 검사에서 전형적인 소견, 즉 상엽에 cavitary lesion이 있는 식이라면 차라리 나을지도 모르겠습니다. 적어도 환자의 면역 기능은 정상적으로 돌아가고 있다는 반증이니까요. 비전형적인 소견이거나 mediastinal lymphadenopathy, pleural effusion 식으로 나타난다면 환자의 기저 면역에 어딘가 문제가 있다는 것을 시사합니다.

2) 진단 검사

객담 AFB smear는 가능한 빨리 시행하며, 최소 2-3회 받아서 검사를 해야 합니다.

AFB 도말과 배양 검사를 할 때 MTB PCR도 같이 하며, 다제 내성이 의심된다면 Xpert MTB/RIF도 같이 합니다. 이는 신속 검사의 목적도 있습니다. 배양에서 균이 자라면 곧장 MTB와 NTM 여부를 구별하는 검사가 이어집니다. MTB로 최종 동정되면 약제 감수성 검사로 들어갑니다. 치료 3개월이 지나도 호전이 없을 경우에도 약제 감수성 검사를 시행합니다.

3) 조직 검사

병리 조직 검사를 통해 granuloma with caseous necrosis를 찾아내며, 조직 배양과 MTB PCR도 같이 합니다.

4) Chest CT

이는 통상적으로 하는 것은 아니고, 활동성 여부의 판단 혹은 다른 질환과의 감별이 쉽지 않을 때 실시합니다. 결국 애매모호한 상황에서 치료를 결정하는 데 있어서 유용한 수단인 셈입니다.

5) Tuberculin skin test (TST)와 interferon gamma releasing assay (IGRA)

TST는 결핵균의 배양액으로부터 정제한 purified protein derivatives (PPD)를 intradermal로 주사하여 결핵균에 감작된 T-lymphocytes에 의한 delayed type hypersensitivity가 발생하는지를 확인하는 검사입니다.

IGRA는 과거 결핵균에 감작된 T-lymphocytes에 결핵균 항원을 제공하여 interferon gamma를 분비하게 해서 감염 여부를 진단하는 방법입니다.

이 두 검사는 유용하긴 하지만 active TB인지 latent TB인지 여부를 판단하는 데에 사용하면 안 됩니다.

6) 헷갈리는 상황에서의 대처 방법

이렇게 각종 진단법을 열거했지만, 실전에서는 그리 녹록하지 않습니다. 어떤 것은 양성, 어떤 것은 음성 하는 식으로 딱 맞아 떨어지지 않는 경우가 많습니다. 이러한 각종 경우의 수를 감안해서 다음과 같이 대처합니다.

먼저, AFB smear는 양성으로 나왔는데, PCR이 음성이라면?

NTM 가능성에 더 무게를 둡니다.

PCR은 양성 나왔는데, AFB smear가 음성이라면?

결핵으로 간주하고 치료에 들어가면서 AFB 배양 결과를 기다립니다.

가장 골치 아픈 상황은 AFB smear와 PCR이 모두 음성인 경우입니다.

둘 다 음성이라 해도 임상적으로나 X선 소견으로나 폐 결핵이 의심된다면 임상 의사가 판단해야 합니다.

그럼에도 불구하고 결핵 치료를 해야겠다고 결심하면 그대로 시행하는 겁니다. 그러면서 AFB 배양 결과를 기다려 보는 것이지요.

결핵인지 아닌지 자신이 없다면, 항결핵 작용이 있는 FQ와 aminoglycoside 를 제외한 항생제로 치료를 시도해 보고 반응이 있는지를 관찰해 봅니다. 반응이 있다면 그대로 밀고 나가고, 반응이 없다면 항결핵 치료를 시작하는 것이 나을 겁니다.

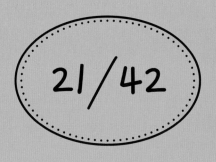

제21강

결핵 치료의 길은
멀고도 험하다

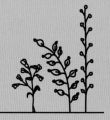

결핵 치료의 길은 멀고도 험하다

1. 항결핵제

1) Isoniazid (IsoNicotinic acid Hydrazide, INH, H)

세균을 죽일 수 있는 급소가 세포 벽이듯이 결핵균을 죽이기 위한 과녁은 결핵균이 가장 자신있어 하는 부위인 두꺼운 기름층, 즉 mycolic acid입니다. 이 mycolic acid를 처리할 수 있다면 결핵균도 죽일 수 있습니다. 바로 그 염원을 해결한 최초의 약제가 INH입니다.

INH는 *Nicotina rustica* 혹은 *N. tabacum*(담배)에서 추출된 nicotine에 amide를 붙인 nicotinamide의 이성질체인 iso-nicotinamide를 기반으로, 여기에 hydrazine (H_2N-NH_2)을 붙임으로써 만들어졌습니다.

이 약이 체내에 들어오면 hydrazine이 똑 떨어져 나가면서 radical 형태의 isonicotine이 되어 NADH에 달려들어 isonicotinic acyl-NADH가 됩니다. 이 물질이 mycolic acid의 합성 과정을 방해하는 것이 주요 작용 기전이며, 결핵균의 *katG* gene이 관여하는 catalase/peroxidase 또한 억제하여 결핵균이 자기 방어를 못하게 만듭니다. INH 내성 결핵균의 주요 기전이 *katG* 변이인 이유가 이거지요.

활발히 증식하는 결핵균에는 살균 작용을, 나머지에게는 정균 작용을 발휘합니다.

평균 몸집의 성인에게는 하루 400 mg을 처방하는데, 한국인의 70% 이상이 rapid acetylator라는 데에 근거를 두고 있었고 저 또한 별 의심 없이 그렇게 주고 있었습니다. 그러나, 외국은 300 mg이 표준. 그런데 300 mg vs. 400 mg 비교 임상 연구 결과, 두 군의 치료 성적에 별 차이가 없다는 결론이 나왔습니다. 그래서 이제는 300 mg을 표준 용량으로 처방합니다. 노인이나 임산부, 당뇨 및 만성 신부전, 간질, 술독에 빠져 사는 분에게는 pyridoxine 부족 위험이 있으므로 하루 10-50 mg 정도 같이 복용시키는 것이 좋습니다. 이 보다 더 대표적인 부작용이 간 독성입니다. 이에 대한 대처는 이어지는 내용에서 다시 다루겠습니다.

2) Rifamycin (R, RFP)

*Amycolaptopsis rifamycinia*에서 추출된 rifamycin(당시 인기 있던 영화 'Rififi'에서 유래함)에서 유래하였으며 세균의 DNA-dependent RNA polymerase 를 억제하는 작용으로 그람 양성균 치료제로 개발되었습니다.

처음부터 결핵균을 겨냥했던 것은 아니었지만 나중에 항결핵 작용도 뛰어남이 증명되어 항 결핵제 대열에 합류합니다. 기전을 보면 아시겠지만, 이 약제는 INH와는 달리 결핵균의 표면이 아닌 속으로 깊이 침투해서 작용하는 약제입니다. 따라서 결핵균의 두꺼운 기름층을 뚫어야 합니다. 웬만한 항생제들이 결핵균에 듣지 못하는 근본적 이유이기도 합니다. 다행히도 rifamycin은 lipophilic antibiotics입니다. 그것도 매우 높은 lipophilicity를 보유하고 있습니다. 따라서 결핵균의 기름층을 뚫고 침투하는 것은 일도 아니지요. 참으로 다행스러운 일입니다.

Rifamycin에는 rifampin, rifabutin, rifapentine이 있습니다.
Cytochrome P-450 system의 강력한 inducer로 작용하여 같이 복용하는 약제의 대사를 증가시켜 혈중 농도를 떨어뜨립니다. 이는 제5강 '항생제를 주고 나면 생기는 일' 단원에 자세히 소개되어 있으니 참조 바랍니다.

이런 효과는 약제를 중단해도 7-14일 가량 지속됩니다.

또한 rifampin의 경우 복용 후 소변이나 침을 비롯한 배설물이 오렌지 색으로 나올 수 있으니 사전에 환자에게 미리 고지하도록 합니다. 물론 색깔만 그럴 뿐이지 아무런 해도 없습니다.

3) Ethambutol (EMB, E)

Ethambutol은 arabinosyl transferase를 억제함으로써 arabinogalactan과 lipoarabinomannan 합성에 지장을 초래합니다. 그 결과 결핵균의 cell wall을 붕괴시킵니다.

알 크기가 워낙 커서 환자들이 잘 못 먹는 약제들 중 하나입니다. 제 경험으로는 왜 그런지는 몰라도 특히 여고생들이 먹다가 구토가 심해서 포기하는 일이 잦았습니다. 아무래도 하루 2번으로 나눠서 주는 것이 차라리 나은 것 같습니다.

그래도 가장 신경 써야 하는 합병증은 optic neuropathy입니다. 대부분 투약 2개월 이후에 발생하지만 드물게 투약 초기에 발생하기도 합니다. 투약을 중지하면 천천히 회복이 되긴 하지만, 아닌 경우도 있습니다. 이는 하루 25 mg/kg 이상의 고용량 혹은 신 기능 저하 환자에서 발생하기 쉽습니다. 사실 그 정도 용량까지 줄 일은 없고, 표준 치료에서 3개월 차에는 HR로만 갈 수 있으므로 충분히 위험을 피할 수 있습니다.

4) Pyrazinamide (PZA, Z)

Pyrazinamide는 INH처럼 nicotinamide에서 유래했습니다. 즉, INH의 사촌인 셈이죠.

그래서 INH와 작용 기전이 같을 것 같지만, 사실 작용 기전에 대해서는 아직 규명되지 않았습니다.

이 약은 caseous necrosis와 같은 산성 환경에서 가장 강력한 살균작용을 보이므로 치료 초기에 쓰기에 좋습니다.

주요 부작용은 간 독성과 관절통입니다.

관절통은 꽤 빈번하게 나타납니다. 전반적으로 NSAID로 조절이 잘 되지만, 잘 조절이 안 되면 아예 중단하는 것이 좋습니다. Hyperuricemia도 생기는데, 이 약제의 대사 산물인 pyrazinoic acid가 신장에서의 요산 배출을 방해하기 때문입니다. 그러나 acute gouty arthritis가 발생하는 경우는 드뭅니다.

5) Aminoglycoside (Streptomycin, S)

Streptomycin (S), kanamycin, amikacin이 주로 쓰입니다. 30S ribosome에 작용하여 protein synthesis를 억제하는 기전입니다. 치료 초기에는 1주에 5-7일간 하루에 한 번 주사하다가 2-4개월 후 또는 균 음전 등 임상적으로 호전의 소견이 보이면 1주에 2-3회로 주사 간격을 줄입니다.

물론 ototoxicity, nephrotoxicity에 유의해야 합니다.

6) Fluoroquinolones (FQ)

과거에는 ciprofloxacin을 사용했었으나, 현재는 moxifloxacin이나 levofloxacin을 주로 사용합니다.

신 기능 저하 환자에서는 moxifloxacin이 용량 조정이 필요 없어서 선호되고, 간 기능 저하 환자에서는 levofloxacin을 선호합니다.

7) Capreomycin

*Streptomyces capreolus*에서 추출한 polypeptide계 항 결핵제로 MDR-TB 치료를 위한 대안입니다. 쓰임새와 부작용은 aminoglycoside에 준해서 보시면 됩니다. 사용하려면 한국희귀의약품센터를 통하셔야 합니다.

8) Cycloserine (Cs)

작용 기전은 결핵균의 cell wall 합성을 억제하는 것입니다.

이 약제는 가장 큰 문제점이 중추 신경계 장애로, 두통, 어지러움, 불안증 정도에 그치지 않고 심한 경우 이상 행동과 정신병, 그리고 발작을 일으킬 수 있습니다. 그러므로 부작용의 위험성이 큰 사람에서 사용 시 주의가 필요하며 조금이라도 이상 행동을 보이면 일단 중단을 해야 합니다.

Neuropathy도 일으킬 수 있으므로 복용 시 pyridoxine을 병행하도록 합니다.

9) p-aminosalicylic acid (PAS)

이름에서 시사하듯이 약 자체가 아스피린입니다. 따라서 위장관 부작용이 흔하며, 실제로 제대로 끝까지 드시는 환자분이 드뭅니다. 초기엔 정제로 나왔고, 그래도 속 편하라고 과립형으로 바뀌었습니다만 못 먹기는 마찬가지입니다. 선택의 여지가 없는 2차 약제이므로 환자분들을 얼르고 달래고 하면서 잘 순응하여 먹도록 관리 잘 하셔야 합니다. 하루 10 g을 3회에 나누어 음식과 함께 또는 식후에 복용하도록 합니다.

10) Thioamide

INH처럼 결핵균의 mycolic acid 합성을 방해하는 작용 기전을 보입니다. 이 약제에 해당하는 것으로는 ethionamide와 prothionamide가 있습니다. 국내에서는 부작용이 상대적으로 적은 prothionamide만 사용 가능합니다.

부작용으로 위장장애가 가장 많고 metallic taste, 오심, 구토, 식욕감퇴, 복통을 일으킬 수 있으며 식사와 함께 투약하거나 자기 전에 투약하면 증상이 완화될 수도 있습니다. 위장 장애로 복용하기 힘들어하면 오렌지 쥬스나 우유와 함께 복용하는 것을 권유합니다. 갑상선 기능 저하증이 발생할 수 있는데, 이는 약제를 중단하면 정상화됩니다.

11) Clofazimine (Cfz)

Clofazimine은 세균 DNA의 guanine에 잘 달라붙어서 DNA 증식을 억제하는 식으로 작용하며, 세균의 phospholipase A2를 활성화시켜서 lysophospholipids가 축적되게끔 하는데, 이게 역시 세균에게 유해 물질로 작용하여 세균 증식을 억제합니다.

원래는 dapsone을 잘 먹지 못하는 leprosy 환자를 위한 대안 약제이며, NTM에도 사용 가능성이 있습니다만, 아직 항결핵 효과에 대한 근거는 충분하지 않습니다.

12) Linezolid (Lzd)

MDR-TB에 사용합니다.

13) Delamanid (Dlm)

이 약제는 nitro-dihydro-imidazooxazole 계통의 약제로 mycolic acid의 합성을 억제합니다.

100 mg을 하루 2회, 6개월(24주) 동안 음식과 함께 복용합니다.

부작용으로는 QT 간격 연장이 있어서 복용하는 동안 이에 대한 검사 및 모니터링이 필요합니다.

혈청 albumin이 2.8 g/mL 미만인 경우와 cytochorome 3A 유도체인 carbamazepine, rifamycin 복용 시 금기입니다.

14) Bedaquiline (Bdq)

결핵균의 ATP synthase의 기능을 억제하여 살균 작용을 합니다.

가장 최근인 2012년 결핵 약제로 승인된 신약이며 MDR-TB에 사용하거나, aminoglycoside 같은 주사제를 대체할 수 있습니다.

하루 400 mg씩 2주간 음식과 함께 복용하며, 이후 하루 200 mg 주 3회로 22주간 유지하여 총 6개월(24주)을 줍니다.

부작용으로 QT 간격 연장과 간 기능 장애 등이 있습니다.

15) Amoxicillin-clavulanate와 Carbapenem

놀랍게도 *Mycobacterium*은 훌륭한 beta-lactamase를 분비합니다. 그래서 원래 beta-lactam 항생제들은 결핵균에 통하기 어렵습니다. 그래도 beta-lactamase inhibitor인 clavulanate는 결핵균이 내는 beta-lactamase에 잘 견디는 맷집이 있으며, 원래 beta-lactamase inhibitor를 뿌리로 두고 있는 carbapenem도 잘 견디는 성질이 있어서 결핵 치료제로서 시도되는 것입니다. Carbapenem은 MDR-TB 치료용이지만 amoxicillin-clavulanate는 기대 수준을 낮추는 것이 좋겠습니다.

2. 결핵 치료의 원칙

지금까지 소개한 제각기 다른 작용 기전을 가진 약들을 적어도 3가지 이상 조합하여 주는 병합 요법을 대원칙으로 합니다. 그래야 내성 발현을 방지할 수 있고 synergy를 기대할 수 있습니다. 세포 밖에 있는 결핵균은 활발하게 증식하므로 INH가 효과 있고, 세포 안에 있는 굼뜨게 활동하는 결핵균은 pyrazinamide가 효과적으로 제압하는 식으로 말입니다. 또한 매우 느린 행태의 균이므로 치료 기간도 충분히 가져가야 합니다. 적어도 6개월을 기본으로 하며 질환 종류에 따라 더 길게 가져갑니다.

첫 치료는 2HERZ/4HR(E)를 표준으로 합니다.
약제 감수성 결과에서 HR에 감수성이라면 3개월차부터는 PZA뿐 아니라 EMB도 그만 줄 수 있습니다. 물론 감수성 검사가 안 되어 있으면 4HER로 갑니다.
만약 처음에 2HER로 시작했다면 그 다음 유지 치료는 7HER로 구성해서 진행합니다.
2HERZ/4HR로 간다 하더라도 처음부터 cavitary pulmonary TB이고 2개월 후 시행한 객담 AFB 배양이 양성이면 원래 6개월에서 9개월로 치료 기간을 연장할 수 있습니다(결핵성 수막염은 12개월까지).
AFB 양성으로 치료 시작한 폐 결핵 환자는, 치료 시작 후 AFB smear와 배양이 2회 연속 음성이 나올 때까지 매달 객담 도말 및 배양검사를 시행합니다. 그리고 치료 종결 시점에 마지막 객담검사를 시행하여야 합니다.

만약 임상적으로 치료 실패가 의심되면 AFB smear와 배양
검사를 추가로 시행합니다.

치료 과정에서 2개월쯤 되면 폐 결핵 병변이 더 나빠지거나, 폐외 결핵의 경
우 특히 림프절 결핵에서 림프절이 더 커지고 새로운 림프절이 만져지며, 흉
막 결핵 병변이 악화되는 등의 상황이 벌어질 수 있는데, 치료 실패가 아니라
면 이를 역설적 반응(paradoxical reaction)이라 합니다. 이는 환자의 면역 능
력이 회복되면서 그 반응이 증가되어 그동안 표현하지 못했던 염증 반응을 원
없이 마음껏 표현하기 때문입니다.
환자가 항결핵제를 충실히 복용하고 있으며, AFB smear와 배양에서 음성이
고, 약제 감수성 검사가 괜찮으며, 다른 이상 소견이 없다면 치료 실패가 아니
고 역설적 반응으로 판단하는 게 좋습니다. 그래서 결핵 치료 처방은 변경하
지 않고 뚝심 있게 밀고 나가도록 합니다.

사실 항결핵제를 복용한다는 것이 그리 만만하지 않으며, 기간도 길기 때문에
환자가 도중에 중단하는 일도 자주 일어납니다. 그래도 다시 치료받겠다고 찾
아오시면 다음과 같이 대처해 드립니다. 2HERZ/4HR(E)를 기준으로 합니다.
일단 치료 중단 후 치료를 다시 시작하는 환자의 결핵균은 대부분 원래의 감수
성을 그대로 유지하고 있기 때문에, 원래의 1차 약제 조합으로 드리면 됩니다.
첫 2개월 이내에 중도 하차한 환자의 경우, 치료 중단했던 기간이 14일 미만이
면 원래 일정을 그냥 계속하면 되고, 14일 이상이면 처음부터 다시 시작합니
다.

3개월차 들어 갔다가 하차한 환자라면 좀 따져 봐야 합니다.

4HR(E) 중에서 80% 미만을 복용한 후에 하차하였고 공백기가 2개월 미만이면 남은 용량을 모두 복용시킵니다. 그러나 공백기가 2개월 이상이면 처음부터 다시 4HR(E)를 시작합니다.

4HR(E) 중에서 80% 이상을 복용하였다면 남은 용량을 모두 복용시키고 종결합니다. 단, 치료 시삭 시기에 AFB smear 음성이었다면 그대로 종결해도 됩니다.

그럼 내성은 걱정 안 해도 되느냐? 하면 그게 아니고, 재치료 시작할 때 당연히 객담 배양과 약제 감수성 검사를 나가서 혹시라도 있을 내성에 대비를 합니다.

3. 부작용에 대한 대처

1) 위장 장애

아마 가장 많이 겪는 부작용일 것입니다. 일단 간 이상에 의한 것인지부터 확인해야 합니다. 만약 간 이상이 아니라면 중단하지 말고, 식후 30분에 먹는 걸로 복용 방법을 바꿔줍니다. 아침에 한꺼번에 다 복용하는 걸 꼭 고집할 필요는 없습니다. 그래서 아침 저녁으로 나눠서 먹는 식으로 유연하게 대처하도록 합니다.

2) Hepatotoxicity

증상의 유무와 관계없이 ALT 수치가 정상 상한치의 5배 이상 증가했거나, 간염의 증상이 동반되면서 정상 상한치의 3배 이상 증가한 경우에는 즉시 간독성이 의심되는 항결핵제들, 예를 들어 INH와 rifampin, pyrazinamide을 중단합니다.

중단한 기간 동안에는 간에 영향을 미치지 않는 EMB, FQ, aminoglycoside 등으로 버티면서 ALT를 정기적으로 점검합니다. 그러다가 ALT 수치가 정상 상한치의 2배 이하로 감소하면 한 가지 약제씩 재투여를 시도합니다.
먼저 rifampin을 100 mg, 그 다음 날 300 mg, 그 다음 날 450-600 mg으로 드려 봅니다.

Rifampin 투여 후 ALT 수치가 상승하지 않으면 INH 재투여를 시작합니다.
먼저 100 mg 드리고, 다음날 200 mg 혹은 그냥 400 mg을 드립니다.
Pyrazinamide는 글쎄요... 이론적으로는 재투여를 시도해 볼 만하지만, 저라면 하지 않겠습니다.

3) 피부 부작용

이거 우습게 보면 안 됩니다. 대부분의 경우는 소화 장애 못지 않게 흔히 발생하고, 발진과 가려움증 정도로 그치지만 가끔 Stevens-Johnson syndrome 같이 치명적인 상황이 벌어지기도 합니다. 아마 결핵 치료를 해 보신 선생님들 중에 이런 부작용에 한 번쯤 당해 보신 분들이 저까지 포함해서 꽤 많으실 겁니다.

피부 부작용은 두드러기와 발진이 흔하지만 제 개인적으로는 여드름이 특히 많더군요.
발진이 국소적이라면 굳이 항 결핵제를 중단하지는 마시고, 항히스타민제를 병용하여 증상을 완화시킵니다. 그리고 당연히 피부과 선생님들에게도 의뢰해야죠. 대개는 잘 낫습니다만, 호전되지 않고 견디기 어려울 경우 어쩔 수 없이 바꿔야 합니다.

발진이 petechiae나 purpura 양상이라면 thrombocytopenia를 시사하고, 주범이 rifampin이므로 반드시 빼야 합니다.

앞서 언급한 Stevens-Johnson 증후군이 의심되면 모든 약제를 즉시 중단하여야 합니다.
발진이 호전되면 중단했던 약제를 2-3일 간격으로 한 가지씩 재투여를 시도합니다. 시도 원칙은 앞서 설명한 hepatotoxicity에서의 방침과 동일합니다.

4) Arthralgia

치료 시작 첫 2개월 내에 종종 관절통을 호소하는 분들이 있습니다. 이때는 pyrazinamide를 먼저 중단합니다. 특히 gout 환자라면 PZA는 반드시 뺍니다. 그냥 PZA 없이 가는 것도 방법입니다.

5) Drug fever

결핵에 의한 열은 치료 시작하고 2주 정도 되면 대개는 잡힙니다. 그러나 치료가 어느 정도 궤도에 올랐는데도 불구하고 반복적으로 열이 난다면 drug fever를 의심하는 것이 좋습니다. 특히 X선 소견이 호전되고 배양 검사 음성이라면 더욱 의심해 볼 가치가 있습니다. 물론 paradoxical reaction 여부도 감별합니다.
일단은 모든 약을 중단하고 24시간 내로 열이 떨어지는지를 관찰합니다. 만약 열이 잡힌다면 재투여를 시도합니다. 시도 원칙은 앞서 설명한 것과 동일합니다.

4. 내성 결핵에 대한 대처

단일 약제 내성으로는 INH 내성 결핵이 있습니다. 이 경우에는 REZ에다 levo-floxacin까지 해서 6개월간의 치료로 대처합니다.

Rifampin 단독 내성이라면 MDR-TB에 준해서 치료하거나, HEZ에 levoflox-acin까지 해서 총 12-18개월간 치료합니다.

그런데 INH에다 rifampin까지 동시에 내성인 결핵균에 의해 발생한 결핵이라면 이를 다제 내성 결핵(multidrug-resistant tuberculosis, MDR-TB)이라고 합니다. 치료해야 하는 대상은 내성 폐결핵과 폐외 결핵을 모두 포함하며, 밀접한 접촉자까지 대상이 됩니다.

MDR-TB 치료를 위한 항결핵제는 다음 3개의 group으로 분류합니다.

- Group A: 매우 효과적인 약제들로 금기가 없다면 치료 처방에 반드시 포함해야 하는 핵심 약제로 Levofloxacin 혹은 Moxifloxacin, Bedaquiline, Linezolid가 해당합니다.
- Group B: 차선책으로서 Cycloserine, Clofazimine이 해당합니다.
- Group C: A군과 B군만으로 처방이 구성되지 않을 때 추가 선택할 수 있는 약제로, Amikacin(혹은 streptomycin; WHO에서는 kanamycin은 제외했으나 국내에서는 아직은 선택 가능한 것으로 잠정 결정), Ethambutol, Imi-penem 혹은 meropenem, p-aminosalicylic acid, Prothionamide, Pyra-zinamide, Delamanid(국내에서 잠정 지정)입니다.

A-C군에 포함되지 않았지만 MDR-TB 치료에 사용할 수 있는 약제는 고용량 INH와 rifabutin입니다.

효과적인 치료 처방은 group A를 근간으로 해서 group B, C 약제의 적절한 조합을 통해 구성합니다.

치료 과정은 집중 치료기와 유지 치료기로 구분합니다. 집중 치료란 4-5개의 약제를 병합하여(group A 약제 2-3개 + group B 혹은 C 약제 1-2개) 기선을 제압하는 것을 말합니다. 그렇게 해서 AFB smear와 배양이 음전되는 것을 확인하면 유지 치료로 들어갑니다. 보통 이렇게 되기까지 약 6개월 정도 걸립니다.

유지 치료기에는 group A 약제 2가지만으로 유지할 수도 있으나, 불안하시면 group B 혹은 C 약제를 2-3개 더 추가해서 씁니다.

이렇게 해서 총 치료 기간은 18-24개월이 됩니다.

그런데, 사실 MDR-TB의 치료는 지금까지의 설명을 보시면 알 수 있듯이 난이도가 높습니다. 그러니 혼자서 섣불리 시도하지 마시고, 경험이 많은 전문가, 즉 호흡기내과나 감염내과 선생님께 의뢰해서 도움을 받으시는 것이 정답입니다.

처방을 구성하려면 먼저 FQ 내성 여부부터 파악해 놓아야 합니다.

FQ 감수성 MDR-TB인 경우:
- Group A의 FQ, bedaquiline, linezolid + group B에서 1가지.
- 전문가 위원회의 심의를 거칩니다.
- Bedaquiline은 6개월간 사용합니다.
- FQ와 linezolid는 끝까지 사용합니다.

FQ 내성 MDR-TB인 경우:

- 최소 5가지로 구성하는데, group A의 bedaquiline, linezolid와 group B 모두, group C에서 최소 하나를 고릅니다.
- 전문가 위원회의 심의를 거칩니다.
- Bedaquiline은 6개월간 사용합니다.
- Linezolid는 끝까지 사용합니다.
- 유지 치료는 최소 4가지 항결핵제로 구성합니다.

5. 산모의 결핵 치료

항결핵제는 산모와 태아에게 유해하지는 않으므로 표준 항결핵 치료를 해도 무방합니다. 만약 치료를 안 하면 조기 출산, 저 체중 신생아와 사망 위험이 있기 때문에 더욱 더 검사와 치료를 미루지 말아야 합니다.

모유 수유도 정상적으로 하면 되는데, INH 사용하는 경우 pyridoxine을 같이 복용하도록 하는 것만 잊지 않으시면 됩니다.

6. 간 질환자의 결핵 치료

일단 결핵 및 간 질환 전문가에게 의뢰부터 하여 도움을 받도록 합니다.

간 손상이 심하지 않은 만성 간질환의 경우, 간 기능을 정기적으로 점검하면서 9HRE로 치료합니다.

그 밖에 9HR(E), 6-9REZ, 2HRES/6HR도 가능합니다.

그래도 간에 영향을 미치는 약제를 최소 1개만 포함하고 싶다면, 2HES/10HE, 12-18RE를 하거나, 아예 간 독성 약제를 완전 배제하고 싶다면 ES + FQ + cy-closerine으로 18-24개월 투여합니다.

중증 이상의 간 질환부터는 전문가에게 맡기는 것이 좋겠습니다.

7. 만성 신부전 환자의 결핵 치료

HR과 moxifloxacin은 용량 조절을 할 필요가 없으며 나머지 약제들은 조정이 필요합니다.
투석을 하고 있다면 모든 항결핵제는 투석 직후에 복용하도록 합니다.

8. HIV/AIDS 환자의 결핵 치료와 IRIS

HIV/AIDS 환자라고 해서 결핵 치료가 달라지는 건 아닙니다. 정석대로 시행하시면 됩니다.

단, IRIS를 의식해서 항결핵제 투여 후 ART 시작 시기는 조정해야 합니다. $CD4^+$ lymphocytes < 50/uL라면 치료 시작 2주 내로, ≥ 50이라면 치료 시작 8주 이내에 ART를 시작합니다. 만약 임신한 여성이라면 $CD4^+$ lymphocytes 상관없이 즉시 ART를 시작합니다.
결핵성 수막염 환자는 항결핵제 투여 8주 후에 ART를 시작합니다.

Rifamycin도 조정이 필요합니다.

ART에 protease inhibitor나 integrase strand transfer inhibitor가 있다면 rifabutin을 rifampin 대신 사용합니다. Rifapentine은 CYP3A4 효소 유도 작용에 긴 반감기를 가지기 때문에, efavirenz나 raltegravir 외의 모든 ART 약들에 영향을 미치므로 되도록 사용 안 하는 것이 좋겠습니다.

만약 IRIS가 발생하더라도 치료를 중단하지 않도록 합니다. 심하지 않은 IRIS라면 NSAID로 조절하고, 심하면 prednisone을 하루 1mg/kg 용량으로 1-4주 동안 천천히 줄이면서 사용합니다.

9. 잠복 결핵의 치료

LTBI로 판정된 경우 다음과 같은 결핵 발병 고위험군은 치료를 시작합니다:
- HIV 감염인, 장기 이식 후 면역 억제제 복용자, TNF길항제 투여자, 흉부 X선에서 자연 치유된 결핵 병변이 있는데 치료 이력이 없는 경우, 최근 2년 내로 감염이 확인된 경우(TST나 IGRA가 새로 양전된 경우 포함).

다음과 같은 중등도 위험군은 치료를 고려하도록 합니다:
- 규폐증, 스테로이드 장기 사용(prednisone 하루 15 mg 이상을 1달 이상 사용), 투석 중인 말기 신부전, 당뇨, 두경부암, 혈액암, gastrectomy 혹은 jejunoielal bypass 환자.

흉부 X선에서 과거 결핵 치료력 없이 자연 치유된 결핵 병변이 있으면서 다음 사항에 해당된다면 LTBI 검사 결과가 음성이라 해도 치료를 시작합니다:
- HIV 감염인, 장기 이식 후 면역 억제제 복용자, TNF길항제 투여자.

LTBI 치료는 먼저 활동성 결핵의 가능성을 배제하고 나서야 시작을 합니다: 표준 치료에는 INH를 하루 5 mg/kg, 최대 300 mg을 9개월 투여하는 요법 (9H), rifampicin 4개월 요법(4R), INH/rifampicin 3개월 요법(3HR), 매주 1번씩 INH 900 mg + rifapentine은 900 mg을 총 12주(3개월) 투여하는 요법 (3HIP1)이 있습니다.

임산부의 경우 활동성 결핵으로 진행할 위험이 높은 경우 외에는 LTBI 치료가 권장되지 않습니다.
MDR-TB 접촉자도 일반적으로 치료가 권장되지 않습니다.
간 독성 위험자, 즉 간 이식, 과거 중증 간 질환 병력, B형 간염, C형 간염, 알코올성 간염, 지방간, 간경화 등의 환자는 기존 9H/4R/3HR는 35세 이하까지, 3HIP1는 65세 이하까지 허용되지만, 36세 이상이라면 risk-benefit을 고려해서 신중하게 결정해야 합니다(사실상 치료 시작 안 하는 게 좋다는 말씀입니다).

LTBI 치료를 완료받았지만 결핵 발병의 위험군에 속한다면 전염성 결핵 환자와 최근 접촉한 경우에는 LTBI에 대한 재 치료를 고려할 수 있습니다.

LTBI 치료에도 활동성 결핵이 발생한다면 사용 중인 약제에 나머지 1차 표준 치료 약제를 추가합니다. 즉, 결핵 1차 치료로 태세 전환을 합니다.

HIV/AIDS 환자는 TST에서 5 mm 이상의 경결을 보이면 양성으로 판정합니다. 단, CD4 < 200/uL에서 TST 음성이면 위음성 가능성이 있으므로 CD4 200 이상일 때 재검을 합니다. 양성이면서 결핵 과거력이 없다면 LTBI 치료를 시작합니다.

의료기관 종사자가 주기적 TST 또는 IGRA 검사에서 새로 양전이 나오거나, 최근 2년 내 결핵 환자와 접촉력이 있으면서 LTBI 검사 양전, 질병관리청 기준

1, 2군 대상자에서 LTBI 양성인 경우에는 LTBI 치료를 시작하도록 권고합니다.

참고로, 질병관리청 기준에 의한 의료기관 종사자 분류는 다음과 같습니다:

- 1군: 결핵환자를 검진·치료·진단하는 의료인 및 의료기사 등(호흡기결핵환자와 접촉가능성이 높은 종사자)
  - 호흡기내과 외래 병동, 기관지내시경실, 결핵균검사실, 폐 기능 검사실 등 감염내과외래 병동, 내과중환자실, 응급실 등 소아호흡기알레르기 클리닉 등 흉부영상 촬영 부서

- 2군: 면역이 약하여 결핵 발병 시 중증결핵 위험이 높은 환자와 접촉하는 종사자
  - 신생아실, 신생아중환자실 등 1, 2차 분만의료기관, 조산원 등 장기이식병동, 혈액암 병동, 투석실, HIV 관련 부서 등

- 3군: 그 밖에 호흡기 감염이 우려되는 의료기관 종사자(호흡기결핵환자와 접촉가능성이 비교적 낮은 종사자)
  - 1군 또는 2군에 해당하지 않는 임상과 의료인 및 의원급 의료기관 등

- 4군: 기타 의료기관 종사자(그 밖의 결핵감염 위험도가 낮은 종사자)
  - 환자와의 접촉 가능성이 낮은 사무직 종사자 등

10. BCG (Bacillus Calmette-Guerin)

BCG는 *M. bovis*를 13년 동안 230대 계대 배양해서 얻은 균입니다. 나이를 먹다 보면 지혜가 쌓이고 어느 새 유순해지는 법. 그래서 virulence는 거세되고 면역 유도 능력만 남았기 때문에 1920년대 이래로 결핵 예방용 백신으로 쓰입니다.

접종 방법에 따라 intradermal(피내용; 주사형)과 transdermal(경피용; 도장형)이 있습니다.

피하 주사로 놓으면 큰일 납니다. 염증은 기본이고 abscess 생깁니다.

저는 어린 시절 기억에 도장형으로 꽉 눌러서 맞았던 것 같습니다만(주사 못지않게 아팠습니다), 주사로 아프게 맞던 기억도 있어서 어느 것이 진짜 기억인지 잘 모르겠어요. 그래도 면역 획득 면에서 본다면 피내형으로 맞았던 기억이 맞기를 바랍니다.

그래도 효과가 기대보다 썩 좋은 편은 아닙니다.

결핵 자체를 막는다고 보기엔 좀 어폐가 있고, 굳이 성과를 꼽자면 miliary TB와 TB meningitis를 예방한다는 것 정도인데 전반적으로는 예방 효과에 의문이 있긴 합니다. 그래도 없는 것보다는 낫고 결핵이 사회에 아주 만연한 곳이라면 적용해도 좋을 것입니다.

생 백신인 셈이니까 면역 저하 환자에게는 접종 안 하는 게 좋습니다.

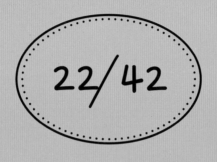
제22강

결핵균의 사촌들
(Non-tuberculous
Mycobacterium, NTM)

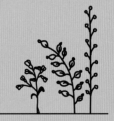

결핵균의 사촌들
(Non-tuberculous
Mycobacterium, NTM)

*Mycobacterium*은 크게 3개의 파벌이 있습니다.

먼저 *Mycobacterium tuberculosis* complex (MTBC)는 우리가 너무나 잘 알고 있죠.

*M. tuberculosis*가 왕초이고, 그 다음이 *M. bovis*, 그리고 *M. africanum*, *M. canettii*, *M. caprae*가 주종입니다.

나머지 잔챙이들로는 *M. pinnipedii*, *M. microti*, *M. suricattae*, *M. orygis*, *M. mungi*가 있습니다.

*M. leprae*는 얼핏 보면 MTBC 소속일 것 같지만, 사실은 독립군입니다.

그리고 NTM이 있습니다.

총 170여 종이 있으며, 반 정도가 병원체입니다.

여러 분류 기준이 있겠지만, 일단은 자라는 속도에 근거해서 rapidly-, slowly-, 그리고 intermediately growing군으로 나누는 게 속 편합니다. 아무래도 이 기준에 근거해서 치료 방침이 차별화되니까 더 선호하게 됩니다.

NTM은 흙에도 많지만 특히 물에도 많습니다. 수돗물 받아서 PCR을 해 보면 의외로 잘 나옵니다.

그리고 식물이나 동물, 그리고 *M. avium*이라는 이름에서도 알 수 있듯이 새에서도 서식합니다.

결핵균에 비해 그나마 다행인 것은 사람끼리 전염을 시키지는 않는다는 것입니다. 물론 예외는 있어서 *M. abscessus* subsp. *massiliense*는 예외석으로 가능하기도 합니다.

NTM은 종류가 너무나 많기 때문에 감을 잡기가 쉽지는 않을 겁니다만, 몇 가지 중요한 종들만 숙지하면 실전에서 별 문제는 없을 겁니다. 그리고 누구는 빨리 자라고, 누구는 늦게 자라고 하는 식이라 추가로 혼동을 줍니다만, 각 균종의 이름들을 보면 빠른 놈일지 느린 놈일지 연상하기가 생각보다 쉬워요. 무슨 말인지는 이번 단원에서 하나하나 다루어 보면서 아시게 될 겁니다.

NTM 중에서 *M. avium* complex는 slowly growing 군에 속하지만, NTM 중에 절대적으로 큰 비중을 차지하고 있기 때문에 편의상 먼저 별도로 다루겠습니다.

1. *M. avium* complex (MAC)

NTM 중에 가장 흔한 균종입니다.

그런데 단일 종이 아니고 *M. avium*, *M. intracellulare*, *M. chimaera*를 합쳐서 complex라고 칭합니다.

전자 둘은 굳이 구분하지 않고(구분 못하고) 샴 쌍둥이처럼 같이 다룹니다.

*M. chimaera*는 질병을 잘 일으키는 종은 아닙니다. 그러나 prosthetic device 감염이나 흉부외과 수술 후 냉난방기를 통한 감염 사례가 보고되기도 했습니다. 어쨌든 상대적으로 비중은 미미합니다.

MAC은 glycolipid typing을 통해 28가지 serovars로 분류되기도 하는데, 임상가들은 굳이 더 자세히 알 필요는 없습니다.

임상적으로는 폐 질환군과 폐 이외의 질환군으로 분류됩니다.

폐 질환은 주로 노인이나 HIV 환자, cystic fibrosis, COPD, 그리고 면역 저하 환자에서 생깁니다.

반면에 폐외 질환으로는 HIV 환자에서 잘 생기는 disseminated MAC (dMAC), 소아에서 잘 생기는 cervical lymphadenopathy, 그리고 드물게 피부나 뼈, 관절의 감염이 있습니다.

전염 과정은 inhalation이나 microaspiration, 그리고 ingestion을 통해 이루어집니다.

폐 질환은 수개월에서 수년을 잠복하다가 발병합니다.

병리 조직 소견을 보면 granuloma를 중심으로 급성 및 만성 염증이 동시에 둘러싸고 있습니다. 이게 의미하는 것은 초기 감염부터 시작해서, 더 발전해

22강

나간 상황 및 정착되는 상황 등이 시간과 관계없이 공존한다는 의미입니다.
아울러 giant cell과 caseous 혹은 non-caseous necrosis도 동반됩니다.
폐 결핵과 다른 점은 흉막 삼출이 있는 경우는 매우 드물다는 것과, 공동(cavity)이 보다 벽이 얇고 어느 정도는 더 크다는 것입니다(2-5 cm 정도).

진단 기준을 보면 일단 2가지 필수 조건이 있습니다.
환자는 반드시 증상이 있어야 하고, 반드시 흉부 촬영에서 이상이 있어야 합니다.
AFB smear가 양성이 나오는 것은 아직은 아무런 의미가 없습니다.
그것보다는 다음과 같은 AFB 배양에서 제대로 자란다는 조건들 중에 적어도 하나가 맞아야 합니다.

- 객담 배양에서 MAC이 2번 나옴.
- BAL 배양에서 MAC이 나옴.
- 병리 조직 검체에서 granuloma가 증명되거나 조직 배양에서 MAC이 나와야 함.

배양은 고체 배지에서는 35일까지, 액체 broth에서는 10-21일 정도에서 자랍니다.
만약 6주가 지나도 깜깜 무소식이면 음성으로 최종 판결을 내립니다.

NTM에 의한 폐 질환을 Lady Windermere syndrome이라 부르기도 합니다.
이는 1992년 Jerome Reich와 Richard Johnson이 Oscar Wild의 희곡 여주인공에서 명칭을 따 왔습니다.
폐 질환이 보통 기존 폐 질환자를 침범하는 것과는 달리, 전혀 폐에 이상이 없는 나이 든 백인 여성 환자에서 우측 중엽이나 좌측 설상엽에 심한 기관지 확장증과 침윤이 있는 경우를 묘사하는 증후군이었습니다. 또 다른 특징은 기침은 얕게 하는 정도이고 전신 증상은 거의 없다는 것.

이는 까다로운 백인 여성이 조신하게 구느라 기침을 지나치게 억제하는 바람에("Ladies don't spit.") 스스로 조장했다는 것입니다. 그러나 이건 별 과학적 근거도 없이 함부로 붙인 명칭이자 성차별적 용어입니다.

남자도 걸리거든요.

그래서 곧 폐기될 용어입니다만, 뭐, 어감상 그럴듯해서 아직은 통용되고 있습니다.

정확히 말하자면 그냥 NTM 폐 질환, 그 이상도 이하도 아닙니다.

예후는 의외로 안 좋습니다. 만약 면역 저하환자라면 5년 내로 1/4이 사망합니다. 여기서 오해하면 안 되는 게, MAC 폐 질환으로 죽는 것이 아니라 다른 기저 질환의 악화로 죽는다는 것입니다. 즉, MAC이 직접 사인이라기보다는 불길한 예후를 시사하는 징조 정도로 해석하시면 되겠습니다.

Disseminated MAC (dMAC)는 HIV에서 호발하며, 당연한 얘기지만 제대로 치료받지 못하면 사망합니다.

고열과 체중 감소, 야간 발한, 심한 빈혈을 주 증상으로 하며, 그 밖에 복통, 설사, 간 비장 비대, 백혈구 감소증도 보입니다. 만약 anti-retroviral treatment (ART)를 받고 있다면 IRIS (immune reconstitution inflammatory syndrome)하고 헷갈리니, 감별에 주의를 요합니다.

Lymphadenitis도 ART 시작하고 첫 3개월 정도에 통증성 종괴로 발생할 수 있으니 역시 IRIS와 감별을 요합니다. 그래도 lymphadenitis는 HIV 환자보다는 1-5세 소아에서 더 호발합니다. 사실 성인에서 lymphadenitis가 생긴다면 NTM보다는 결핵을 먼저 의심하는 게 정석입니다.

피부 MAC 감염은 trauma, surgery, injection 등의 과정에서 피부에 유입되어 생깁니다. 보통 질질 끄는 경과의 피부 궤양이나 결절, 발적성 동통을 지닌 피부 병변으로 나타납니다.

Osteomyelitis는 주로 척추에 호발합니다.

폐 MAC의 치료제 조합으로는 macrolide를 가장 먼저 내세워야 합니다.
그 중에서도 azithromycin을 clarithromycin보다 선호하는 것이 좋습니다.
왜냐하면 간에서 cytochrome P450 효소를 활성화시키는 rifampin에 의한 영향을 azithromycin은 덜 받기 때문에 변수가 최소화됩니다. 게다가 azithromycin은 macrolide 중에서도 cytochrome P450에 대한 영향이 유의하게 적기도 합니다. 이에 대해서는 제5강 '항생제 주고 나면 생기는 일'도 참조하시기 바랍니다.
용량은 azithromycin 250 mg 매일 혹은 500 mg씩 일주일에 3번을 줍니다.
그 다음으로 조합할 것은 ethambutol (EMB)로 매일 15 mg/kg qd 혹은 25 mg/kg씩 일주일에 3번.
그리고 rifampicin 10 mg/kg (600 mg)을 조합합니다.

중증이라면 aminoglycoside로서 amikacin 10-15 mg/kg을 일주일에 3번씩 주사합니다.

만약 macrolide에 내성이라면요?
그렇다면 4 약제 조합으로 해서 rifampicin (RIF) + EMB + clofazimine 혹은 FQ + aminoglycoside로 구성합니다. 혹시 모를 백업으로는 linezolid, tedizolid, bedaquiline, delamanid를 준비합니다.

치료 후에는 매 3-12개월마다 점검을 합니다. 배양이 음전된 것이 12개월간 유지된다면 치유되었다고 판결합니다. 그러니까 치료 기간은 사실상 총 18개월인 셈입니다.

중증일 수밖에 없는 dMAC는 azithromycin 500mg + EMB 15mg/kg + RIF 10mg/kg에 amikacin 10-15 mg/kg 일주일에 3번 주사를 붙이기도 합니다. Amikacin 투여 기간은 4-12주.
이 조합은 만약 HIV환자이고 CD4 < 100/uL이면 평생을 복용해야 하고, 100 이상이라면 12개월 투여합니다.

2. MAC 이외의 NTM

1) Rapidly growing NTM (RGM)

배양에서 7일 이내로 자라는 균종입니다.

수 없이 많지만 몇몇 중요한 균들만 선별해서 살펴봅시다.

M. fortuitum group은 우연히 발견되었다는 의미로 이름이 붙었습니다. 영어 fortune의 어원이기도 합니다.

M. chelonae-abscessus group의 구성원은 다음과 같습니다:
- *M. abscessus* subsp. *abscessus*
- *M. abscessus* subsp. *bolletii*
- *M. abscessus* subsp. *massiliense*

M. smegmatis group에는 *M. smegmatis*, *M. goodii*가 속해 있습니다.

Smegma-는 거북이라는 뜻입니다.

"어? 거북이는 느리잖아요? 오히려 헷갈려요!"라고 항의하는 소리가 벌써 귓가에 들려오는 듯합니다.

하지만 '노다메 칸타빌레'로 유명한 우에노 쥬리 주연의 영화 '거북이는 의외로 빨리 헤엄친다'를 연상하시기 바랍니다. 그렇게 하면 오히려 빠른 놈으로 기억하게 될 겁니다.

목적은 수단을 정당화합니다.

그렇게라도 해서 외우는 것이 이득이니 받아들이세요.

2) Slowly growing NTM (SGM)

배양에서 7일이 지나야 자라기 시작하는 균종입니다.

앞서 다룬 MAC이 이에 속합니다.

그 다음으로 *M. kansasii*가 있습니다. 캔자스는 오즈의 마법사 도로시의 고향입니다. 아무래도 도시보다는 농촌이 더 연상되지요? 그러니 빠를 리가 없습니다. 그래서 이 균종이 SGM이라고 연상하는 데에 아무 문제가 없어요.

*M. scrofulaceum*에서 scrofula-는 라틴어로 밭갈이하면서 씨를 뿌린다는 뜻입니다. 피부에 생긴 지지부진한 병변이 꼭 밭갈이 해 놓은 것처럼 보인다고 연상하면 되시겠습니다. 그게 하루 이틀에 되겠습니까? 그러니 이 또한 SGM

에 해당하는 것이 당연해 보입니다.

*M. ulcerans*는 제12강 '적은 먼 곳에도 있다' 중 Africa와 Australia에서 생기는 Buruli ulcer에서 이미 언급한 바 있습니다. 이래저래 피부에 생기는 감염병들은 다 느린 과정이라고 생각하시면 SGM 소속 균들에 대한 혼동이 없을 것입니다.

그 밖에 *M. xenopi*, *M. haemophilium*, *M. malmoense*가 종종 이름을 올립니다.

3) Intermediately growing NTM (IGM)

어중간한 배양 속도를 지닌 균종들인데, 일단 이름 그대로인 *M. intermedium*이 있고, *M. marinum*, *M. gordonae*가 있습니다. *M. gordonae*는 병을 일으키지 않는 균종입니다. 좀 애매해서 SGM으로 분류되기도 합니다.

3. NTM의 6대 임상질환

1) 폐 NTM

이미 언급한 MAC이 가장 흔한 원인이고, 그 다음이 바로 *M. kansasii*입니다만, 대한민국과 일본에서는 *M. abscessus* group 비중이 유난히 큽니다. 왜 그런지 이유는 모릅니다.

이 균종들이 바로 Lady Windermere syndrome 시 원인균일 가능성이 높습니다.

이들 중에서 *M. abscessus*는 80%가 macrolide 내성인 반면, *M. massiliense*는 다행히도 macrolide에 거의 다 잘 듣습니다. 이는 치료에 있어서 반드시 염두에 두어야 할 사항입니다. *M. kansasii*의 경우는 주로 상엽에 병변이 있습니다.

그 밖에 *M. fortuitum*도 원인균입니다.

*M. kansasii*가 원인일 때의 치료는 비교적 용이한 편입니다. 결핵 치료제 거의 그대로 INH + RIF+ EMB로 충분합니다. 단, HIV의 경우에는 rifabutin으로 주는데, 보통 300 mg 용량이지만, protease inhibitor를 복용 중이라면 150 mg, efavirenz를 복용 중이라면 450 mg으로 조정을 합니다. 적어도 배양 음성되고 12개월을 유지해야만 치료를 종결할 수 있습니다. 만약 rifamycin 내성이면 clarithromycin으로 대체합니다. 그런데 INH가 과연 효과가 있을지에 대해서는 아직 논란이 있어서, 현재 영국은 아예 이걸 빼고 RIF + EMB로 줍니다.

M. abscessus group의 경우에는 macrolide 내성 문제 때문에 *erm* gene의 존재 여부가 중요합니다.

다행히 없다면, clarithromycin + cefoxitin 8-12 g/day#3 혹은 imipenem 1 g bid + 저용량 amikacin 하루 한 번으로 총 2주간 투여합니다.

그러나 있다면(*erm* 41 유전자입니다), amikacin + cefoxitin 혹은 imipenem으로 구성합니다.

백업으로 tigecycline, bedaquiline을 염두에 두도록 합니다.

2) Lymphadenitis

소아에서 주로 생기며, 이 또한 80%가 MAC이 원인균입니다. 그 다음이 한 때 *M. scrofulaceum*이었지만, 이제는 보기 힘들고 현재는 *M. malmoense*가 주입니다. 만약 RGM이 원인균이라면 disseminated NTM으로 가기 쉽습니다.

치료는 clarithromycin + EMB 혹은 rifabutin 조합으로 투여합니다.

3) Cutaneous NTM

M. marinum, *M. ulcerans*, RGM이 주 원인입니다. *M. marinum*은 이름 그대로 수영장이나 수족관에서 얻어 걸리는 것입니다. 접촉 2-3주 후 발병하며, 작은 발진에서 궤양까지 갑니다.

치료는 RIF + EMB를 조합하며, 그 밖에 doxycycline, minocycline, clarithromycin, TMP-SMX를 줄 수 있습니다. 최소 3개월은 줘야 합니다.

*M. abscessus*는 유통 기간이 경과된 소독액을 오염시켜서 종종 주사 사고의 원인균으로 매스컴에 오르내리기도 합니다. 그 밖에 *M. fortuitum*, *M. chelonae*이 일으키기도 합니다.
치료는 clarithromycin으로 6개월을 줍니다.

SGM에 의한 피부 NTM으로 대표적인 것이 Buruli ulcer입니다. 이는 streptomycin + dapsone +/- EMB + RIF + clarithromycin에다가 반드시 수술적 치료까지 같이 해 줘야 합니다. 그러나 예후는 불량합니다.

*M. haemophilum*이 원인균일 경우에는 clarithromycin + rifampin 혹은 rifabutin으로 1-2년간 투여합니다.

4) Bone infection

M. chelonae, *M. haemophilum*, *M. xenopi*가 주요 원인균이며, *M. marinum*은 손의 tenosynovitis를, *M. fortuitum*, *M. abscessus*은 sternum의 osteomyelitis를, *M. haemophilum*은 주로 뼈와 관절을 침범하는 경향을 보여줍니다. 치료는 피부 NTM처럼 약제 투여뿐 아니라 수술적 치료도 해 줘야 합니다.

5) Catheter-related infection

이는 RGM인 *M. fortuitum, M. mucogenicum*이 주 원인균입니다.

같은 항생제 조합으로 6-12주와 더불어 catheter 제거도 필요합니다.

6) Disseminated NTM

MAC 다음으로 *M. kansasii*가 잘 일으킵니다. 그리고 RGM, *M. haemophilum M. malmoense*, IGM인 *M. marinum*이 원인균입니다. 보통 폐나 피부 NTM이 동반되어 있습니다.

HIV 환자라면 CD4 < 200/uL인 경우가 많습니다.

아니라면 *M. chelonae*가 가장 흔한 원인균이고, *M. abscessus*도 일으킵니다.

이 경우는 보통 피부 NTM이 동반되어 있습니다.

치료 약제들은 폐 NTM의 약제 조합과 동일합니다.

제23강

산소를 피하고 싶어서

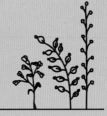

23

산소를 피하고 싶어서

1. 호흡과 산소

좀 엉뚱하게 시작하는 듯합니다만, 호흡이란 무엇이며 산소는 우리에게 무슨 의미인지를 한 번 짚어 보도록 합시다.

일상 생활에서 호흡, 즉 respiration이 무엇이냐는 질문을 받으신다면 누구나 다 들숨과 날숨으로 숨을 쉬는 행위라고 대답하실 겁니다.
네, 정답입니다.

다음 질문입니다.
산소는 우리의 상쾌한 친구일까요?
"당연하죠. 산소 없으면 우린 죽는데요."
네, 맞습니다.

그런데, 의과학의 세계로 들어와서 이 두 질문을 받으면 대답을 좀 조정하셔 야 합니다.

먼저 호흡부터.

호흡의 본질은 세포 단위에서 전자를 주거니 받거니 하면서 궁극적으로는 생물이 생존하기 위한 에너지, 다시 말해 ATP를 만들어내는데 목적이 있는 일련의 과정입니다. 여기서 중요한 대목은 전자를 주거니 받거니 한다는 것입니다. 이 전자를 받아주는 electron receptor가 바로 산소입니다.

하지만 산소만 만나면 목숨이 위험하거나 혹은 산소가 희박하거나(최저 0.5% 미만) 아예 없는 환경에서 살아가야 하는 생물은 다른 걸 electron receptor로 써야 합니다.

그런 생물, 정확히는 미생물이 바로 anaerobes(혐기성 균)이며 산소 대신 nitrate, sulfate, sulfur, fumarate 등을 receptor로 사용하며 살아갑니다.

다시 두 번째 질문.

산소는 모든 생물들에게 생명을 주는 고마운 물질일까요?

왜 중복해서 질문하는지 이미 눈치를 채셨겠지만, 정답은 "아니오"입니다.

사실 산소는 지구상 생물들의 세포 단위에서는 모두 다 독으로 작용하며, 우리도 예외가 아닙니다.

왜냐하면 산소는 얌전하게 oxygen으로만 있는 것이 아니고 전자를 하나씩 떼어 내고 붙이고 하면서 superoxide, hydrogen peroxide, hydroxyl radical 등이 세포를 파괴하기 때문입니다.

그럼에도 불구하고 우리가 원활하게 호흡하고 잘 살아있는 이유는 우리 세포들 속에 들어온 산소 처리 세균의 후예인 미토콘드리아가 알아서 잘 처리해 주는 데 있습니다.

그리고 산소를 처리할 수 있는 균, 즉 aerobes는 radical을 순화시키는 super-oxide dismutase와 catalase로 훌륭하게 대처를 하기에 산소 환경에서 잘 살아 남습니다.

23강

그렇다면 anaerobes에게는 왜 산소 환경이 불리한지 추정할 수 있지요?

Anaerobes는 이들 산소 처리 효소들이 아예 없거나 미량만 있기 때문입니다.

그래서 혐기성 환경에서 살아가되, 그래도 에너지를 만들며 살아남긴 해야 하므로 anaerobic respiration을 하는 겁니다.

Anaerobes는 anaerobic respiration과 fermentation(발효)도 합니다.

그러다 보니, 많은 분들이 이 둘이 같은 것으로 오해들을 하곤 합니다.

엄연히 다릅니다.

발효란 어떤 유기 물질(주로 carbohydrates)을 '산소가 절대 개입되지 않은' 일련의 효소 작용을 통해 처리하여서 에너지를 만들어 내는 것을 말합니다.

산소가 개입되지 않는다는 사실 때문에 오해가 시작된 겁니다.

반면에, anaerobic respiration은 세포막을 무대로 electrochemical gradient 혹은 proton motive force를 원동력으로 해서 proton 내지 전자를 ATP syn-thase로 통과시키면서 ATP를 만들어냅니다. 이에 대해서는 제14강 '그람 음성균을 알아보자'에 그림까지 곁들여가면서 자세히 설명해 놓았으니 참조하세요.

> 요약하자면, 발효는 효소와 그 기질 사이의 작용이고, electrochemical gradient를 이용하는 고급스러운 작용이 아닙니다. 즉, '호흡'이 아닙니다.

자, 너무나 원초적인 이야기는 이만하면 충분하다고 봅니다.
이제 본격적인 anaerobes 얘기로 진도를 나갑시다.

2. Anaerobes(혐기성 균)

Anaerobes의 정의는 성장하기 위해서는 산소를 최대한 배제해야 하는 균을 말합니다. 하지만, 실제로 보면 그렇게 단순하게 규정되지 않습니다.
검사실에서의 관점으로는 고체 배지에 놓았을 때, 대기 속 10% 이산화탄소 환경에서 자라지 못하는 경우를 말합니다.
그런데, 이는 좁은 의미에서의 anaerobes입니다. 이런 anaerobes를 obligate anaerobes라 합니다. 다시 말해서 산소를 만나면 꽥 하고 죽어버리는 균입니다.
평소에 혐기 환경에서도 잘 살지만, 산소를 만나면 aerobic metabolism으로 적응하는 anaerobes도 있습니다. 이를 facultative anaerobes라고 하며 이 단원 이전까지 소개된 균들의 상당수가 이에 해당합니다.

또한 살아가는 데 산소가 필요하지 않지만 그렇다고 산소를 만난다고 해서 꽥하고 죽지도 않는 균을 aerotolerant 균이라 합니다.

Anaerobes는 이들 세 가지 군들을 모두 다 포괄한 균들입니다.

이들은 human microbiota의 절대 다수를 구성하고 있습니다.

먼저 구강에서 분포하고 있으며, 특히 잇몸, 즉 gingival crevice에 절대 다수가 살고 있습니다.

Anaerobes의 대부분이 소화기관에 서식하는데, 특히 distal ileum부터 급격히 많아집니다.

대장에는 분변 1 g마다 10^{12}마리가 있으며, 일부 호기성 균(사실 facultative anaerobe)인 그람 음성균과 수를 비교해 보면 거의 1,000 대 1입니다. 주로 *Bacteroides, Clostridium, Peptostreptococcus, Fusobacterium* spp.가 차지합니다.

비뇨 생식기, 특히 여성 생식기에도 mL당 10^7-10^9 마리 정도 서식합니다. 주로 *Prevotalla, Bacteroides, Clostridium, Peptostreptococcus, Fusobacterium, Lactobacillus* spp.가 살고 있습니다.

피부에도 서식하는데, *Cutibacterium acnes*가 주종을 이루고 있습니다.

이 단원에서 혐기성 균이 일으키는 질병에 대해 다루려 하고 있지만, 사실 anaerobes는 대부분이 착한 놈들입니다. 오히려 우리 인간의 건강에 각종 이익을 가져다주는 고마운 공생 균들입니다.

장에서는 인간 본연의 능력으로는 처리 못 할 음식들을 소화시켜 주고, 거기서 각종 영양소를 뽑아내어 제공해 줍니다. Vitamin-K, bile 등을 만드는 데 도움을 주는 등 각종 대사와 생리적인 유지, 그리고 우리 몸의 방어에 필요한 면역과 다른 유해 균을 견제하는 일(colonization resistance)까지 해 줍니다. 이쯤 되면 우리 몸의 주인이 우리 자신이 맞는지 살짝 의문이 들 정도입니다.

23강

그런데 어떤 요인으로, 예를 들어 면역 저하나 항생제 융단 폭격으로 microbiota의 세력 균형이 엉망으로 깨지면 그게 곧 질병의 발생으로 대가를 치르게 됩니다. 견제가 사라지니까요.

보통 염증이나 면역 반응의 왜곡으로 나타나는데, 대표적인 예들이 염증성 장 질환, rheumatoid arthritis, 당뇨, 다발성 경화증, 심혈관계 질환, 정신 질환, 그리고 제 개인의 문제이기도 해서 정말로 원수 같은 비만과 대사 증후군 등입니다.

나중에 다룰 *Clostridioides difficile* 질환도 이에 해당합니다.

이 질환 상태를 다시 좋았던 옛날로 돌아가게 하려면, 현재의 불량 주민들을 그 좋았던 시절의 주민들로 완전히 갈아 치우는 게 해결책이 아닐까 하는 아이디어가 자연스럽게 나오게 됩니다.

이게 바로 fecal microbiota transplantation (FMT)을 시도하는 이유입니다.

3. 병을 일으키는 과정

대부분이 착한 anaerobes이지만 일부 몰지각한 균들이 인간에게 해를 끼치는 병이 바로 anaerobes 감염증입니다. 이 일부 균들이 못된 본성을 드러내게 되는 계기는 mucosa의 붕괴가 일어날 수 있는 상황들입니다. 예를 들어 trauma, 수술, 악성 암, ischemia 등입니다. 그러면 평소 얌전한 척하고 살던 못 된 균들이 원래는 들어가지 말아야 할 sterile area로 엎질러지듯이 들어갑니다. 거기까지 오게 되면 원래 갖고 있던 virulence factor들을 다양하게 구사하기 시작하고, 마침 같이 들어온 다른 anaerobes와, 필요하면 aerobes와도 합동 작전을 펴며, abscess 형성 기전을 시작하게 됩니다.

이들이 발휘하는 virulence factor는 지금까지 설명해 온 것들과 대동소이한 기전을 펼칩니다.

즉, adhesion, evasion, toxin과 enzyme 분비와 파괴, capsular polysaccharide를 매개로 한 각종 염증의 유발 등입니다.

발병 기전을 펼치는 것은 어느 특정 세균종 하나만이 아니고 다른 종의 세균들과도 synergy를 일으키면서 전개합니다. Anaerobes 감염이 polymicrobial infection인 이유이기도 합니다. 호기균들이 도와주는 것은 아마도 anaerobes에게 해로울 산소들을 처리해 주는 데에 있을 겁니다.

어느 지역에서 어떤 형사 사건이 일어난다면 범인은 십중팔구 그 지역에 있는 놈일 가능성이 큽니다. Anaerobes 감염 질환도 마찬가지. 적은 내 곁에 있는 법입니다. 따라서 각 장기마다 그 곳에 어떤 anaerobes가 암약하는지를 파악하면 원인균 추정과 치료 방침 결정에도 도움이 될 것입니다.

먼저 anaerobic 그람 음성 bacilli를 봅시다. 이 패거리에서 가장 흔한 놈이 *B. fragilis*입니다. 이 놈은 주로 하부 위장관에 서식하므로, 거기서 기인한 질환의 원인균일 가능성이 높습니다.

구강에는 *Prevotella* spp.가 주종입니다. 이들은 호흡기까지 침범하여 aspiration pneumonia, lung abscess, chronic sinusitis의 원인이 됩니다.
*Fusobacterium*은 구강과 장에 많이 살기 때문에 necrotizing aspiration pneumonia, lung abscess, 그리고 brain abscess의 원인이 됩니다.

Anaerobic 그람 양성 cocci는 주로 구강, 상기도, 장, 피부에 서식합니다. 따라서 chronic sinusitis, aspiration pneumonia, lung abscess, skin & soft tissue infection의 원인이 됩니다.

Anaerobic 그람 양성 bacilli이되 spore를 만들지 않는 균으로 *Cutibacterium*, *Lactobacillus*, *Actinomyces*가 있습니다. 이들은 잇몸이나 장, 여성 생식기, 피부에 서식하므로 periodontitis, aspiration pneumonia, intracranial abscess, 여성 피임 기구 관련 abscess와 peritonitis의 원인균이 됩니다.

Anaerobic 그람 양성 bacilli이되 spore를 만드는 대표적인 균이 바로 *Clostridium*과 *Clostridioides*입니다. 주로 wound infection, 각종 abscess, 그리고 bacteremia, pseudomembranous colitis 등을 일으킵니다.

4. 임상 질환들

다시 강조하지만, 혐기성 균에 의한 감염은 엄밀히 말해서 혐기성 균 단독 범행이 아니고 여러 동료들, 그리고 호기성 균들까지 합세한 결과물인 mixed polymicrobial infection임을 잊지 마셔야 합니다. 이들 혐기성 감염의 공통적인 결과는 abscess formation입니다.

1) 구강과 두경
출발은 구강입니다. 치주염이나 periodontitis로 시작하여 두경부로 퍼집니다.
주로 *Fusobacterium*, *Prevotella*, *Porphyromonas*, non-fragilis 계통의 *Bacteroides*, *Peptostreptococcus* spp. 등이 원인균입니다.

이들이 치주에 염증을 일으키고 그대로 진행되면 mandible, submandibular space, maxillary sinus 등으로 진출을 하며 급기야 pharynx까지 침투합니다.

이러한 진행 결과로 좀 극단적으로 간 질환들로 Ludwig angina와 Lemiere syndrome이 있습니다.

Ludwig angina는 sublingual- & submandibular space 양측에 생긴 감염으로 심하게 부어올라 기도까지 막을 수 있는 위험한 질환입니다.

Lemiere syndrome은 lateral pharyngeal space의 posterior compartment에 생긴 감염으로 그 곳에 있는 internal jugular vein에 septic thrombophlebitis가 합병되고, 심하면 폐까지 침투하며 bacteremia가 초래됩니다. 주로 *Fusobacterium necrophorum*이 원인균이며, *Bacteroides*, *Prevotella*, *Peptostreptococcus*뿐 아니라 *Streptococcus*, *S. aureus*, *Proteus*까지도 원인균이 될 수 있습니다.

편도로 가서 peritonsillar abscess를 만들 수 있으며, chronic sinusitis도 합병될 수 있습니다.

2) 폐 및 하부 호흡기

가장 먼저 연상되는 건 aspiration pneumonia일 겁니다. 폐렴이란 것 자체가 크게 보면 다 aspiration으로 생기는 것입니다만, 여기서 말하는 것은 선을 넘은 경우입니다. 웬만해선 일어나기 힘든 일이지만, 신경과나 신경외과 환자들이라면 얼마든지 위험합니다.

흔히 aspiration pneumonia라고 하면 anaerobic infection이라고들 생각합니다.

그러나 실제로는 그람 음성 bacilli가 원인균들 중에 1위이고, mixed anaerobic & aerobic infection은 2위입니다. 통념이란 게 참 무서워요. 3위는 *S. aureus*입니다.

이는 치료를 위한 항생제 처방의 선택에 있어서 중요한 기반이 되니까 잘 명심하셔야 합니다.

무조건 혐기성 균 잡는 항생제만 주어서는 아니 되고, 그람 음성균도 처리를 해야 합니다.

이 aspiration pneumonia는 일반 폐렴보다는 급성 경과가 아닌 좀 질질 끄는 경과를 밟습니다. 잘 아시다시피 환자는 신경과나 신경외과 문제를 안고 있기 때문에, 병변도 주로 누워 있을 때 생겨서 dependent lobe에 호발합니다.
제대로 치료가 안 되면 더 발전해서 necrotizing pneumonia, lung abscess, empyema까지도 갑니다.

3) 중추 신경계
거듭 강조하지만, 충치를 우습게 보면 안 됩니다. 충치에서 시작한 균이 혈류를 따라 중추 신경계까지 침범하여 brain abscess, epidural abscess, subdural empyema까지 초래할 수 있습니다.
충치만이 원인은 아니고, 중이염, 부비동염 같은 이비인후과 질환도 흔한 원인들입니다.
역시 적은 가까운 곳에 있습니다. 물론 복강 내 감염이나 골반염에서 혈류를 타고 와서 생길 수도 있지만 좀 드문 일입니다.

4) 복강 내 감염
주로 peritonitis와 abscess입니다.
장의 점막이 붕괴되어 장 microbiota가 엎질러져서 들어와 생기는 것이니 polymicrobial infection은 필연입니다. 붕괴되는 이유는 심한 염증, 예를 들어 appendicitis, diverticulitis, 대장암, 염증성 장 질환, 수술, 그리고 trauma 등입니다. 주로 anaerobes에 더하여 Enterobacteriaceae 계통 균들, entero-cocci, streptococci, 종종 *Clostridium septicum*도 한 몫을 하며, proximal bowel이라면 *Candida* spp.까지 추가됩니다.

5) 여성 생식 기관 감염

여성 생식기 감염은 성 매개 감염이 아니라면 혐기성 감염균이 원인입니다. 역시 mixed polymicrobial infection이며 주로 *Prevotella*, *Peptostreptococcus*, *Porphyromonas*, *Clostridium*, *Actinomyces*(자궁 내 피임 기구 관련) 등이 원인균입니다.

6) 피부 연조직 감염

*Peptostreptococcus*가 주류이며 skin microbiota가 원인균으로서 다수를 차지합니다.

그런데, 허리 아래로 내려간다면 원인균의 추세가 바뀝니다. 당뇨 발과 욕창 감염이 대표적인데, 대장의 microbiota가 mixed infection으로서 발현될 가능성이 높습니다. 역시 가까운 곳을 의심해야 합니다.

심한 cellulitis나 fascia에서 group A *Streptococcus*와 *Clostridium*이 합동을 하여 gangrene까지 갈 수 있습니다. 여기에는 *Peptostreptococcus*, *Bacteroides*도 가담할 수 있습니다.

고환이나 perineum에 괴사성 병변이 생기는 것이 Fournier gangrene입니다. 이는 항생제뿐 아니라 적극적인 수술 치료도 필요합니다. Peyronie's disease와 혼동하시는 분들도 계신데, 이는 감염 질환이 아니고 connective tissue disease로, 음경에 fibrous plaque이 생기고 두꺼워지면서 이상한 각도로 구부러지는 질환입니다.

7) Bacteremia

가장 흔한 원인균은 *B. fragilis*입니다. 보통 복강 내 감염에서 비롯되며, 그 다음으로 여성 생식기, 호흡기, 피부 연조직 감염의 순서입니다. 암이나 당뇨, 이식 후, 복부나 골반 수술 후의 쇠약해진 환자들이 위험군이며, 20-40% 선의 치명률을 보입니다. 그 밖에 *Clostridium*, *Peptostreptococcus*, *Fusobacteri*-

*um*도 원인균이 될 수 있습니다.

5. 진단

Anaerobes는 호기균과는 달리 공기에 노출되면 꽥 하고 죽는 특성 때문에 배양하기가 까다롭고, 게다가 정상 microbiota의 구성원이기도 해서 진단하기가 매우 어렵습니다. 그래서 환자를 직접 보는 임상 의사의 입장에서 진단검사의학과에 검사를 의뢰할 때 anaerobes 감염이라는 걸 미리 의심해서 고지해 주는 것이 중요합니다.

그렇다면 어떻게 anaerobes 가능성이라는 걸 감 잡느냐가 핵심입니다.

항상 적은 가까운 곳에 있으므로, anaerobes가 주로 서식하는 부위의 감염, 즉 장, 구강, 여성 생식기관 등이 병변 부위이면서 장 내 세균이 엎질러져 나온 환경이라던가, 악취가 난다거나, gas가 동반된 것이 의심되거나, 괴사 혹은 abscess가 있다거나 하는 식의 단서들을 가지고 추정을 합니다. 이런 정보로 진단검사의학과와 긴밀히 연락하고, 그 쪽에서 요청하는 검체 채취 방법의 준수와 신속 배달에 만전을 기해야 할 것입니다.

이후 진단검사의학과의 검사, 예컨대 anaerobes 특수 배양, 16S rRNA gene에 의한 동정, MALDI-TOF MS 같은 검사법들은 알아서 잘 하실 것이니 여기서 더 다루지는 않겠습니다.

6. 치료

Abscess 등의 물리적으로 해결해야 하는 병변은 drainage나 수술 등으로 해결해야 함을 전제로, 항생제에 대해서만 살펴 보겠습니다.

먼저, anaerobes 치료 항생제의 대표 선수는 역시 metronidazole입니다. 대부분의 그람 음성 anaerobes에 듣습니다. 하지만 그람 양성에 해당하는 *Actinomyces*, *Cutibacterium*, *Peptostreptococcus*, 그리고 *S. anginosus* 같은 microaerophilic streptococci에는 듣지 않습니다.

Beta-lactam/beta-lactamase inhibitor는 beta-lactamase 내는 anaerobes, 그러니까 *B. fragilis*에 잘 듣습니다. 그러므로 복강 내 감염에 선호하는 것이 유리하겠습니다.

Carbapenem은 본래 beta-lactamase inhibitor의 개발 과정에서 파생된 약제입니다. 따라서 역시 beta-lactamase를 내는 anaerobes에 강할 수밖에 없습니다.

Clindamycin은 그람 양성균에만 사용한다고 생각하는 게 속 편합니다. *B. fragilis*에는 듣지 않습니다. 아예 횡경막 위 쪽의 감염에만 사용한다고 생각합시다.

Cephamycin 계통인 cefoxitin, cefotetan, cefmetazole은 원래 anaerobes 치료용으로 쓰였습니다만, 이제는 내성률이 너무 높아져서 되도록이면 사용하지 않는 걸로 권장되고 있습니다.

Tigecycline은 아직까지는 거의 모든 anaerobes에 듣습니다.

Vancomycin도 은근히 anaerobes에 유용합니다. 단, 그람 양성 anaerobes에 한해서.

Carboxy- 혹은 ureido-penicillin, macrolide도 anaerobes에 제법 쓸 만합니다만, *B. fragilis*와 그람 음성 anaerobes에는 효과가 별로입니다.

FQ는 특히 moxifloxacin이 anaerobes에 좋다고 했으나, 이제는 *B. fragilis*의 내성률 증가 때문에 더 이상 추천되지 않습니다.

Anaerobes에 절대 써서는 안 되는 약제로는 aminoglycoside와 monobact-am이 있습니다.
TMP-SMX는 잘 들을 것처럼 보이지만 사실은 잘 안 들으니 쓰지 않는 게 좋겠습니다.

제24강

*Clostridioides difficile*과 그 밖의 anaerobes

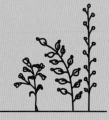

24

*Clostridioides difficile*과
그 밖의 anaerobes

1. *Clostridioides difficile*

1) 균 자체에 대하여

Clostridioides difficile (CD)는 그람 양성 혐기성 막대균으로, 친척인 *Clostridium* spp.와 마찬가지로 endospore(포자)를 생성합니다. 하지만 이제는 남입니다.

한때 *Clostridium* 가문이었으나, 2016년에 *Clostridioides*로 딴 살림을 차렸습니다.
가계도를 보시면 Class Clostridia, Order Eubacteriales까지는 한 통속이지만, Family부터 Clostridiaceae에서 Peptostreptococcaceae로 분가하여 genus *Clostridioides*가 됩니다.

항생제 등의 사용이 선행 요인으로 작용하여 이 균이 원인이 되어서 설사를 동반한 colitis 양상으로 발전한 질환을 *Clostridioides difficile* infection (CDI)이라 합니다.

이 균들이 일으키는 pseudomembranous colitis (PMC)는 1970년대 중반이 되어서야 비로소 본격적으로 주목을 받기 시작했지만, 사실 이는 항생제가 나오기도 전인 1893년에 첫 기록이 있었습니다. 즉, 이미 존재는 하고 있있다는 것인데, 항생제 시대가 오면서 급증을 한 것입니다. 1974년에 clindamycin 사용 환자 200명을 대상으로 한 연구에서 20% 정도가 설사를 하고, 그 중 절반이 PMC였다는 최초의 보고가 뜹니다. 이후 진도가 빨리 나가면서 1977년에 CD가 발견되고, 그 다음 해에는 아예 toxin까지 규명됩니다.

사실 PMC는 CD만 일으키는 질환은 아닙니다. *S. aureus*, enterotoxigenic *C. perfringens*, *K. oxytoca*도 가능합니다. 그럼에도 불구하고 CD가 원인균들 중에 거의 100%에 가깝게 절대적인 다수를 차지하고 있는 겁니다. 그런 면에서 CD는 좀 억울할 수도 있겠습니다.

그래도 clindamycin만큼 억울할까요. 처음에 clindamycin으로 연구가 돼서 그렇지, 사실 다른 항생제들도 모두 PMC 유발이 가능합니다.

포자 생성 능력이란 그 어떤 혹독한 환경에서도 끈질기게 살아남음을 의미합니다. 그래서 병원 여기저기에 포자가 널려 있으면서 언제라도 입원 환자들에게 들어갈 태세를 갖추고 있습니다. 환경 소독 관리와 손 위생이 얼마나 중요한지 또 한 번 상기시키는 균입니다.

2) 병리 기전

항생제 연관성 설사(antibiotics-associated diarrhea, AAD)라고 해서 모두 다 CDI가 원인은 아닙니다.

CDI는 AAD 원인의 대략 1/4 정도를 차지합니다. 그럼 나머지 3/4은?

항생제 투여로 인해 장내 서식 세균의 균형이 일시적으로 CDI만큼은 아니어도 어느 정도는 깨지면서 발생한 설사로 보면 되겠습니다.

저만 해도 등에 난 피지 낭종이 살짝 곪는 바람에 제거 수술에다가 amoxicillin/clavulanate까지 먹었는데, 당일 한 나절정도 설사를 하다 금방 좋아진 경험이 있습니다. 그럼 그게 CDI였느냐? 아니죠.

PMC가 성립하려면 다음 병리 기전 3가지가 딱 맞아 떨어져야 합니다:
- 장의 microbiota가 항생제에 의해 붕괴
- Bile acid의 견제가 사라짐
- 균 자체의 toxin이 작동

먼저 microbiota의 붕괴부터 봅시다.

평소 장은 착한 원주민들에 의해 homeostasis와 colonization resistance로 치안을 잘 유지하고 있습니다. 그러나 항생제 폭격 세례가 가해지면 이 자경단들이 다 파괴되므로, 평소의 건전한 견제와 치안이 다 무너집니다.

그 다음이 bile acid인데요.

CD의 포자가 슬그머니 체내로 들어와도 정상적이라면 활동을 할 수 없습니다. 장에 있는 primary bile acid가 장내 균들에 의해 secondary bile acid로 변환되면서 포자의 활동을 억제하기 때문입니다. 그런데 장내 치안이 붕괴가 된다면?

이는 곧 bile acid 대사도 엉망이 된다는 것. 다시 말해 primary bile acid로 남는다는 걸 의미합니다.

그런데 primary bile acid는 오히려 포자의 활동을 더 부추깁니다.

그리하여 포자는 맘 편히 germination을 하면서 본격 활동 및 증식에 들어갑니다.

마지막으로 toxin이 활동 수단으로 사용됩니다.

CD의 glycosyl transferase toxin은 enterotoxin 기능의 toxin A (TcdA), cytotoxin 기능의 toxin B (TcdB)로 구성되어 있습니다.

이들을 점막 상피 세포들이 receptor-mediated endocytosis로 꿀꺽 삼킵니다. 세포 안으로 들어간 toxin은 cytoplasm으로 나와서 GTPase를 glycosylation시킵니다. 이는 GTPase가 무절제하게 활성화되는 결과를 낳고, 이로 인해 세포의 actin cytoskeleton이 붕괴됩니다. 그리하여 세포는 apoptosis 내지 괴사에 빠져서 죽게 됩니다.

또한 이들 toxin은 세포로 하여금 IL-8를 비롯한 염증 지향성 cytokine을 분비하도록 조장하고, 이로 인해 neutrophil을 비롯한 염증 세포들이 잔뜩 몰려와서 침윤됩니다. 즉, 본격적으로 염증이 시작되는 거지요.

장 상피 세포들은 죽어가는 와중에 서로를 결속하던 tight junction도 풀려서 장 점막은 더욱 더 엉망이 됩니다.

이러한 일련의 재앙들이 진행되면 점막 상피 세포들의 시체와 염증 세포, 그리고 염증의 결과로 빚어진 fibrinous exudate 등이 뭉치고 엉겨서 pseudo-membrane을 만드는 난장판이 되는 겁니다.

이들 toxin 외에도 CD는 제3의 toxin인 binary toxin도 내서 병리 기전에 한 몫을 보탭니다. 이 toxin은 *C. perfringens*가 내는 iota toxin과 같은 류입니다.

CDI 내지 PMC가 생길 위험 인자들로는 역시 항생제가 있고, 고령층 환자, 면역 억제제 치료받는 환자, 중증 기저 질환이 있습니다.

CDI 환자가 설사를 하다 보면 또 다시 포자들이 병원 환경에 널릴 것이고, 이는 미래에 들어올 환자들에게 들어가 역사를 되풀이할 준비를 합니다.

따라서 과거 입원 경력이 있거나 장기 입원하는 환자들의 경우 CDI에 걸릴 확률이 높아질 것이므로, 이들 또한 위험군입니다.

앞서 clindamycin이 억울하다는 언급을 했었는데, 실제로 위험 가능성으로 놓고 보면 그래도 clindamycin이 고위험 항생제인 건 맞습니다. 여기에 FQ와 2세대 이상의 cephalosporin도 고위험 항생제입니다.

중등도 위험 항생제로는 penicillin, beta-lactam/beta-lactamase inhibitor, macrolide, carbapenem, 그리고 놀랍게도 치료제로 쓰이는 metronidazole과 vancomycin도 해당됩니다.

그나마 저위험 항생제로는 aminoglycoside, tetracycline, TMP-SMX, RIF가 있습니다만, 그렇다고 해서 안심해서는 아니 됩니다.

그리고 꼭 항생제만 PMC를 일으키는 게 아닙니다.
Proton pump inhibitor와 H2 blocker도 가능합니다.

3) 임상 양상

증상은 설사가 우선이죠. 경미한 설사부터 대량의 설사까지 다양합니다.

발열과 복통, 백혈구 상승 등의 소견이 동반됩니다.

치료가 잘 안 되어서 운 나쁘게 합병증이 생긴다면 shock, toxic megacolon (장 직경 > 6 cm), colon perforation, acute peritonitis까지 갑니다. 이러한 지경까지 온 상황을 중증 CDI 혹은 fulminant CDI라고 합니다. 이 경우엔 수술적 치료까지도 필요할 수 있습니다.

이렇게 중증으로 갈 불길한 낌새는 다음 소견들로 예측할 수 있습니다:

백혈구 수치가 15,000/uL을 훌쩍 넘기거나 creatinine 1.5 mg/dL 이상, hy-poalbuminemia, 그리고 molecular typing 결과 strain NAP7-8/BK/078 혹은 NAP1/BI/027 유형일 경우입니다. 이들 strain 명칭은 pulsed field gel electrophoresis (PFGE) type/restriction endonuclease analysis type/PCR ribotyping type을 칭하는 것입니다.

4) 진단

PMC를 내시경으로 보면 장 점막에 1-2 mm 정도 크기의 whitish yellow plaque가 여럿 다발로 보이며, 이게 더 진행되면 서로 융합하여 대장 전장에 걸친 pseudomembrane으로 악화 소견이 나옵니다.

그런데, 과연 내시경이 진단의 첩경이냐 하면 그렇지는 않습니다.

내시경으로 pseudomembrane이 나와주면 진단하는 의사 입장에서는 고맙 겠지만, 그런 경우가 흔한 건 아니어서 민감도는 대략 50%여밖에 안 됩니다. 그 대신 특이도는 100%겠죠.

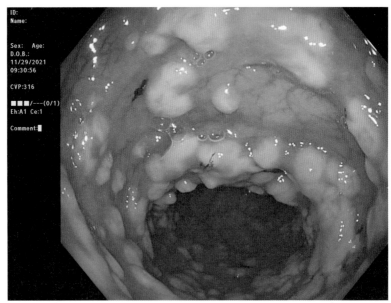

전형적인 내시경 소견입니다. 시야 전체에 걸쳐서 pseudomembrane이 깔려 있습니다.

가장 중요한 필요 충분 조건은 설사 등의 증상이 꼭 있어야 한다는 것입니다. 그런 틀에서 정리해 봅시다.

24시간에 3회 이상 설사가 있으면서 + toxin 검사에서 양성이 나와야 합니다.

그럼 toxin 검사 양성인데 증상이 없다면?
CDI로 진단할 수 없습니다.
이는 나중에 치료 후의 평가에서도 중요한 의미를 갖습니다.

증상과 더불어 또 다른 필수 요소인 toxin을 검출하는 방법은 그동안 많은 논란과 개발이 있었습니다.
현재 gold standard는 cell cytotoxicity assay입니다. 이는 TcdB를 잡아내기 위함입니다.
또 하나의 gold standard로는 toxigenic CD를 stool culture로 잡아내는 겁니다. 이는 cycloserine과 cefoxitin을 함유한 selective media로 배양해서 진단하는 것입니다.

Enzyme immunoassay로 하는 toxin 검출 검사는 TcdA를 잡아내기 위함인데, 민감도 면에서 많이 열세입니다. CD라면 공통적으로 갖고 있는 glutamate dehydrogenase (GDH) 검출도 toxigenic strain을 감별할 수 없기에 역시 민감도 면에서 열세입니다.
이를 보완하기 위한 노력들이 많이 행해졌는데, 현재는 2단계 혹은 3단계 검출법이 개발되어 진단능력이 대폭 개선되었습니다.

2단계 검사란 먼저 GDH를 검사하고 나서 EIA로 TcdA 혹은 TcdB를 검사하는 겁니다.

3단계 검사는 여기에다 nucleic acid amplification test를 더해서 만전을 기하는 검사입니다.

Toxin을 잡아내는 검사를 해석하는 데 있어서 주의할 것은, 치료가 성공적으로 종결되어도 toxin이 여전히 검출된다는 사실입니다. 치료 종결 후 최소 6주에서 심하면 6개월까지도 양성으로 나올 수 있습니다. 그러므로, 치료가 완결된 후 환자가 치유되었는지를 검증하는 데 있어서 toxin 검사는 하지 않는 것이 좋습니다.

5) 치료

가장 먼저 하는 치료는 뭔가를 해 주는 것이 아니고 무조건 항생제들을 다 끊는 겁니다.

이 정도만 해도 환자의 1/4 정도는 다 낫습니다.

그게 안 되면 비로소 본격 치료로 들어갑니다.

경증 CDI인 경우라면 metronidazole 경구 500 mg 하루 3번으로 10일간 줘도 됩니다.

그러나 vancomycin이나 fidaxomicin보다는 성적이 열세인 것도 사실입니다.

그래서 그게 싫으면 처음부터 vancomycin 125 mg 하루 4번 경구, 혹은 fidaxomicin 200 mg 하루 4번 경구로 줍니다. 둘 다 우열을 가리긴 어렵지만, fidaxomicin이 더 비싸다는 현실적인 문제가 있긴 합니다.

중증 CDI라면 경증과 차이는 없습니다만, 경구 metronidazole은 머리 속에서 지우시도록 합니다.

중증이되 합병증까지 진행된 fulminant CDI라면(기준은 '임상 양상'에서 언급한 바 있습니다), vancomycin 500 mg, 하루 4번 경구 및 metronidazole 500 mg, 매 8시간마다 정맥 주사로 10-14일간 주는 걸 일단 기본으로 합니다. 대안으로는 tigecycline 50mg 하루 두번 정맥 주사로 10-21일이 있습니다.

만약 장 마비가 너무 심하다면 vancomycin 500 mg을 생리 식염수 100 mL에 타서 매 6시간마다 retention enema를 해 줍니다. 이 지경까지 간다면 외과 선생님들의 도움을 받아 colectomy 내지는 ileostomy까지 시행할 수 있습니다.

만약 처음으로 재발되었고 이전 치료를 metronidazole로 했었다면 vancomycin 125 mg, 경구 하루 4번, 10일간 줍니다.

그게 아니라면 vancomycin을 taper & pulse 요법으로 줍니다.

방법은 vancomycin 125 mg 경구를 하루 4번 10일간 주고, 이후 하루 2번으로 1주, 그 다음엔 하루 1번으로 1주, 그러고 나서 매 2-3일마다 주기를 2-8주 시행합니다.

그래도 vancomycin은 아니다 싶으면 fidaxomicin을 200 mg, 하루 2번, 10일간 줍니다.

만약 2번 이상의 재발이라면 vancomycin taper & pulse 요법을 쓰거나 vancomycin 125 mg, 하루 4번, 열흘간 준 후 rifaximin 400 mg, 하루 3번, 20일간 복용으로 이어갑니다.

아니면 fidaxomicin 200 mg, 하루 2번, 10일간 줍니다.

이 단계에서는 fecal microbiota transplantation을 시도할 수 있습니다.

보통 치료 시작하고 첫 3일 내로 호전을 보여야 하는데, 5-6일이 되도록 차도가 없으면 다른 치료법으로 바꾸어야 합니다.

다 나았는지 여부의 기준은 치료 종결 때쯤 되어 배변이 하루 3회 이하로 적어도 이틀 연속 지속되어야 합니다.

이런 고생을 안 하려면 예방이 중요합니다. 철저한 barrier precaution과 부지런한 환경 소독(sodium hypochlorite 5,000 ppm 필요) 등이 감염관리에 있어서 매우 중요하겠습니다.

2. *Clostridium tetani*(파상풍 균)

파상풍은 국가 지정 제3급 감염병으로 혐기성 그람양성 막대균인 *Clostridium tetani*가 원인균이며, 이 균의 toxin인 tetanospasmin에 의해 근 경직 및 발작적인 수축을 하는 질환입니다. Tetanospasmin은 전체적으로 151-kDa 크기의 neurotoxin으로, 50-kDa짜리 light chain이 100-kDa짜리 heavy chain과 disulfide bond로 연결되어 있습니다. Heavy chain은 신경 세포의 receptor에 달라붙는 역할을 하여 toxin이 세포 내로 들어갑니다. 들어간 후에는 lysosome이 녹이는 과정을 용케도 피해서 gamma-aminobutyric acid (GABA)가 주로 노는 presynaptic inhibitory interneuron terminal까지 도달합니다. 거기서 light chain이 능력을 발휘하여 vesicle-associated membrane protein 2 (VAMP2; synaptobrevin)을 파괴합니다. 이 synaptobrevin은 원래 다량의 neurotransmitter vesicle들을 presynaptic end에 하적하는 역할을 하던 물질인데, 이게 소멸되고 나면 물류가 공급 안 되니, 더 이상의 신경 전달 작업을 할 수가 없습니다. 그 결과 CNS의 presynaptic end에서 neurotransmitter의 분비가 억제됩니다. 이렇게 해서 선을 넘지 않게 통제를 하던 견제 수단이 사라지니 걷잡을 수 없게 되어, 원래는 한 번 수축하면 이완해야 하는 근육이 그러지 못하고 지속적으로 계속 수축을 하게 됩니다(또 다른 toxin으로 tetanolysin이 있는데, 이건 질병에 무슨 역할을 하는지 알려져 있진 않습니다).

이 toxin은 axon을 따라 역주행 해서 중추 신경계의 더 상위 부위로 올라가고 또 올라갑니다.

국내에서 2001-2016년까지 해마다 4-24건이 보고되었습니다.

전파 경로는 녹이 슬어있는 쇠 못 같은 철에 찔리는 경우가 전형적인 예이긴 합니다만, 최근 제가 만난 파상풍 환자들은 길 고양이나 강아지에게 물려서 생긴 분들이 생각보다 꽤 있습니다.

고양이나 개에게 물리면 공수병보다는 *Pasteurella multicocida*, *Capnocytophaga* spp. 외에 파상풍도 꼭 잊지 말고 대처해야 합니다.

특히 고양이나 개에게 크게 물리기 보다는 살짝 물리는 일이 많고, 이런 식으로 생기는 상처는 못에 찔리는 식의 상처처럼 매우 작아서 '괜찮겠지' 하며 그냥 흘려버리는 경향이 있습니다. 그러다 큰 코 다치는 겁니다.

저는 그런 경험이 없습니다만, 수술이나 화상 등을 통해서도 생길 수 있습니다.

잠복기는 약 1주일 정도지만 최대 3주까지도 갈 수 있습니다. 잠복기가 짧을수록 예후가 나쁩니다.

파상풍은 local tetanus, cephalic tetanus, generalized tetanus의 3가지 유형이 있습니다.

Local tetanus는 상처 인접 부위에 근육이 떨리면서 통증이 동반되는데, 증상 생기고 빨리 오시는 분들 중에 이런 분들이 많습니다. 아주 잘 하신 거죠.

24강

Cephalic tetanus는 이름 그대로 머리 부위에 국한된 것으로, 주로 facial nerve palsy나 눈 쪽에 ptosis 등으로 나타납니다.

사실 이것만 달랑 오는 경우는 드물고, 뇌와도 거리가 멀지 않으니 오히려 전신 파상풍으로 진행된다는 예고편이 되어서 긴장을 해야 합니다.

Generalized tetanus가 진짜배기입니다. 요즘은 조금만 이상해도 병원으로 오니까 보기가 어려워졌지만, 1990년대까지만 해도 잊을만 하면 한 명씩 오곤 했었습니다.

턱이 경직되는 trismus 혹은 lockjaw가 먼저 나타나며, 이로 인해 마치 비웃는 듯한 미소인 risus sardonicus를 보입니다. 설압자를 환자 입 속에 넣어 post-pharyngeal wall을 자극하면 환자는 masseter muscle을 작동시켜 자기도 모르게 "앙!"하고 설압자를 뭅니다. 이를 spatula test 양성이라 하며, 초기 진단에 유용한 임상 소견입니다.

이후 점차 아래로 내려가며 수축이 일어나는데, 머리에서 몸통, 사지로 퍼져나갑니다. 이후 전신에 hyperreflexia가 나타나는 바람에 등 쪽을 슬쩍 건드리면 마치 활처럼 뒤로 휘는 opisthotonus를 보입니다. 빛이나 소리 등에도 저럴 수 있기 때문에 중환자실에 눕혀 놓을 때 불을 다 꺼 놓아야 합니다. 그런데 중환자실 특성상 완전히 조용하게는 못하는데, 뭐 그런대로 괜찮긴 합니다.

가장 무서운 게 larynx 쪽의 spasm인데, 숨이 막힌다는 걸 뜻하죠. 이 정도 수준이면 intubation 등으로 기도를 확보해 놓아야 합니다.

과도한 신경 흥분은 motor뿐 아니라 autonomic nervous system에도 오기 때문에 혈압이 걷잡을 수 없게 올라갈 수 있고 arrhythmia의 위험도 있습니다.

치료는 wound 부위를 깨끗하게 하고 괴사 조직이 있으면 제거함을 기본으로 하여 균의 아지트부터 없애야 합니다.

항독소로서 human tetanus immune globulin (TIG) 3,000-5,000 IU 혹은 equine antitoxin 10,000-20,000을 근육 주사함으로써 toxin을 중화시킵니다. 주사할 때는 상처 부위를 포위하듯이 빙 둘러가면서 주도록 합니다.

기본적으로 neurotoxin이 장기간 머물기 때문에, 이것이 degradation 되어 사라질 때까지 supportive care를 합니다. 앞서 언급했듯이 불 끄고 조용한 환경에서 자극을 최소화하면서, 특히 기도 유지에 각별히 신경 쓰면서 치료에 최선을 다합니다. 아무래도 장기전이 되므로 결국 trachestomy까지 하게 될 가능성이 높고 mechanical ventilator도 다루게 될 것이고 자율 신경 장애로 인한 혈압 조절이나 부정맥 등의 심혈관 문제도 수시로 해결해야 합니다. 그런 과정에 몇 주동안 시달리면서 진인사 대천명의 자세로 임합니다.

항생제는 metronidazole 500 mg IV 매 6시간마다 주사하며, 대안으로 하루 용량으로 penicillin 10-20만IU/kg 주사합니다만, 오히려 악화될 소지가 있으니 되도록이면 metronidazole로 하시는 게 좋겠습니다.

근 경련과 강직을 풀어주기 위해서는 안정제 처방이 필요한데, 주로 benzodiazepine 계통으로 처방합니다. 실제 해 보면 생각보다 꽤 자주, 그리고 많이 주게 되니 용량에 주의하도록 합니다.

회복은 장시간에 걸쳐서(4-6주 정도) 이루어지는데, 정확한 기전은 아직 잘 모릅니다.
Tetanus와 유사한 toxin을 쓰는 botulism에 준해서 추정해 보면, toxin이 서서히 삭아서 사라져 감과 함께, 신경 병변 부위에 새 axon이 새싹처럼 돋아나서 종전의 신경 연결을 천천히 재생시키는 것으로 보고 있습니다.

모두 다 회복이 되면 좋겠습니다만, 예후는 썩 좋은 편이 아닙니다.
Generalized tetanus의 치명률은 적게는 25%에서 많게는 70%까지 달할 수 있습니다.

나이가 70세를 넘거나, 잠복기가 1주일 미만으로 짧거나, 수술받은 후 혹은 주산기, 혹은 화상 환자의 파상풍이거나, spasm의 정도가 너무나 심하거나, 혹은 자율 신경 이상 소견이 뚜렷하거나(심박수가 분당 140회 넘거나 수축기 혈압 140 mmHg 이상, 섭씨 38.5도 이상의 발열) 하면 예후가 안 좋습니다.

치료 과정이 잘 돼서 회복되었다 하더라도 면역을 획득하는 건 아니므로 반드시 vaccination을 해 줘야 합니다.

성인의 파상풍 접종 원칙은 다음과 같습니다.
과거 파상풍 접종 횟수가 3회 미만이거나 아예 모를 때는(사실 이런 경우가 거의 대부분일 겁니다) vaccine을 주도록 합니다. 만약 상처가 깨끗하지 않다면 TIG도 줘야 합니다.
파상풍 접종 횟수가 3회 이상이 확인된다면(과연 이런 경우가 있을까요?) 굳이 더 이상의 조치는 필요 없습니다.

3. Clostridium botulinum

국가 지정 제1급 감염병인 보툴리눔 독소증(botulism)은 *Clostridium botulinum*이 생성하는 toxin에 의한 마비 질환입니다. 보통 제대로 방부 처리가 안 된 캔 음식이 주요 매개체가 되며, 마약 중독자들이 주사를 하거나 상처가 오염되어 생길 수도 있고, 드물게 실험실에서 들이 마셔서 생기는 사고도 있으며(혹은 생물 테러), 영아에서 생기는 infant botulism 유형도 있습니다.

국내에서는 2003년과 2004년에 각각 3건과 4건이 신고되었고 2005-2013년까지는 발생이 없었으며, 2014년에 식품매개 botulism 1건, 2019년 infant botulism 첫 증례가 보고된 바 있습니다.

사실 botulism toxin은 *C. botulinum*만 독점 생성하는 건 아닙니다. 그리고 *C. botulinum* 자체도 단독 종이 아니라 group I-IV에 이르는 4개의 군으로 이뤄진 집단이며, *C. butyricum*과 *C. baratii* 균의 일부도 생성해 냅니다.

Botulism toxin은 8개로 나뉘어서 A, B, C1, C2, D-F까지 있으며, 이 중에서 주로 A, B, E형이 사람에게 해를 줍니다. F형도 마비를 일으키지만 매우 드뭅니다.

마비를 일으키는 기전은 앞서 설명한 파상풍과는 대조적입니다.
파상풍이 신경 억제를 억제해서 억제가 풀리는 것이라면, botulism은 진짜로 억제를 합니다.
운동 신경 말단에 신경 전달 물질인 acetylcholine이 제대로 배달되어야 하는데, 바로 이 과정을 막아버리기 때문에 운동을 제대로 못 합니다. 그래서 파상풍은 spasm인 반면에 botulism은 flaccid paralysis를 보입니다.
마비 양상은 대칭적이며 신체의 하부로 내려가는 경향을 보입니다.

시력 장애와 ptosis, 거기에 자율 신경에도 영향을 줘서 오심, 구토, 설사, 변비, 복통 등도 올 수 있고, 가장 위험한 것은 역시 호흡에 쓰일 근육의 마비일 것입니다.

치료는 파상풍 치료의 일반 원칙과 거의 같습니다. 일단 antitoxin을 사용하며, 이는 국가 비축 의약품으로 관리되고 있습니다. 마비는 2-8주 정도 가므로 중증 파상풍 환자 보듯이 중환자실의 집중 치료를 하며 장기전을 갑니다.

치료를 안 받으면 거의 100% 사망합니다. 집중 치료를 받은 군의 치명률은 약 5-10% 정도로 역시 썩 좋지는 않습니다.

4. Clostridium perfringens

C. perfringens 위장관염(식중독)은 국가 지정 제4급 감염병으로 이 균이 생성하는 enterotoxin에 의해 설사와 복통 증상으로 발병합니다. 덜 익힌 고기나 살균 안 된 유제품, 오염된 물 또는 음식을 섭취하여 감염됩니다. 보통 하루 내외에 저절로 회복되긴 하지만 드물게 ischemic colitis가 올 수도 있습니다. 대개 수액과 전해질 보충 등의 대증 치료로 족하기에 antibiotics까지 줄 경우는 중증이 아니라면 거의 없습니다.

그런데, 피부 연조직 감염의 영역이라면 얘기가 달라집니다. 치명적인 gas gangrene의 가장 많은 원인균입니다. 흙에 사는 균이기 때문에 상처가 흙에 오염되기 좋은 상황이면 발병 가능합니다. 대표적인 예가 전쟁터에서 입은 부상과 완전한 무균 상태가 아닌 열악한 조건에서의 수술 등입니다. 괴사된 조직에서 발생한 gas가 피부 병변 내에 갇혀 있어서 꿀럭거리는 crepitus 소견을 보이며, 굉장히 빨리 septic shock으로 진행되곤 합니다. 치료는 수술적 치료와 penicillin 등의 항생제, hyperbaric oxygen therapy 등이 동시에 집중되어야 합니다.

참고로, *C. septicum*도 gas gangrene을 일으키는 균이지만 *C. perfringens* 같이 상처를 통해 들어와서 생기는 것이 아니고 장에서 혈류를 타고 침투해 들어와 생긴다는 점이 다릅니다. 이런 일이 벌어질 수 있는 기저 질환으로는 면역 저하자, 암(특히 대장암), 수술, trauma, 화상 등이 있습니다.

5. *Bacteroides* spp.

*Bacteroides*의 가계도는 Class Bacteroidia, Order Bacteroidiales, Family Bacteroidiaceae로 파악하기 용이합니다.

*B. fragilis*는 그람 음성 anaerobes이며 막대 모양을 비롯한 다양한 외모를 갖추고 있는데, aerotolerant 성질도 갖고 있습니다. 포자를 만들지는 않습니다. 그람 음성균이라 LPS를 갖추고는 있지만 구조가 일반 그람 음성균의 LPS와는 달라서 septic shock을 몰고 오는 기능을 하지는 않습니다.

사람의 대장에 살면서 공생을 하는 착한 균이지만, 혈류나 복막강 같은 원래 sterile한 곳으로 들어가면 병원체로 돌변합니다. 이런 상황이 올 수 있는 것으로는 수술이나 trauma로 장벽이 깨졌을 때입니다.

복막염이 생겼다면 십중팔구는 이 균이 원인이며, 더 진행하면 abscess 생성과 bacteremia까지 갑니다.

내성 양상이 꽤 고약해서 많은 항생제가 듣지 않습니다. 결국 metronidazole, beta-lactam/beta-lactamase inhibitor, carbapenem 정도가 치료제로 유용합니다.

6. *Peptostreptococcus* spp.

Peptostreptococcus 종은 놀랍게도 *Clostridium*의 하나 건너 친척입니다. 가계도를 보면 Class Clostridia, Order Clostridiales이고 Family부터 Peptostreptococcaceae로 갈라져 나갔습니다. 이 가문에 있는 형제가 바로 *Clost-*

*ridioides difficile*입니다.

그람 양성의 사슬모양 cocci 형 anaerobes로, 포자를 만들지는 않습니다.
여성 비뇨 생식기관에 정상 서식하며, 그 밖에 구강, 피부, 위장관 등에서도 정상 microbiota 주민입니다.

그러나 면역 억제 상황이나 trauma를 받을 경우 병원체로 돌변합니다.
Bacteremia를 통해 endocarditis, 괴사성 피부 병변, 혹은 brain, liver, breast, lung에 abscess를 만들기도 합니다.
본질적으로 사슬알균이라 그런지 beta-lactam/beta-lactamase inhibitor에 잘 듣습니다.

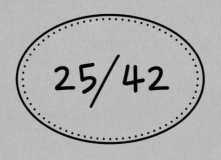

제25강

주요 진균 감염

주요 진균 감염

이번에 다루려고 하는 진균 감염은 표재성보다는 심부 감염, 그리고 면역 저하 환자의 감염이며, 국내에서 주로 접할 수 있는 종류들입니다. 따라서 외국에서나 주로 볼 수 있는 histoplasmosis나 coccidioidomycosis, blastomycosis 같은 것은 다루지 않겠습니다.

1. Candidiasis

1) *Candida* 종

선거 입후보자를 영어로 candidate라고 부릅니다. 어원은 라틴어 *candidus*에서 왔습니다.

이는 흰 색을 의미하는데, 그냥 흰 색이 아니고 정성껏 세탁하고 표백까지 해서 반짝거릴 정도로 아주 새하얀 흰 색을 말합니다. 옛 로마에서 선거에 입후보하는 사람은 이렇게 '나는 후보자로서 손색없이 깨끗한 사람이오'하고 과시하는 의미에서 새하얀 toga를 걸치고 선거 운동을 한 데서 유래했습니다.
Candidiasis의 원인 병원체인 *Candida*종도 임상 양상에서 새하얀 병변, 혹은
배양을 해도 새하얗게 집락이 자라는 모습에서 이런 이름을 얻었습니다.
가장 대표격인 *C. albicans*의 *albicans* 또한 '하얗게 된다'는 뜻의 라틴어의 현
재 분사이니, 그대로 해석하면 '하얗게 하얗게 되다' 라는 좀 쓸데없이 동어반
복으로 이뤄진 단어인 셈입니다.

(1) 다양한 외모

기본적으로 동글동글 yeast이며 싹을 내면서(budding) 증식을 합니다.
그런데, 꼭 yeast 모양을 고집하는 게 아니고, 상황에 따라 다양한 모양을 취합
니다.
방금 언급한 budding에 의해 생기는 모습은 asexual fungal spore로서의 모
습입니다. 이걸 blastoconidium이라 부르고 여럿 모이면 chlamydospore라
합니다.

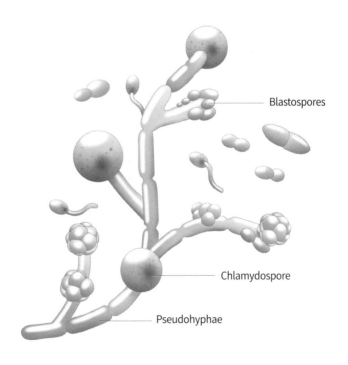

Blastospores

Chlamydospore

Pseudohyphae

이렇게 budding하느라 늘어났지만, 다 완료된 후에도 완전히 떨어지지 않고 서로 질질 매달리다 보면 마치 mold에서의 특징 외모인 hyphae처럼 보입니다. 즉, 가짜 hyphae인 셈이라 이걸 pseudohyphae라고 부릅니다. 그런데 *Candida*는 hyphae 모양도 취합니다. 원래 hyphae(단수형은 hypha; 그리스어로 web이라는 의미)는 빼빼로 과자처럼 길쭉하고 가지를 치는 filament 모양의 구조이며 *Aspergillus* 같은 mold 진균의 외모입니다. 이들이 모이면 mycelium이라 하고, 종괴를 만들면 mycetoma 혹은 fungal ball이라 합니다. 하지만 이 hyphae는 mold만의 독점 외모가 아닙니다. *Candida*도 상황에 따라 hyphae 모습으로 변신합니다. 주로 인체 내에서 침입 행위를 할 때에 그렇게 처신하는 겁니다. 어찌 보면 당연해요. 혈관으로 침입하려면 동그란 떡 같은 yeast 모양보다는 날카로운 투창 모양의 hyphae나 pseudohyphae 형태가 훨씬 유리할 거라는 게 제 뇌피셜입니다. 고로, *Candida*는 yeast이니까 항상 동그란 떡 모양이란 고정 관념은 이제 버리세요.

(2) *Albicans* vs. non-*albicans*

*Candida*는 150가지가 넘는 종들이 있지만, 우리가 임상에서 신경써야 할 놈들은 몇 놈만 추려서 숙지하면 됩니다.

Candidiasis의 가장 흔한 원인 진균은 *C. albicans*입니다.

그런데, 항 진균제들이 쓰이기 시작하면서 *albicans* 절대 우세이던 형세가 변하기 시작하여, 현재는 non-*albicans*종들도 꽤 많아져서 거의 50대 50의 비중으로 변했습니다. 아무래도 초기에 1차 치료제로 쓰이던 fluconazole에 잘 저항을 하던 *C. krusei*와 *C. glabrata*가 대두된 탓이 클 겁니다.

*C. parapsilosis*는 특히 prosthetic device에 잘 달라붙어서 감염을 일으킵니다. 이 진균이 나오면 약제 투여뿐 아니라 device를 제거하는 것이 무엇보다 중요합니다. 그래도 *C. tropicalis*와 더불어 fluconazole에는 잘 들어서 다행입니다.

*C. lusitaniae*는 매우 드물게 접하지만 amphotericin-B 같은 기본적인 polyene 약제에 타고 난 내성을 보이기 때문에 제대로 걸리면 치료에 애를 먹을 수 있습니다.

(3) *C. auris* - 주목할 신인

*C. auris*도 non-*albicans*에 해당하지만, 떠오르는 다크호스라 별도로 설명해야 하겠습니다.

이 진균은 불과 10여 년 전만 해도 존재감이 없었지요.

그냥 자연 환경에서 살아가고 있었는데, 개발 등으로 변화를 겪으면서 먼저 새들에게 옮겨붙었고, 그 다음 단계로 새에게서 인간에게로 옮겨붙었습니다. 그리고 세월이 지나다 보니 병원까지 흘러 들어옵니다.

2009년 일본에서 어느 귓병 환자에서 분리된 증례가 처음 보고되었습니다. 귀에서 나왔기 때문에 라틴어로 귀를 뜻하는 *auris*를 붙여 *C. auris*라 명명되었지요.

그런데 2011년, 대한민국의 진단 검사의학과 선생님들이 C. auris 감염증 3예를 발표하면서 본격적으로 주목을 받기 시작합니다. 특히 주목할 만한 것은 이들 세 증례들 중 하나는 1996년에 보관하고 있던 검체에서 나왔다는 것입니다. 그러니까 일본의 2009년이나 대한민국의 2011년이 아니라, 사실은 훨씬 더 예전부터 이미 존재하고 있었다는 얘기입니다. 무엇보다 불길했던 것은 이 진균들이 웬만한 항 진균제에 다 내성이었다는 점입니다.

그리고 드디어 2016년 영국 런던의 한 병원에서 집단 발병이 일어납니다.

이후 2017년 미국에서 약 70여 건이던 것이 2019년에는 800여 건을 훌쩍 넘어 1,000건에 육박했으며, 이제는 전 세계 30여 개국에 병원 감염으로서 널리 퍼져 있습니다.

국내에서도 공식 자료에 의하면 현 시점에서 20년 전까지 소급하여 전국 13개 병원에서 총 61명(57명은 귀에서, 4명은 혈액에서)의 감염 사례가 축적되어 있으며 어느 대형병원에서는 2016년 한 해에 79건이 보고되기도 했습니다. 사망 증례도 2건이나 있었다고 해요.

이 *C. auris*가 주목을 받는 이유는 polyene과 triazole 같은 웬만한 항진균제에 내성을 보인다는 점과 무엇보다 더 중요한 것은 통상적인 진균 감염과는 달리 사람에서 사람으로 전염이 매우 잘 된다는 데 있습니다.
그래서 이미 지금부터 요주의 해야 할 병원 감염의 원인 미생물 중 하나로 경계를 늦추지 말아야 합니다.

2) 병리 기전과 임상 양상

*Candida*는 주위 환경 어디에나 있으며, 인체에서도 구강부터 시작하여 소화 기관, 여성 생식기, 피부 등에 정상 서식합니다.
이렇게 원래는 인체 안에서 사이 좋게 공생하는 진균이었지만 면역 저하로 점막이 부실해지거나 항생제 사용으로 microbiota의 균형이 깨지면 반란군으로 돌변합니다. 이를 소위 superinfection이라 하지요.
즉, candidiasis는 다음에 설명할 aspergillosis나 mucormycosis처럼 외부로 부터의 침략이 아닌 내부의 반란이라 할 수 있죠.

병리 기전은 역시 미생물이 할 수 있는 범주입니다. 일단 달라붙는 adhesin과 candidalysin 같은 각종 toxin, 그리고 biofilm 형성을 하면서 질병 과정을 전개해 나갑니다.

*Candida*가 배신을 때리고 병원체가 되어 공격해 들어오면 우리 몸은 innate immunity가 작동해서 일차로 막아 냅니다. 이걸 주도하는 것은 neutrophil이고, macrophage와 Th1 & Th17 lymphocytes도 중요한 역할을 합니다. 따라

서 candidiasis가 합병될 수 있는 위험 인자는 이들 1차적인 방어가 제대로 되지 않는 면역 저하 상태 모두가 되겠습니다.

일단은 점막과 피부에서 시작이 되지만, 오냐오냐 하다 보면 체내 더 깊숙하게 침투하는 심각한 심부 진균증으로 악화 일로를 밟게 됩니다.

(1) Mucocutaneous candidiasis

가장 흔히 보는 게 구강 점막에 허옇게 낀 백태(thrush)입니다.

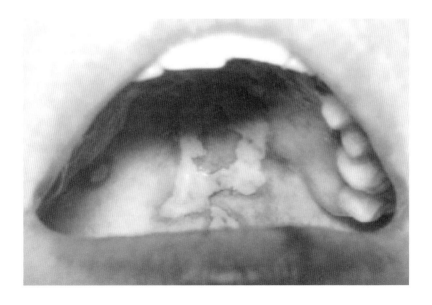

만약에 젊은 청년이 thrush를 보인다면 당연히 HIV 여부를 검사해 보아야 합니다. 더 진행되면 candida esophagitis까지 갈 수 있습니다.

이 밖에 vulvovaginal candidiasis, pronychia, onychomycosis, intertrigo, balanitis, folliculitis, diaper rash 등 다양한 피부 점막 질환들이 있습니다. 그런데, 이들은 일단은 표재성이라 당장은 목숨에 지장이 없을 것 같다는 생

각도 들 것입니다.

그럼에도 불구하고 치료를 해야 합니다. 만약 안 하면 어떻게 될까요?

식도염을 예로 들어서 설명하겠습니다.

우선, 환자는 무지막지하게 식도가 아픕니다. 이것만 해도 삶의 질이 말이 아닙니다.

그리고 식도와 바싹 붙어 있는 장기가 하나 있죠.

바로 심장(정확히는 좌심방)입니다. 상상도 하기 싫지만, 만약 식도염의 병변이 범위를 넓혀서 좌심방까지 먹는다면 어떤 일이 벌어질까요?

점막은 담 하나만 넘으면 전신으로 통하는 혈류입니다.

이 식도염을 방치했다가 진균이 점막을 통과하면 당장 좌심방이 위험하고, 다행히 거길 비껴가도 전신으로 침투하면 가까이는 심장 판막부터 멀게는 뇌와 안구 등, 갈 곳이 많습니다.

이때부터는 진짜로 목숨이 위험한 심부 진균증으로 접어듭니다.

(2) Deep candidiasis

방금 식도염을 예로 들었지만, 장을 비롯한 점막층에 생긴 진균들이 혈류에 들어가는 순간부터 candidemia라는 심부 진균증의 영역으로 들어오고, 이때부터 심각해집니다.

Candidemia는 왜 생명을 위협할까요?

전신을 돌아다니다가 치명적일 수 있는 장기로 침투하기 때문입니다.

심장과 뇌는 가장 대표적인 위험 지역입니다.

눈으로 가는 것도 치명적입니다. 따라서 candidemia가 있으면 시력과 관련된 증상이 없더라도 무조건 안과에 의뢰해서 점검을 하셔야 합니다.

Candidemia 때의 사망률은 미 CDC의 연구에 의하면 대략 25% 정도가 됩니다. 단, candidemia 환자들은 이미 사망 위험이 높은 기저 질환에 시달리고 있었던 경우가 많으므로 candidemia 자체가 전적인 사망 원인이라 할 수는 없습니다. 어쨌든 사망률에 있어서 deep candidiasis가 연관이 되거나 기여를 한다는 것은 엄연한 사실이므로 적극적인 치료가 필요합니다.

3) 진단

피부 점막 병변이라면 생리 식염수와 10% KOH로 도말하여 그람 염색이나 PAS, methenamine silver 염색으로 직접 증명할 수는 있겠습니다.

배양은 혈액 배양이라면 확실하겠습니다만, 가래나 소변에서 배양되는 것은 그냥 서식 진균이 나오는 것에 불과하므로 진단의 가치는 없습니다. 그럼에도 불구하고 많은 선생님들이 객담 및 뇨 배양 양성이면 치료해야 되지 않느냐고 수시로 의뢰를 해 오곤 하지요. 감염을 전공하지 않은 이상, 환자를 담당하시는 선생님들 입장이라면 당연히 노심초사할 일이긴 합니다만, 이건 무시하셔도 됩니다(그래도 지금 이 시각에도 이 문제로 걱정하는 의뢰가 하나 더 날아왔네요. 그냥 그러려니 하고 답변은 똑같이 드립니다).

사실 *Candida* pneumonia란 없습니다.

Mold형 진균보다는 웬만하면 혈액 배양에서 잘 배양되므로 사실 진단에 그리 애를 먹는 편은 아닙니다.

분자 수준에서는 beta-glucan test가 음성 예측도 90% 선이라 꽤 유용합니다.

PCR은 아직 확립되지는 않았고, MALDl-TOF MS로 동정을 합니다만, 진검 선생님들 영역이라 더 언급은 하지 않겠습니다.

4) 치료

과거에는 fluconazole이 우선 선택 약제였지만, 이제는 echinocandin이 먼저입니다.

Candidemia의 경우 neutropenia가 아니라면 micafungin 100 mg 혹은 caspofungin 70 mg 먼저 주고 이후 50 mg, anidulafungin 200 mg 주고 이후 100 mg을 투여합니다.

Neutropenia 상태에서의 candidemia라면 echinocandin을 상기한 바와 동일하게 주거나 AmbiSome 3-5 mg/kg를 줍니다. 기간은 혈액 배양 음전 후 2주 정도로 잡으시면 되겠습니다.

심내막염일 경우는 AmbiSome과 flucytosine 25 mg/kg, 하루 4번 혹은 echinocandin을 줍니다.

Meningitis 같은 중추 신경계 감염과 endophthalmitis는 AmbiSome과 flucytosine을 줍니다.

망막염은 Voriconazole 6 mg/kg를 하루 2번 정맥 주사 후 4 mg/kg를 하루 2번 정맥 주사로 유지하거나 fluconazole을 400-800 mg 대용량으로 줍니다.

구강 thrush는 nystatin suspension 100,000 IU/mL를 4-6 mL 정도 양치 하루 4번 혹은 fluconazole 100-200 mg 경구로 줍니다. 식도염이라면 fluconazole 200-400 mg 경구 혹은 주사로 2-3주 투여하거나 echinocandin, 혹은 itraconazole 용액을 줍니다.

방광염은 fluconazole 200-400 mg을 2주간 주며, vulvovaginitis는 경증이면 150 mg 한 번, 아니면 150 mg을 3일마다 총 3번을 줍니다.

물론 fluconazole에 저항하는 *C. krusei*와 *C. glabrata*는 echinocandin이나 amphoteric-B로 버릇을 고쳐 주며, *C. lusitaniae*는 fluconazole을 800 mg 고용량으로 시작해서 이후 400 mg을 배양 음전 후 2주까지 투여합니다.

2. Aspergillosis

개인적으로 저는 이 놈에게 감정이 아주 안 좋고 살의까지 갖고 있습니다.
왜 그런지는 당해보신 분들이라면 다 이해하실 겁니다.

전공의 시절이던 1980년대 후반에 특히 백혈병 환자가 항암 요법 후 neutro-penia에 빠지면 여지없이 원인 모를 열이 나다가 폐 침윤으로 발전하고, 집중 치료하다 보면 예외 없이 invasive pulmonary aspergillosis였습니다. 정말 치명률이 높았습니다. 당시엔 항 진균제라고는 amphotericin B가 전부였으니 불리해도 한참 불리한 싸움이었죠.
이제는 웬만한 암 병동은 HEPA filter 장착에다가 laminar flow가 되는 병실, 그리고 보다 철저해진 감염관리와 더불어 항 진균제도 훨씬 다양해졌으니 그때만큼 당하지는 않아서 다행입니다.

1) *Aspergillus* 종
*Aspergillus*라는 이름은 가톨릭 미사에서 성수 뿌릴 때 쓰는 성수채(Aspergil)에서 유래한 이름입니다. 그 성수채는 살짝 짧은 막대로, 말단에 구멍이 여러

개 뚫린 공이 하나 달려 있는데, 포자를 잔뜩 머금은 해바라기 같은 *Aspergillus*의 모양이 이와 흡사해서 그런 명칭이 붙은 것입니다.

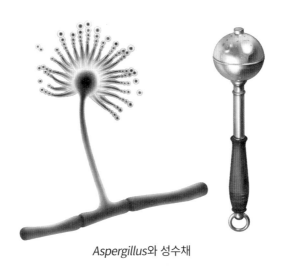

*Aspergillus*와 성수채

*Aspergillus*는 800가지가 넘는 종이 있는데, 그 중에서도 임상에서 주목해야 할 종은 *A. fumigatus, A. flavus, A. niger, A. terreus, A. nidulans* 정도입니다. 이들 모두가 invasive aspergillosis를 일으킬 수 있지만, 가장 흔한 원인 종은 *A. fumigatus*입니다. *A. fumigatus*는 allergic bronchopulmonary aspergillosis (ABPA)의 원인이기도 합니다.

가장 악질은 *A. terreus*로 예후가 가장 안 좋습니다만, 다행히도 매우 드뭅니다.

*A. flavus*는 주로 sinus와 피부, 각막을 선호합니다.

*A. niger*는 invasive aspergillosis 이외에 외이도염도 잘 일으킵니다.

2) 병리 기전과 임상

*Aspergillus*는 어디에나 서식하고 있으며, 이것이 내는 포자인 conidia는 공기에 둥둥 떠다니며 지금 이 시각에도 당신은 이를 들이 마시고 있습니다. 특히

새로 지은 건물이거나 인접한 곳에서 수리 등으로 공사 중이라면 더욱 그렇습니다. 다행히 면역능이 정상이라 포자는 곧장 처치되거나 쫓겨나고 있어요. 하지만 면역능이 저하되어 있다면 곧장 감염 질환의 길로 진행됩니다.

면역 저하 상태로서 가장 흔한 위험 인자는 neutropenia입니다. 또한 steroid 같은 면역 억제제 장기 복용자인 경우도 위험하긴 마찬가지입니다.

(1) Invasive pulmonary aspergillosis

Invasive aspergillosis의 80% 정도가 폐를 침범합니다. 이는 확진에 의존하는 것이 아니고 경험적인 치료의 개념으로 접근해야 하는데, neutropenic fever 환자에서 광범위 항생제에도 72시간 내로 차도가 없는 폐 침윤일 경우 고도의 의심을 가지고(high index of suspicion) invasive pulmonary aspergillosis 에 준하여 항 진균제를 과감하게 시작해야 합니다. 배양으로 증명되는 경우는 20-30%도 안 되어서 경험적 판단과 치료를 하기 때문에 빗나갈 위험도 있지만 자칫 늦으면 단시간 내로 치명적인 경과로 급진전될 수 있으므로, 이상하다 싶으면 망설이지 말아야 합니다. 그래도 진단을 위하여 galactomannan assay, chest CT의 halo sign 등을 이용하는 등의 노력에 최선을 다합니다.

(2) Invasive sinusitis

Invasive aspergillosis의 10% 정도를 차지합니다. 역시 neutropenia 환자나 조혈모세포 이식 환자에서 잘 합병됩니다. PNS CT나 MRI로 병변을 포착하거나 이비인후과 선생님들의 도움을 받아 비강 내시경으로 확인하고 조직 검사로 확진합니다.

(3) Tracheobronchitis

폐 이식 환자나 기존의 폐 병변, 예를 들어 기관지 확장증이나 cystic fibrosis 환자가 주요 위험군입니다. 진한 가래로 기관지가 막히거나 세균 감염에 의한 기관지염이나 폐렴이 자꾸 재발하는 것이 특징입니다.

(4) Disseminated aspergillosis

이것도 invasive aspergillosis로 분류되겠습니다. 폐에만 침범하는 것이 아니라 특히 중추 신경계로 잘 가는 경우가 많고, 그 밖에 심장, 피부, 신장, 간, 소화기, 눈, 뼈 등 안 가는 곳이 없습니다. 뇌 실질로 가면 출혈성 뇌 경색이나 abscess를 만듭니다. 피부로는 특히 *A. flavus*가 잘 갑니다.

(5) Chronic pulmonary aspergillosis

면역 저하자라기보다는 만성 기관지염, 결핵 등으로 고질적인 폐 질환을 앓는 환자에서 합병되는 경우가 많습니다. 면역능 저하까지는 아니고 cytokine이나 기타 항 염증 반응을 제대로 못하는 게 가장 합병되기 좋은 조건입니다.
크게 다음 5가지로 분류됩니다만, 사실 확연히 경계가 지어지는 건 아니고 서로 겹치는 부분도 꽤 있습니다.

- Simple aspergilloma
  - 달랑 fungus ball 하나 있습니다. 면역능은 정상이고, 무증상입니다. 발견 뒤 3개월 후에 찍어봐도 그냥저냥 합니다. 각혈만 없다면 그냥 둡니다. 물론 각혈이 있다면 폐엽을 잘라내야 합니다.

- Aspergillus nodule
  - 2-3개 정도의 종괴가 있으나, 혈관을 침습하는 소견은 없습니다.

- CCPA (chronic cavitary pulmonary aspergillosis)
  - Cavity가 1개나 그 이상 있습니다. 호흡기 증상이 있고, 발견 뒤 3개월 후 찍어보면 점점 나빠집니다.
     그 결과...
  - CFPA (chronic fibrosing pulmonary aspergillosis)로 갑니다.
    아주 안 좋습니다. 적어도 2개 이상의 폐엽이 파괴되어 있고, 물론 폐 기능도 확실히 비정상입니다.

- SAIA (subacute invasive aspergillosis)

과거에 semi-invasive 혹은 chronic necrotizing aspergillosis로 불렸던 바로 그 질환입니다. 여기서 semi-invasive란 폐 조직에 침투는 해 있으되, 아직 혈관은 침범하지 않은 것을 말합니다. 면역 저하 환자라면 cavitation, consolidation, abscess, nodules 등으로 다양한 소견을 보입니다. 혈관까지는 아니더라도 엄연히 invasion이 있기 때문에 acute invasive pulmonary aspergillosis와 동등하게 대접해서 치료해줘야 합니다.

치료 기간은 최소 6개월을 잡습니다.

(6) ABPA

*A. fumigatus*에 대한 hypersensitivity로 표현된 질환인데, 감염 치료의 영역이라기보다는 allergy 질환의 영역이므로 더 깊게 다루지는 않겠습니다.

3) 진단

유감스럽게도 배양으로 확실히 진단되는 경우는 흔치 않습니다. 진단과 치료는 경험적인 판단에 의존합니다.

침습성일 경우 조직을 얻을 수 있다면 정말 행운이지요.

조직 소견에서 45도의 예각으로 분지하는 septate hyphae를 증명하면 확진입니다.

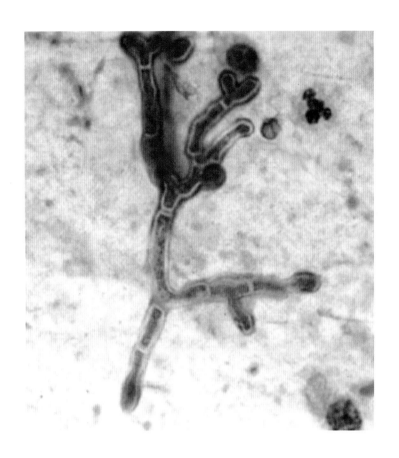

또한 galactomannan을 혈액에서 검출하는 것도 유용합니다.

Chest CT에서 halo sign은 조기 진단에 도움이 됩니다. 이는 *Aspergillus*가 혈관에 박힌 주위로 출혈이 둘러싸고 있는 출혈성 경색 소견으로, nodule을 둘러 싼 유리양 음영(ground glass opacity)으로 halo를 만든 모양입니다.

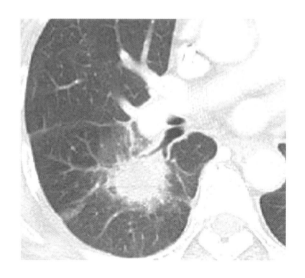

4) 치료와 예후

Invasive aspergillosis에 준해서 기술하겠습니다.

그래도 요즘은 사용할 무기의 가지 수가 많아져서 좋습니다.

가장 먼저 선택할 무기는 voriconazole입니다. 6 mg/kg를 12시간 동안 2번을 주고 이후 4 mg/kg를 매 12시간마다 줍니다. 혹시 호전이 있으면 200 mg을 경구로 하루 2번씩 줍니다.

차선책은 AmbiSome으로, 3-5 mg/kg를 줍니다.

또한 isavuconazole 372 mg 8시간마다 6번을 주고, 이후 하루 한 번 줍니다.

차차선은 고전적인 amphotericin B 1-1.5 mg/kg이며, 사정이 좀 낮다면 itraconazole 200 mg 하루 2번 경구로 줄 수 있고, posaconazole도 괜찮습니다. Echinocandin도 줄 수 있지만 글쎄요. 차례가 거기까지 갈 것 같지는 않습니다.

그래도 여전히 예후는 안 좋습니다. 국내에서 여럿 보고된 바에 의하면 대략 30% 정도의 치명률을 보이는 것 같습니다만, 국내외 보고자에 따라 70%를 넘는 경우도 많습니다. 하여튼 여전히 치명적인 질환임엔 틀림없습니다.

3. Mucormycosis(털곰팡이증)

Mucormycosis는 종(種; species) 수준에서 논하던 candidiasis나 aspergillosis와는 차원이 다릅니다. 종 수준이 아니고 목(目; order) 수준에서 놉니다. 이 질환의 정의는 Order Mucorales에 속하는 진균들이 일으키는 침습성 질환으로 내립니다.

Order Mucorales에는 11가지의 Family들이 있습니다.
이들 중에서 Family Mucoraceae-Genus *Mucor*와 Family Mucoraceae-Genus *Rhizopus*, Family Cunninghamellaceae-Genus *Absidia*가 주류를 차지합니다.

그 밖에 Family Lichtheimiaceae-Genus *Lichtheimia*, Family *Saksenaeaceae*-Genus *Saksenaea* 혹은 Apophysomyces, Family Cunninghamellaceae-Genus *Cunninghamella*, Family Mortierellaceae-Genus *Mortierella*도 원인이 될 수 있습니다.

한 때 zygomycosis라고 불리기도 했습니다. 이들이 Zygomycetes에 소속되어 있었기 때문인데, 이제는 가계도가 Kingdom Fungi-Class Zygomycetes-Order Mucorales로 정리가 되어 이제는 사장된 용어입니다. 혹시라도

25강

아직도 이 용어를 사용하는 연식이 오래된 분 계시면 꼭 교정해 드리세요.

격벽이 없는 aseptate hyphae 모양으로 90도 정도 넓은 각도로 분지합니다. 이는 예각으로 분지하는 septate hyphae를 특징으로 한 *Aspergillus*와의 감별점입니다.

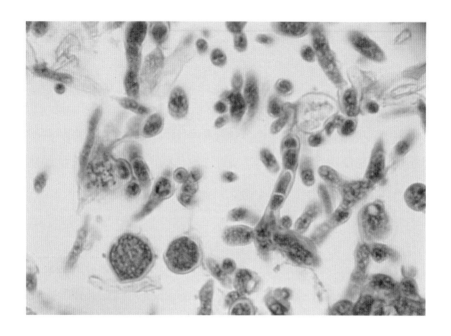

감염 과정은 역시 *Aspergillus*처럼 포자를 들이마시면서 시작되지만, 오염된 음식을 통해서도 감염이 되고, 상처에 포자가 침범하면서 생기기도 합니다.

가장 위험한 환자군은 당뇨, 특히 diabetic ketoacidosis 환자입니다. 산성 환경이 이 진균의 활성에 도움이 되기 때문입니다. 아울러 고혈당 상태에서 철분도 덩달아 상승하기 때문에 이 진균의 siderophore가 신나게 채취하면서 대사 또한 급상승하여 더욱 더 증식을 조장합니다. 또한 neutropenia, 암, 장기 이식 환자, 면역 억제제 장기 복용자, 그리고 HIV/AIDS에서도 호발합니다.

임상적으로 5가지 질환으로 대별됩니다.

가장 흔한 것이 rhinocerebral mucormycosis인데, 특히 당뇨 환자와 신장 이식 환자에 많습니다. 이는 진행되면 병변 측 안면 부종이 심하다 못해 까맣게 썩는 black fungus lesion을 보입니다. 당연히 예후는 매우 나쁩니다.

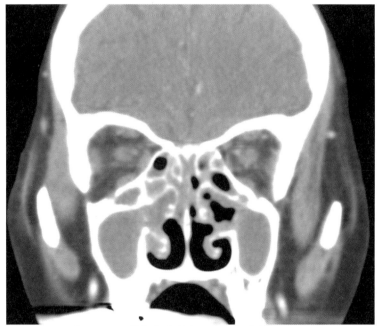

Maxillary sinus 양쪽 다 꽉 채우고, 안와부 뼈까지 살짝 파괴한 지독한 mucormycosis 병변입니다.

Pulmonary mucormycosis는 암 및 이식 환자에서 많으며 2/3가 사망할 정도로 예후가 나쁩니다. Chest CT에서는 aspergillosis와는 반대로 출혈 부위의 GGO를 consolidation 음영이 감싸는 reverse halo sign을 보입니다.

Cutaneous mucormycosis는 백혈병, 당뇨, graft versus host disease, HIV 및 약물 남용자, 화상 환자에서 호발합니다.

위장관 mucormycosis는 주로 미숙아나 저체중 출산아에서 합병됩니다.

Disseminated mucormycosis는 가장 예후가 나빠서 거의 모든 환자가 사망합니다.

치료는 1차로는 amphotericin B 1-1.5 mg/kg 혹은 AmbiSome 5-10 mg/kg를 줍니다.
차선으로는 posaconazole 200 mg을 하루 4번, 또는 isavuconazole 372 mg 8시간마다 총 6번 주고 이후부터 하루 한 번을 줍니다.
차차선으로는 위의 차선책에다가 AmbiSome을 추가하거나, echinocandin + AmbiSome, 혹은 차선책에다 echinocandin + AmbiSome으로 조합을 하기도 합니다.

4. Cryptococcosis

C. neoformans, *C. gatti*가 주요 원인입니다. 전자는 HIV 같은 면역 저하자에 많고, 후자는 정상 면역인도 걸립니다. 주로 폐와 중추 신경계 감염으로 나타납니다.
이 밖에 *C. laurentii* (*Papiliotrema laurentii*로 바뀜)도 한 몫을 하는데, 주로 피부 감염의 양상입니다.

폐 cryptococcosis는 어차피 중추 신경계로도 잘 갑니다.
그래서 폐 병변만 있고 신경학적 소견을 보이지 않더라도 뇌척수액 검사는 필수로 해야 합니다. 이는 나중에 치료 방침의 결정에 있어서도 중요한 기준이 됩니다.

진단은 capsule이 항원인 cryptococcal antigen을 잡아내거나 배양으로 확진합니다.

인디아 잉크로도 진단은 하지만 민감도가 낮아서 진단적 가치는 떨어집니다.

한편 cryptococcal antigen을 lateral flow immunochromatographic assay (LFA)나 EIA로 검출하기도 합니다.

폐 조직을 얻었을 때는 hematoxylin-eosin 염색 외에도 mucicarmine, 혹은 Alcian blue-periodic acid Schiff 염색으로 *Cryptococcus*를 증명합니다.

치료는 HIV 환자의 경우 IRIS의 문제가 심각하게 잘 생깁니다. 그래서 ART는 4-6주 정도 연기했다가 시작하는 것이 권장됩니다.

일단 폐 cryptococcosis이고 면역 기능에 문제가 없다면 fluconazole 200-400 mg을 3-6개월 주는 걸로 충분합니다.

중추 신경계 cryptococcosis이고 면역 저하자가 아니라면 amphotericin B + flucytosine 100 mg/kg/day로 6-10주 혹은 2주 투여 후 fluconazole 400 mg으로 10주를 줍니다.

HIV 환자의 cryptococcosis라면,

중추 신경계 질환이 아니라면 fluconazole 200-400 mg +/- flucytosine 10주 투여 후 fluconazole 200 mg을 평생 유지 치료합니다.

중추 신경계 질환이라면 amphotericin B 0.7-1 mg/kg + flucytosine 2주간으로 induction 치료를 마친 후 fluconazole 400 mg 10주로 굳히기를 하고 이후 fluconazole 평생 유지 치료를 합니다.

Echinocandin 계열 약들은 효과가 없으니 쓰지 않습니다.

5. Pneumocystis pneumonia

원인 진균은 *Pneumocystis jirovecii*(지로벳찌로 발음하면 됩니다)입니다. 한 때 기생충인 protozoa로 분류되었지만 이제는 진균으로 분류됩니다. 이와 비슷하게 기생충에서 진균으로 바뀐 것으로 *Microsporidia*가 있습니다. 이름만 보면 영락없이 기생충인데요, 참으로 공부하기 혼란스럽습니다.

1) 왜 진균이 되었을까?

1909년에 Carlos Chagas께서 처음 발견했습니다만, 당시엔 *Trypanosoma cruzi*로 오인했다고 합니다.

그러다가 1910년 브라질의 Antonio Carini가 정식으로 규명했으며 2년 후 프랑스 파스퇴르 연구소에서 이 미생물을 쥐(rat)에서 분리합니다. 1952년 체코의 Otto Jirovec이 질병과의 인과 관계를 증명했으며, rat에서 나온 놈과 인간에서 나온 놈끼리 호환이 되지 않는다는 중요한 소견도 밝혀냅니다. 이에 1976년 Frenkel JK가 *P. carinii*라는 명칭에 의문을 제기합니다. 급기야 1988년 DNA 서열 분석을 통해 fungus임이 증명이 됩니다. 거기에 세포 벽에 진균의 특징인 glucan과 chitin이 있고, eukaryotes에 있는 미토콘드리아도 있음이 밝혀지고, elongation factor까지 있다는 게 증명됩니다. 이쯤 되면 더 이상 protozoa라고 할 수 없지요.

그래서 fungus로 재 분류가 됩니다.

아울러 1999년엔 *P. carinii*는 rat을 숙주로 하는 것이고 *P. jirovecii*는 사람을 숙주로 하는 것이며 양자 사이에 호환은 안 된다는 것이 최종 확정됩니다. 그래서 PJP로 부르기로 합니다만, 종전 관습을 버리지 못하는 분들이 많아서 아직도 PCP로 부르는 것이 보편화되어 있습니다.

2) 생활사

그래도 생활사를 보면 여전히 기생충 같은 느낌을 줍니다.

일단 영양형(trophozoite)과 cystic form이 있습니다.

영양형은 주로 달라붙기를 특기로 하여 폐에 들어가 type I cell에 달라붙습니다. 이 때는 binary fission으로 증식하는데 이를 asexual phase라 합니다.

이후부터 cystic form이 sexual phase를 되풀이합니다. 일단 2마리가 결합을 하며 뭉치면서 meiosis, mitosis를 거쳐 8마리가 함께 모인 주머니(ascus)를 형성합니다. 이게 더 성숙하여 터지면 다시 또 역사를 되풀이하면서 점차 수를 늘립니다.

이에 대해 폐는 염증 반응을 과도하게 보이게 되어 type I & II pneumocytes와 과도하게 증식하고, 그 결과 alveolar epithelium이 손상되고 진물이 흘러 들어오며, alveolar septa가 과도하게 두꺼워지면서 가스 교환과 diffusion에 장애가 생깁니다. 이렇게 폐렴이 시작됩니다.

3) 임상 양상과 진단

당연히 호흡 곤란, 발열, 기침 등의 호흡기 증세를 보입니다. HIV 환자에서 CD4$^+$ cell count가 200/uL 미만이면서 이런 증세를 보이면 무조건 PJP부터 의심하고 들어 갑니다. 소위 high index of suspicion 원칙입니다.

처음에 chest PA를 찍어서 주의 깊게 관찰하면 미묘한 GGO를 잡아낼 수 있습니다만, 잘 놓칠 수도 있으니 주의해야 합니다. 그래도 여전히 과도하게 의심하는 상태이므로 당연히 chest CT까지 촬영하며, 이쯤 되면 GGO가 확실하게 나타나므로 놓칠 수가 없습니다. GGO와 더불어 다발성의 cystic lesion까지 동반되어 있는 경우가 많습니다.

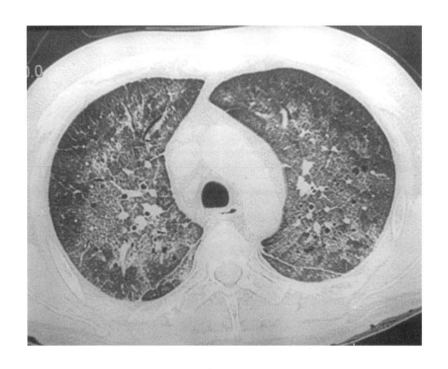

그와 동시에 bronchoalveolar lavage를 시행해서 methenamine silver나 toluidine blue, PAS 염색, 혹은 IF assay를 통해 cyst를 잡아내면 확진입니다. 보통 2-8개 정도가 모여 있는데(ascus), 만약 1마리씩 단독으로만 나타난다면 그 때는 *Cryptococcus*일 가능성이 높으니 신중하게 판정해야 합니다.

4) 치료

*Pneumocystis*가 진균이라면 자연스럽게 다음과 같은 의문이 생길 겁니다.

도대체 왜 polyene이나 triazole 같은 항 진균제가 PJP에겐 안 통할까?

왜냐하면 *Pneumocystis*의 구조에는 다른 진균에 있는 ergosterol이 없기 때문입니다. 통상적인 항 진균제의 대부분의 최종 목표는 ergosterol이기 때문에 *Pneumocystis*에는 예외적으로 통하지 않는 것입니다.

치료를 시작하기에 앞서 PJP의 중증도를 정해 놓아야 합니다.

중증의 지표는 산소 상태인데, PaO2가 70 mmHg 미만이거나 PAO2-PaO2 경사가 35를 넘어가면 중증으로 간주합니다.

치료는 TMP-SMX 15-20 mg/kg (TMP 기준) IV 혹은 경구로 줍니다.

이 정도 용량이면 거의 12-16 vial 혹은 tablet으로 어마어마합니다.

환자가 견디는 게 용할 지경입니다.

당연히 피부나 소화기 장애, CBC 교란 등의 부작용으로 고생을 합니다.

보통 치료 시작하고 8-12일째 오며, 재수 없으면 Stevens-Johnson syndrome도 드물게 겪을 수 있습니다.

너무 심하면 잠시 중단해야 하겠지만 완전히 중지하진 말고 잠시 쉬었다가 다시 시작하거나 하는 식으로 조정을 합니다. 그래도 안 되면 차선책을 강구해야죠.

CBC가 흔들리는 경우엔 굳이 중단하진 마시고 용량을 25% 정도 줄여서 투여하며 버티어 봅니다.

한편 중증일 경우엔 steroid를 꼭 병행해야 합니다.

Prednisone을 기준으로 하면, 첫 5일 동안은 40 mg 하루 2번, 그 다음 5일간 40 mg 하루 한 번, 그리고 11일간 20 mg 하루 1번을 줍니다.

TMP-SMX를 쓸 경우 주의해야 할 사항이 하나 있습니다.

TMP-SMX는 아무리 이론적으로는 인체에 해가 없을 것이라 해도 DNA 생성 과정을 억제하는 기전이라는 면에서 실제로는 백혈구 저하 등의 각종 부작용에 시달리는 경우가 적지 않습니다.

같은 종류의 dihydrofolate reductase (DHFR) 억제제인 methotrexate 항암 치료 시에는 이러한 부작용을 경감해 주기 위해 folate를 외부에서 보충해 주는데, 이를 leucovorin rescue라고 합니다.

같은 이치로, PJP의 경우에도 leucovorin rescue를 해주면 부작용을 해결할 수 있지 않을까 하고 생각하기 쉽습니다.

하지만, 이 경우엔 leucovorin을 주면 안 됩니다.

Leucovorin, 혹은 folinic acid는 folic acid (vitamin-B9)로 분류되지만, 대사 과정에서 나오는 folic acid와는 구분을 해야 합니다.

Folinic acid는 folic acid와는 달리 dihyrofolate reductase의 영향을 받지 않습니다.

그리고 세균은 이 folinic acid를 제대로 쓰지 못하지요.

하지만 *P. jirovecii*는 예외적으로 이 folinic acid를 소비할 능력이 있을 가능성이 매우 높습니다.

이의 근거는 AIDS 환자의 PJP 치료에서 TMP-SMX와 더불어 folinic acid를 병행했을 경우, 부작용은 예상대로 경감되었지만 그 대신 치료 실패와 사망이라는 비싼 대가를 치렀다는 연구 보고들이 뒷받침하고 있습니다. 한 마디로, 아군을 지원하려고 군량미를 보냈더니 적군이 다 가로채서 냠냠 다 먹어 치웠다는 것이죠.

따라서, TMP/SMX를 사용할 때 folinic acid rescue는 시도하지 않는 게 좋습니다.

보통 치료 시작하고 4-8일이면 호전을 보이는데, 만약 차도가 없다면 다른 원인이 아닐지 고민을 해 보도록 합니다. 다른 원인으로는 cytomegalovirus가 으뜸이고, 그 밖에 bacteremia, lymphoma, Kaposi sarcoma가 있습니다. 이것도 아니라면 IRIS도 의심해 봅니다. 이 모든 게 아니라면 차선책으로 바꾸게 됩니다.

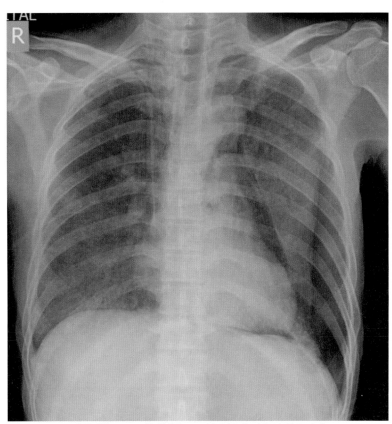

이 운 없는 AIDS 환자분은 PJP 치료 중에 기흉이 왔습니다.
기흉이 생기면 높은 확률로 예후가 안 좋다는 사실을 꼭 기억하세요.

차선책으로는 clindamycin 600-900 mg 매 6-8시간마다 주면서 pri-maquine 15-20 mg 경구로 줍니다.

또한 pentamidine 4 mg/kg(힘들어 하면 3 mg/kg)를 포도당 주사 50 mL에 타서 1시간 동안 천천히 주기도 합니다만, 이걸 투여 받는 환자의 80%에서 심혈관계 이상이나 신기능 이상, 혹은 hypoglycemia, leukopenia 등의 부작용에 시달리기 때문에 잘 모니터하면서 투여에 신중을 기해야 합니다.

25강

이 밖에 경증 내지 중등도일 경우 TMP 15 mg/kg + dapsone 100 mg 혹은 atovaquone 750 mg 하루 2번 투여를 합니다.

치료가 성공적으로 완료되었다고 해서 모든 게 끝난 건 아닙니다.
면역 저하 상태라는 사실에는 변함이 없기 때문에 계속해서 예방을 해 주어야 합니다.
이를 secondary prophylaxis라고 하며 TMP-SMX single strength (80/400mg)을 계속 복용시켜야 합니다.
CD4 cell > 200/uL이 되면 비로소 종결을 짓습니다.

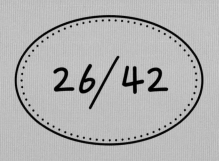

제26강

면역이 저하되면
생기는 일들

면역이 저하되면
생기는 일들

모든 위대한 문명은 외세에 정복당하기 전에 내부로부터 붕괴되었다.

- 윌 듀런트.

멜 깁슨 감독의 2006년 영화 '아포칼립토' 마지막 장면에 나오는 어록입니다. 스페인 제국의 대륙 침략을 미화했다는 해석도 되어서 논란이 되기도 했었습니다만, 여기선 영화 평론을 하자는 의도가 아니구요.

인체에 감염이 생긴다는 것은 외부에서 병원체가 침입해 오는 것뿐 아니라, 침입 받는 인체에 무엇인가 문제성이 이미 있었기 때문이기도 하다는 것을 연상시키는 문장이라 이번 단원을 시작하면서 새삼 기억이 난 겁니다.

내부에 생기는 문제란 수비가 정도의 차이는 있지만 침입을 당할 정도로 허술해지는 것을 말하고, 그 정도가 극단적으로 저하되어 있는 것을 우리는 면역 저하 상태라고 합니다.

이 단원에서는 특히 암 환자나 이식 환자의 면역 저하 감염에 대하여 다루겠습니다. 또 다른 면역 저하 감염의 큰 범주가 HIV/AIDS 환자의 감염입니다만, 이는 별도의 단원으로 해서 논하도록 하지요.

사실 이 둘을 구별할 필요도 있습니다.
암 및 이식 환자의 면역 저하란 아예 면역을 제로 상태로, 혹은 거기에 가깝게 몰고 가서 재부팅을 하는 겁니다. 비유를 하자면 이제 막 세상에 태어난 신생아와도 같습니다. 반면에 HIV/AIDS는 살아온 날보다 살아갈 날이 훨씬 적은 노인의 면역과도 같다고 할 수 있습니다.
이렇게 면역 저하 혹은 결핍의 성질이 다르기 때문에 감염의 양상도 다르게 나타나며, 따라서 이에 대한 대처도 미묘하게 달라집니다.

수비력 저하 및 결핍을 가져오는 요인들은 다음과 같이 대별될 수 있겠습니다.

1. 수비력 저하 및 결핍의 원인들

1) 일차 면역(innate immunity)의 장애
사실상 neutropenia를 의미하겠습니다. 물론 NK cell이나 complement 등도 해당이 됩니다만, neutropenia가 즉각 인지할 수 있는 대표적인 지표로 삼을 수 있기 때문에 이를 중요 핵심어로 해서 다루겠습니다.

Neutropenia의 정의는 neutrophil 수가 500/uL 미만이거나 1,000/uL 미만이면서 2-3일 이내에 500/uL 미만으로 감소할 것이 예상되는 경우로 정합니다. 항암제나 이식의 과정에서 neutropenia는 필연적으로 치르게 되는 대가입니다.

Neutropenia 상태에 있으면 일차 면역에 의한 수비가 안 되어서 감염질환 발생의 위험이 증가합니다. 백혈병으로 항암치료를 받은 환자들의 70% 이상이 neutropenia 상태였으며, neutrophil 수가 감소할수록 발열의 원인이 감염인 경우가 비례해서 증가합니다.

Neutropenia가 있으면 감염이 일차 저지를 받지 않아 매우 빠르게 진행할 뿐 아니라 염증 반응에 의한 증상이 제대로 나타나지 않을 수 있기 때문에 초기에 놓치기 쉽습니다. 감염의 원인으로는 bacteria와 특히 invasive fungal infection이 큰 비중을 차지합니다.

2) 적응 면역(adaptive immunity)의 장애

Antigen presenting cell이 MHC를 매개로 CD4$^+$ 혹은 CD8$^+$ T cell과 교류를 하면서 적응 면역은 시작됩니다. 그리고 교류를 통해 더욱 유식해진 CD4$^+$ cell 은 adaptive immunity의 지휘관으로서 cell-mediated immunity와 humoral immunity를 경영하게 됩니다.

하지만 항암 치료나 이식 등으로 체내 백혈구들이 무차별적으로 학살당하고 나면 적응 면역이고 뭐고 죄다 없던 일이 되기 때문에, 평소 적응 면역으로 견제를 받던 각종 병원체들이 활개를 치기 시작합니다. 특히 잠복하면서 숨 죽이고 있던 herpesviridae 계통 바이러스나 *Pneumocystis jirovecii* 같은 것들이 제 세상을 만나 reactivation을 통해 본색을 드러냅니다. 그 밖에 cellular immunity가 주로 방어하던 균주들, 예를 들어 결핵균이나 NTM 등이 합병됩니다. 한편 humoral immunity에 지장이 생기면 encapsulated organism, 예를 들어 *Streptococcus pneumoniae*, *Haemophilus influenzae*, *Neisseria meningitidis* 등에 감염되기 쉽습니다. 이 경우는 꼭 항암 치료가 아니더라도 spleen을 제거한 상황이나 multiple myeloma에서도 똑같이 연출됩니다.

3) 장벽의 붕괴

평소 피부와 점막은 우리 몸 수비의 대부분을 담당하고 있습니다. 이 장벽이 붕괴되면 감염에 취약해질 수밖에 없습니다.

(1) 점막

점막에 염증이 생긴다는 것은 점막이 구축한 장벽이 붕괴되었음을 의미합니다. 그렇게 되면 해당 점막에 서식하던 microbiota를 구성하는 미생물들이 병원체로 돌변하며, microbiota의 판도도 바뀌어서 신흥 세력이 발흥합니다. 한편 점막에 평소 작동하고 있던 국소 면역도 지장이 생기며, 특히 장에 있던 미생물들이 장 외부로 빠져나와(이를 translocation이라 합니다) 근방에서 국지전을 펼치거나 전신으로 침투할 수 있습니다.

점막 장벽이 붕괴되는 과정은 여러 단계를 거칩니다. 우선 초기에는 점막을 이루는 세포들이 apoptosis에 빠져서 죽거나, 그 과정에서 free radical이 나와 파괴 과정을 더 악화시킵니다. 이후 파괴에 대한 반응으로서 NFkB의 봉인 해제를 통해 세포 내 cytokine 유전자의 활성화가 초래되어 각종 염증 지향성 cytokine들이 잔뜩 나오게 됩니다. 이는 증폭을 하는 속성이 있어서 더욱 악화됩니다. 또한 점막 세포가 파괴되면서 그 속에 숨어있던 DAMP가 노출되고, 이를 인지하는 PRR의 활동도 걷잡을 수 없이 증가합니다.

점막염은 보통 항암 치료나 방사선을 쬐면서 잘 오는데, 이식 후의 이식편대숙주반응(GvHD)과도 구별이 쉽지 않습니다.
구강 점막염의 경우 구강 내 각종 혐기성 균 및 사슬알균, *Candida*, HSV 등에 취약하게 당합니다.
호흡기 점막의 경우 개방된 경로이기 때문에 각종 미생물들이 무단으로 들어오며, 내부에 있는 alveolar macrophage의 존재, 그리고 혈소판 부족에 따른 폐 출혈 등이 어우러져서 감염이 더욱 잘 됩니다.

장 점막이 붕괴되면 colonization resistance 또한 붕괴되어 평화 공존하던 시대가 끝나며, 특히 yeast와 *K. pneumoniae*, *P. aeruginosa* 등이 과도하게 증식하여 주류를 장악합니다. 또한 CMV, HSV 등이 염증을 일으킵니다.

장 점막의 붕괴는 단독으로 오지 않고 neutropenia와 어울려서 올 수 있습니다. 그런 경우가 neutropenic colitis(일명 typhlitis)인데, *C. septicum*, *S. aureus*, *P. aeruginosa* 등에 취약합니다. 이거 생각보다 꽤 흔합니다. 면역 저하 환자가 설사 등의 장염 증세를 보이면 이 질환은 의심 선상에 꼭 올려서 복부 CT 등을 통해 확인해 보는 것이 좋습니다.

(2) 피부
피부가 벗겨져 탈락하거나, catheter 삽입 등으로 피부 장벽을 통과하거나 하면 그 밑에 숨겨져 있던 fibronectin이 노출되며, 이는 각종 미생물이 adhesion하기 딱 좋아서 감염이 성립됩니다.
그리하여 포도알균 같은 피부 서식 microbiota 구성원들이 주요 감염 원인이 됩니다.

이 밖에 *P. aeruginosa*, *S. maltophilia*, *Acinetobacter spp.*, *Corynebacterium spp. Candida* 등도 감염원이 될 수 있습니다.

2. 면역 저하 환자 감염에 대처하는 원칙

면역 저하 환자는 일반적인 환자와는 다른 개념으로 접근해야 합니다.
왜냐하면 neutropenia 환자는 neutrophil 수치가 정상인 환자들과는 달리 방어 능력이 현저히 저하되어 있기 때문에 감염성 발열 시 신속한 조치가 뒤따르지 않으면 생명이 위험한 상태까지 갈 수 있기 때문입니다. 그러므로 가능한 한 진단과 치료에 들어가는 타이밍이 좀 더 빨라야 합니다. 그래서 병력 및 진찰은 단시간 내로 완수하여야 하며 다음과 같은 사항들을 염두에 두면서 대처를 합니다.

1) 병력 청취로 얻어야 할 정보들

- 진단을 받고 처음 항암요법을 받았는가, 아니면 여러 번 항암요법을 받던 환자인가.
- 발열 이전에 무슨 시술을 받았으며 그 시기는 언제였는가.
- 발열 이전에 세균, 바이러스, 진균에 대한 예방 약제를 투여 받고 있었는가.
- 기저 질환에 대하여 어떤 치료를 받았었는가. 예를 들어서 방사선치료를 받았는지, 혹은 투여 받은 항암제의 종류는 무엇인가, 특히 점막에 손상을 잘 주는 종류의 약제인가 여부.
- 과거에 감염질환 경력 및 항생제 치료를 받은 적이 있었는가.
  - 특히 내성균에 의한 감염이었는지 여부가 경험적 항생제 선택에 중요합니다.
- 발열 이외에 다른 증세 혹은 증상이 없는가.

- 발열 이전에 먹은 음식은 무엇인가.
  - 충분히 익히지 않은 음식을 섭취했는지 여부부터 봅니다. 예를 들어, 아이스크림 같은 찬 음식에서 그람 음성균이 종종 발견되는데, 정상인의 경우에는 큰 문제가 되지 않지만 neutropenia 환자의 경우에는 치명적인 감염을 일으킬 수 있습니다.
- 과거에 치료를 받다가 합병증이 생겼던 경력이 있는가.
- 최근에 병동에서 수리 작업 등이 없었는가.
  - 이 사항은 주로 진균 감염을 염두에 둔 것입니다. 수리를 하거나 신축한 병동에서는 공사 과정에서 *Aspergillus* 같은 mold 진균들이 공기 중에 많이 둥둥 떠서 돌아다니게 되므로 그만큼 진균 감염의 위험성이 높아집니다.

2) 진찰로 얻어야 할 정보들

먼저 피부 및 점막부터 봅니다. 특히 항문 주위를 잘 관찰해야 하는데 이 장소가 *P. aeruginosa* 감염증의 출발점이 되는 경우가 많기 때문이죠. 그 밖에 catheter 삽입 부위, 조직 검사한 부위 등에 염증이 없는지를 잘 관찰하여야 합니다. 또한 구강 점막에 진균 감염 의심 병변이 없는지 여부도 잘 살피도록 합니다.

어쩌면 과도해 보일지도 모르지만, 두통이 있거나 의식 수준이 조금이라도 변하는 경우에는 중추 신경계 감염 가능성을 배제하여서는 안 됩니다. 요추 천자 등의 침습적 방법은 출혈이나 패혈증을 조장할 위험이 적지 않으므로 가급적 비침습적 방법으로서 컴퓨터 단층촬영(CT)이나 자기공명영상(MRI)의 실시를 결코 주저해서는 안 됩니다.

3. 치료

면역 저하 환자에서 발열이 있을 때 일단은 감염으로 간주하고 곧장 치료에 들어가는 것이 정상적 방어기능을 지닌 환자의 발열에 대한 접근과 완전히 차별되는 원칙입니다. 언뜻 보기엔 신중한 판단 없이 항생제를 남용하는 것으로 오해받을 소지가 있으나, 그 이유는 다음과 같습니다.

면역 저하 환자는 염증반응이 미약하거나 전혀 안 나타나는 경우가 많기 때문에 정확한 감별이 어렵습니다. 그러나 현재까지 여러 기관에서 보고되는 바에 의하면 면역 저하 환자의 발열 원인으로 감염이 가장 높은 비중을 차지하고 있는 것이 현실입니다. 그러므로 면역 저하 상태에서 발열 시 일단 감염으로 간주하고 조치를 취하는 것이 예후 면에서 유리할 것입니다. 고지식하게 감염성인지 아닌지 여부를 판단하는 데에 시간을 소모하다가는 치명적인 상태로 급격히 진행하기 십상입니다. 따라서 일단은 감염에 의한 발열로 간주하고 경험적 항생제를 투여하는 것이 타당하다고 볼 수 있습니다.

1) 위험도에 따른 판단

일단 발열 환자가 위험군인지 여부부터 판단을 해 봅니다.

이를 위한 지표로 쓰는 것이 the Multinational Association for Supportive Care in Cancer (MASCC) score입니다. 항목은 다음과 같습니다.

- 무증상 혹은 경증은 5점, 중증이라면 0점, 그 중간쯤이라면 3점
- 혈압이 정상이면 5점
- 만성 폐질환이 없으면 4점
- 암 환자라 해도 진균 감염 경력이 없으면 4점
- 탈수 증상이 없으면 3점
- 외래로 올 정도 수준이라면 3점

- 연령이 60세 미만이면 2점

최고 점수는 26점까지 나오고, 21점 이상을 위험도가 낮은 군으로 간주합니다.
물론 21점 미만이면 고위험군이 되겠지요.

저위험군은 외래에서 충분히 조치할 수 있습니다. 반면에 고위험군부터는 입원시키고 본격적으로 치료를 시작해야 합니다.

2) 항생제 치료의 시작

경험적 항균제 구성 원칙은 다음과 같습니다.

단일 항균제로 cefepime, imipenem/cilastatin, meropenem, piperacillin/tazobactam을 선호합니다. 과거에는 ceftazidime도 선택 대상이었으나 이제는 우선 순위가 조금 밀립니다.

불안해서 두 가지 이상 조합해서 쓰고 싶다면 aminoglycoside + anti-pseudomonal penicillin (± β-lactamase inhibitor), 또는 ciprofloxacin + anti-pseudomonal penicillin, aminoglycoside + extended-spectrum cephalosporin (cefepime, ceftazidime)을 권장합니다.

그람 양성균의 비중이 커지고 있는 추세이니까 마음 같아서는 glycopeptide를 초기부터 주고 싶지요? 하지만 아직은 통상적으로 포함하는 것이 권장되지 않습니다. 또한 첫 항생제 투여 3-5일 후에도 발열이 지속되거나 다시 열이 날 때 glycopeptide를 추가하지 않는 것도 권장되지 않습니다. 다만, 혈액 배양에서 그람 양성균이 자라는 경우, catheter 관련 감염이 의심되는 경우, 이전에 MRSA의 colonization 또는 감염이 있었던 경우, 증증 sepsis 혹은 septic shock, 피부 또는 연조직 감염이 있는 경우에는 초기에 glycopeptide 사용을 권장합니다.

사실 이 원칙은 경험적 치료 방침에 있어서 서로 상반되는 원칙인 escalation vs. de-escalation 원칙 중에서 전자에 해당됩니다. 처음부터 모조리 다 쏟아 부어서 나중에 쓸 여분이 없게 되거나, 쓸데없이 내성만 조장할 수 있다는 점에서 초기 치료를 신중하게 시작하여 점차 단계를 높여간다는 방침이라는 건 다들 수긍할 것입니다. 하지만 면역 저하 환자의 감염이라는 것이 자칫 타이밍을 놓치면 치명적인 경과로 발전할 수 있다는 면을 감안하면 아예 처음부터 강하게 기선을 제압하고, 이후 차차 밝혀지는 원인 병원체의 정체에 따라 조정해 나가자는 de-escalation 방침도 설득력이 있습니다.

어느 쪽 방침을 선택하느냐는 것은 담당 주치의의 성향도 작용할 것입니다. 현재 국내 지침은 escalation 쪽에 가까우므로 이 방침이 우세하지 않을까 추정합니다.

어쨌든 처음 항생제 치료를 시작하고 나서 3-5일 후 재평가는 필수입니다.

3) 재평가 후 조정

재평가를 치료 시작 3-5일 경에 해서 차도가 있다고 판단되면 초기 조합으로 그대로 밀고 갑니다.
그러나, 3-5일 후에도 발열이 지속된다면 얘기가 달라집니다.

이 때는 항균 범위를 넓혀야 합니다. 기존의 범위에서 혐기균과 내성균을 우선 확전 대상으로 삼습니다.
그러나 이 상황은 사실상 진균과의 싸움을 포고하는 것을 의미합니다.

발열 유무와 관련 없이 과거 invasive fungal infection의 병력이 있거나, fungal colonization, 흉부 통증이나 각혈 등의 폐렴 의심 증상, 새로운 폐 침윤, 부비동 혹은 안구 주위 압통과 부종, 코 주위 궤양성 혹은 가피성 병변 등이 있을 때는 경험적 항진균제 투여를 시작합니다.

그래도 진균일 가능성을 찾기 위한 노력을 경주해야 합니다. 확진 수단인 배양과 조직 생검은 결과를 얻기까지 걸릴 시일이 너무 길고, 출혈 등의 위험성도 있으므로 galactomannan assay나 PCR 등의 분자 수준 진단법, 혹은 부비동 CT, 폐 CT (halo sign)로 잡아내는 것을 시도합니다.

이렇게 단서를 잡아서 치료하는 것을 선제적 치료(pre-emptive treatment)라고 합니다. 물론 넓은 의미에서 보면 이 또한 경험적 치료(empirical treatment)의 범주에 들지만, 좁은 의미의 경험적 치료는 축적된 지식과 관찰에 의거한 심증으로 치료하는 것이라면, 선제적 치료는 여기에 더해 확실한 증거까지는 아니지만 거의 틀림없는 단서를 기반으로 치료를 시작하는 것을 의미합니다.

이런 개념이 적용되는 또 다른 예는 CMV 치료를 pp65 항원에 근거해서 시작하는 것을 들 수 있겠습니다.

4) 치료 기간

항생제 투여의 종료시점을 결정해야 할 때 주로 고려할 사항들로는, 우선 neutrophil의 수를 들 수 있습니다. 치료 기간은 일단 neutrophil 수가 500/μL 이상 유지될 때까지로 잡습니다. 원인균 또는 감염 병소가 확인된 경우는 neutrophil 회복을 고려하여 해당 감염증의 치료 기간 동안 지속하는 것을 권장합니다.

환자의 조혈기능이 만족할 만큼 회복되었는지 여부와 추적 감시배양 결과 더 이상의 균주가 나오는지 여부도 중요한 고려 사항입니다. 이러한 사항들을 토대로 해서 항생제에 반응을 보이면서 호중구가 500/uL 이상 회복되고 균주의 분리가 없을 경우 총 7일로서 치료를 종료하도록 합니다.

임상적으로는 개선이 있음에도 불구하고 neutrophil 수가 500/uL를 넘지 못하고 있을 경우에는 열이 5 내지 7일간 안 날 때까지 투여하고 종료합니다.

그러나 neutropenia가 지속되고 임상적으로 호전이 없으며 점막 병변이 아물지 않을 경우에는 neutrophil이 회복되거나 임상적 호전 양상을 보일 때까지 계속 투여하는 것이 좋겠습니다(통상 2 주간 더 투여하는 것이 추천됩니다).

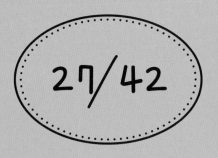

제27강

조혈모세포 이식받으면
겪을 일들

조혈모세포 이식받으면 겪을 일들

조혈모세포 이식 후 감염에 대처하기 위해서는 어느 정도의 사전 지식이 필요합니다.

조혈모세포 자체에 대한 기본적인 이해와 더불어, 이식 후 면역 능력이 회복되는 시기가 여러 단계를 거친다는 점, 그리고 면역 능력이 재구성이 됨에 따른 감염과의 관계 등에 대해서도 감안을 해야 합니다.

이식 후 감염에 영향을 주는 인자들로는 이식 후 어떤 병원체에 노출되느냐와 면역 능력의 일시적 고갈로 인해 기존에 갖고 있던(즉, 잠복하고 있던) 병원체의 재활성화, 동종 혹은 자가 이식인지 여부, 이식 전에 시행하는 conditioning regimen(전 처치)의 종류와 그 강도, 그리고 이식 후 시일, 즉 단계가 어느 정도 지났느냐 등이 있습니다.

그리고 무엇보다 강력한 영향력을 발휘하는 인자는 역시 이식편대 숙주 반응 (graft-versus-host disease; GVHD)일 것입니다.

GVHD는 이식의 성패에 중요하므로 이를 예방하느라 면역 억제를 시행합니다. 이에 따라 감염에 취약하게 됩니다. 또한 GVHD 자체가 초래하는 각종 파괴가 감염을 부르며, GVHD를 치료하느라 치르는 대가로서 감염 합병증을 얻을 수 있습니다. 즉, GVHD를 잘 막아도 말썽, 못 막아도 말썽인 셈입니다.

조혈모세포 이식으로 각종 혈액 질환 및 암을 치료하는 이득을 얻지만, 세상에 공짜는 없습니다. 그 대가로 피부 및 점막 방어선이 붕괴되고 neutropenia, lymphopenia, hypogammaglobulinemia 등으로 인한 면역 능력의 고갈을 우선적 대가로 치르게 됩니다. 그리고 이는 감염을 비롯한 각종 질환으로 돌아오게 됩니다. 문제는, 조혈모세포 이식 후의 감염은 임상 양상에서 비 감염성 원인, 특히 GVHD때문에 감염인지 아닌지가 혼동되어 감별하기가 쉽지 않다는 게 주요 애로 사항입니다.

1. 전 처치가 미치는 영향

새 집에 이사 가기 전에 그 곳을 싹 치우고 도배를 싹 새로 하듯이, 새로운 삶을 주기 위해 이식 전에 온 몸을 싹 비우는 작업이 전 처치입니다. 일단 강력한 골수 파괴 약제를 가하고 그것도 모자라 전신에 방사선을 조사(total body irradiation; TBI)를 합니다. 성공적인 이식을 위해 불가피한 과정입니다만 이것이 감염의 원인을 제공합니다.

Alkylating agents인 busulfan과 melphalan은 myeloid stem cell을 전멸시킬 뿐 아니라 점막 및 상피 세포도 박살을 내버립니다.

Cyclophosphamide도 만만치 않죠. 특히 hemorrhagic cystitis의 원인이 되기도 합니다.

Fludarabine은 그나마 상대적으로 덜 독한 편이지만 면역 억제 강도가 훨씬 셉니다.

GVHD라는 후환을 없애기 위해 T cell을 고갈시키는 수단인 antithymocyte globulin (ATG), antilymphoid antibodies (T cell용인 alemtuzumab과 B cell용인 rituximab)은 유용하긴 하지만 serum sickness나 오랜 lymphopenia라는 대가를 치르게 되며, 이 또한 감염의 원인이 됩니다.

그 밖에 cyclosporine, tacrolimus, mycophenolate mofetil, methotrexate, sirolimus도 이식 후 면역 능력 회복 지연의 이유이기도 합니다.

TBI는 이 자체로 점막과 상피를 대대적으로 파괴하기 때문에 구강과 장의 점막염이 오고 폐에서는 diffuse alveolar hemorrhage (DAH)를 거쳐 pneumonitis로 고통을 받게 합니다.

2. 조혈모세포 이식과 유난히 잘 엮이는 질환들 - 꼭 감염만이 아니고

1) Hemorrhagic cystitis

이식 후 1주 이내로 육안으로 보이는 혈뇨와 요 정체, 심하면 신기능 손상으로 나타납니다. 이렇게 초기부터 생기는 경우는 감염보다는 cyclophosphamide 가 범인일 확률이 더 높습니다. 그래서 예방책으로 cyclophosphamide의 대사물에 결합하여 제거해 주는 mesna를 주며, 발병 시에는 방광 세척을 회복될 때까지 해 주고 필요하면 수혈도 합니다.

문제는 그 이후에 생기는 경우입니다.

이는 감염이 원인이겠지만, 정말 골치 아픈 것은 중증의 GVHD에 의한 것일 수도 있다는 것이고 감별도 잘 안 된다는 것이죠.
감염 원인으로는 역시 polyomavirus BK virus가 으뜸이고, 그 다음이 adenovirus쯤 됩니다.
이 밖에 HSV, CMV, HHV-6, JC virus, 각종 세균, *Strongyloides* 등도 가능합니다.
BK virus라는 명칭은 우리끼리 농담삼아 야구 선수 김병현에서 따 왔다고 합니다만 물론 아니죠.
1971년에 이 바이러스가 발견된 첫 환자의 이름 이니셜로 명명한 겁니다. Full name은 영원히 모릅니다.
이와 비슷한 명명 사례가 HIV/AIDS에서 언급할 JC virus입니다.
이 바이러스도 우리끼리는 농담 삼아 지져스 크라이스트 바이러스라고 부릅니다만, 사실은 역시 첫 발견 환자인 John Cunningham의 약자입니다.
BK virus와 JC virus는 같은 polyomavirus로, 염기 서열의 3/4이 동일한 형제 지간이기도 합니다.

유감스럽게도 아닙니다.

원래 증상이 없어도 이식받은 이들에서 배양될 수 있습니다.

결국 hemorrhagic cystitis가 확실히 있다는 전제에서 BK virus가 배양되어야만 의미를 부여할 수 있겠습니다.

특별한 치료법은 사실상 없습니다만, 계속 방광 세척을 해도 차도가 없으면 intravesicular cidofovir 혹은 저용량 cidofovir를 정맥 주사로 줄 수는 있습니다.

2) Sinusoidal obstruction syndrome 혹은 Veno-occlusive disease

전 처치를 요란하게 받은 탓에 걸릴 수 있는 치명적인 합병증입니다. 고 용량의 항암제로 간의 small vein들이 손상되고 막히는 것으로, 거기에다 TBI까지 합세하면 확실하게 endothelial damage가 오고 자꾸 반복되며 간 세포의 glutathione도 저하되어 더욱 위험도가 올라갑니다.

보통 이식 30일 이내 언제라도 생길 수 있습니다.

간이 비대해지되 상당히 고통스럽고 bilirubin이 2 mg/dL를 넘으며 복수가 찹니다. 이 증상들이 악화되면 multiorgan failure로 진행되어 치명적인 경과를 밟게 됩니다. 예후는 매우 안 좋아서, 치명률이 80% 선이나 됩니다.

치료는 supportive care와 더불어 endothelial cell을 회복시켜줄 목적으로 defibrotide를 시도합니다.

3) GVHD

자, 그리고 문제의 GVHD입니다. Allogenic HSCT의 40-80%까지 경험할 수 있으며 치명적입니다.

크게 3개 영역으로 옵니다.

먼저 피부는 심한 발진으로, 간은 cholestatic hepatitis로, 그리고 소화기에 mucositis가 합병됩니다.

앞서 언급한 바 있지만 이를 예방하기 위해 일련의 조치들을 취하지만, 예방에 성공한다 해도 graft failure나 재발은 물론이고 세포 면역이 허술할 때 엮이는 CMV 질환, 그리고 aspergillosis라는 감염 합병증을 대가로 치릅니다.

GVHD를 막지 못하면 이 자체가 이식 후의 면역 회복을 심하게 지연시켜서 감염의 단초를 제공합니다.

거기에다 spleen의 기능 이상까지 동반하면 encapsulated bacteria에 의한 감염도 합병되기 쉽습니다.

이렇게 비록 GVHD가 병리 기전 면에서 면역 분야에 해당되겠지만, 이와 연관되어 생기는 문제들까지 감안하면 감염 영역으로부터도 자유롭지는 못합니다.

4) Pneumonia syndrome

감염의 양상으로 bacteremia 못지 않게 흔한 것이 pneumonia입니다.

물론 pneumonia 자체는 감염병이지만 비 감염성 원인으로 오는 경우도 만만치 않기 때문에 이들을 뭉뚱그려서 pneumonia syndrome이라 합니다.

비 감염성 원인으로는 폐 부종, 폐 출혈(diffuse alveolar hemorrhage, DAH), 방사선 조사로 인한 폐렴, 약에 대한 반응, ARDS, bronchiolitis obliterans with organizing pneumonia (BOOP), GVHD 자체로 인한 폐 파괴 등 다양하기도 합니다.

특히 DAH는 이식 후 2-4주에 호발하는데, 이 시기는 혈소판이 성공적으로 정착하기 전이자 neutrophil이 정착하기 시작한 직후이기도 합니다.

따라서 출혈이 잘 일어남과 동시에 어설픈 neutrophil에 의한 파괴와 염증이 공존하게 됩니다. 이렇게 폐가 엉망인 상태가 되면 감염이 뒤따르기 좋은 조건이 됩니다.

꼭 출혈이 아니더라도 원인 모르게 폐렴이 오는 idiopathic pneumonia syndrome이 오기도 합니다. 이는 아마도 전 처치와 관계가 있을 것으로 추정하며 alveolar epithelium의 손상으로 diffuse interstitial infiltrates가 대량으로 일어나고 이로 인해 호흡 곤란까지 초래됩니다.

여기에 CMV나 HHV-6, 하다 못해 감기 바이러스인 rhinovirus, 그리고 *Aspergillus* 등이 합세하면 더 악화됩니다.

치료는 corticosteroids나 etanercept를 줍니다만, 치명률이 60-80% 정도로 나쁩니다.

5) 소화기 이상

설사가 매우 흔합니다. 역시 전 처치와 GVHD에 의한 경우가 더 많고 감염에 의한 경우는 20% 정도입니다. 특히 *C. difficile*이 문제이며 adenovirus, rotavirus, norovirus, enterovirus, coxsackievirus, 그리고 Enterobacteriaceae 계통 세균, *Strongyloides*, *Cryptosporidium* 등이 원인 병원체로 작용합니다. 그리고 ileocecal wall에 집중하여 생기는 typhlitis도 유의해야 합니다. 그래서 소화기 이상이 감지될 때는 복부 CT 등을 촬영하는 등 적극적으로 진단에 임해야 합니다.

6) 피부 이상

이 또한 전 처치와 GVHD가 주 원인이지만 감염병으로서는 특히 varicella zoster 여부를 꼭 biopsy까지 동원해서라도 확인해야 합니다.

3. 조혈모세포 이식 과정별 시기에 따른 감염 질환들

이식을 받은 환자들은 이식 당시의 면역 저하로 감염에 취약할 뿐만 아니라 engraftment 후 장기간에 걸쳐 면역기능의 회복이 다양하게 나타나기 때문에 이에 따라 감염 질환의 양상도 다양하게 나타납니다. 그래서 이식 후의 시기에 따라 분류해서 각 시기별 감염 질환의 양상에 대하여 짚어 나가 보기로 합시다.

1) 생착 전 시기(pre-engraftment period)

이식 후 1달 이내의 기간입니다. 이때는 전 처치의 영향으로 점막과 피부, 장, 호흡기 등이 많이 손상되어 있고, innate immunity, 특히 phagocytosis 능력이 바닥이며 neutrophil, platelet 모두 태부족합니다. 이 시기는 febrile neutropenia 환자와 같은 상태라고 보시면 됩니다.

주요 감염 합병증으로는 우선 bacteremia가 있는데, 그람 음성균과 양성균 모두 가능합니다. 그람 음성균은 특히 *P. aeruginosa*가 문제였으나 예방약으로 FQ을 사용해 온 경우라면 상대적으로 Enterobacteriaceae 계통의 그람 음성균이 더 가능성이 많습니다. 그람 양성균은 피부와 관련해서 포도알균, 사슬알균 등을 의식해야 합니다. 원인 bacteria 중에 어느 종이 가능성이 높을지는 근무하는 병원의 평소 배양 판도에 따라 다르므로, 각자 이에 대해 잘 파악하고 있어야 합니다. 치료 원칙은 '제26강 면역이 저하되면 생기는 일들'을 참조해 주세요.

피부 및 점막은 HSV가 주요 원인입니다. HSV는 폐렴의 원인이 되기도 합니다. 그래서 이식 전 검사에서 혈청 IgG HSV 양성인 경우 예방적 항바이러스제를 투여하는 것이 좋습니다. 우리 국민들은 80-100%가 항체를 보유하고 있으므로 사실상 모든 환자가 항바이러스제 예방을 받아야 합니다.

진균으로는 Candida가 피부 및 점막염의 주요 원인입니다.

폐는 bacteria가 주 원인이고, aspergillosis와 mucormycosis도 합병될 수 있습니다.

Invasive aspergillosis는 폐뿐 아니라 부비동에서도 병변을 만듭니다.

맘 같아서는 조직 검사로 확진을 하고 싶겠지만, 환자의 상태가 그렇게 허락하지 않습니다.

그래서 CT와 galactomannan 측정, 1, 3-β-D-glucan (BDG), PCR, nucleic acid sequence based amplification assay (NASBA) 등으로 판단을 합니다.

폐 CT에서의 halo sign과 분자 수준의 진단에 대해서는 제25강 '주요 진균 감염'에서 이미 설명한 바 있습니다. 그러나 확진이 되지 않는다고 해도 장기간의 neutropenia, 임상적으로 폐 침윤 등의 의심 소견, 분자 수준의 진단 지표 등을 토대로 담담의의 판단을 통해 경험적 치료를 시도할 수 있습니다.

2) 초기 생착 후 시기(early post-engraftment period)

이미 1달은 훌쩍 지나고 대략 4개월쯤 되는 어중간한 시기입니다.

무엇보다 cytomegalovirus (CMV)의 시간이 도래합니다. Cell mediated immunity 저하가 심화되고 acute GVHD가 본격적으로 활개를 치면서 innate immunity보다는 adaptive immunity의 이상이 주요 문제점으로 나타나기 때문입니다. 그래서 외부로부터의 유입보다는 내부에 잠복해 있던 병원체의 재활성화가 주류를 이루게 됩니다.

CMV가 재활성화 또는 재감염되면 fever와 leukopenia와 더불어 pneumonitis, retinitis, hepatitis, colitis, esophagitis 등의 CMV disease를 일으킵니다. 대개는 이식 후 석달 정도부터 나타나는 일이 많지만, 전체적으로 보면 early뿐 아니라 late post-engraftment period까지 걸쳐서 꾸준히 발생합니다.

Ganciclovir를 비롯한 치료에도 처음에는 잘 듣는 듯하다가 결국은 안 좋은 경과를 밟는 경우도 많습니다. 솔직히 체감상으로는 예후가 더 안 좋은 것 같습니다. CMV를 만날 때마다 '우리가 정말 치료를 하긴 한 걸까? 정말 치료가 되긴 되는 것일까?'하는 회의감이 들곤 합니다.

치료의 성패는 얼마나 조기에 시작을 하느냐에 있기 때문에 가능한 빨리 진단하는 것이 관건입니다. 배양 결과를 기다리면 늦어요. 그래서 CMV pp65 antigenemia assay, real-time quantitative PCR 등으로 적극 진단에 임하고 있으며 이를 선제적 치료(pre-emptive treatment)의 단서로 삼습니다.

피부와 점막 쪽은 *Candida*의 빈도가 주는 반면 HHV-6가 원인으로 대두됩니다.

Invasive aspergillosis는 여전히 위협이 되고 있습니다.

그런데 폐 쪽은 adaptive immunity 불량이 원인이 되어 CMV와 감기 바이러스들, 그리고 Toxoplasma와 *Pneumocystis jirovecii*가 본격적으로 폐렴의 원인으로 등장합니다.

또한 앞서 언급했던 hemorrhagic cystitis가 이 시기에 다시 한 번 대두됩니다. 조기에 나타났던 것과는 달리 이 시기의 경우는 감염, 특히 BK virus, adenovirus 등이 주 원인이라는 것은 이미 언급한 바 있습니다.

장염은 주로 CMV와 adenovirus가 원인이고, brain에 *Toxoplasma*와 HHV-6가 말썽을 일으킬 수 있습니다.

3) 후기 생착 후 시기(late post-engraftment period)

대략 반 년 정도 지나서 환자도 웬만큼 관록이 붙은 시기입니다. 다시 말해서 환자의 면역계가 재구성을 통해 회복되는 시기입니다. 하지만 GVHD는 만성으로서 여전히 영향력을 발휘하고 있습니다. 이로 인해 장기간 면역 억제제를 복용하고 있으므로 감염의 위험은 상존합니다.

이 시기는 그래도 cell mediated immunity가 이전 시기보다는 비교적 나은 편이지만 humoral immunity가 신통하지 않습니다. 그래서 특히 encapsulated bacteria의 감염에 취약합니다. 따라서 이들 세균에 대한 예방 접종이 매우 중요한 것입니다.

감기 바이러스에는 여전히 취약합니다. 이는 상부 호흡기 감염으로 그치지 않고 폐렴까지 진행할 수 있기 때문에 소홀히 봐서는 안 됩니다. 특히 influenza는 치명적일 수 있기 때문에 매년 예방 접종이 필요하고, 환자의 가족을 비롯한 밀접 접촉자들도 예방 접종이 필요합니다.

한편 이 시기에 대상포진이 잘 발생합니다. 의외로 발병률이 높아서 30% 언저리나 나옵니다.

외국에서는 그리 흔하지 않아서 교과서에서도 별로 언급이 안 되지만, 우리나라의 경우는 결핵 또한 이식 후에 만만치 않게 생깁니다. 대략 3% 선에서 발생하니, 이 또한 신경써야 할 감염 합병증입니다.
잠복 결핵 여부를 모니터해서 양성일 경우에 예방약 투여를 시작하는 것을 고려할 수는 있겠으나, 아직 표준 방침이 확립되어 있지는 않습니다.

4. 조혈모세포 이식 환자의 vaccination

앞서 late post-engraftment period에서 몇 번 언급한 바와 같이 이 시기쯤 되면 환자의 면역체계는 새 삶을 시작한 신생아와 같습니다. 각종 감염 합병증의 위기를 무사히 넘기고 어느덧 첫 돌을 바라보지만, 앞으로도 다양한 감염 질환들이 침략해 옵니다. 따라서 신생아와 동일하게 예방 접종을 체계적으로 실시할 필요가 있습니다.

1) 당장 시작할 것은 폐렴과 독감

일단 발등에 떨어지는 게 계절마다 찾아오는 독감이 있고, 이에 따른 2차 세균 폐렴을 의식 안 할 수 없습니다.

그래서 이식 후 3-6개월 이내부터 폐렴 원인균들과 influenza에 대한 예방 접종을 시작합니다.

아시다시피 influenza는 매년 접종해야 합니다.

폐렴 원인균들로는 *S. pneumoniae* 접종을 우선합니다.

이식 후 3-6개월경에 시작하는데, protein conjugate vaccine (PCV)을 한 달 간격으로 3번을 줍니다. 이걸로도 족하지만 감당할 수 있는 항원 범위를 넓히자는 의도나 혹은 만성 GVHD가 있으면 아무래도 면역능 발휘가 시원치 않을 우려가 있기에 보완해 드리자는 목적이 있다면 pneumococcal polysaccharide vaccine (PPV23)을 추가로 접종합니다. 나라마다 권장 기준이 다르지만 4번째 접종은 대략 1년 후에 해 주는 것이 무난하지 싶습니다.

2) Tetanus-Diphtheria-Pertussis

되도록이면 DTaP으로, 이게 여의치 않으면 Tdap으로 6-12개월경에 접종을 해 주며, 한 달 간격으로 3회를 완료합니다. 이후 10년마다 Td 혹은 Tdap으로 부스터를 주도록 합니다.

3) *Haemophilus influenzae* type b

역시 6-12개월 경부터 한 달 간격으로 3차례 접종을 합니다.

4) *Neisseria meningitidis*

이식 후 6-12개월에 protein conjugate vaccine으로 접종을 합니다.

5) Hepatitis virus

혈청 검사에서 음성이면 이식 후 6-12개월 즈음해서 HAV 백신 접종 2회, HBV 백신 접종 3회 일정을 진행하도록 합니다.

6) Poliovirus

이식 후 6개월 지나면 한 달 간격으로 3차례 접종을 합니다. 물론 inactivated poliovirus 백신으로 접종하여야 합니다.

7) Live vaccine

생 백신은 당연히 이식 후 2년이 안 지났거나, GVHD에 시달리거나, 아직도 면역 억제제를 복용하고 있다면 절대 접종해서는 안 됩니다. 이들 문제가 다 해결되었다면 비로소 measles-mumps-rubella 백신과 수두 백신을 접종할 수 있습니다.

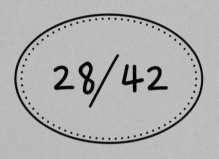

28/42

제28강

고형 장기를 이식받으면
겪을 일들

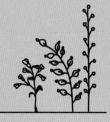

고형 장기를 이식받으면
겪을 일들

우리나라의 고형 장기 이식의 역사는 1969년 최초로 신장 이식을 성공하면서 시작됩니다. 이후 1988년에 간 이식, 1992년 췌장 이식과 심장 이식, 1996년 폐 이식을 성공하면서 현재까지 활발하게 이루어지고 있습니다.

수술 기법의 발달뿐 아니라 적절한 면역 억제를 통하여 장기 생존율도 세계적인 수준에 이르렀으나, 그만큼 이식 후 다양한 감염의 위험성도 비례하여 늘

고 있습니다.

고형 장기 이식에서 감염은 매우 중요한 위치를 차지합니다.
이식 후 첫 1년 내 사망 원인들 중 감염이 20-30%를 차지하여 가장 흔한 사인입니다.
길게 봐서 10년까지 따져 봐도 감염의 지분이 10-20% 선입니다.
그러므로 고형 장기 이식의 성패가 감염에 달려 있다고 보아도 과언이 아닙니다.

이식 후 감염이라 해도 고형 장기 이식은 앞서 다루었던 조혈모세포 이식과는 감염의 측면에서 다르게 보아야 합니다.
조혈모세포 이식은 골수를 싹 비우는 리부팅 과정을 거치지만, 고형 장기 이식은 그렇지 않습니다. 그러므로 neutropenia에 수반되는 감염과는 다른 양상을 보이게 됩니다.
또한 조혈모세포 이식은 주입을 통한 이식인 반면, 고형 장기 이식은 대규모의 외과 수술이므로 이식 후에는 수술 부위 감염 등을 비롯한 일반적인 외과 수술 후의 합병증도 겪게 됩니다.

이식 환자가 열이 나면 '감염 아닌 다른 원인도 있을거야' 하는 생각은 처음부터 버리세요.
감염 이외에 이식 환자를 빨리 죽일 수 있는 건 없기 때문입니다.

그리고 이식 후에 면역 억제제를 투여 받고 있음에도 열이 난다? 이건 감염입니다.
예외의 가능성?
물론 없지 않겠지만 그건 치명적인 게 아닐 것이니 머리 속에서 지우세요.

그리고 감염의 원인을 부지런히 수사합니다.

이식받은 환자가 혈청 검사에서 어떤 병원체가 잠복하고 있을 소지를 보였는지, 어떤 감염병에 걸렸던 과거력이 있는지, 어떤 감염 예방약을 투여받고 있었는지, 혹은 중단했는지, 장기 공여자에게 어떤 감염의 소지가 없었는지 등을 샅샅이 따져 봅니다.

물론 기본적인 배양과 촬영을 비롯한 진단 기법들은 모조리 동원해서 적극적으로 해야 합니다.

1. 이식 후 시기별 주요 감염

1) 이식 후 1개월 이내

이식 후 첫 1달 사이에는 면역의 문제보다는 다른 수술들과 마찬가지로 수술 부위의 세균 감염이 가장 문제가 될 것인데, 특히 MRSA나 *P. aeruginosa* 같은 내성균들이 문제입니다. 또한 혈관 catheter 감염, 수술 후 폐렴, *C. difficile* colitis 등이 주요 감염 합병증입니다.

진균 감염은 candidiasis가 생길 수는 있으나 아무래도 조혈모세포 이식 환자들보다는 덜 걸릴 것이고, 특히 mold 감염 같은 경우는 드물 것입니다. 바이러스도 감기 바이러스라면 모를까, 아직 adaptive immunity가 바닥을 치기 전이므로 herpesviruses 같은 잠복형은 생길 가능성이 희박합니다. 장기 공여자에게 혹시 병원체가 있다면 바로 이 시기에 주로 문제가 생길 것입니다.

2) 이식 후 1-6개월

이식 후 어느 정도 궤도에 오른 시기이고 면역 억제의 강도도 최고로 도달하는 시기이기 때문에 이때부터 각종 기회 감염이 시작됩니다.

특히 CMV가 가장 문제가 됩니다. 보통 이식 후 1-2개월 사이에 생깁니다만, 요즘은 이식 후 3-6개월까지는 CMV 예방약 투여를 하기 때문에 시작 시기가 많이 늦춰지고 있습니다. 그래서 CMV 예방약 투여를 종료한 이후, 즉 이식 후 반 년 정도 지나서 뒤늦게 생기는 추세입니다. 이에 대해서는 뒤에 가서 다시 별도로 비중을 할애하여 설명하겠습니다.

그리고 침습성 진균 감염, *P. jirovecii*, *T. gondii*, *Nocardia*, *Mycobacterium tuberculosis*, NTM 감염 등이 합병됩니다.
Invasive aspergillosis는 이 시기에 주로 생깁니다만, 폐 이식의 경우에는 이보다 늦어서, 1년이 지난 뒤에 뒤늦게 생기곤 합니다.
그래도 PJP와 toxoplasmosis는 TMP-SMX를 예방약으로 사용하기 때문에 그리 흔히 보지는 못합니다.

3) 이식받고 6개월 이후

이렇게 해서 6개월을 무사히 지나면 감염은 일반 환자들과 거의 같은 양상이 되어 대개는 community acquired infection입니다.
하지만 면역 억제제는 계속 복용 유지 중인 데다가 이식 장기의 기능이 시원치 않거나 거부 반응이 있거나 하면 기회 감염의 위험성은 증가합니다. 특히 폐와 췌장 이식 환자의 경우 기회 감염의 발생률이 높습니다.

앞서 언급했듯이 폐 이식 환자에서 invasive aspergillosis가 급증합니다.
또한 잠복하고 있던 바이러스의 재활성화가 나타나는데, 대상 포진이 대표적인 예입니다. 또한 이와 동반되어 암이 생길 수 있는데, EBV에 의한 lymphoma나 posttransplantation lymphoproliferative disease (PTLD)가 이 시기에 나타날 수 있습니다. 진균은 aspergillosis나 candidiasis보다는 cryptococcosis에 더 잘 걸릴 것입니다.

1) 신 이식

장기가 신장이니만큼 가장 흔한 감염은 요로 감염입니다.

보통 신 이식 후 3년 정도면 환자의 거의 절반에서 요로 감염을 경험합니다.

보통은 방광염이지만 10% 정도는 pyelonephritis에 걸립니다. 이는 결국 graft survival에 심각한 악영향을 미칠 수 있습니다. 일반 pyelonephritis보다는 항생제 치료를 더 오래해야 하며(한 달 이상이 필요합니다), 치료가 끝난 후에도 2차 예방으로서 꾸준히 항생제 복용 유지를 해 주는 것이 좋습니다.

무증상 세균뇨도 매우 흔합니다만, 이 경우는 굳이 치료를 시도할 필요는 없습니다.

출혈성 방광염을 일으키는 BK virus와 adenovirus도 신경을 써야 합니다.

요로 감염 이외에 폐렴도 환자의 1/4에서 잘 생기며, 이는 주요 사망 원인이 되기도 합니다. 대개는 통상적으로 폐렴을 일으키는 세균들이 주 원인이므로 이에 준해서 치료하도록 합니다. 물론 CMV나 침습성 진균증, PJP도 원인일 수 있지만 이식 전후 예방에 충실하다면 확률은 떨어집니다.

2) 간 이식

간 이식은 신 이식보다 감염 합병증이 더 많습니다. 아무래도 수술 시간도 훨씬 길고, 영양 상태도 더 불량하며, 복강이 주 무대이다 보니 감염에 더 취약한 것 같습니다. 보통 이식 후 2주 내에 잘 생기며 세균 감염이 대부분입니다. 주로 담도와 수술 창상에 잘 생기며, 혈류를 통한 전신 감염과 폐렴, catheter 감염도 많습니다.

감염 예방, 특히 수술 창상과 장 쪽을 의식하여 항생제는 piperacillin-tazo-bactam 혹은 ampicillin과 cefotaxime을 수술 전후 24시간 동안 투여하는 걸로 무난하게 완수할 수 있습니다만, 실제 수술하시는 선생님들은 이 정도 갖고 되겠냐고 불안감을 떨치시지 못하는 것 같습니다.

간 이식 후 감염의 가장 취약 위험 지역은 담도와 혈관을 이은 문합 부위일 겁니다. 담도가 막히거나 혈관에 혈전이 생기거나 해서 간이 ischemia에 빠지면서 문합 부위 abscess 형성이 초래됩니다.
주로 Enterobacteriaceae 균들이나 *enterococci*, 그리고 혐기균이 원인입니다. 초음파나 CT로 진단하며 치료는 항생제와 더불어 drainage를 합니다. 간 동맥에 혈전이 생긴 경우 어느 정도 치료는 잘 되지만 다시 이식을 해야 하는 경우도 빈번합니다.

Cholangitis는 담도 협착이 선행하는 경우에 잘 생깁니다. 발열, 복통, 황달의 3박자가 제대로 안 나와서 진단을 놓칠 위험도 있습니다. Graft rejection처럼 보이더라도 조금이라도 의심되면 혈액 배양과 간 생검으로 진단을 해야 합니다.
치료는 그람 음성균, *enterococci*, 그리고 혐기균까지 포함해서 항생제를 줍니다.

담도가 새면 복막염으로 갈 수 있습니다. 소위 bile peritonitis 되시겠습니다. 절로 해결되는 경우도 있습니다만, 안 그렇다면 감염이 필연적으로 생깁니다. 원인균은 대개 *enterococci*와 Enterobacteriaceae 균입니다만, 포도알균과 *Candida*도 잊으시면 안 됩니다.
치료는 이들을 포괄할 수 있는 항생제의 투여와 더불어, 농양이 형성되었다면 drainage를 해야 하며, 새는 곳도 수리를 해야 합니다.

세균만 말썽을 부리는 게 아닙니다. 간 이식 환자는 특히 침습성 진균 감염에 취약하며 치명률도 상당히 높습니다.

위험군으로는 fulminant hepatic failure, 신 기능 이상, iron overload, 수술 시간이 평소보다 너무 길었거나 재이식을 받은 환자들입니다. 특히 Model for End-stage Liver Disease (MELD) score가 30을 넘어가면 진짜로 위험성이 높아집니다.

진균 중에서는 Candida가 대다수를 차지합니다. Fluconazole을 예방 투여하는 경우가 많기 때문에 non-*albicans* 종들에 의한 감염이 증가하여 전체의 1/3쯤 차지합니다. 치명률이 꽤 높아서 1/3 정도가 사망합니다.

나머지가 mold 진균들과 *Cryptococcus*입니다.

Invasive aspergillosis는 상대적으로 적긴 하지만 거의 90%의 치명률을 보입니다.

3) 심장-폐 이식

폐 자체가 감염에 취약합니다. 일단 mucociliary clearance가 처음엔 썩 좋은 편은 아니며, lymphatics의 순환이 원활치 않고, 수술 초기 기침 반사도 불량하기 때문입니다. 그래서 이식하고 1-2주 사이에 폐렴에 걸리기 십상입니다.

그리고 수술을 시행한 영역을 감안해 보면 mediastinitis에도 취약합니다.

또한 이식 초기에 문합 부위가 벌어지는 경우 세균이나 진균이 잘 감염됩니다.

세균도 그렇지만 침습성 진균 감염과 CMV 폐렴의 비중도 큽니다.

이식받고 6개월이 지날 시기에는 환자의 2/3가 chronic allograft dysfunction을 보이면서 rejection이나 bronchiolitis obliterans syndrome에 시달립니다. 이때 주로 감기 바이러스와 독감 바이러스에 취약해집니다.

폐 NTM 감염에도 잘 걸립니다. 특히 *M. abscessus*가 문제입니다.

그래도 심장-폐 이식에서 가장 무서운 것은 역시 invasive aspergillosis일 겁니다.

이에 대처하는 것은 앞선 진균 감염 단원에서 기술한 바 있습니다.

이뿐 아니라 *Aspergillus*는 기관지에 국한해서 tracheobronchial aspergillosis를 야기할 수도 있습니다.

4) 심장 이식

심장 이식에서 가장 흔한 감염은 세균에 의한 폐렴, 요로 감염, herpesvirus 감염, 그리고 침습성 진균 감염입니다.

폐렴은 이식 후 첫 1-2달에 호발하지만 6개월이 지나서도 생기곤 합니다.

전반적인 감염 양상은 심장-폐 이식과 유사합니다.

단 toxoplasmosis, nocardiosis 등은 심장 이식에서 유난히 잘 나타납니다.

특히 toxoplasmosis는 공여자로부터 오는 것이므로 수술 전에 이에 대한 확인이 중요합니다.

물론 PJP 의식해서 TMP-SMX 투여를 하고 있다면 충분히 예방은 될 것입니다.

5) 소장 이식

소장은 lymphoid tissue가 풍부합니다. 이게 의미하는 것은 남에게 이식되면 GVHD를 유난히 잘 일으킨다는 것입니다.

그리고 다른 어떤 고형 장기 이식보다 감염 합병증 발생률이 높습니다.

복막염이니 농양 같은 복강 내 감염과 bacteremia가 빈번하게 생기며 소장 자체에 CMV 감염이 생기기도 쉽습니다. EBV에 의한 PTLD도 환자의 10%에서 나옵니다. 이런 추세는 이식하고 나서 6개월이 지나서도 계속됩니다. 정말 까다롭죠.

6) 췌장 이식

췌장 이식도 다른 이식과 비교해서 감염 합병증이 상대적으로 많습니다.

수술 창상 감염, 요로 감염과 CMV 감염이 주종을 이룹니다.

수술 기법 면에서 과거에는 췌장으로부터의 분비물을 방광으로 흘려보내던 것에서 소장으로 방향을 바꾸면서 특히 요로 감염의 빈도가 감소하긴 했습니다만, 그 대신 복강 내 감염이 주요 골치거리가 되고 있습니다.

장내 세균뿐 아니라 *Candida*도 주요 원인입니다.

3. 이식 후의 바이러스 감염

고형 장기 이식 후 감염으로 가장 까다로운 것이 바로 바이러스 감염입니다. 물론 세균이나 진균 감염이 쉽다는 것은 아니지만, 그래도 이들은 바이러스에 비해 상대적으로 파악이 가능하고 싸울 무기 또한 어느 정도는 정해져 있습니다. 하지만 바이러스는 숨어 있다가 공격해 오거나 모호한 증상 등으로 제대로 전투다운 전투를 하기 어렵고, 게다가 무기(항바이러스제)도 쓸 당시엔 듣는 것 같아도, 일시적으로 전투가 끝나고 나면 다시 몰래 공격해 오는 뒤끝이 장난 아닙니다. 이렇게 기술하는 이 시각에도 머리 속에 안 좋은 추억들이 소환되어 다시금 화가 나는군요.

그래서 이 바이러스 감염에 대해서는 별도로 할애해서 다루어 보려 합니다.

1) CMV

CMV 감염은 공여자가 CMV 항체 양성, 수여자가 음성(D+/R-)이라면 가장 확실하게 생길 것입니다. 그러나 현실적으로 한국인들은 거의 다 CMV 양성이므로 아마도 사실상 모든 경우가 D+/R+일 겁니다.

이렇게 CMV seropositive인 경우가 기본적인 감염 위험군이고, thymoglobulin이나 alemtuzumab 같은 rejection 방지 치료를 받은 경우, 폐나 소장처럼 lymphoid tissue가 풍부한 장기를 이식받은 경우, 그리고 HHV-6, 7이 동시에 감염되어 있는 경우도 중요한 위험군입니다.

반면에 sirolimus, everolimus 같은 mTOR (mammalian target of rapamycin) 억제제를 받은 경우는 오히려 위험성이 감소합니다.

임상적으로는 CMV infection (viremia)와 CMV disease라는 두 가지로 나타납니다.

CMV infection이란 어찌 되었건 CMV가 재 활성화되어 활발하게 증식을 함을 의미합니다.

CMV disease는 여기에 더해서 임상 증상이 저명한 경우를 말하며, 실제 CMV가 침범한 조직에 염증을 초래해서 병을 가져온 것입니다.

가장 흔한 질환은 mononucleosis-like viral syndrome으로 발열, 무력감, pancytopenia를 주로 보입니다.

그러나 우리가 진짜 신경써야 하는 것은 CMV pneumonitis일 것입니다. 가장 심각하고 가장 치명적이기 때문이죠. 게다가 PJP와 공존하는 경우도 흔해서 현장에서 우리에게 혼동을 주기도 합니다.

소화기 염증도 만만치 않은데, 식도부터 시작해서 직장까지의 경로에서 어느 부위에서나 염증을 일으킬 수 있습니다. 주로 궤양으로 나타나며, 운 나쁘면 출혈과 천공도 동반됩니다.

간 이식 환자의 10-20%에서 간염으로 발현되기도 합니다.

진단은 CMV antigenemia assay, 그리고 무엇보다 정량적으로 real-time PCR이 있으며, 여기서 얻는 수치로 치료 시작 여부와 치료에 대한 호전 여부를 판단합니다. 이는 절대적 표준이 있는 건 아니고 이식 센터마다 자체의 기준을 갖고 임합니다.

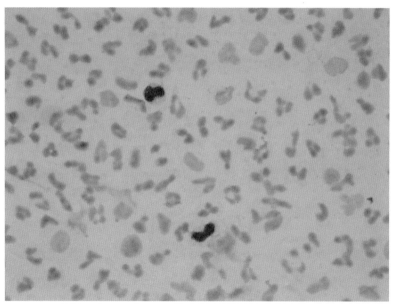

CMV antigenemia assay결과, 이 시야에선 2개가 보이는군요.

사실 CMV 감염과 질환은 치료를 해도 시원하게 끝장을 내지 못합니다. 그래서 예방이 상대적으로 더 중요합니다. 예방은 크게 2가지 방침이 있습니다.

하나가 위험군으로 판단되는 환자들에게 ganciclovir를 주는 것으로 이를 prophylaxis라고 합니다.

나머지 하나는 antigenemia assay나 PCR 결과를 토대로 유의한 수치가 나왔을 때 이를 단서로 시작하는 선제 치료(pre-emptive therapy)입니다.

둘 중 어느 쪽이 나은지는 결론이 나진 않았습니다.

보통 3-6개월간 실시하는데, 이로 인해 이 시기 동안 CMV 감염이 눈에 띄게 줄긴 합니다.

문제는 예방이 끝나는 시점부터 CMV 감염이 다시 급증하기 시작한다는 것입니다.

그래서 원래는 중기에 많았던 CMV 감염이 현재는 6개월 지난 시점인 만기에 주로 발생합니다.

그러면 더 연장해서, 예를 들어 12개월 정도 더 예방약을 줘야 할까요?
이는 아직도 논란의 대상입니다.

치료제는 일차로 ganciclovir 주사제 혹은 valganciclovir 경구제제입니다.

기본적으로는 2주간 투여하며 증상 소실되고 virus가 제거되었다는 물증을 종결 기준으로 삼습니다.

이게 안 들면 부작용을 무릅쓰고 foscarnet 혹은 cidofovir를 줍니다.

신약들이 몇 있는데, brincidofovir는 cidofovir를 lipid로 처리해서 신 독성을 줄여준 약제이며, maribavir는 UL97 viral kinase를 직접 억제하며, letermovir는 nonnucleoside 약제로서 viral terminase complex를 억제합니다. 이들 약제는 좀 더 검증이 필요합니다.

2) EBV

EBV는 이식 후 post-transplant lymphoproliferative disorder (PTLD)를 일으킬 수 있습니다. 운 좋으면 저절로 좋아질 수도 있겠지만, 일부는 lymphoma까지 갈 수 있습니다.

항바이러스제는 유감스럽게도 아무런 효과가 없으며, 면역 억제제를 줄여서 EBV 감염된 세포를 cytotoxic lymphocyte가 처리하게끔 유도하거나, siro-limus 같은 mTOR 억제제로 면역 억제제를 바꾸거나, CD20에 대한 mono-clonal antibody인 rituximab을 시도하기도 합니다. 그럼에도 불구하고 lym-phoma까지 가면 그 때부터는 항암 치료 대상입니다.

예방을 위해서는 정량적인 real-time PCR로 이용하여 EBV viremia를 주기적으로 모니터하다가 일정 수치 이상으로 상승하면 선제적으로 면역 억제제를 줄이는 것이 그나마 유일한 방법입니다. 이는 모든 고형 장기 이식 환자에게 하기보다는 폐나 소장이식 환자로 범위를 좁혀서 시행하는 것이 효율적일 겁니다.

3) HSV

주로 구강과 pharynx에 vesicle을 만들며, 그 밖에 esophagitis, proctitis 등을 일으킬 수 있습니다. 가끔 disseminated HSV 감염도 일으킬 수 있지만 매우 드뭅니다. 보통 acyclovir로 치료하며 비교적 잘 낫습니다.

4) VZV

대상 포진은 고형 장기 이식, 특히 신 이식 환자에서 이식 후 2개월이면 절반에서, 1년이면 80%에서 발생하니 꽤 흔한 셈입니다. 치료는 acyclovir로 합니다.

5) RNA 감기 바이러스

RSV, parainfluenza virus, human metapneumovirus (hMPV), rhinovirus, coronavirus 등이 발생할 수 있습니다. 대부분 상기도 감염을 일으키지만 간혹 치명적인 폐렴을 일으키는 경우도 있습니다. 아직 효과가 입증된 항바이러스제가 없기 때문에 대증 치료를 하며, 결국은 예방이 중요하겠습니다. 그러므로 환자와 가족, 의료진들은 손 씻기와 마스크 착용 등에 철저해야 합니다.

6) BK virus

비뇨 생식기에 잠복하고 있기 때문에 특히 신 이식 환자에서 중요한 위치를 차지하고 있습니다. 이식 후 재활성 감염이 될 수 있는데, BK virus associated nephropathy가 중요하며 거부 반응과 감별을 하여야 합니다. 이식 후 6개월 여에서 잘 발생하며, rejection과도 유의한 관계가 있습니다. 특별한 치료법은 유감스럽게도 없으며, 이식 후 재활성 감염 여부를 정기적으로 모니터하다가 유의한 수준으로 재활성이 되었다고 판단되면 면역 억제제를 조정합니다.

7) Adenovirus

이식 후 초기에 발열, 위 장관염, 방광염 등을 일으킬 수는 있지만 대개는 저절로 낫습니다. 물론 hemorrhagic cystitis도 일으키지만 조혈모세포 이식 환자와는 달리 그리 흔치 않습니다.

8) Parvovirus B19

골수에 잠복하고 있다가 이식 후 3개월 이내에 재활성화되어 조혈에 지장을 주어 지속적인 빈혈로 나타납니다. 심하면 pancytopenia, hepatitis, myocarditis, pneumonia, vasculitis를 일으킬 수 있습니다.

예방 접종을 해 주는 것으로는 조혈모세포 이식의 원칙과 거의 같습니다.

나열하자면 Influenza, Hepatitis A & B, Tdap, Inactivated poliovirus vaccine, pneumococcus, meningococcus, human papilloma virus, measles/mumps/rubella (MMR), 그리고 varicella virus vaccine입니다.

물론 MMR과 varicella vaccine 같은 생 백신은 이식 후에는 절대 접종하면 안됩니다. 그래서 생 백신은 이식받기 적어도 4주 전에는 끝마치는 것이 좋습니다.

Influenza vaccine은 이식 전에 접종하고 나면 이식 후 적어도 1달 내로 다시 접종해야 합니다.

Pneumococcal vaccine은 PCV로 먼저 접종하고, 적어도 8주 간격을 두고서 PPV로 추가 접종합니다.

나머지 백신들도 이식 후 역가가 떨어짐을 보완하기 위해 추가 접종이 권장됩니다.

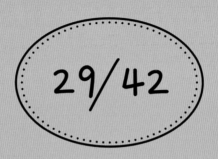

제29강

감기와 독감

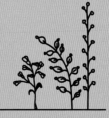

감기와 독감

1. 상기도 감염, 혹은 감기

1) 기본

자, 우리에게 너무나 친숙한 감기에 대해 다루어 봅시다.

감기는 정식 명칭이 상기도 감염(upper respiratory infection, URI)입니다.

상기도라 함은 성대(vocal cord)를 경계로 해서 위 쪽을 말합니다.
그래서 인두, 후두, 코, 부비동, 귀 등이 이 영역에 해당합니다.

감기는 대부분 바이러스가 일으킵니다. 임상적으로 중요한 것들은 대략 rhinovirus, respiratory syncytial virus, adenovirus, enterovirus, coronavirus, metapneumovirus, bocaparvovirus, influenza, parainfluenza virus 정도로 추려집니다.

바이러스가 침투해서 감기를 일으키는 기전은 지금까지 다른 질환들에서 설명했던 것과 원리적으로 크게 다르지 않아서, 달라붙고(attachment, adhesion), 침투하고(invasion) 해서 우리 몸이 방어하다 보니 염증이 생긴다는 순서입니다.

전투가 일어나는 곳은 혈관입니다.
혈관 세포가 헐거워져서 혈관 내 내용물들이 점막으로 누출되고, proinflammatory cytokine들이 우글거리며, 점막에 염증 세포들이 잔뜩 침윤되어 주요 감기 증상들의 원인이 됩니다.
코 점막에서 이런 일이 일어나면 콧물이 흐르고 코 막힘이 생깁니다.

기침은 당연히 일어난다고 생각하기 쉽지만, 의외로 원인이 잘 규명되지는 않았습니다. 상기도에 수용체가 있어서 이것이 중추 신경계로 신호를 전달하여 기침을 하게끔 한다는 일종의 신경학적 반사로 추정하고 있습니다. 또한 바이러스 감염이 상기도를 지나 하기도까지 침범하여 기침을 유도한다는 가설도 있고, 콧물이 목구멍 뒤로 넘어가서 기침이 유발된다(postnasal drip)는 것도 유력한 설명입니다.
침 삼킬 때 목이 아픈 것은 bradykinin에 의한 것으로 보고 있습니다.

우리는 감염 질환을 앓다가 회복되면, 대개는 그 질환에 대하여 면역이 생깁니다.

감기도 예외가 아니어서, 감기에 걸린 후 회복되면 그 바이러스에 대해서 면역이 생깁니다.

그럼에도 불구하고 우리는 일 년에 평균 서너 번은 감기에 자꾸 걸립니다.

왜 그럴까요?

가장 쉽게 추정할 수 있는 것은 감기 바이러스가 수시로 변이를 일으켜서 항원이 매번 달라지기 때문이라는 겁니다. 이는 특히 influenza가 전형적인 예라 할 수 있습니다.

그러나 그것만 가지고는 완전히 설명이 안 됩니다.

대개의 감기 바이러스는 생각보다 그리 빈번하게 변이를 하지 않습니다.

그 이유는 influenza virus처럼 genome이 제각각 떨어져 있지 않고 하나의 몸체로 끊김 없이 이어져 있기 때문입니다(nonsegmented genome).

산산 조각이 나 있어야 이리저리 섞을 여지가 높을 텐데, 그냥 한 몸이니 섞고 자시고가 안 되니까요.

이러한 바이러스들은 그냥 가짓수가 감당할 수 없을 정도로 지나치게 많은 것입니다.

대표적인 예가 rhinovirus입니다.

이 바이러스는 101가지 항원형이 있으며 이들끼리 교차면역도 안 됩니다.

우리가 평생을 하나하나 감기를 걸려도, 장수하지 않는 한 이 바이러스들에 대한 면역능을 완성할 수 없는 것이죠. 다른 예로 respiratory syncytial virus (RSV) 같은 경우는 아예 면역이 잘 유도되지 않습니다.

따라서 우리는 감기에 대해 평생 면역을 가지는 것이 사실상 불가능합니다.

2) 진단과 치료

치료는 증상에 맞춰서 약을 처방하고 충분한 휴식을 취하도록 하면 대개는 무난하게 낫습니다.

항상 갈등을 하게 되는 문제는 항생제를 처방해야 하느냐는 고민일 것입니다. 공식적으로 항생제를 처방하는 상기도 감염은 streptococcal pharyngitis, bacterial sinusitis, acute otitis media 정도뿐입니다. 나머지는 다 바이러스가 원인이므로 대증 요법으로 족합니다.

그래서 세균이 원인일 경우들에 한해서 다음과 같은 원칙으로 치료에 임합니다.

먼저 pharyngitis의 경우 세균성을 의심할 만한 근거로는 modified Centor score (McIsaac score)를 활용합니다. 총점 4-5점 만점으로 기준은 다음과 같습니다:

- 섭씨 38도 넘는 발열이면 1점
- 기침이 없으면 1점
- 목 앞 쪽 림프절 종대 있으면서 누르면 아플 경우 1점
- 편도가 커지거나 삼출물이 있으면 1점
- 15세 미만이면 1점. 혹은 45세부터는 1점을 감점

이렇게 해서 점수가 3점 미만이면 바이러스성으로 간주하고 대증 요법을 하면 되고, 3점 이상이면 세균에 준해서 치료에 임합니다. 여기서 인두 도말 검체로 신속항원 검출검사(rapid antigen diagnostic test, RADT)를 할 수 있다면, 음성인 경우 대증 요법, 양성인 경우 항생제 투여를 합니다.

항생제는 amoxicillin을 열흘간 투여합니다. 대안으로 azithromycin이나 경구 cephalosporin을 5일간 줄 수도 있습니다.

치료도 치료지만, 결국은 acute rheumatic fever나 PSGN을 방지하자는 데에 궁극적인 목적이 있으므로 신중히 판단해서 시행하도록 합니다.

급성 부비동염에서 세균이 원인일 경우는 10% 미만이라, 세균성 여부에 대해 신중한 접근이 필요합니다.

임상적으로 세균성이 의심되는 근거로는, 바이러스성으로 보기엔 어째 열이 너무 오래 지속된다던가(39도 이상의 열이 사나흘이 돼도 떨어지지 않을 경우), 처음에 좋아졌다가 다시 악화되거나, 콧물이 고름처럼 누렇게 나오거나, 혹은 얼굴 부위에 압통이 심하거나 하면 아무래도 세균성으로 추정하는 것이 좋겠습니다.

항생제는 amoxicillin 혹은 amoxicillin/clavulanate를 5-10일 정도 혹은 증상 호전 후 4-7일까지 투여합니다.

2. 중요한 원인 바이러스들

1) Rhinovirus

감기의 가장 흔한 원인 바이러스로 Order Picornavirales, Family Picornaviridae에 속하는데, 장바이러스(enterovirus)와 사촌지간이며 hepatitis A 바이러스와는 육촌쯤 됩니다.

구조를 보면 non-enveloped (+) SS RNA로, envelope이 없는 대신 축구공 모양의 정20면체(icosahedral - 정5각형, 정6각형이 어우러진) 구조를 하고 있습니다.

RV-A, RV-B, RV-C 유형으로 나뉘며, 총 101개의 혈청형이 있습니다.

매년 가장 많이 발생합니다. 1-3일의 잠복기를 거쳐 증상이 시작되며, 대개는 일주일 정도 앓습니다. 운 나쁘면 2주 넘게 앓기도 합니다. 대증 요법으로 1주 정도면 거의 다 좋아집니다.

승인된 항바이러스제는 아직 없지만, pleconaril, vapendavir 같이 capsid에 작용하거나, rupintrivir 같은 3C protease inhibitor가 검증 중에 있습니다.

2) Parainfluenza virus (PIV)

Family Paramyxoviridae 가문의 enveloped (-) SS RNA virus입니다. 종 이름의 돌림자가 같고, 또한 가문 이름 때문에 influenza가 속한 Family Orthomyxoviridae와 친척 사이인 걸로 오해할 수 있는데, 전혀 아닙니다. Family Paramyxoviridae는 Order Mononegavirales 계열인 반면 influenza는 Order Articulavirales 계열이라 전혀 남남입니다. 사람의 감염은 PIV1, 2, 3, 4A, 4B가 주로 일으킵니다.

특히 소아에서 croup의 원인 바이러스로 유명하죠. 대부분은 경증입니다만, 면역 저하자나 노인에서는 폐렴까지 갈 수도 있습니다. 조혈모세포 이식을 받은 환자에서 5%선에서 가끔씩 발생하며, 일단 발생하면 치명률이 10%에서 심하면 50%까지 가기도 합니다.

3) Respiratory syncytial virus (RSV)

가계도를 보면 Order Mononegavirales, Family Pneumoviridae, Genus *Orthopneumovirus*에 해당하는 enveloped (-) SS RNA virus입니다.

이름 그대로 어느 세포 하나를 감염시키면 주변 세포들에게까지 융합해 버리는(syncytium) 특징을 보입니다.

혈청형은 하나이며 표면단백질 중 하나인 G-protein의 특성에 따라 A형과 B형으로 나뉩니다. G-protein은 adhesin의 역할을 하고 또 다른 표면 단백질인 F-protein은 세포들을 융합하는 주범입니다.

이 바이러스는 감기 바이러스들 중에서도 숙주 면역능 발휘를 최대한 저지하는 능력을 보유하고 있습니다.

자체 보유한 NS1 (nonstructural 1) & NS2 protein이 인체의 type 1 interferon을 강력하게 억제하여 innate immunity 발현에 지장을 초래하며, 림프구 증식 등의 helper T-cell 작용을 저해하고 dendritic cell이 CD4$^+$ cell을 활성화 하는 것도 억제하고, CD4$^+$ & CD8$^+$ lymphocytes의 apoptosis를 조장하는 등, 적응 면역의 생성을 방해하여 기억 세포가 남지 못하게 합니다. 그래서 비록 혈청형이 단 하나이지만, 같은 유형의 바이러스에 의한 재 감염이 가능합니다. 상기도뿐 아니라 하기도에도 잘 가기 때문에 기관지염이나 폐렴의 원인이 되기도 합니다.

특히 원내 집단 발생을 잘 일으키며, 조혈모세포 이식 환자에서 특별히 주의해야 하는 바이러스 중 하나입니다.

대증 요법이 주요 치료법이지만, 이식 환자에서 ribavirn nebulizer를 시도해 볼 수는 있습니다.

4) Human metapneumovirus (hMPV)

가계도에서 RSV의 형제에 해당하는 바이러스입니다.

상기도 감염부터 중증 폐렴까지 다양한 경과를 보일 수 있으며, 대부분 소아에서 검출되고, 소아 폐렴에서 RSV 다음으로 흔한 원인입니다. 이 또한 RSV처럼 면역 유도가 덜 되는 경향이 있어서 일생 동안 반복적인 감염이 일어납니다. 형제인 RSV와 마찬가지로 조혈모세포 이식 환자에서 유의해야 할 바이러스이기도 합니다.

5) Adenovirus

감기에서 모처럼 DNA virus를 만났습니다.

Order Rowavirales, Family Adenoviridae에 속하며, non-enveloped icosahedral nucleocapsid를 지닌 double-stranded DNA virus입니다.

전 세계적으로 분포하고 있고 연중 내내 발생합니다. 여름 캠프나 수영장에서 pharyngoconjunctival fever로 발현되며, 특히 국내에서는 군인 신병 훈련소에서 급성 호흡기 감염증 및 폐렴으로 발현되기 때문에 매우 중요하게 다뤄야 할 바이러스입니다.

혈청형은 A-G까지 있고 총 60여 가지로 다양합니다.

보통 serotype 1, 2, 3, 4, 7, 14가 흔하며, 군에서는 serotype 55에 의한 폐렴이 유행하였습니다.

특히 2018년과 2019년 지역 사회에서 serotype 55에 대한 중화 항체 보유율을 조사한 결과, 군대를 다녀온 군은 56.0%로, 군대에 다녀오지 않은 군은 18.8%로 확인되었습니다.

폐렴은 운 나쁘면 전신에 퍼져서 meningitis, myocarditis를 일으킬 수도 있으며, 중증 호흡 부전이 발생하면 50% 이상의 치명률을 보일 수도 있습니다.

감기는 주로 type 5, 7, 14, 21이 일으키며, 5형은 유행성 각막 결막염(epidemic keratoconjunctivitis, EKC)의 원인이기도 합니다.

Pharyngoconjunctival fever는 type 3 & 7이 주로 일으킵니다.

그 밖에 위장관염, 심근염, intussusception, 그리고 출혈성 방광염의 원인이기도 합니다.

일반인들에게서야 감기 원인 병원체이지만, 조혈모세포 이식 환자 등의 면역 저하 환자에서는 치명적인 기회 감염 원인이 될 수 있고, 앞서 언급했듯이 군인들에게도 위협적인 바이러스가 될 수 있습니다.

이제는 잘 알려졌다시피, adenovirus는 증식 능력 일부를 무력하게 만들어서 유전자를 배달해 주는 수단으로도 쓸 수 있어서 유전자 치료나 백신의 매개체로 사용되기도 합니다.

Adenovirus type 12는 설치류 세포에서 암을 유발했다는 실험 결과가 있기에 암 유발 바이러스로 분류될 수 있지만, 사람에게서는 아직 해당 사항이 아닙니다.

현재 정식 승인된 항바이러스제는 없으나 ganciclovir나 cidofovir를 지푸라기 잡는 심정으로 시도해 볼 수는 있습니다.

6) Human bocaparvovirus (bocavirus)

가계도를 보면 Order Piccovirales인데, 자칫 Order Picornavirales에 속하는 rhinovirus와 혼동하면 안 됩니다.

자세히 보시면 철자가 달라요. 전자는 c가 2개, 후자는 c가 하나.

무엇보다 bocaparvovirus는 DNA virus, rhinovirus는 RNA virus입니다.

그러면 가계도를 다시 정리해 봅시다.

Order Piccovirales, Family Parvoviridae입니다.

구조 면에서 non-enveloped icosahedral nucleocapsid를 가진 single-stranded DNA virus입니다.

2005년에 발견된 신참 바이러스로, 1형(HBoV1)부터 4형까지 분류됩니다.

1형은 호흡기 검체에서, 2-4형은 분변 검체에서 분리됩니다.

그래서 1형은 주로 호흡기 질환, 2-4형은 주로 위장관 질환과 연관됩니다.

그런데, 이 bocaparvovirus가 정말로 호흡기 질환을 일으키는지에 대해서는 이견이 분분합니다.

다른 바이러스도 동시에 감염된 경우도 많아서 bocavirus가 감기 등의 원인 바이러스인지에 대해서는 그 인과 관계가 아직 확정이 되진 않았기 때문입니다.

국내에서는 질병관리청 호흡기 바이러스과에 매년 모이는 전체 검체 중 약 2% 미만에서 검출이 되고 있습니다.

7) Human coronavirus

그동안 SARS-CoV, MERS-CoV, 최근의 SARS-CoV-2로 인해 이제는 너무나 유명세를 타고 있는 바이러스입니다.

사람에서 감기를 일으키는 종류는 alpha-coronavirus에 해당하는 HCoV-229E와 -NL63, 그리고 beta-coronavirus에 해당하는 HCoV-HKU1과 OC43, 총 4종이 주류를 이루고 있습니다.

성인에서 감기의 약 15% 정도를 일으키는 것으로 생각되며, NL63과 OC43이 가장 흔합니다.

8) Severe acute respiratory syndrome-related coronavirus 2 (SARS-CoV-2)

이 바이러스를 감기의 범주에서 다루어야 할지 아니면 폐렴 쪽 범주로 해야 할지 약간 고민이 되긴 했는데, 대부분이 상기도 염증으로 나타나므로 여기서 다루기로 하겠습니다.

(1) 기본

가계도를 보면 Class Pisoniviriceteca, Order Nidovirales, Family Coronavi-ridae, Genus *Betacoronavirus* (subgenus Sarbecovirus)입니다. 이름이 시사하듯이 SARS-CoV(이제는 SARS-CoV-1이라 불러야 하겠군요)의 사촌입니다. MERS-CoV는 subgenus가 Merbecovirus로 분류되어 육촌 정도 됩니다. 앞서 언급한 감기 일으키는 코로나바이러스 중에는 HCoV-HKU1과 OC43이 betacoronavirus 가문입니다.

바이러스 자체는 enveloped (+) SS RNA virus이며 nonsegmented RNA입니다.

약 3만 개의 nucleotides로 이루어져 있으며, S (spike), E (envelope), M (membrane), N (nucleocapsid) proteins를 만들어 냅니다. 이 중 S protein은 trimer 구조로, 인체 세포에 침입할 때 transmembrane protease serine

2 (TMPRSS2)의 도움을 받아 human angiotensin-converting enzyme 2 (hACE2) protein receptor를 통해 들어 갑니다.

아시다시피 2019년 말에 시작되어 2022년 현재까지 전 세계에 퍼진 corona-virus disease 2019 (COVID-19) pandemic의 원인 바이러스입니다.

다른 alpha- 그리고 betacoronavirus가 그랬듯이, 이 바이러스도 박쥐로부터 종간 장벽을 넘어 들어온 것으로 추정하고 있습니다.

(2) 역학과 예방

기본 재생산 지수(the basic reproduction number; R0)는 처음 출현한 것은 3 정도, 이후 alpha 변이종은 4 정도, delta 변이종은 5 정도, 그리고 omicron 변이종은 9.5 정도로 추정하고 있습니다. Influenza는 2 정도라는 걸 감안하면 전염력이 상당히 높아요. 이 정도면 사람들이 우글거리는 폐쇄 공간이라면 거의 확실하게 전염이 될 것입니다. 그래도 야외에서는 전염 확률이 높지는 않을 겁니다.

전파는 기본적으로 비말 전파이지만, aerosol 발생 시술을 통한 공기 전파도 가능합니다. 물건에 묻었다가 옮을 가능성도 있지만 확률은 낮을 것입니다.

각자 도생을 위한 예방 수단으로는 역시 마스크 착용과 손 씻기가 가장 효과적입니다.

Infection fatality rate (IFR)로 본 예후는 전반적으로 0.2% 정도이지만, 연령, 지역 등에 따라 천차만별입니다.

연령을 놓고 보면 50대까지는 0.2% 수준이지만 이후부터 급증하기 시작하여, 65세 이상은 2%, 75세 이상은 8%, 85세 이상은 28% 정도까지 올라갑니다. 역시 연령이 문제입니다. 사망 환자의 80% 이상이 65세 이상이거든요. 사망자들은 기저 질환을 갖고 있던 경우가 대부분입니다.

현재까지 보고된 위험 인자로는 비만, 당뇨, 알코올, 마약 중독자, 흡연자 혹은 흡연 경력자, 임신, 만성 폐질환, 암, 이식받은 환자, 혈액 이상 질환, 고혈압을 비롯한 심 질환, 뇌졸중, 자가 면역 질환, 만성 간 질환, 다운 증후군 등이 있습니다.

Pandemic이니까 예방은 개인 수준을 넘어 사회 수준으로 행해야 합니다. 그래서 시행해 온 것이 NPI (nonpharmaceutical interventions)에 해당하는 사회적 거리두기(social distancing)입니다. 그 밖의 NPI로는 quarantine(원래 어원으로 따지면 40일이지만, 여기서는 14일 격리), 확진되면 시행하는 사회적 격리, 여행 제한, 자택 근무 등이 해당됩니다.

사회적 거리두기는 서로 전염되지 말라는 의도만 있는 것이 아닙니다. 코로나 19처럼 폭발적으로 발생하는 감염의 경우, 그 규모가 해당 국가의 의료 기관이 감당할 만한 한계치를 넘어가 버리면 전국 의료 체계가 마비되는 진짜 재앙이 초래됩니다. 그래서 발생 속도를 의료 기관이 감당할 수 있는 수준으로 최대한 늦추는 것이 목적입니다. 이를 'flattening the curve'라고 합니다.

다시 말해서 사회적 거리두기는 감염을 막는 수단이라는 오해를 하지 마시라는 겁니다. 불편한 진실이지만 '어차피 당신은 코로나 19에 걸립니다'라는 전제 아래에서, 어차피 걸릴 거지만 최대한 늦추라는 진정한 의도가 깔려 있는 겁니다.

그래서 앞서 언급했듯이 각자 도생과 개인 위생이 중요합니다.
실내에서는 반드시 마스크를 착용하고 손 씻기의 생활화, 모임 등의 자제, 증상이 있을 때 자진해서 검사 받고 필요한 조치를 받는 것 등이 그것입니다.

너무 비관적으로 설명한 것 같아서 죄송합니다만, 그래도 이런 각자 도생은 개인 건강 면에서는 이득이 꽤 있긴 하다고 생각합니다. 최소 2020년부터 2년간 마스크 철저히 쓰고 다닌 결과, 코로나 19는 물론이고 예전엔 1년에 서너 번 정도는 걸리던 그 흔한 감기조차 단 한 번도 안 걸렸거든요. 확실히 마스크, 손 씻기 등의 개인 위생 철저 준수는 효과가 있긴 있습니다.

(3) 임상 양상과 진단

감염되면 무증상, 경증부터 치명적인 중증까지 다양합니다. 약 1/3 정도가 무증상인 것으로 추정됩니다. 그러나 이들 또한 타인에게 전염을 시킬 수 있습니다. 대다수는 굳이 입원까지 필요 없는 수준이지만 일부, 특히 기저 질환이 있는 노년층일수록 중증으로 진행하는 경우가 훨씬 많습니다.

진단은 nasopharyngeal swab이나 혹은 타액 채취로 얻은 검체에 real-time PCR을 시행하여 확진합니다.

증상은 대개 4-5일 정도의 잠복기 후에 시작되는데 늦어도 2주 이내에 나타납니다. 발열, 기침, 몸살, 목구멍 통증 등으로 시작되어 호흡 곤란, 설사 등의 소화기 증세, 드물지만 수두나 동상을 흉내내는 피부 병변이 나타나기도 합니다. 갑자기 미각과 후각이 마비되기도 하며, 이는 심하면 수개월을 갈 수도 있습니다. 하지만 미각과 후각 마비 증상은 꼭 코로나 19에만 나타나는 건 아니며 심한 감기나 독감에서도 겪을 수 있습니다.

무엇보다 무서운 것은 기저 질환이 있을 경우, 그 기저 질환이 악화된다는 사실입니다.

그리고 폐렴이 합병되면 ARDS 등의 치명적인 경과로 접어들 수 있습니다.

또한 venous thromboembolism 경향이 빈번해져서, pulmonary embolism 혹은 deep vein thrombosis도 올 수 있습니다. 또한 arterial thrombosis로 뇌졸중도 종종 보고됩니다. 심혈관계 및 뇌혈관계 질환의 악화 위험성도 높아집니다.

여기에 2차적으로 세균 혹은 진균 감염이 겹치기도 합니다.

이렇게 중증도가 깊어지는 기저에는 cytokine storm이 자리 잡고 있습니다. 기전 면에서 sepsis와 유사하며 최종 결과는 multi-organ failure입니다.

(4) 치료

보통 유 증상 환자들은 대부분이 2주 전후까지는 회복이 됩니다. 그러나 일부가 중증으로 계속 진행이 됩니다. 그래서 중증으로 가면 sepsis/septic shock 치료와 거의 동일하게 시행합니다.

항생제를 줘야 하느냐가 좀 논란 거리인데, 중증 폐렴이 오랜 시일을 거치다 보니 2차적으로 세균 폐렴이 합병된 것이라는 추정 여부는 주치의의 몫입니다.

또한 thromboembolism의 합병도 우려되기 때문에 anticoagulant 치료도 일괄적으로 시행합니다.

현재까지 쓰이는 항바이러스 치료제로는 remdesivir, nirmatrelvir/ritonavir (Paxlovid), molnupiravir가 있습니다. 이에 대해서는 제8강. '내가 가진 무기 - 항바이러스제'에 자세히 설명되어 있으니 참조 바랍니다.

단일 클론 항체 제제도 항바이러스 치료제로 쓰이는데, Janus kinase inhibitors인 baricitinib이 대표적입니다. 이는 remdesivir와 병합하여 투여합니다. SARS-CoV-2 spike protein을 겨냥한 항체로 bamlanivimab + etesevimab 칵테일 혹은 REGEN-COV (casirivimab + imdevimab)도 사용됩니다. 국내에서 개발된 Regdanvimab도 같은 작용 기전의 항체입니다.

중증 환자의 치료에 있어서 glucocorticoids의 적절한 사용은 인공 호흡기 요구량 및 사망률을 감소시킬 수 있습니다.

이 밖에 IL-6 억제제(siltuximab), IL-6 receptor 억제제(sarilumab, tocilizumab), sabizabulin이 검증 과정에 있습니다.

잘 회복이 된 환자들 중에서도 오랜 기간 동안 만성 피로, 기침, 호흡 곤란, 흉통, 그리고 불면증이나 머리가 나빠진 듯한 느낌 등의 신경 정신과적 증상이 지속될 수 있습니다.

이를 long COVID라고 하는데, 사실 공식 명칭은 아니고 환자들이 만든 용어입니다.

2022년 현재 post-COVID syndrome이라 불리고, 기관마다 정의가 조금씩 다릅니다. WHO는 코로나19 급성기나 그 이후에 발생한 증상/징후가 2개월 이상, 진단 후 3개월 지나서도 지속되는 경우로 정의합니다. 반면에 미국 국립 보건원(National Institutes of Health, NIH)은 코로나19 진단 4주 후에도 증상/징후가 지속되는 경우를 post-acute sequelae of SARS-CoV-2 infection이라 합니다. 하지만 이 증상들이 딱히 명확하게 정의되는 것이 아니기 때문에 진단에 있어서 모호함이 많습니다. 원인은 잘 모르고, 치료는 증상마다 잘 맞춰서 대증 치료를 하는 수밖에 없겠습니다.

3. 독감

1) 기본

Influenza virus는 Order Articulavirales, Family Orthomyxoviridae 가문에 속하는 enveloped (-) SS RNA입니다. 이 바이러스가 일으키는 질환이 influenza, 즉 독감입니다.

생겼다 하면 뛰어난 전염력으로 대규모 유행을 가져옵니다.

역사에 기록된 최초의 대유행은 1173년부터였고 이후 1323년에 프랑스, 1387년에 이탈리아에서 다시 대유행이 일어났으며, 당시 이 질환은 별자리의 영향을 받는다고 생각하여(celestial influence) *una influenza*라고 부른 데에서 influenza란 이름을 얻게 됩니다. 이후 1510년에 유럽에 대유행이 한 번 더 있었고 아마 그 후에도 주기적으로 대유행이 있었을 것입니다.

그러나 정식으로 기록된 첫 pandemic은 1889-1890년 사이에 유행한 러시아 독감이었습니다(H2N2로 추정).

이후 1918-1919년에 악명 높은 스페인 독감 pandemic이 오는데, 이는 H1N1에 의한 독감으로 무려 4천여만 명이 사망하였습니다.

H1N1은 1957년에 H3N2, H2N2로 판세가 바뀌며, 1968-1969년에는 H3N2 홍콩 독감이 돌았습니다.

H1N1은 2009년에 swine flu(신종독감)으로서 다시 주류로 돌아옵니다.

현재 국가 지정 제4급 감염병입니다만, 만약 2009년 같은 antigenic shift에 의한 전세계 pandemic을 가져올 새로운 유형의 influenza가 발생한다면 WHO의 결정과 질병관리청장의 지정에 의해 제1급 감염병으로 격상됩니다.

Influenza는 A-D형까지 있는데, 임상적으로는 A와 B만 알면 됩니다.
A는 hemagglutinin (H)와 Neuraminidase (N)을 기반으로 분류가 되고, B는 Victoria와 Yamagata lineage로 나뉩니다.

Influenza 바이러스는 hemagglutinin (H), Neuraminidase (N)가 병리 기전의 핵심입니다.
Hemagglutinin은 인체 세포에 가서 달라붙는 역할을 하며, 현재까지 16가지 종류가 밝혀져 있습니다.
Neuraminidase는 인체 세포 안에서 증식한 바이러스가 envelope를 잘 갖춰 입고 탈출을 하려고 하는 단계에 작용합니다. 이 단계에서 발목을 붙잡고 있는 receptor의 siallyl기인 neuraminic acid를 떼어 주는 역할을 하며, 현재까지 9가지 종류가 밝혀져 있습니다.

그리고 matrix protein M1, M2가 있는데, 바이러스가 두른 envelope를 견고하게 유지해 주는 속살 역할을 해 주고 있고, 특히 M2는 ion channel 기능을 맡고 있습니다.

이 neuraminidase와 M2가 influenza 바이러스 치료제가 작용하는 급소입니다.

Influenza 바이러스의 strain에 대한 표기법은 다음과 같습니다:
바이러스 유형 / 분리된 곳 / strain 번호 / 분리된 해 / 바이러스 subtype.

• 예: A/Victoria/2570/2019 (H1N1) pdm09-like virus
2021-2022년 독감 백신에 포함된 주들 중 하나인데, influenza A이고, 빅토리아에서 분리되었으며, 번호는 2570, 분리된 해는 2019년으로, 2009년의 pan-

demic strain과 유사한 바이러스라는 것을 알 수 있습니다.

Influenza 바이러스의 RNA gene들은 서로 떨어진 segment들로 구성되어 있습니다.
이는 매우 중요한 의미를 가집니다. 화투 패를 섞듯이 segment들끼리 서로 뒤섞이는 일이 수시로 일어난다는 것이죠. 다시 말해서 이런 교환 교류로 인해서 본래 바이러스와는 전혀 다른 새로운 바이러스가 출현할 수 있습니다.
RNA의 염기서열이 일부 바뀌는 antigenic drift 수준을 넘어서, 아예 환골탈태 수준인 antigenic shift가 일어난다는 것입니다.

대표적으로 antigenic shift가 잘 일어나는 곳이 바로 돼지입니다.
돼지는 일명 mixing vessel, 즉 여러 종의 동물들 고유의 influenza virus들이 거리낌 없이 공존하는 곳입니다. 즉, 돼지 몸 속에는 인간 전용 influenza 바이러스와 조류 influenza 바이러스가 같이 살 수 있습니다.
그렇게 지내다 보면 두 종류의 influenza끼리 국경과 민족을 초월한 사랑의 결실을 맺어 유전자를 뒤섞음(gene reassortment)으로써 전혀 새로운 종류의 influenza가 탄생할 수 있습니다. 이것이 antigenic shift입니다.
이 새로운 influenza 바이러스가 인체 감염이 되기 시작하면, 사람들은 이에 대한 면역 체계가 미처 준비되어 있지 않은 상태이기 때문에 속수무책으로 당할 수밖에 없어서 빠른 속도로 대규모 전염이 시작되어 pandemic이 되는 것입니다.

스페인 독감을 예로 들어 보면, 포르말린 처리되어 보관되어 있던 그 당시 사망자의 부검 조직들을 꺼내어 유전자 분석을 시도한 결과, 그 당시 바이러스는 인간/돼지형이었습니다.
2009년을 할퀴고 지나갔던 swine flu의 경우는 인간, 돼지, 조류, 또 다른 돼지 influenza virus의 조합이었습니다.

돼지가 주도한 또 다른 예로 H3N2 variant influenza (H3N2v)가 있습니다.
이는 돼지 유래의 H3N2가 2009년 H1N1 pandemic strain과 섞이는 antigen-ic shift가 일어난 결과물입니다. 돼지와 접촉하는 이에게 주로 걸리지만 다행히도 사람끼리는 전염되지 않습니다. 미국에서는 2011년부터 가끔씩 발생하며, 300건 정도 축적되고 있습니다.

조류 독감(avian influenza)도 종종 사람에게 걸리곤 합니다.
원래 조류 독감 바이러스는 사람에게 해를 끼치지 않으며, 사람 독감 바이러스도 조류에게 감염되진 않는 게 원칙입니다. 그러나, 가끔씩 사람에게도 이환될 수 있습니다. 이는 돼지를 매개로 한 것이 아니기에 antigenic shift가 매개한 것도 아닙니다.

그 이유는 이렇습니다:
조류 독감의 바이러스 수용체는 alpha-2, 3-sialyllactose 구조인 반면, 사람의 독감 바이러스 수용체는 alpha-2, 6-sialyllactose 구조로 완전히 다릅니다.
그러나, alpha-2, 6는 상부 기관지에 한해서만 존재하고, 인간의 하부 기관지와 호흡기 점액에는 alpha-2, 3가 주로 존재합니다.
즉, 조류 influenza 바이러스가 인체에 침입하면 대개는 상부에서 receptor 구조의 차이로 인해 걸러지나, 몇몇 첫 관문을 돌파한 바이러스들이 더 깊숙하게 내려가서 alpha-2, 3와 성공적으로 접선한다면 조류 독감이 인간에게 전염될 수 있는 것입니다.

조류독감의 유형은 H5, H6, H7, H9, H10의 5가지인데, 이 중에서 H5가 가장 virulent 합니다.
그 동안 H5N1, H5N2, H5N6, H5N8의 인체 감염 사례가 있었습니다.
2013년에는 중국을 중심으로 H7N9이 돈 적이 있습니다.

조류 독감 바이러스는 조류의 호흡기에 존재하기 때문에 살코기에 존재할 가능성은 없으며, 설사 존재한다 하더라도 고기를 잘 익힌다면 100% 소멸되고, 국내에서는 발생지에서의 집단 도살 및 폐사 등을 통해 원천 봉쇄를 성공적으로 한다면 닭이나 오리 고기를 안 먹는 식의 과잉 반응을 할 필요는 없습니다

2) 임상과 진단

독감의 증상은 한 번씩은 경험했을 것이기에 다들 잘 아실 겁니다.

일반 상기도 감염증과 같은 호흡기 증세이지만 그 정도가 더 심하고, 무엇보다 온 몸이 다 아픈 몸살 증세가 유달리 심합니다.

제대로 치료받지 못하거나, 치료받더라도 운이 없다면 폐렴으로 진행할 수 있습니다.

독감 바이러스 자체로 인한 1차적 폐렴도 있지만, 독감 바이러스로 인해 나중에 폐렴알균이나 포도알균이 들어오기 딱 좋게 환경이 조성되어 생기는 2차적 폐렴(세균성)도 치명적입니다.

전염력은 증상이 시작되기 2일 전부터 증상 시작되고 5일입니다.

그래서 격리 기간은 통상 5일로 잡습니다. 물론 대다수가 그런 것이지 절대적인 것은 아니며, 증상 시작하고 5-10일까지도 전염력을 보일 가능성은 있습니다.

3) 치료

독감의 치료제로 matrix (M2) 억제제인 amantadine, rimantadine 이 쓰이긴 했지만 이제는 잘 듣지 않아서 더 이상 사용되지 않습니다.

현재 쓰이는 항바이러스제는 다음과 같습니다.

(1) Neuraminidase inhibitor

Oseltamivir (TamiFlu)는 influenza virus의 neuraminidase 작용을 억제하여 바이러스가 인체 세포에서 탈출을 못하고 죽게 하는 작용입니다.

같은 기전으로 흡입제인 zanamivir (Relenza)는 경구 복용이 어려운 이들을 위해 사용될 수 있습니다.

원료는 붓순나무과인 팔각회향(Star anise)의 씨앗에서 추출한 shikimic acid로, 이를 유전자 재조합 *E. coli*를 이용하여 대량 생산하여 제작합니다.

이 약제는 증상 시작하고 이틀 내로 투약해야만 의미가 있습니다.

부작용은 오심, 구토 같은 소화기 증세나 두통, 수면 장애 등이 소수에서 나타나며, 정신과적 이상이나 간질도 보고된 바 있습니다.

성인 환자의 경우 oseltamivir는 75 mg 하루 2번씩 5일간, zanamivir는 하루 두 번 흡입합니다.

Peramivir는 정맥 주사로 한 번 주는 neuraminidase inhibitor입니다.

그리고 inhalation agent인 laninamivir가 있습니다.

(2) RNA polymerase inhibitor

2014년에 일본에서 개발된 favipiavir는 RNA-dependent RNA polymerase (RdRp)를 억제합니다.

이는 독감 이외에 Ebola 바이러스 질환의 치료제로 쓰일 가능성도 검토되고 있습니다.

SARS-CoV-2에도 가능성이 타진되었지만, 현재로서는 효과가 없는 걸로 결론이 났습니다.

(3) Endonuclease inhibitor

2018년 일본에서 개발된 baloxavir marboxil (XoFluza)은 influenza virus의 증식 과정을 저지하는 약제로 딱 한 번만 복용합니다.

Influenza virus의 PA, PB1, PB2 complex 구조에서 PB2가 핵 내에서 host의 mRNA 부위 중 5', 7 methylguanosine cap을 붙들어서 탈취해 옵니다. 그러면 PA가 이를 요리하는데, 10-15 nucleotides 정도로 보기 좋게 잘라서(endonuclease activity) 자기들 viral mRNA에 갖다 붙여서 primer로 사용합니다. 이 과정을 통해 자기들의 mRNA를 증식하는 데 써먹습니다.

Baloxavir marboxil은 바로 이 RdRp의 endonuclease activity를 저지합니다. 지금까지의 임상 시험 결과, oseltamivir에 비해 바이러스 살상 능력이 3배쯤 빠른 것으로 알려졌습니다만, 내성이 문제이고, 현재로선 12세 이상에서만 복용이 허용되어 있습니다.

4) 예방

독감은 매년 항원성이 바뀌기 때문에 매년 vaccine을 맞음으로써 유행에 대비합니다.

2013년부터 live attenuated vaccine이 나오기 시작했지만 아직은 inactivated vaccine으로 매년 맞습니다.

독감 백신은 1973년부터 세계보건기구(World Health Organization)에서 추천 strain을 발표하기 시작했으며, 1999년부터는 북반구와 남반구로 나눠서 추천안을 발표하고 있습니다.

2004년부터는 influenza B의 Victoria와 Yamagata lineage가 동시에 돌고 있다는 이유 때문에 백신 추천주를 3개에서 4개로 늘려서 발표합니다.

추천 주는 A/H3N2, A/H1N1, 그리고 influenza B입니다.

백신을 맞으면 유도되는 면역능은 neuraminidase에 대한 면역능도 유도되지만 주로 hemagglutinin에 대한 것입니다

접종 후 시간 경과에 따른 전반적인 순서는 다음과 같습니다:

- 이틀째 항체 생성 세포가 처음 출현
- 일주일째 hemagglutinin을 겨냥한 CD8[+] T cell 출현
- 2주에서 3주 사이에 전반적으로 바이러스를 겨냥하는 cytotoxic lympho-cyte 출현
- 항체는 2개월-4개월 사이에 최고치

이후 항체가가 떨어져서 바닥을 칠 때쯤 되면 다음 독감 백신을 접종할 시기가 돌아옵니다.

백신에 대한 효과는 대략 60% 정도로 보고되고 있습니다.

제30강

폐렴

30

폐렴

1. 기본

폐렴(pneumonia)은 폐에 생긴 염증을 통틀어 부르는 용어입니다. 다 그런 건 아니지만 대개는 감염에 의한 것입니다. Pneumonia라는 용어는 그리스어로 폐를 뜻하는 pneumon에서 왔습니다.

그 어떤 감염 질환들보다 아마도 가장 비중이 높을 것입니다.
왜냐하면 현재 사망 원인들 중 거의 1등을 차지하고 있기 때문입니다.
암이나 고혈압, 뇌졸중 등이 주요 사망 원인이지만, 결국 생의 마지막은 폐렴이 같이 하는 경우가 대다수입니다.
'폐렴은 인간을 죽이는 모든 질환들의 왕'이라고 말씀하신 전설적 내과 의사 故 윌리엄 오슬러(William Osler) 경도 결국은 폐렴으로 세상을 떠났습니다.
이건 좀 엉뚱한 말인데, 저 자신조차 심근경색 등으로 급사 혹은 사고로 비명 횡사하지 않는 한 아마도 중환자실에 누워 폐렴과 함께 생을 마감할 것으로 예상하고 있습니다. 이런 말이 슬프게 들릴지 모르겠지만, 저는 그런 심정으로 하는 얘기가 아닙니다. 환갑을 넘으면 한 번쯤은 죽음에 대해 의식을 하게 됩니다. 폐렴으로 죽는 것이 두렵다는 게 아니고, 그냥 덤덤하게 운명을 받아들여야 한다는 생각에서 잠깐 헛소리를 해 보았습니다.

이런 게 인생이고, 진실은 불편한 법이거든요.

다시 본론으로 돌아옵시다.

폐는 호흡 기관입니다. 호흡이란 산소를 꾸준히 공급받음과 동시에 ATP라는 에너지를 끊임없이 만들어 내어 우리 삶을 유지하기 위한 행위입니다. 그러므로 호흡 기관이란 좀 더 자세히 말하자면 궁극적으로 에너지를 만들어내기 위한 원자재로서의 산소를 우리 몸에 공급해주는 물류 유통 기관입니다.

얼핏 보면 이러한 호흡 행위를 폐가 전담하는 것 같습니다.
그러나 폐는 독립 기관이 아닙니다.
일단 숨을 쉬는 것 자체를 중추 신경계에서 조율합니다.
그리고 숨쉬는 움직임은 흉곽 근육과 횡경막이 움직여주지 못하면 아무것도 할 수 없습니다.

또한 산소 공급 확보를 위해 심장과 혈관의 도움도 필요합니다.

이것이 의미하는 것은 폐렴이 생긴다는 것은 폐에만 국한해서 문제가 생기는 것이 아니고 몸 전체가 망가진다는 것이며, 거꾸로 몸 전체에 문제가 생기면 폐가 망가진다는 것도 뜻합니다.

그래서 폐렴에 걸리면 전신에 치명적인 것입니다.

폐는 하부 호흡기로 분류됩니다.

앞서 감기 단원에서 언급했지만, 상부와 하부는 성대(vocal cord)를 경계로 해서 나뉩니다.

그래서 성대 이후의 경로는 연골로 둘러싸인 기관(trachea)부터 시작합니다. 이는 좌우 둘로 분지하며 이때부터 기관지(bronchus)로 불립니다. 첫 기관지가 primary bronchus이고, 이후 secondary, tertiary bronchus로 계속 가지를 칩니다. 세 번째 기관지부터는 폐의 segment 하나 하나로 들어가는 관문이 되므로 segmental bronchi라고도 부릅니다.

이후 직경 1 mm 이하인 세기관지(bronchiole) 수준으로 내려가는데, 여기서부터 구조에 연골이 사라집니다. 그리고 계속 가지를 치면서 직경 0.5 mm 이하인 말단 세기관지(terminal bronchiole)에 다다릅니다. 여기서부터 산소와 이산화탄소를 교환하는 respiratory bronchiole이 시작됩니다. 또한 surfactant가 분비되어 표면 장력을 줄임으로써 호흡 과정에서 bronchiole이 찌부러지지 않게끔 해줍니다. 더 분지되면 alveolar duct를 거쳐 드디어 마지막 막다른 골목인 허파꽈리 혹은 폐포에 도달합니다. 여기까지 오는 데 16-23번 정도 가지를 쳤습니다. 폐포는 영어로 alveola 혹은 alveolus이며 복수형은 각각 alveolae, alveoli로 혼용합니다. 다 맞으니까 어느 용어를 써도 무방합니다. 저는 alveola, alveoli를 선호합니다.

폐 실질을 주로 이루는 것은 폐포(alveoli)와 폐포 공간(alveolar space)입니다.

폐포 벽은 제1형 세포와 2형 세포가 구성하는데, 수적으로는 2형이 많지만, 대부분의 면적은 넙데데한 1형 세포가 차지합니다. 1형 세포 하나가 고무처럼 주욱주욱 늘어나서 그냥 벽 하나를 구성하고 그 사이 사이에 2형 세포가 처 박혀 있는 모양새입니다.

2형 세포는 surfactant를 생성하고 분비하는데, 이 중에서 특히 surfactant A와 D는 병원체 침입 때 opsonization과 killing에 중요한 역할을 합니다.

호흡기계는 청정 지역이 아니며 정상적으로 미생물들이 말썽 안 피우고 잘 살고 있습니다.

이 microbiota는 주로 상부 호흡기에 몰려 있습니다.

상부에는 주로 viridans streptococci, *S. epidermidis*, *Corynebacterium*, *Propionibacterium*, *Haemophilus*, *Neisseria* 등이 서식합니다.

하부에도 있긴 있습니다만, 사실 별로 많지 않습니다. 주로 *Streptococcus*, *Prevotella*, *Fusobacterium*, 그리고 놀랍게도 *P. aeruginosa*도 선량한 주민으로 텃밭을 일구며 살아갑니다.

이걸 봐도 폐렴이 생기는 기전 일부를 어렴풋이 추정할 수 있습니다.

상부 호흡기에 얌전히 서식하고 있어야 할 microbiota 주민들이, 혹은 상부 호흡기에 염증을 만들고 있던 침입자들이 거기서 만족하지 않고 더 멀리 미지의 세계를 탐험한답시고 하부로 내려가 병원체로서 작용한다는 것입니다. 일종의 aspiration이겠지요.

2. 방어와 병리 기전

방금 언급했듯이 폐렴의 기본적인 병리 기전은 inhalation과 aspiration입니다.

사실 aspiration이 꼭 비정상적인 것은 아닙니다. 정상인도 자는 동안에 미량의 aspiration이 일어납니다(microaspiration). 정도의 차이이므로 정상적인 microaspiratoin이 일어나도 폐 조직에 손상을 주기는 어렵습니다. 어느 정도 선을 넘으면 그 때부터 문제가 생기는 것이지요.

우리는 평소에 이 aspiration을 반사적으로 막고 있습니다. 소위 문지기 격인 glottis의 reflex죠.

이 밖에 호흡기가 방어하는 기전은 다양합니다.
호흡기 자체가 surfactant와 더불어 항 미생물 물질들, 예컨대 IgA, lysozyme, defensin 등으로 두껍게 발라져 있습니다. 또한 goblet cell에서 분비되는 산성을 띤 끈끈한 점액도 미생물들의 발목을 붙잡습니다.
호흡기 상피에는 움직이는 털이 잔뜩 나 있어서, 뭔가 해로운 것이 들어오려고 해도 역주행하는 에스컬레이터가 작동해서 밖으로 몰아냅니다. 거기에 기침이나 재채기라는 강력한 반사 작용까지 합세하면 “에취!” 혹은 “카악, 퉤!” 하고 완벽하게 쫓아낼 수 있습니다.

그럼에도 불구하고 폐포까지 침투하는 데 성공한다 해도 그 곳에 잠복하고 있는 자경단인 alveolar macrophage의 영접을 받게 됩니다. Phagocytosis는 물론이고 cytokine 등을 분비하여 다른 면역 세포들을 부릅니다. 그 결과 interstitial macrophage, dendritic cells, intravascular macrophage, 그리고

neutrophil까지 몰려와서 한바탕 큰 싸움이 벌어집니다. 그 결과는? 염증입니다. 폐에서 벌어진 염증, 즉 폐렴입니다.

3. 진단

1) 증상과 병력, 진찰에서 얻는 정보

결국 침략에 대한 호흡기의 방어가 허물어질 때 폐렴이 생깁니다.
따라서 폐렴에 유난히 잘 걸릴 위험군엔 어떤 이들이 있는지 추정할 수 있습니다.

전반적으로는 면역 저하 환자가 가장 잘 걸릴 것입니다. 이는 당연하지요.
Phagocytosis가 원활치 않은 경우 특히 encapsulated bacteria에 취약합니다.
대표적인 예가 비장 적출이나 비장 기능 부전, 다발성 골수종이 있습니다.
물리적으로 하부 호흡기가 엉망으로 망가져 있는 만성 폐 질환 환자도 위험군입니다.

그리고 만성 심장 질환 환자도 위험군입니다. 이건 직관적으로 이해하기 힘들 것입니다. 하지만 심장에 문제가 있다면 폐포에 물이 차게 됩니다. 고인 물에는 세균이 서식하게 마련입니다만, 이를 정상적으로 퍼 낼 능력이 부족합니다. 그래서 폐렴에 취약한 겁니다.

같은 이유로 만성 신장 질환자도 폐렴에 걸리기 쉽습니다. 신장이 나빠지는 건 당뇨나 영양 문제 등이 동반되어 있을 가능성이 높으므로, 고인 물을 처리 못하는 것뿐 아니라, 면역 능력도 떨어져서 더욱 폐렴이 합병 잘 되는 경향을 보입니다.

간 경화같은 만성 간 질환도 면역 능력 저하를 의미하기 때문에 폐렴에 취약합니다.

폐렴에 걸렸다는 것은 호흡을 통해 산소와 이산화탄소를 교환해야 할 공간들이 쓸데없는 염증 물질들로 점유를 당했음을 의미합니다. 따라서 발열, 기침, 가래, 호흡 곤란, 흉통 등을 주 증상으로 보입니다.
종종 염증이 심화되어 각혈을 보일 수 있고, 비정형 폐렴의 경우에는 엉뚱하게도 폐와 관계없는 증상, 예를 들어, 오심, 구토, 설사, 두통 등에 시달릴 수도 있습니다.

흉부 X-선으로 확인하기 이전에 폐렴의 단서를 잡아내는 데 있어서 physical examination은 매우 중요합니다. 특히 청진이 중요하며, 이 중에서 수포음(crackle)을 잘 포착해야 합니다.
수포음은 제가 학창 시절 때만 하더라도 폐포에 가득 찬 염증 진물들이 흡기 때마다 부글거려서 나는 소리라고 배웠습니다만, 그건 틀린 기전이었습니다. 사실은 염증이 들어차서 찌부러진 bronchiole과 폐포가 숨을 들이 마실 때마다 순간적으로 다시 빨리 펴지면서 나는 소리입니다. 한 때 rales라는 용어를 사용했으나, 이제는 crackle로 바뀌었습니다. 아직도 rales라고 하시는 분들이 계신데, 속히 교정하시기 바랍니다.

어떻게 들리는지 궁금하시다면 다음 링크로 접속하셔서서 각 호흡음마다 잘 들어 보세요.

(https://youtu.be/KRtAqeEGq2Q)

폐렴이란 숨을 쉬는 기관이 점령당한 것이니, 치료가 제대로 안 되면 생명이 위험합니다. 제대로 된 치료를 위해서는 폐렴의 원인이 무엇인지를 규명하는 것이 진단의 첫 걸음입니다. 그래서 환자로부터 임상 증상과 병력 청취를 통해 가능한 원인을 최선을 다해 추정합니다.

예를 들어 Sore throat이 동반된 폐렴이라면 일단 pneumococcal pneumonia 가능성은 떨어집니다. 폐렴이 있으면서 입술에 herpes labialis가 있으면 pneumococcal pneumonia를 의심할 만합니다. 비장이 적출된 환자나 간 경변 환자라면 pneumococcal bacteremia가 동반될 확률이 높습니다. 목이 쉰 폐렴이라면 급성인 경우 *Chlamydia*를, 만성이라면 결핵을 먼저 생각합니다. 흉통이 동반된 폐렴 시 atypical pneumonia나 viral pneumonia 가능성은 줄어듭니다. 단, *Legionella*와 influenza는 예외입니다.

자꾸 재발하는 폐렴은 대개 면역 결핍이나 만성 질환의 문제입니다. 이 경우 꼭 점검해야 할 질환은 당뇨, 신 기능 부전, 간질, 알코올 중독, 약물 남용, 식도 게실 등입니다.

비뇨기 감염이 선행하고 폐렴이 생길 경우 *Proteus*와 *E. coli*를 의심해 볼 만합니다.

Acinetobacter 폐렴 대다수는 hospital-acquired이지만 community-acquired도 종종 있으며 이 때는 bacteremia도 잘 동반됩니다. 폐렴과 동시에 코피가 있다면 psittacosis나 pertussis를 의심해 봅니다. 각혈이 동반된 hospital-acquired pneumonia의 원인균으로 *Serratia marcescens*를 의심해 볼 필요가 있습니다.

Shock이나 DIC가 있는 것도 아닌데 petechiae가 관찰되는 폐렴이면 adenovirus를 의심해 봅니다.

폐렴과 동시에 뇌 수막염이 있다면? – '반짝반짝 작은 별'
이라는 곡조에 맞춰서 이렇게 노래 부르세요: "CCTTLMN
(Cryptococcus, CMV, TB, *Toxoplasma, Legionella, My-
coplasma, Nocardia*)!"

세균성 폐렴은 그 자체가 잠자고 있던 잠복 결핵을 일깨우기도 한다는 점을
잊지 말아야 합니다. 이는 특히 노인들에서 그러합니다. 따라서 폐렴에서 회복
되던 노인 환자가 다시 새로 악화된 폐렴에 시달린다면 결핵이 생겼을 가능성
을 배제하지 말아야 합니다.

2) 촬영
백문이 불여일견. 역시 흉부 X선 촬영이 폐렴 진단에서 가장 기본적으로 중요
합니다.

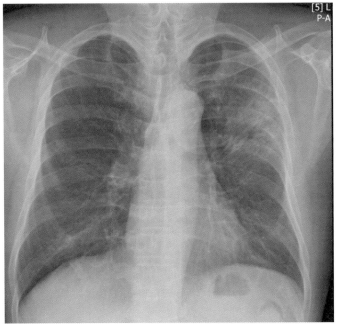

초기의 폐렴입니다. 이 정도라면 처음부터 치료를 잘 하는 것이 중요합니다.

꼭 다 들어맞는 것은 아니지만 X선 폐 사진 소견에 따라 원인 병원체를 어느 정도 추정할 수 있으므로 다음 몇 가지 사항들은 숙지하고 있는 것이 좋겠습니다.

매우 진하게 segmental 혹은 lobar consolidation을 보이면 십중팔구 세균이 원인입니다.
여러 segment들을 잡아먹고 있으면 *S. pneumoniae*나 *Legionella spp.*, *Mycoplasma pneumoniae*일 겁니다.

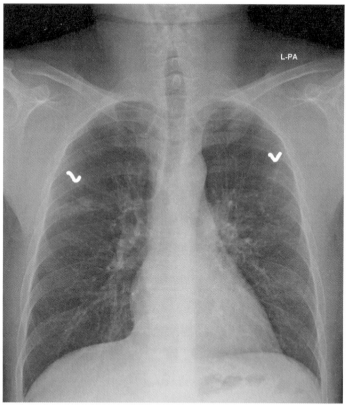

2개 이상의 폐엽에 생긴 폐렴입니다. 폐렴알균이나 Legionellosis로 보기엔 병변이 모호한 비정형 폐렴 같습니다. 역시 나중에 *M. pneumoniae*로 밝혀지더군요.

한 lobe만 먹고 air bronchogram 소견을 보이면 *Chlamydia* 가능성을 고려합니다.

Lower lobe는 주로 aspiration pneumonia로 혐기균과 그람 음성 막대균을 의심하는 것이 좋겠습니다.

염증이 가득 들어 차서 축 늘어지는 형태의 그 유명한 bulging fissure sign은 꼭 *K. pneumoniae*만 원인이 아닙니다. 이 밖에 pneumococci, *H. influenzae*도 의심해 보아야 합니다.

폐암도 고려해야 합니다.

Bronchopneumonia는 기관지의 염증으로 인해 점막 상피가 헐고 삼출물들이 잔뜩 차 있는 상태로 나타나는 소견입니다. 이는 주로 *S. aureus*, *Haemophilus* influenzae, 그리고 침습성 진균이 원인입니다.

실질이 아니고 간질에 침윤이 된 pneumonitis 소견은 대개는 바이러스나 *Mycoplasma*가 원인일 가능성이 높습니다.

양 폐야에 진하지는 않고 은은하게 침윤이 깔려 있는데 그런 모양에 어울리지 않게 동맥혈 산소 분압이 지나치게 낮다면 diffusion이 잘 안 된다는 뜻이고, 특히 *Pneumocystis jirovecii* 가능성이 있습니다. HIV까지 양성이면 거의 틀림없습니다.

뭉텅이로 침윤이 있거나 경계가 불분명한 reticulonodular 병변을 보인다면 CMV, HSV, adenovirus 등의 바이러스 폐렴이거나 *M. pneumoniae* 가능성이 있습니다.

공동(cavity) 병변도 원인 감별에 중요한 지표입니다.

Cavity가 있으면 일단 pneumococci와 *Legionella* 가능성은 살짝 떨어집니다.

주로 상엽에 있다면 결핵이나 NTM을 먼저 의심합니다.

하엽에 있다면 lung abscess로 본색을 드러내는 일이 잦습니다.

처음엔 lobar consolidation으로 나타났다가 나중에 cavity로 변한다면, 며칠에 걸쳐서 괴사성 병변으로 발전하는 것을 특징으로 하는 *S. aureus* 가능성이 있고, *P. aeruginosa*, *K. pneumoniae*도 고려합니다.

K. pneumoniae 폐렴이 만성화된 경우 병변은 결핵과 유사한 cavity를 보이지만, 벽이 더 얇습니다.

*Proteus*와 *S. marcescens* 폐렴은 cavitation이 없습니다.

폐렴에 동반되는 흉막 삼출(pleural effusion) 또한 골칫거리입니다. 일단 양이 많으면 세균이 원인이라 보시면 됩니다. 하지만 양쪽 다 effusion이 있으면 감염성일 가능성이 떨어집니다.

그리고 effusion이 있으면 바이러스 폐렴과 *Mycoplasma*는 일단 가능성이 떨어집니다.

폐렴과 한 쪽 pleural effusion 시 폐암을 꼭 한 번은 의심하는 게 좋습니다. 의외로 잘 놓칩니다.

괴사성 병변이나 pneumatoceles, 운 나쁘게 empyema가 동반되었다면 *S. aureus*나 *S. pyogenes*, *S. pneumoniae*를 의심해 볼 만합니다.

Effusion에 mediastinal widening이 동반되면 anthrax를 의심해 볼 필요가 있습니다. 물론 생물학 테러나 목장 근무 등의 병력도 걸맞아야 하겠죠.

종종 다발성으로 nodule들이 보일 수 있습니다. 이는 bacteremia를 통해 여기저기 전이된 양상을 뜻하며, 대표적인 원인이 *S. aureus*이며, 면역 저하 환자라면 특히 mold에 의한 기회성 진균 감염을 의심합니다.

Hilar adenopathy도 중요한 소견입니다. 상엽 침윤과 동반되어 있으면 결핵부터 의심해야 하겠지만, mediastinal shift같이 기관지가 막힌 소견과 함께 있으면 암 또한 함께 있을 가능성도 생각합니다. 양측 다 hilar adenopathy가 있다면, 그리고 비대칭적이라면 lymphoma도 용의선상에 놓는 것이 좋겠습니다.

Ground-glass opacities (GGO)는 특히 흉부 CT에서 잘 잡아내는데, 이 경우는 *P. jirovecii*가 유력하지만 *Mycoplasma*나 CMV를 비롯한 바이러스 폐렴도 배제하지 않도록 합니다.

마치 나뭇가지에서 새 순이 돋아나는 듯한 모양인 tree-in-bud pattern도 중요한 소견인데, 이는 세기관지에 뭔가가 들어 차 막혀서 생깁니다. 주로 세균이나 결핵균(endobronchial TB), 진균, RSV나 PIV 같은 바이러스, 혹은 비정형 폐렴균에 의한 폐렴에서 봅니다만, 각종 암의 전이를 시사하기도 하기 때문에 신중하게 접근해야 합니다.

3) 객담 검사

얼핏 생각하면 폐렴은 객담 검사로 균을 증명하면 진단이 해결될 것 같아 보이지만, 현실은 그렇지 못합니다. 앞서 설명했듯이 호흡기계가 완전 청정 지역이 아니기 때문에, 객담에서 어떤 균이 배양되었다고 해서 그 균이 원인균이라는 보장이 없으며, 사실상 정상적인 서식균일 가능성이 더 높습니다. 게다가 폐렴으로 입원한 환자의 과반수가 객담을 시원하게 뱉지 못합니다. 하긴 뱉지 못하니까 폐렴이 더 악화되었을 것이고, 끙끙 앓느라 뱉지 못하는 탓도 있을 겁니다. 그나마 어렵게 받아 놓은 객담도 검사하기에 부적절한 경우가 많습니다.

그래도 몇 가지 특징들은 진단에 쓸 만은 합니다.

예를 들어 벽돌 색 객담(currant-jelly sputum)은 *K. pneumoniae* 폐렴 진단에 좋은 단서입니다.

고약한 냄새가 나는 객담은 lung abscess나 aspiration pneumonia 같은 혐기성 균에 의한 폐렴을 시사합니다.

객담 검체가 적절한 지에 대한 절대적 기준이 있는 건 아니지만, 저 배율(100배)에서 25개 이상의 neutrophils과 10개 이하의 epithelial cell이 있으면 그나마 의미가 있는 걸로 간주합니다.

객담 배양 결과는 진단에 별 도움을 얻기 어렵습니다.
객담에서 항원이나 항체를 검출하는 기법이 pneumococci나 *Legionella*, *P. jirovecii*에서 시도되고는 있습니다만, 어쨌든 뱉어낸 객담으로 진단을 시도하는 것은 그리 큰 보람이 없어 보입니다. 하지만, 폐 병변에 직접 접근해서 객담을 뽑아 온다면 얘기가 달라지겠지요.

4) 기관지 내시경을 비롯한 침습적인 시술
그래서 fiberoptic bronchoscopy를 시행해서 protected brush catheters를 쓰고 bronchoalveolar lavage (BAL)를 하여 정량 배양을 하거나 생검을 한다면 진단 가치는 올라갈 것입니다.
그렇다고 해서 모든 폐렴 환자에게 기관지 내시경을 할 노릇은 아니고, 이는 주로 이식 환자나 HIV/AIDS 같은 면역 저하 환자에서 진가를 발휘합니다. 내시경을 통해 특히 PJP와 CMV 폐렴 진단에 큰 도움이 되기 때문입니다. 직접 배양도 하고 정량 PCR 등을 통해 신속하게 진단을 내리고 치료 방침을 결정할 수 있습니다.

BAL은 결핵과 진균 폐렴 진단에도 특히 유용합니다.

하지만 침습 시술이기 때문에 자칫하면 출혈이나 호흡 부전 등의 여러 위험을 감수해야 합니다.
따라서 아주 절실한 경우가 아니라면 특히 community-acquired pneumonia (CAP) 환자에서는 실시하지 않는 게 좋겠습니다.

그래서 기관지 내시경보다는 좀 온건하고 덜 침습적인 진단법으로 endo-bronchial aspiration을 통한 정량 배양이 추천되기도 합니다.

5) 흉막 삼출액 검사

폐렴 환자의 20% 내지 많으면 40%에서 흉막 삼출(pleural effusion)이 동반됩니다.

폐렴 알균이나 그람 음성균 폐렴 환자의 과반 정도에서, 그리고 특히 β-he-molytic streptococci 폐렴 환자의 대부분에서 나타납니다.

Pleural fluid는 뽑아서 성분을 검사해야 합니다. 그래야만 drainage 여부를 결정할 수 있으며, 만약 안 하면 섬유화가 되어 나중에 뒷수습이 더 커집니다.

만약 neutrophil이 dominant하지 않다면 폐렴을 흉내내는 질환들, 예를 들어 결핵, 암, pulmonary embolism 그리고 collagen vascular disease 여부도 감별해야 하기 때문이기도 합니다.

Parapneumonic effusions은 크게 3단계 시기로 나누어서 조치를 취합니다.

첫 단계가 exudative stage로 그나마 좀 낫습니다. 배양해도 균이 안 나오고, pH > 7.2, glucose > 60 mg/dL, LDH < 정상치의 3배 미만입니다.

이 시기는 interstitial fluid가 pleural space로 이동한 것이고, pleura 내의 모세혈관의 투과성이 증가된 결과입니다. 이는 기저 질환에 대한 치료에만 집중해도 잘 해결이 됩니다.

만약 이 시기를 제대로 처리 못하면 fibropurulent stage로 들어갑니다.

이때부터 배양에서 균이 나오고, pH < 7.2, glucose < 60 mg/dL, LDH > 정상치의 3배를 보입니다.

이 시기부터는 반드시 삼출액을 빼 줘야 합니다.

3단계는 2단계에서 제대로 치료를 못 했을 경우 섬유화로 끈적이는 상태로 접어든 상황입니다. 그래서 폐 자체가 숨 쉴 때마다 제대로 펴지지 못하고 힘들게 됩니다. 이때는 일일이 뜯어 주는 decortication을 받아야 합니다.

여기에 고름이 차게 된 것이 empyema입니다.

6) 혈액 배양

혈액 배양은 나와 주기만 한다면 치료 방향을 보다 확실하게 정할 수 있기에 고맙겠지만, 실제로는 20% 못 미치게 나오는 게 현실입니다. 그래도 폐렴 치료에 있어서 필수적으로 해야 하며, 항생제 치료에도 차도가 없을 때는 더욱 반복해서 시행해야 합니다.

7) 혈청 검사

주로 비정형 폐렴인 *Legionella* species, *M. pneumoniae*, *Chlamydia* species 의 진단에 혈청 검사를 합니다.

Cold agglutinin은 *M. pneumoniae* 진단에 쓰이며 titer가 1:4 이상이면 양성을 시사합니다.

Procalcitonin은 최근 들어 각광받는 표지자입니다. 이 수치가 증가하면 (> 0.25-0.5 µg/L) 세균 감염을 시사하고, 측정치의 저하 여부에 따라 항생제 사용 기간을 조정할 수도 있다고 간주하지만 정확도 면에서 아직 결론을 내리는 것에 대해서는 신중해야 합니다. 그래도 여러 장기의 감염 질환들 중엔 그나마 폐렴이 제일 적용하기는 낫습니다.

CRP 또한 아주 정확한 것은 아니지만, 100 mg/L을 훌쩍 넘는 수치로 증가했다면 폐렴의 판단과 critical care와 관련된 예후의 예측에 투박하나마 괜찮은 지표로 삼을 수 있습니다.

8) 소변에서 항원 검출

소변에서 *L. pneumophila* antigen을 검출하는 것은 괜찮은 민감도와 특히 99%에 달하는 특이도로 꽤 유용합니다. 하지만 치료가 다 끝난 후에도 수주에서 수개월 계속 양성으로 나온다는 것이 문제입니다.

또한 *S. pneumoniae* antigen도 소변에서 검출하는데, 민감도는 떨어지지만 역시 특이도가 100% 가까이 수렴합니다. 그러나 위양성도 제법 나오기 때문에 한계점이 있습니다.

그래도 임상가 입장에선 없는 것보다는 낫네요.

4. 치료를 논하기 전에 각종 폐렴들을 짚어 봅시다.

1) 정형 폐렴(typical pneumonia)과 비정형 폐렴(atypical pneumonia)

폐렴은 발열과 더불어 가래를 동반한 기침과 호흡 곤란을 전형적인 증상으로 하며, 갑자기 시작됩니다.

예를 들어 폐렴알균에 의한 폐렴 환자는 "어제 저녁에 식사를 하고 TV를 보는데, 아홉시 뉴스 끝나고 드라마 시작하기 전, 약 아홉시 오십분에 갑자기 열이 나면서.." 하는 식으로 매우 정확하게 시작 시각을 진술하곤 합니다. 이렇게 발열, 기침과 많은 객담, 흉통, 호흡 곤란 등을 보이는 것이 전형적인 폐렴의 증상이고 이를 정형 폐렴이라 합니다. 심장 박동수는 분당 120회를 훌쩍 넘고, 피 검사를 해 보면 백혈구 수치가 보통 15,000/uL를 넘어가는 상승 소견을 보입니다. 오히려 정상치보다 훨씬 낮은 백혈구 감소증도 보일 수 있습니다.

주 원인균은 *S. pneumoniae*, *H. influenzae*, *S. aureus* 등입니다.

그런데 이와는 달리, 언제 어떻게 시작했는지 모르게 슬금슬금 몸이 며칠째 안 좋다가 은근 슬쩍 폐렴 증상으로 변해 가면서 어느 틈에 깨닫고 보니 열나고 기침, 가래가 나오더라 하는 식의 환자들도 꽤 많습니다.

그리고 폐렴인 주제에 배가 아프고 설사를 하거나, 머리가 아프거나, 관절이 쑤시거나 하는 증상이 동반되기도 합니다. 이는 전형적인 폐렴과는 다르기 때문에 비전형적 폐렴, 혹은 비정형 폐렴(atypical pneumonia)으로 분류됩니다. 이는 그냥 증상만으로 차별화하는 것이 아니고, 정형 폐렴과는 원인 병원체가 다릅니다.

비정형 폐렴의 원인 병원체는 세포 안으로 들어가서 죽지 않고 살아남아 말썽을 부리는 세포 내 감염(intracellular infection)입니다. 세포 내 감염이라 하면 가장 대표적인 것이 바이러스이고, 세균으로 보자면 *Legionella pneumophilia*, *Mycoplasma pneumoniae*, *Chlamydia* pneumoniae 등이 주요 원인균입니다.

비정형 폐렴은 1938년에 Hobart Reimann 등이 자기 환자 7명을 대상으로 자세히 기술하여 발표한 것이 최초 사례였으며, 1944년에 *M. pneumoniae* (Eaton agent)가 발견되면서, 비정형 폐렴의 실체가 밝혀지기 시작합니다. *M. pneumoniae*는 세포벽이 없어서 아예 그람 염색이 안 되고, 크기가 세균으로 보기엔 너무 작아서 한 때 바이러스로 오인되기도 했던 균입니다.

그리고 그 legionellosis가 70년대 중반에 주목을 받습니다.

Legionellosis는 재향 군인병(Legionnaires' disease)과 폰티악 열(Pontiac fever: 이건 폐렴은 동반되지 않음)까지 통칭하는 용어입니다.

Legionellosis는 1976년 필라델피아에서 열렸던 재향 군인회 참석자들 중 무려 221명이 한꺼번에 폐렴에 걸려서 이 중 34명이 목숨을 잃은 사건이 시초입니다.

원인균은 비교적 빨리 밝혀지는데, 그 비극이 지나가고 약 반 년 만에 미 질병관리본부의 Joseph McDade와 Charles Shepard가 규명합니다. 당시 병에 걸려던 재향 군인들의 수가 워낙 많았다고 생각했는지, 실제로는 200여 명이었지만 수천 명의 군단(legion)으로 간주하여 *Legionella*라는 이름을 붙입니다. *Legionella*는 평소엔 물 속에서 조용히 살아가는데, free form으로 유유히 헤엄치며 사는 것이 아니고, 아메바 세포 안에 들어가 안전 가옥을 만들어 안락한 환경에서 세포 하나당 천여 마리씩 증식을 하고 있습니다. 거기에다가 오랜 시간이 지나면서 형성되는 biofilm 안에서 은거를 함으로써 더더욱 여유 있는 삶을 즐깁니다.

이 균이 인체 내로 들어가면 일차적으로 phagocytosis가 되지만, 죽지는 않습니다. 평소에 이미 아메바와 합을 맞춰 본 관록이 있기 때문에, 이를 십분 발휘해서 세포 내 생존왕이 되는 것입니다.

세포 안에서 phagosome과 lysosome 융합을 못하게 하고, oxidative burst도 작동을 못하게 합니다. 그 결과, 세포 안에서 생존을 함과 동시에 오작동에 가깝게 cytokine이 잔뜩 분비되고, 그 결과 neutrophil을 비롯한 염증 세포들이 동원되어 와서 폐렴이 진행됩니다.

조금씩은 차이가 있겠지만 이는 *M. pneumoniae*나 *Chlamydiae pneumoniae*도 병리 기전이 대동소이합니다.

앞서 언급했듯이 비정형 폐렴은 폐 이외의 장기에서도 질병 양상을 나타냅니다. 가볍게는 두통이나 설사부터, 심하면 혈관이 막히거나 좁아져서 손 끝이 퍼래지는 Raynaud's 현상이라던가, 심장의 염증, 그리고 뇌염이나 수막염, 길랑 바레 증후군 같은 신경학적 질환 등으로 말입니다 치명적일 수도 있는 erythema multiforme(주로 *M. pneumoniae*), 횡문근 융해증, 급성 사구체 신염, 용혈증 등도 동반될 수 있습니다.

정형이냐 비정형이냐를 구분하는 것은 분류 자체에 의미가 있다기보다는 임상적인 의미가 더 큽니다.

이 구분을 통해 치료 방침이 달라지기 때문입니다.

비정형 폐렴 원인균 중에 어떤 것은 세포벽이 없으며, 모두 다 세포 안에서 살해당하지 않고 잘 생존합니다.

그렇다면 세포벽에 작용하지 않으면서, 세포 안으로 충분히 잘 들어가는 항생제를 선택해야 합니다.

그것이 바로 macrolide, quinolones, tetracycline인 것입니다.

그런데 실제 임상 상황에서는 정형인지 비정형인지 칼로 무 베듯이 확실하게 구별이 되지는 않아서 항생제 선택 시에는 양 쪽 모두 대처할 수 있게 양 다리를 걸치게 됩니다. 뒤에 가서 다시 언급하겠지만, 그래서 community-acquired pneumonia의 항생제 원칙이 그러한 것입니다.

2) Health care-associated pneumonia

상당히 혼란을 주는 분류입니다. 원내 입원하고 있지 않은 상태의 폐렴이라 community-acquired pneumonia의 외양을 하고 있지만, 실제로는 의료 기관과의 연계성을 갖고 있기 때문입니다.

정의는 폐렴 발생 석 달 이내에 의료 기관에 적어도 이틀 이상 입원한 경력이 있어야 합니다. 입원력이 없다 하더라도 꾸준히 의료 기관에 왔다 갔다 하는 경력이 있어도 해당됩니다. 예를 들어 혈액 투석을 받는 환자들이 대표적입니다. 또한 폐렴 발생 한 달 이내에 외래 다니면서 항생제를 투여받거나 수술 등의 창상 소독 혹은 항암 치료를 받는 환자들도 해당합니다. 요양병원이나 요양원 환자들도 여기에 해당합니다.

이 분류는 병원 감염의 정의가 의료 관련 감염으로 외연을 확장하면서 자연스럽게 따라 나온 개념이라 할 수 있습니다. 하지만 CAP과 원내 폐렴 사이에 겹친 분류라서 치료에 있어서는 판단 기반으로 삼기가 모호합니다. 결국 치료는 CAP과 원내 폐렴으로 나눠서 원칙을 세우게 됩니다.

3) 원내 폐렴

원내 폐렴(nosocomial pneumonia)은 병원에 입원해 있는 와중에 걸린(적어도 입원하고 48시간은 지나서 시작) 폐렴을 총괄한 개념입니다.

크게 두 가지 부류로 나뉘는데, 인공 호흡기를 달고 있는 와중에 걸린 폐렴(ventilator-associated pneumonia, VAP), 그리고 아무것도 꽂혀 있지 않은 상태에서 걸린 병원 폐렴(hospital-acquired pneumonia, HAP)으로 분류합니다.

사실 기관지 삽관 등이 되어 있지 않은 상태에서 어쩌다 크게 사레가 들리거나(macroaspiration), 조금씩 자주 사레가 들린 것이 축적되거나(microaspiration) 해서 생기는 HAP는 VAP보다는 비중이 덜 합니다. HAP는 VAP에 비해 중환자실에서 집중 치료를 받거나 다제 내성균이 원인인 경우가 적습니다. 그래서 보통 원내 폐렴이라고 하면 사실상 VAP에 편중해서 다루어지곤 합니다. VAP의 정의에 대해서는 제11강 '적은 내 곁에 있다-의료 관련 감염'에 자세히 설명해 놓았으니 참조 바랍니다.

5. 항생제 투여 지침

1) CAP 입원 여부 판단의 순간들

CAP 환자를 접했을 때 가장 먼저 결정해야 하는 사항은 이 환자가 입원 대상인지 여부입니다.

이 판단을 위해 다음 2가지 점수 체계들 중 하나를 이용합니다.

먼저 PSI (pneumonia severity index)가 있습니다.

연령, 기저 질환, 진찰 및 검사 소견들로 이뤄진 20가지 사항들을 점검하여 점수를 매기면 5가지 class로 판정을 받습니다. Class 2까지는 입원 안시키고 치료해도 무방합니다.

PSI 계산은 다음 링크로 접속해서 간편하게 할 수 있습니다.
항목을 채워 넣으면 즉석에서 어느 class에 해당하고 예상 사망률, 입원 여부
까지 친절하게 안내해 줍니다.

(https://www.mdcalc.com/psi-port-score-pneumonia-severity-index-cap)

또 한 가지 간편한 점수 체계가 CURB-65입니다. 겨우 5가지만 검토하니까 간
단하기도 합니다:

- Confusion (C)
- Urea > 7 mmol/L (U)
- Respiratory rate ≥ 30/min (R)
- Blood pressure: systolic ≤ 90 mmHg 혹은 diastolic ≤ 60 mmHg (B)
- 연령 ≥ 65세

여기서 빵점을 맞으면 입원 안 시켜도 됩니다.
2점까지는 65세 이상이라면 외래에서 치료할 수 있습니다.
나머지는 입원시켜야 합니다.

다음 단계는 일반 병실이냐, 중환자실이냐를 결정하는 것입니다.
이를 위해 아래와 같은 severe CAP 기준을 가지고 평가를 합니다.

환자가 기계 호흡기를 달아야 할 정도로 호흡 부전을 보이거나 vasopressor까지 써야 할 septic shock이라면 당연히 severe CAP이므로 중환자실로 입실시킵니다.

그게 아니라면 다음 9가지 기준들을 점검해 보아서 3개가 맞을 경우부터 severe CAP로 판단하고 중환자실로 입원시킵니다.

- 호흡수 분당 30회 이상
- PaO_2/FiO_2 250 이하
- 폐 사진을 보면 2개 이상의 lobe에 침윤된 폐렴
- Confusion 내지 disorientation을 보일 때
- BUN 20 mg/dL 이상
- 혈액 백혈구 4,000/uL 미만
- 혈소판 10만 개/uL 미만
- 섭씨 36도 미만의 저체온
- 수액을 퍼 부어야 할 정도의 혈압 저하

2) 외래에서의 CAP

외래에서 충분히 감당할 수 있는 폐렴 환자의 항생제 선택은 크게 봐서 폐렴알균과 비정형 폐렴 양쪽을 다 제압하는 데에 목적이 있습니다.
그런데, 어떤 균이라는 것도 중요하지만, 무엇보다 핵심은 어떤 내성이냐는 판단입니다.
바로 그것이 치료의 성패를 결정하기 때문입니다.
특히 penicillin 내성 폐렴알균(PRSP) 여부를 먼저 추정 및 판단하고 항생제를 선택합니다.
이를 위해 최근 3개월 사이에 항생제를 투여 받은 경력이 있는지와 의료 기관 방문력 여부를 확인하고, 있다면 PRSP를 의식해서 항생제 조합을 짭니다.

거기에 환자가 갖고 있는 동반 기저 질환이 있는지도 동시에 파악합니다.
이에 해당하는 것으로는 당뇨, 암, alcoholism, asplenia, 만성 심장 질환, 폐 질환, 간 질환, 신장 질환입니다.

- 위험도 및 기저 질환이 없다면: amoxicillin + macrolide 혹은 + doxycycline 조합, 혹은 macrolide나 doxycycline 단독
- 있다면: amoxicillin/clavulanate 혹은 cephalosporin을 기본으로 해서 macrolide나 doxycycline을 조합, 혹은 그냥 respiratory fluoroquinolone 으로 단독 요법을 줍니다.

이렇게 해서 폐렴알균과 비정형 폐렴까지 포괄합니다.

3) 입원한 CAP 환자

여기서부터는 severe CAP 여부와 특정 세균 (MRSA, *P. aeruginosa*) 위험 여부를 기준으로 해서 항생제 선택을 합니다.
위험 인자는 과거 입원력이 있으면서 호흡기 검체에서 상기 세균들이 나왔던 경력입니다. Colonization을 보기 위해 시행한 nasal swab에서 MRSA가 배양되어 나오거나 PCR이 양성으로 나오는 경우도 해당됩니다.
아울러, bronchiectasis 같은 심한 기저 폐 질환이 있거나, 최근 항생제 투여받은 경력 등이 있으면 *P. aeruginosa* 가능성이 더 높아집니다.

(1) Non-severe CAP

위험 인자가 전혀 없다면 beta-lactam + macrolide, 혹은 respiratory FQ 단독 요법으로 충분합니다. 그러나 위험 인자가 있다면 이 조합에다가 MRSA 혹은 *P. aeruginosa*용 항생제를 추가합니다.

(2) Severe CAP

위험 인자가 전혀 없다면 beta-lactam + macrolide, 혹은 beta-lactam + respiratory FQ 조합으로 투여합니다. 그러나 위험 인자가 있다면 이 조합에다가 MRSA 혹은 *P. aeruginosa*용 항생제를 추가합니다.

4) VAP 환자

여기서부터는 *P. aeruginosa*에 더해서 그람 음성 내성균까지 의식하여 항생제 조합을 짜야 합니다. 왜냐하면 ESBL, 다제 내성, 그리고 CRE, CPE까지 상대해야 하기 때문입니다. 이를 시사하는 위험 인자는 중환자실 입원 CAP와 거의 동일해서, 입원력, 항생제 투여력이 주이며, 평소 해당 의료 기관의 내성 양상 통계에서 상기한 내성균들이 유의하게 많이 나온다면 이 또한 유력한 위험 인자입니다.

여기에 더해서 MRSA 배양 기왕력, 오랜 기간 혈액 투석 받을 경우, 평소 MRSA가 많이 나오는 의료 기관일 경우(사실상 대한민국 종합 병원들 모두 다이네요)엔 MRSA까지 상대하는 걸로 결정합니다.

(1) 그람 음성 내성균 위험 인자가 없는 경우(과연 이런 행운이 얼마나 있을까요?)

P. aeruginosa 잡는 항생제, 예를 들어 piperacillin/tazobactam, cefepime, 혹은 FQ 투여

(2) 그람 음성 내성균 위험 인자가 있는 경우

P. aeruginosa 잡는 항생제, 예를 들어 piperacillin/tazobactam, cefepime, ceftazidime, carbapenem (ertapenem 제외) 중 하나를 먼저 고릅니다.
그리고 aminoglycoside, FQ 중에 하나를 골라서 이 둘을 조합합니다.
만약 carbapenem 내성이 확인된다면 colistin으로 바꿉니다.

(3) MRSA 위험 인자가 있다면?

상기 (1) 혹은 (2)에다 vancomycin 혹은 linezolid를 추가합니다.

5) 사용 기간

처한 상황에 따라 다르겠지만 다음 기준들이 거의 다 맞는(하나 정도는 봐 줍니다) 시기가 되면 종결을 고려합니다:

- 체온 ≤ 37.8°C
- 맥박 ≤ 100/분
- 호흡수 ≤ 24/분
- 수축기 혈압 ≥ 90 mmHg
- 동맥혈 산소 농도 ≥ 90% 혹은 실온에서 산소 분압 ≥ 60 mmHg
- 입으로 식사 가능
- 의식이 정상이고 orientation도 똑바름

퇴원 후에도 후유증이 지속될 수 있으니 외래에서 일정 기간 추적을 해 주는 것이 좋겠습니다.

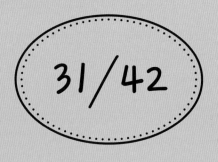

제31강

감염성 심내막염
(Infective endocarditis)

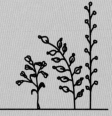

감염성 심내막염
(Infective endocarditis)

1. 기본

심장은 microbiota가 있는 이웃 집 폐와는 달리 단 한 톨의 미생물도 있어서 는 안 되는 무균실입니다.

그럼에도 불구하고 미생물이 있다면 그건 확실하게 큰일 난 상황입니다.

이게 바로 심내막염입니다.

심내막염은 흔한 질환은 아닙니다.

왜냐하면 다음과 같은 우연들이 연속해서 겹쳐야 비로소 성립되는 질환이기 때문입니다.

평소 건강한 심내막은 세균이 자리를 잡기가 거의 불가능합니다. 일단은 손상 이 있어야 심내막염 생성 조건이 마련됩니다. 손상이 생길 부위는 아무래도 혈류가 격렬하게 오고 가며 굽이치는 판막이겠죠.

물론 chorda tendinae나 내벽에 달라붙은 경우도 있지만 사실상 거의 다 판막에 병변이 자리 잡습니다.

왜 그런지는 그리 어렵지 않게 추론할 수 있습니다. 판막 자체에 문제가 있으니까 혈소판, 혈구, 궁극적으로는 병원체까지 자리 잡기 좋기 때문이죠.

그리고 또 한 가지 중요한 이유가 있습니다.

바로 벤튜리 효과(Venturi effect)입니다.

예를 들어 승모판(mitral valve) 부전증으로 혈류가 심방 쪽으로 역류를 할 경우를 살펴봅시다.

역류하는 혈류 자체는 강한 압력으로 심방을 향해 뿜어 나갈 것인데, 그 혈류 주위는 상대적으로 압력이 떨어집니다. 그리하여 높은 압력을 지닌 혈류와 낮은 압력으로 강등된 심방 사이에 압력 경사가 자연스럽게 조성됩니다. 항상 물질의 운동은 높은 곳에서 낮은 곳으로 이동하는 법. 그래서 심내막염을 이루는 병변은 승모판의 심방 영역에 모이게 되는 것입니다.

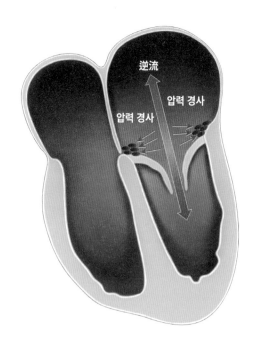

같은 이치로 aortic valve의 문제일 때는 심실 영역에, ventricular septal defect에서는 양 쪽 중에서 압력이 낮은 쪽에 격류와 와류가 집중되므로 병변이 집결하는 것입니다.

이는 균 자체가 손상시킬 수도 있고, 판막 주변의 혈류가 격랑이 되어 맹렬하게 판막을 때려댐으로써 생길 수도 있습니다. 어쨌든 크건 작건 손상되어 있는 게 전제 조건입니다. 그래야 뭔가가 와서 자리를 잡을 기회가 마련되니까요. 선천적 이상이나 acute rheumatic fever가 좋은 예입니다.

그리하여 격류에 휘말리며 지나가던 적혈구 파편들, 혈소판, 염증 세포 등이 손상 부위에 발목을 잡히기 시작합니다. 거의 동시에 그 위를 fibrin 등의 물질로 재빨리 덮어써야 합니다. 만약 늦으면 자리 잡은 것도 잠시, 곧장 다시 쓸려 나가기 때문입니다.
여기까지는 nonbacterial thrombotic endocarditis (NBTE)도 동일합니다. 이것만 가지고도 치명적입니다.

그 다음으로 병원체가 그 자리에 도달해야 합니다.
초스피드로 휙휙 지나가는 혈류에 몸을 맡긴 병원체가 바늘 구멍 같은 판막 손상 부위에 자리를 잡는다? 이것 또한 쉬운 일이 아니죠.

마지막으로, 도달한 병원체도 아무나 정착하는 게 아닙니다. 포도알균이나 장알균, 사슬알균, 곰팡이균 등 일부 몰지각한 소수의 종들만이 심장에 정착합니다.

이것도 염증의 일종이니까 healing 과정이 뒤따릅니다. 달리 말하면 섬유화가 진행된다는 것이죠.

일종의 아이러니입니다.

치유 과정이라는 것이 오히려 vegetation을 더욱 공고하게 만들어주는 셈이니까요.

자, 이렇게 vegetation이 정착하면 이제부터 큰일났습니다.

여기서부터 세균, 혹은 진균들이 먼지 털듯이 부스러기로 꾸준히 뿜어져 나와 전신 혈류를 타기 시작하기 때문입니다. 즉, bacteremia, fungemia가 되는 것이죠.

그래서 우리가 아는 심내막염의 모든 증상들이 발현됩니다.

딱 봐도 이 불행한 일들이 여럿 연속으로 일어난다는 것은 쉽지 않으니 그리 흔하지는 않은 게 당연합니다.

그러나 감염성 심내막염은 의외로 희귀하지 않습니다.

실은 수많은 수수께끼의 불명열 원인 질환들 중 상당수가 이 심내막염입니다.

2. 분류

감염성 심내막염은 질병의 시작과 진행 기간에 따라, 혹은 병변 부위, 혹은 원인 병원체에 따라 분류합니다.

가장 흔히 하던 분류가 기간에 따른 분류로, 급성(acute)과 아급성(subacute)으로 분류했었습니다만, 이제는 그렇게 하지 않습니다. 이러한 분류법은 알고 보면 무시무시한 면을 내포하고 있습니다. 얼핏 보면 갑자기 생겼거나, 시름시름 앓다가 발생했다는 뜻으로 보기 쉽지만, 사실은 사형 집행 날짜를 점지해 주는 의미에 가까웠기 때문입니다. 왜냐하면 급성, 아급성을 나누던 과거 시절은 항생제가 없던 시기였거든요.

급성은 이름 그대로 고열과 각종 증상에 전격적으로 시달리다가 순식간에 사망한다는 의미였습니다. 아무리 길게 가도 6주를 못 넘겨서 죽으면 급성 심내막염이었던 것입니다.

보통 원인균이 *S. aureus*, *S. pyogenes*, *S. pneumoniae*였습니다.

아급성은 6주를 넘기거나 3개월을 못 버티는 경우를 일컬었습니다. 3개월을 넘기면 만성이라고 했지만, 크게 봐서 다 아급성으로 분류됐습니다. 보통 발병 전 선천적이거나 류마티스열 등 이미 심장 판막에 문제가 있었다는 전제 상황이 있곤 했습니다. 주요 원인균은 *viridans streptococci*였습니다.

급성과 아급성 분류법은 일부 세균에만 국한된 것이어서 이 세균들 이외의 병원체들은 전혀 반영되지 못하였기 때문에 완벽하지는 않았습니다. 오늘날에는 급성이고 아급성이고 없이 원인 병원체에 따른 분류가 주류입니다. 결국 치료 방침의 수립에 중요하기 때문입니다.

3. 임상

1) Native valve endocarditis (NVE)

(1) 위험 인자

Native valve에 생기는 심내막염의 위험 인자로는 앞서 언급했듯이 심장 자체의 문제로서 선천적이나 혹은 rheumatic fever 같은 판막 질환의 기왕력을 들 수 있겠고, 심장에 catheter를 넣었던 경력이나 약물 남용력, 최근 치과 시술이나 수술을 받은 경력도 유의한 위험 인자입니다.

(2) 원인균

크게 3가지 균이 주요 원인으로 작용하는데, 포도알균, 사슬알균, 그리고 장알균입니다.

이 중에서도 가장 빈번한 것은 *S. aureus*일 것이고 병원 내에서의 시술과 관련이 많은 반면, 사슬알균은 주로 community-acquired case가 많습니다. 특히 viridans streptococci가 주종을 이룹니다.

그 밖에 coagulase-negative staphylococci (CoNS), *S. gallolyticus*(대장암 환자들이 심내막염에 걸릴 위험이 있는 이유지요)등이 원인균입니다.

HACEK 균들과 진균도 소수나마 원인이 됩니다.

약 10% 미만에서는 원인균을 모르는 culture-negative endocarditis입니다.

(3) 증상

아무래도 가장 흔한 증상은 발열로, 환자의 90% 이상입니다. 열이 나니 오한, 무기력증, 체중 감소도 동반됩니다. 발열의 패턴은 고정된 것은 아니지만, 기복 없이 꾸준히 나는 경우가 많습니다.

심 잡음(murmur) 또한 전형적인 특징이고, 공식적으로 환자의 85% 정도 됩니다...마는 꼭 그런 게 아닙니다. 실전에서는 의외로 심 잡음이 잘 안 잡히는 경우가 더 많더군요.

물론 청진 실력의 차이에 의한 것이라 안 잡히는 게 아니라 못 잡는 것이겠지만, 심내막염이면 발열에 더해 '반드시' 심 잡음이 들려야 한다는 강박에 사로잡히지 마시기 바랍니다. 전문적인 cardiologist 선생님들 이외에 전공의 여러분들 청진 내공을 저는 그리 기대하지 않습니다, 하하하. 여러분들 실력으로 심잡음을 들을 정도라면 그 때는 이미 심내막염이되, 판막이 내과 영역을 벗어날 정도로 심하게 망가졌다, 즉 수술로 다루어야 할 수준이라는 뜻이므로 빨리 흉부외과 선생님을 찾으셔야 합니다.

그보다는 발열과 더불어 embolism을 의심하는 소견들이 진단에 더 신뢰도가 높으니, 눈 부릅뜨고 악착같이 찾아 내시기 바랍니다.

심내막염의 vegetation에서 출발한 혈전들이 전신에 퍼져서 여기저기 막아버린 소견으로는 splenomegaly와 더불어 특히 피부 소견들이 중요합니다. 보통 잘 나타나는 것으로 점상 출혈(petechiae), 혹은 splinter hemorrhage가 있습니다. 점상 출혈은 사지 피부나 결막, 구개 등에 호발합니다. Splinter hemorrhage는 주로 손톱에 수직으로 조그만 선 모양의 출혈로 보이는데, 얼핏 보면 마치 조그만 나무 가시가 손톱 밑으로 파고든 듯한 모양입니다.

그리고 그 유명한 Janeway lesion과 Osler node가 있습니다.

Janeway lesion

전자는 손바닥, 발바닥에 붉은 색의 반점들이고, 후자는 손가락이나 발가락 끝에 조그만 피하 결절로 나타납니다. Janeway lesion은 embolism으로 인한 microabscess라 아프지 않은 반면, Osler node는 피하에 embolism 이후 immune complex가 침착되면서 염증 반응이 일어난 것이기에 상당히 아픕니다.

어느 교과서에나 이 두 병변은 드물다고 기술되어 있지만, 실전에서는 의외로 흔하게 보는 것이니, 절대 놓치지 마시기 바랍니다.

그 밖에 망막에 생기는 삼출성 출혈 병변인 Roth spot도 진단적 가치가 있으니, 심내막염 환자를 만나면 안과 의뢰도 잊지 마실 것.

2) Prosthetic valve endocarditis (PVE)

(1) 분류

PVE는 수술 후 12개월 이하에 생기면 조기, 12개월을 넘어서 생기면 만기로 분류합니다.

조기 PVE는 수술 당시에 오염되거나 수술 후에 당일부터 수주 사이에 균이 혈류를 타고 와서 생깁니다. 그래서 paravalvular abscess가 주된 합병증으로서 옵니다.

만기 PVE는 native valve endocarditis의 기전과 동일합니다. 수술 후 아문 것이 어찌 보면 판막에 일종의 울퉁불퉁 손상 부위가 되는 셈이라 잡동사니들이 달라붙고 와류, 격류가 생긴다는 점에서요.
이 때는 paravalvular abscess보다는 ring 꿰맨 곳이나 bioprosthetic leaflet의 감염 형태로 나타납니다.

(2) 원인균

원인균은 조기/만기에 따라 다릅니다.

수술 후 첫 2개월 때는 CoNS와 그람 음성균, *Candida* 종이 주 원인입니다.

2개월에서 12개월 사이에는 CoNS와 더불어 *S. aureus,* streptococci, entero-cocci 순으로 많습니다.

12개월을 넘어가면 streptococci와 *S. aureus*가 가상 많고, 그 다음으로 CoNS, enterococci 순입니다.

(3) 증상

증상 면에서 NVE와 크게 다르지 않습니다.

단, 수시로 바뀌는 양상의 심잡음과 심 부전, 심전도 이상이 좀 더 잘 나타납니다.

또한 embolism에 의한 합병증, 특히 중추 신경계 합병증도 더 빈번합니다.

판막 기능 이상이 새로 나타나는 일이 더 잦고, 항생제 치료에도 열이 일주일 넘게 안 떨어지는 일도 더 많습니다. 한 마디로 "아무래도 다시 수술해야 하겠다"라는 상황이 잘 빚어진다고 보시면 됩니다.

3) Culture-negative endocarditis

참으로 난감한 상황이죠.

정석적으로, 그리고 독립적으로 3번이나 혈액 배양을 했고, 일주일 넘어까지 기다려 봤는데도 아무 것도 자라지 않는 경우입니다.

주된 이유는 아마도 항생제가 먼저 들어간 상황이거나, 혈액 배양 시술을 좀 서툴게 했거나, 아니면 정말로 fastidious bacteria나 진균 등이 원인이어서일 겁니다.

소위 말하는 배양하기엔 입맛이 까다로운(fastidious) 균들인 HACEK (*Hae-mophilus* 종, *Aggregatibacter, Cardiobacterium hominis, Eikenella corro-*

dens, *Kingella kingae*)일 가능성이 있습니다.

그 밖에 *Coxiella burnetii* (Q fever), *Bartonella quintana*, *Tropheryma whipplei*, *M. tuberculosis*, *M. chimaera*, *M. abscessus*, *Cutibacterium acnes* 등이 있습니다. 또한 *Aspergillus* 같은 진균도 원인 중 하나입니다.

이걸 잡아내려면 통상적인 배양 기간보다 더 오래 기다려 주거나 lysis centrifugation을 통한 배양, 혹은 PCR이나 serologic assay, 또는 만약 수술까지 가서 조직을 얻을 수 있다면 병리 조직 소견 등을 동원해야 합니다.

4) Nonbacterial thrombotic endocarditis (NBTE)

일명 Libman-Sacks endocarditis.

어찌 보면 이 또한 culture-negative endocarditis로 볼 수도 있지만, 감염이 원인이 아니므로 별도로 취급해야 합니다.

판막에 sterile platelet thrombi가 축적된 것으로 aortic과 mitral valve에 호발합니다. 병변이 생기기 이전의 판막에 손상이 없었던 경우가 대부분입니다. 보통은 진행된 악성 종양에서 생길 수 있습니다. 그래서 앓을 당시는 몰랐다가 부검에서 밝혀지는 경우가 꽤 됩니다. 그 밖에 SLE, antiphospholipid syndrome, rheumatoid arthritis 등도 원인이 될 수 있습니다.

이게 infective endocarditis보다 임상 경과 면에서 더 악질일 수 있는 게, 감염성과 비교해서 vegetation에 염증성 반응이 상대적으로 적기 때문에 잔사들이 훨씬 더 잘 떨어져 나온다는 것입니다.

따라서 감염성보다 embolism이 더 빈번하게 일어납니다.

즉, 뇌졸중이 더 많이 일어난다는 뜻입니다.

4. 합병증

심내막염은 치료를 안 하면 당연히 치명적 합병증까지 진행되며, 치료를 받아도, 심지어 치료가 끝나도 적지 않은 합병증에 시달릴 수 있기에 방심을 불허합니다.

합병증의 근원은 역시 전신 어디에나 갈 수 있는 embolism에 있습니다.

아무래도 전신으로 가기 유리한 left-sided endocarditis에서 더 많이 오며, 특히 10 cm을 넘어가는 큰 덩치라면 더욱 펄럭거릴 것이므로 더 확률이 올라가겠지요. 원인균으로 보면 전이를 좋아하는 S. aureus가 상습범입니다.

먼저 심장 자체의 합병증이 가장 흔해서 판막 부전이나 심부전이 오며, 주요 사망 원인이기도 합니다.

그 다음으로 못지 않게 많은 것이 누누이 언급했던 신경학적 합병증입니다. 뇌 혈관 경색이나 출혈, 뇌 농양 등으로 나타납니다.

이런 재앙은 mycotic aneurysm(진균성 동맥류, 혹은 곰팡이 동맥자루) 때문입니다.

심내막염을 잘 진단하고 충분히 잘 치료하여 경과가 좋아서 곧 퇴원을 앞둔 환자가 느닷없이 의식을 잃고 중환자실로 실려갔는데, 원인을 규명해 보니 뇌출혈이더라는 스토리입니다.

이는 심내막염 환자의 약 2%에서 생기며, 방금 언급했다시피 30% 정도는 치료 시작하고 2주 정도에 생기곤 합니다. 심지어는 치료 종결하고 2년 가까이 지나서 발생하는 일도 있습니다. 물론 예후는 매우 안 좋아서, 이러한 사례의 절반에 가까운 환자들이 사망합니다.

Mycotic aneurysm이란 용어는 윌리엄 오슬러 경이 1885년 Goulstonian 강연에서 처음 사용하였습니다. 동맥이 부푼 모양이 마치 버섯처럼 생겼다고 해서 붙인 표현입니다. 그렇다고 해서 곰팡이균에 의해 생겼다는 뜻은 아닙니다. 19세기 말-20세기 초만 해도 mycotic이란 용어는 곰팡이고 세균이고 구별 없이 무차별적으로 사용하던 단어였으며, 오늘날에 와서야 곰팡이균에 국한해서 사용하게 된 것입니다. 당시엔 매독에 의한 동맥류에는 luetic이란 용어를, 나머지는 mycotic이라는 용어를 사용했었습니다.

이러한 병변이 생기는 이유는 원인균의 색전 현상 때문입니다.
전신을 떠돌던 균이 뇌 혈관 중에서도 격랑이 유달리 심한 취약 부위(특히 둘로 갈라지는 부위)에 가서 박힙니다. 특히 동맥 경화증이 생긴 부위라면 더욱 잘 일어납니다. 한 번 박힌 균들은 슬금슬금 혈관 조직 내부로 점차 깊숙하게 잠입해 들어가서 터를 잡고 증식을 합니다. 또한 동맥에 영양을 공급하는 혈관의 혈관인 vasa vasorum을 막아서 자그마한 경색을 일으키며, 균으로 인해 생긴 immune complex가 침착 되면서 동맥 혈관 벽에 손상을 줍니다. 이러한 요소들이 복합적인 영향을 주어서 해당 혈관은 흐물흐물 탄력을 잃고 꽈리처럼 부풀어 오르기 시작합니다. 그 결과 동맥류가 조성되는 것입니다. 문제는 무증상이라는 것이죠.

그렇다면 어떻게 대처해야 할까요?

정답은 없습니다만, 치료 시작하고 2주 정도 되면 이 합병증을 의식하고 적극적으로 준비하는 것이 저의 방침입니다. 환자와 가족들에게 사전 주의 고지를 철저히 하고, 퇴원을 앞둔 마지막 며칠 동안은 회진할 때마다 신경학적 진찰내지 검사를 철저하게 실시하며, 거기서 조금이라도 이상이 느껴지면 무조건 뇌 촬영을 하는 것이 어떨까 합니다.
그런데, 그렇게 해서 다행히도(?) 아직 터지지 않은 뇌 동맥류를 발견했다고 합시다.

여기서부터 논란이 있습니다.

즉각 수술적으로 치료해야 한다는 주장이 있는 반면에, 한 쪽에서는 항생제 치료를 계속 유지하면서 짧은 간격을 두고 정기적으로 뇌 혈관 촬영을 하면서 모니터하자는 주장도 있습니다.

어쨌든 일단 동맥류가 발견되면 무조건 신경외과 선생님과 합동 진료 모드로 들어가며, 수술 여부는 신경외과 선생님의 결정에 따르는 게 가장 합리적인 방침이라고 봅니다.

또한 septic emboli로 인한 신장이나 비장 등이 막혀서 기능 부전이 올 수 있으며, 특히 약물 중독 등으로 생긴 right-sided endocarditis의 경우엔 septic pulmonary embolism에 취약합니다.

심내막염의 흔한 원인균인 *S. aureus* 특유의 특징인 전신 전이 지향성에 의해 metastatic infection이 잘 생기는데, 주로 척추염, 비장 농양, psoas abscess, septic arthritis 등으로 옵니다.

꼭 embolism이 아니더라도 전신 면역 반응으로 예를 들어 사구체 신염이 합병될 수도 있습니다.

5. 진단

임상 증상과 각종 혈액 및 배양 검사, 심전도, 심초음파 등 다각도로 진단을 하겠지만, 이 모든 것을 통틀어서 만든 진단 기준으로 정리해서 접근하시면 됩니다.

이런 목적으로 제정된 것이 Duke criteria입니다.

1994년에 Duke 대학의 David Durack 연구진은 심초음파 소견을 적극 포함시키고, 약물 정맥 주사 남용자까지 포함해서 환자 대상을 넓힌 새로운 진단 기준을 제시하였습니다. 이는 2000년에 다시 개정되어 modified Duke criteria로 보완 발표되었습니다.

먼저 Major clinical criteria는 다음과 같습니다:
• 혈액 배양이 양성이어야 하는데, 다음 중 하나가 맞으면 됩니다.
　- 두 번의 혈액 배양에서 전형적인 균들, 예를 들어 *S. aureus, viridans streptococci, S. gallolyticus*, HACEK, 혹은 community-acquired enterococci (primary focus가 없어야 함)
　- 혈액 배양이 반복해서 꾸준히 양성인 경우
　　: 12시간 이상 간격을 두고 채혈한 혈액 배양들 중 적어도 2개에서 상기한 전형적 원인균들이 배양되거나
　　: 피부 상재균이 나오더라도 3번 혹은 4번 이상 혈액 배양 양성이거나
　　: 단 한 번 나오더라도 *Coxiella burnetii*가 나오거나 phase I IgG antibody titer > 1:800일 때

• 심내막에 병변이 있다는 증거로, 다음 중 하나가 맞으면 됩니다.
　- 심초음파 양성
　　: 덜렁거리는 vegetation 혹은 abscess 또는
　　: prosthetic valve일 경우 결속이 부분적이나마 터진 게 새로 발견되거나, 혹은
　　: 판막 통한 혈류의 역류가 새로 발견될 경우

Minor clinical criteria는 다음과 같습니다:
• 심내막염에 잘 걸릴 소지가 있는 경우로, 약물 남용자, 혹은 심장에 문제의 소지를 지닌 이, 예를 들어 판막 이상이나 인공 판막 고장으로 역류나 격류가

유의하게 발견되는 환자

- 38.0°C (100.4°F) 이상의 발열
- 혈관의 문제로, arterial emboli, septic pulmonary infarcts, mycotic aneurysm, intracranial hemorrhage, conjunctival hemorrhages, Janeway lesions
- 면역 현상으로, 사구체 신염, Osler nodes, Roth spots, 혹은 rheumatoid factor 양성
- 미생물이 발견되는 경우로, 상기한 major 기준에는 미흡하지만 어쨌든 혈액 배양 양성이거나, 심내막염 잘 일으키는 미생물에 대한 혈청 검사가 양성
  - 심내막염의 흔한 원인이 아닌 미생물이나 CoNS가 단 한 번만 혈액 배양에서 나오면 진단 기준에서 제외합니다.

이 기준들을 가지고 definite(확진), possible(가능한), rejected(아님) 중 하나로 판결합니다.

Definite는 다음 기준 중 하나만 맞아도 됩니다.

- 병리 및 미생물 면에서 빼박 증거
  - 혈액 배양 또는 병변, 즉 vegetation이나 abscess에서 미생물이 직접 증명되거나
  - 병변의 병리 조직 검사로 vegetation이나 abscess가 확인되는 경우
  - Clinical criteria에서 major criteria 2개, 혹은 major 1개 minor 3개, 또는 minor만 5개가 맞을 때

Possible은 major와 minor 각 하나씩 맞거나 minor만 3개가 맞을 경우입니다.

상기 기준들이 안 맞거나, 다른 질환으로 확진되거나, 항생제 치료 시작하고 나흘 내로 임상 증상이 소실될 경우, 혹은 항생제 치료 시작하고 나흘 이내에

시행한 수술이나 부검에서 아무런 감염성 심내막염의 증거를 얻어내지 못 했을 경우에 rejected로 판결을 합니다.

6. 치료 – 일반 원칙

명심해야 할 것은, 심내막염이란 오로지 내과만 전담하는 질환이 아니며, 합병증이 빈번한 만큼 외과계 선생님들과도 긴밀한 협력 하에 환자를 봐야 한다는 것입니다.
그래서 환자를 보면서 혹시 수술 대상은 아닌지를 매일 점검해야 합니다.

예후에 직접 영향이 있으므로 진단은 최대한 신속하게, 항생제 투여 또한 늦지 않아야 합니다.
항생제를 주면서 bacteremia가 소실되는지를 상시 점검합니다.
치료 시작했다고 안심하지 말고, 혈역동학 지표, 심장의 상태, 심초음파 등을 주기적으로 확인하고 검사합니다.
항응고 혹은 항혈소판 치료를 하더라도 thromboembolism을 완벽하게 예방해 줄 거라고 너무 기대를 걸지는 맙시다. 현실은 냉혹합니다.
체내에 이물질, 다시 말해 implanted devices는 꼭 필요한 상황이 아니라면 언제라도 제거할 생각을 항시 하고 있어야 후환이 없습니다.

치료가 끝나도 병변이 있던 장소의 문제, 예를 들어 판막의 손상은 여전히 남아 있어서 재발의 소지가 계속됩니다. 그러므로 정기적으로 외래에서 점검하여 재발을 방지해야 합니다.

7. 치료 - 항생제

항생제 치료는 한 마디로 흔한 원인균 3대장인 포도알균, 사슬알균, 장알균을 제압하는 데 성패가 달려있습니다. 물론 다른 병원체들도 있지만 이들 3대장을 무찌르는 항생제 조합이면 진균을 제외하고는 다 해결 범위에 들어옵니다. 그리고 병변 자체가 워낙 천천히 닳기 때문에, 치료 기간은 일반적인 기간보다 훨씬 오래 가져야 합니다. 통상적인 항생제 투여 기간은 모르면 2주지만, 심내막염의 경우는 최소 4주에서 최대 8주로 잡습니다.

여기서 주의 사항!

다음 치료 지침에서 언급하는 치료 기간은 항생제를 시작한 날짜부터가 아니고, 혈액 배양이 처음 음성이 나온 날짜부터 계산하는 것이니 혼동하지 마시기 바랍니다.

1) 경험적 치료

물론 원인균이 밝혀진 다음에 제대로 치료하는 게 좋겠지만, 증상이 너무 급성이라 피치 못하게 치료를 시작해야 하는 상황이 있긴 합니다. 그래도 적어도 30분-1시간 간격으로 2번 내지 3차례의 혈액 배양은 끝내 놓고 시작을 하셔야 합니다.

경험적 치료니까 확률 싸움입니다. 당연히 그람 양성균을 겨냥합니다.
그런데 원내 시술과 관련된 NVE라면 MRSA와 그람 음성 내성균까지 감안해서 vancomycin 더하기 ceftriaxone 조합으로 시작합니다.
PVE라면 vancomycin에 gentamicin, 그리고 cefepime 조합으로 시작합니다. 그리고 NVE보다는 오래 줘야 해서, 최소 4-6주는 줍니다.

만약 혈액 배양이 음성으로 나오는 맥 빠진 결과라면 어떻게 할까요?

먼저 항생제 투여 과거력이 있는지부터 점검합니다.

있다면 기왕 투여했던 항생제로 시작하거나, *S. aureus*, CoNS, enterococci와 그람 음성균까지 포괄하는 항생제로 조합합니다. 즉, 앞에 언급한 조합이면 될 겁니다.

없다면 소위 culture-negative endocarditis, 즉 fastidious bacteria나 진균 등 에도 맞춰서 항생제 조합을 구성합니다.

예를 들어 vancomycin에 ampicillin-sulbactam(하루 12 g) 혹은 ceftriaxone 을 병합하거나 doxycycline (100 mg 하루 2번)을 추가합니다.

2) 원인균을 안다면

(1) 사슬알균

- Penicillin-susceptible streptococci 및 *S. gallolyticus* (MIC ≤ 0.12 μg/mL)
  - Penicillin G (2-3 mU IV 매 4시간 총 4주)
  - Ceftriaxone (2 g IV 하루 1번 총 4주)
  - Vancomycin (15 mg/kg IV 하루 2번 총 4주)
  - Penicillin G (2-3 mU IV 매 4시간) 또는 ceftriaxone (2 g IV 하루 1번) 총 2주 + Gentamicin (3 mg/kg 총 2주)

- Relatively penicillin-resistant streptococci 및 S. gallolyticus (0.12 μg/mL < MIC < 0.5 μg/mL)
  - Penicillin G (4 mU IV 매 4시간) 혹은 ceftriaxone (2 g IV 하루 1번) 총 4주 + Gentamicin (3 mg/kg 총 2주)
  - Vancomycin 6 주

- Moderately penicillin-resistant streptococci (0.5 μg/mL ≤ MIC < 8 μg/mL) 혹은 *Granulicatella*, *Abiotrophia*, 혹은 *Gemella* spp.

- Penicillin G (4-5 mU IV 매 4시간) 혹은 ceftriaxone (2 g IV 하루 1번) 총
  6주 + Gentamicin (3 mg/kg 총 6주)
- Vancomycin 6 주

(2) 장알균

- Penicillin G (4-5 mU IV 매 4시간) + gentamicin (1 mg/kg IV 매 8시간) 총
  4-6주
- Ampicillin (2 g IV 매 4시간) + gentamicin (1 mg/kg IV 매 8시간) 총 4-6주
- Vancomycin (15 mg/kg IV 매 12시간) + gentamicin (1 mg/kg IV 매 8시간)
  총 6주
- Ampicillin (2 g IV 매 4시간) + ceftriaxone (2 g IV 매 12시간) 총 6주

(3) 포도알균

- MSSA in NVE
  - Nafcillin, oxacillin, 혹은 flucloxacillin (2 g IV 매 4시간 총 6주)
  - Cefazolin (2 g IV 매 8시간 총 6주)
  - Vancomycin (15 mg/kg IV 매 12시간 총 6주)

- MRSA in NVE
  - Vancomycin (15 mg/kg IV 매 8-12시간 총 6주)
  - Daptomycin (8-10 mg/kg 총 6주)

- MSSA in PVE
  - Nafcillin, oxacillin, 혹은 flucloxacillin (2 g IV 매 4시간 총 6-8주) + Gen-
    tamicin (1 mg/kg IM or IV 매 8시간 총 2주) + Rifampin (300 mg 경구
    매 8시간 총 6-8주)

- MRSA in PVE
  - Vancomycin (15 mg/kg IV 매 12시간 총 6-8주) + Gentamicin (1 mg/kg IM or IV 매 8시간 총 2주) + Rifampin (300 mg 경구 매 8시간 총 6-8주).

(4) 그 밖에

심내막염은 사실상 그람 양성균의 세상이지만, 그람 음성균도 무시하지는 못합니다.

그람 음성균 심내막염은 기본적으로 β-lactam + aminoglycoside로 치료합니다.

*P. aeruginosa*에 의한 경우에는 antipseudomonal cephalosporin + 고용량 tobramycin (8 mg/kg을 하루 3번 나눠서)으로 치료합니다.

Candida 심내막염은 AmbiSome (3-5 mg/kg IV) +/- flucytosine (25 mg/kg PO 매 6시간)으로 치료합니다. 또한 고용량 echinocandin도 씁니다. 판막 작동이 괜찮다면 이대로 유지하지만, 보통 판막 이상이 동반되므로 조기 수술도 같이 하게 됩니다.

3) 항생제 시작 후 챙길 것

항생제를 상당한 용량으로 장기간 주는 것이므로 당연히 항생제 부작용 여부를 항시 점검해야 합니다. 신기능이나 간 기능, 혈액 소견 등의 이상은 없는지 정기적으로 검사를 합니다.

당연히 aminoglycosides와 vancomycin의 농도를 주기적으로 측정하여 조정을 잘 해야 합니다.

또한 순환기내과 선생님들과의 상호 협조 하에 심초음파를 자주 재검 또 재검하여 판막이 망가졌거나 균 덩어리가 너무 커서 덜렁거리며 끊임없이 색전증을 유발하는지 여부도 확인하고 또 확인해야 합니다.

치료가 잘 되면 혈액 배양은 *viridans streptococci*, *E. faecalis*, 또는 HACEK 은 항생제 시작하고 2일 정도 지나면 음전이 되어야 합니다. MSSA는 3-5일 정도면 음전이 되어야 하고, MRSA는 조금 더 걸리긴 합니다.

만약 그렇게 안 된다면 실패 가능성을 고려하면서 대안 항생제를 강구해야 합니다.

치료 시작 1주일이 지났는데도 열이 계속된다?

이건 어딘가에 농양이 생겼다고 강력히 의심해야 합니다.

가까이는 paravalvular abscess부터 멀리는 비장이나 신장의 abscess 가능성까지 의심해서 샅샅이 찾습니다. 이쯤 되면 혹시 수술이 필요 한 것이 아닌지 고민이 시작됩니다. 물론 오래 망설이면 안 됩니다.

실제로 수술까지 가는 경우는 심내막염 환자의 거의 절반이나 되므로, 원인 병원체 밝혀지고 항생제 결정되었다고 안심하고 지내면 안 되며 항상 수술까 지 갈 가능성을 염두에 두고 환자 및 가족에게도 이 가능성을 수시로 인지시 켜야 합니다.

7. 치료 - 수술

그렇다면 어떤 상황에서 수술을 결정하느냐?

일단 가능한 빨리 수술을 해야 하는 경우는 다음과 같습니다.

심내막염을 앓고 있는데 각종 혈역동학 지표가 나쁘거나, 나빠지고 있다면 가 능한 빨리 수술을 해 줍니다.

병변이 물리적으로 지장을 줄 정도로 넓은 자리를 잡고 있거나, 판막 기능 고 장으로 인해 심장이 피를 충분히 뿜어내지 못하다 보면 결국 심부전에 빠집니다. 이 상황이 심화되면 shock은 필연입니다. 따라서 이는 속히 수술로 해결을 해 줘야 합니다.

또한 분명히 적절한 항생제로 잘 투여하고 있음에도 불구하고 7-10일 넘게 열이 안 떨어지거나, pericarditis가 합병되거나, 심전도에서 heart block 소견을 보이면 판막(주로 aortic valve) 주위로 abscess가 점점 번지거나, fistula가 있을 확률이 높으므로, TEE 등으로 확인하고 수술로 교정을 해 주어야 합니다. 필요하면 pacemaker 삽입도 필요합니다.

PVE의 경우 판막이 단단하게 고정되지 않고 일부 터진 것이 확인되면 재수술을 해 줘야 합니다.

당연한 얘기지만 현재 투여하는 항생제가 듣지 않는 병원체라면 수술까지 필요합니다. 예를 들어 진균이나 다제 내성 그람 음성균, *Brucella* 종을 들 수 있습니다.

다음 경우들은 수술이 필요하겠지만, 시행 여부를 잠시 검토해 볼 수도 있습니다.

PVE인데 *S. aureus*가 감염되어 판막 이상이나 paravalvular abscess 등의 확실한 심장 문제가 있다면 수술을 고려할 수 있습니다. 그런 합병증 없이 그냥 *S. aureus* 감염만 있다면 굳이 수술까지는 안 갈 수 있습니다. 그래도 치명률은 절반에 이를 정도로 높으니 요주의 해야 할 상황이긴 합니다.

적절하게 항생제 치료를 완수했음에도 불구하고 재발한 PVE의 경우에도 수술을 고려할 수 있습니다.

병변 덩어리가 10 mm 넘게 너무 크고, 줄기에 매달려서 덜렁거리며 잔사들을 털어내고 있다면 전신 embolism 위험도가 높으므로 수술로 제거할 것이 고려됩니다. 게다가 이미 embolism 기왕력이 있거나 아예 판막까지 고장이 감지되면 더욱 그러합니다. 하려면 발견 48시간 이내로 시행합니다. 그러나, 제거를 하더라도 길게 봐서 생존율에는 유감스럽게도 별 영향이 없습니다. 급사

할 수도 있는 발등의 불을 끈다는 데에 의미가 있지만, 수술 이전에 이미 상당량의 작은 emboli가 눈에 보이지 않게 이미 전신에 퍼졌을 테니까요.

Culture-negative endocarditis인데 치료가 열흘이 넘어도 차도가 없으면 역시 수술이 고려됩니다.

웬만한 항생제에 거의 다 내성인 장알균이나 그람 음성균에 의한 심내막염이면서 항생제도 잘 안 듣고, 자꾸 재발한다면 역시 수술의 고려 대상입니다.

8. 치료가 끝난 후

치료가 끝나고 나면 몸에 꽂혀 있는 각종 catheter들은 다른 이유가 없다면 가능한 다 제거하도록 합니다.
그리고 TTE를 시행하여 치료 종료 시점의 판막 상태와 각종 심기능 지표의 기본 수치를 정립해 놓고 장차 모니터할 때의 기준으로 삼습니다.
환자는 특히 치아와 잇몸 위생 관리에 만전을 기해야 합니다.
이후 외래에서 심 기능을 중심으로 정기 점검을 합니다.

9. 예후

예후가 나쁠 가능성이 있는 위험 인자는 다음과 같습니다:
S. aureus 감염일 경우, 심 부전, 당뇨, embolism 경력, paravalvular abscess, vegetation 크기가 클 경우, 여성, hypoalbuminemia, persistent bacteremia,

mental status 이상 등입니다.

예후를 예단하기 위해 심초음파 검사도 도움이 됩니다. 심장 내부에서 ab-scess가 발견되거나 ejection fraction이 40% 미만이면 예후가 안 좋을 가능성이 높습니다.

10. 예방

과거와는 달리 치과 시술 등을 한다고 무조건 항생제를 예방용으로 주는 것은 아닙니다.

오랜 검증 끝에 예방적 항생제 투여가 필요한 경우는 얼마되지 않는 걸로 결론이 났습니다.

심내막염이 발생할 위험이 매우 높은 군에만 제한해서 시행하며, 대상은 다음과 같습니다:

Prosthetic heart valves 있는 경우, 좌심실에 assist devices 장착된 경우, 심내막염 기왕력, 청색증 동반된 선천적 심장병이되 아직 교정 못 받은 경우, 혹은 교정 받았더라도 6개월을 안 넘었거나, 결함이 남아 있는 경우, pulmonary artery valve 혹은 conduit 거치, 심장 이식 후 판막에 문제가 새로 발생한 경우.

보통 시술 1시간 전에 amoxicillin 2 g 경구로 주면 충분하며, 입으로 못 먹으면 ampicillin 2 g을 주사합니다.

Penicillin allergy가 있다면 clarithromycin이나 azithromycin 500 mg을 주거나 cephalexin 2 g, 혹은 clindamycin 600 mg을 줍니다. 입으로 못 먹으면 cefazolin 또는 ceftriaxone 1 g을 시술 30분 전에, 혹은 clindamycin 600 mg을 시술 1시간 전에 주사합니다.

제32강

수막염과 뇌염

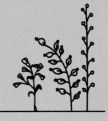

수막염과 뇌염

중추 신경계는 우리 몸에서도 의료인뿐 아니라 대중들에게도 가장 흥미를 끄는 장기일 것입니다. 시중에 나온 과학 관련 서적들을 보면 뇌를 주제로 한 저서들이 참 많습니다. '생각을 하는' 장기이고, 아직 미지의 영역들이 더 많으며, 어쩌면 '영혼'과의 관계도 찾아낼 수 있지 않을까 하는 은근한 기대까지 복합되어 인문계까지도 외연 확장되어 다루어지고 있지요.

학창 시절 해부학을 배울 때도 중추 신경계 해부학은 별도로 분리되어 배웠었습니다.

해부학은 그레이 아나토미(미국 드라마 말구요...)로 배운 반면, 신경 해부학은 지금은 절판된 Carpenter core textbook을 반년 동안 독파하고 시험을 쳐야 했지요. 수업과 동시에 실습도 했는데, 참 독특했습니다. 뇌와 척수 각각의 구조를 그린 마분지와 각종 색깔의 찰흙으로 차곡차곡 중추 신경계를 만드는 공작 실습을 또한 반년 동안 했습니다. 처음엔 '이게 무슨 초등학교도 아니고 뭐 하는 것이야?'하며 임했지만, 어느덧 학기 말에 각자의 중추 신경계 모형을 완성해 가면서 책으로만 공부했던 2D 지식이 3D로 둔갑하는 신기한 경험을 했었지요.

물론 이후 수나라 당나라 백만 대군처럼 밀려오는 어마어마한 다른 임상 과목들에 치여 다 까먹었지만, 그때 손 끝으로 익힌 지식들은 지금도 저와 제 동기들 무의식 속에 남아서 은연중에 작동하는 기본기가 되었다고 나름 자부합니다. 요즘도 그렇게 교육하는지 궁금하지만, 컴퓨터 그래픽으로 만든 앱들로 훌륭하게 대체할 수 있지 않을까 하고 생각합니다. 역시 공부는 눈뿐만 아니라 손으로도 해야 하며, 효율적인 교육은 시청각 교육입니다.

자, 사설이 길었는데, 중추 신경계 감염이라는 본연의 주제로 돌아옵시다.

중추 신경계 또한 순환기계와 마찬가지로 정상 microbiota란 용어가 용납될 수 없는, 그리고 단 한 톨의 미생물도 있을 수 없는 청정 지역이야 합니다.

감염 관련해서 집중해야 할 곳은 일단은 뇌 척수액이 흐르는 영역입니다.

세균성 수막염(Bacterial meningitis)

1. 기본

수막염은 수막에 생긴 염증입니다.

수막염(meningitis)이라는 용어는 19세기 초에 외과의사이자 신경병리학을 전공했던 John Abercrombie가 처음 만든 용어입니다. 옷 파는 그 회사 이름과 같지만 스코틀랜드 혈통이라는 것 외엔 아무 관계없는 분입니다.

수막은 영어로 meninges라 합니다. 그리스어에서 유래한 용어로 막(膜)이라는 뜻입니다.

즉, 뇌를 싸고 있음으로써 뇌를 보호하는 역할을 하는 구조물입니다.

수막은 크게 세 가지로 분류됩니다.

가장 바깥 쪽에 두개골과 인접한 dura mater(경막, 경뇌막),

그 다음을 싸는 막인 arachnoid membrane(거미막, 지주막),

그리고 그 밑에 있으면서 뇌를 직접 싸고 있는 pia mater(연막, 연뇌막).

Dura mater는 일명 pachymenix라고도 하는데, 두꺼운 막이란 뜻입니다. 두개골의 내면에 붙어 있는 외막과, 뇌 쪽에서 둘러싸고 있는 내막의 이중 막으로 구성되어 있는데, 특히 venous sinus를 품고 있으며, 뇌의 좌우, 전두엽, 후두엽 등등을 경계 짓는 칸막이를 이루고 있습니다. 이 칸막이가 falx cerebri(겸상막, 낫 모양이라서 붙은 명칭)에 해당합니다.

그 아래가 거미막 혹은 지주막(arachnoid membrane)입니다.

Arach-는 거미라는 뜻으로, 바로 아래에 있는 pia mater와 마치 거미줄 같은 섬유기둥(trabecule)들로 이어져 있는 데서 붙은 명칭입니다.

거미막은 그 자체보다는 이 막이 pia mater에 앞서서 이루는 광대한 공간 때문에 중요합니다. 이를 지주막하공간(subarachnoid space)이라 하며, 여기가 바로 뇌척수액(cerebrospinal fluid, CSF) 순환이 이루어지는 장소입니다.

물이 흐르는 곳이니 당연히 혈관도 풍부할 수밖에 없습니다.

혈관이 풍부하면 뭐다?

염증이 일어날 수 있는 소지를 갖고 있는 곳이라는 뜻입니다.

그래서 이 곳은 뇌수막염의 주 무대가 됩니다.

이 arachnoid와 pia mater를 합쳐서 leptomeninges라 합니다. 접두어인 lepto는 thin, 즉 가늘다는 뜻으로 dura mater와는 달리 얇은 막입니다.

다음은 혈액-뇌 관문(blood-brain barrier, BBB)을 짚어 봅시다.

BBB는 혈액과 뇌 사이에 가로 놓인 장벽으로 뇌 혈류로부터 해로운 물질이 들어올 수 없도록 방어해주는 역할을 합니다.

BBB는 3중 잠금장치로 구성되어 있습니다.

제1차 잠금장치는 endothelium입니다.

이는 혈관을 이루어서 혈류 공급뿐 아니라 각종 물질이 교환됩니다. 이 세포들끼리 접점을 가지는 곳에 물질이 드나들 통로가 있습니다. 단, 우리 몸에서 뇌를 제외한 부위들에 한해서입니다. 뇌에 있는 endothelium은 이와 달라서, 통로는커녕 물샐 틈이 없이 탄탄하게 틀어 막고 있으며, 이를 tight junction 이라 합니다.

제2차 잠금장치는 이 endothelium을 바싹 둘러싸고 끌어안고 있는 혈관 주위 세포(pericyte)입니다.

가뜩이나 tight junction으로 문 단속을 해 놓은 곳에다 이중으로 잠금장치를 한 셈이죠.

제3차 잠금장치는 이 구조 인접해서 위치한 astrocytes(성상세포; 별아교세포)로 완성됩니다. 이 astrocyte가 긴 다리(foot process)를 뻗어서 기존의 이중 잠금장치에 발바닥을 바싹 붙여서 누르며, 이들 서너 개가 모여서 역시 빈틈 없게 둘러쌉니다.

이렇게 평소에 3중 잠금장치를 해 놓고 있으면서, 뇌에 이로운 물질만 선택적으로 선별해서 받는 관문이 되는 것입니다. 이는 뒤집어서 말하자면, 수막염이란 이 잠금 장치들이 파괴되거나 헐거워진 상황들인 셈입니다.

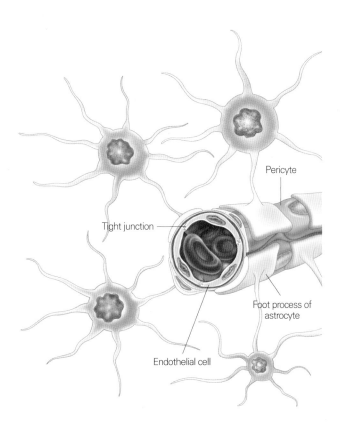

마지막으로 또 하나 알아야 할 기본 지식으로 choroid plexus(맥락막 망)이 있습니다.

외모 면에서 태아를 감싸는 융모막(chorion)을 닮았다고 해서 choroid(혹은 chorioid)이고, 망상 조직이라 해서 plexus입니다. 이는 lateral ventricle의 inferior horn, the third ventricle, the fourth ventricle에 위치하고 있으며 ventricle과 척수의 central canal을 이루는 ependymal cell(뇌질피막; 수강상피)로 구성되어 있습니다. 바로 여기에서 뇌척수액(cerebrospinal fluid; CSF) 생성이 이루어집니다.

이 구조물의 중요성은 BBB에 준하는 역할로서, 혈액-뇌 척수액 관문(blood-CSF barrier; BCB), 즉 혈액에서 아무 물질이나 뇌 척수액으로 들어가지 못하게 가려 받도록 하며, 특히 백혈구가 혈액에서 뇌 조직으로 함부로 들어오지 못하도록 견제합니다.

따라서 염증이 있으면 이 구조물이 제 역할을 못하고 있는 것입니다.

2. 원인

수막염을 일으키는 세균은 연령대에 따라 다릅니다. 생후 2개월 미만의 아가는 group B 사슬알균이 많고, 11-17세 아이들은 수막알균이 많으며(우리나라 특유의 현상으로, 20대 초반의 군인들에서도 한때 가장 많은 원인균이었지만 성공적인 예방 접종 사업으로 발생이 감소했습니다), 나머지 연령대는 폐렴알균이 주요 원인균입니다. 폐렴알균, 수막알균과 더불어 한때 세균성 수막염 3대장이었던 *Hemophilus influenzae*는 요즘 보기 힘들지만, 예방 접종 받지 않은 이들에서 가끔씩 발생합니다.

그리고 어르신들이나 임산부, 그리고 면역 저하 환자에서 *Listeria monocy-togenes*의 비중은 무시 못 할 수준이며(은근히 잘 만납니다), Enterobacteriaceae나 *P. aeruginosa*도 원인일 경우가 있으며, 이 경우는 특히 병원 내에서 걸리는 수막염의 경우에 *S. aureus*와 더불어 반드시 감안해야 하는 원인균이기도 합니다.

32강

3. 기전

수막염이 되려면 세균이 수막으로 도달해야 합니다. 이러한 경로에는 여러 가지가 있는데, 혈류를 타고 먼 거리를 돌아서 도달하는 길과, 근처에서 직접 담을 넘어 침투하는 길을 들 수 있습니다.

혈류를 타고 도달하는 건 아무 세균이나 할 수 있는 게 아니고, 대개는 폐렴알균이나 수막알균이 가능합니다. 이들은 choroid plexus로 곧장 밀고 들어가서 CSF로 첨벙 빠집니다.

하지만 웬만한 균들은 혈류보다는 아무래도 직접 침투하는 게 더 쉬울 것 같습니다. 대개 중이염이나 부비동염에 있던 균들이 담을 넘어서 침투하겠지요. 마침 담이 무너져 있는 상황, 예를 들어 선천적이건, 아니면 외상 등의 사고에 의하건, 아니면 신경외과 수술에 의하건 간에 dura mater나 skull base가 손상되거나 하는 상황이면 역시 가능합니다.

어쨌든 세균들은 BBB 혹은 BCB를 만나고, 어떻게 해서든지 BBB 혹은 BCB를 이루는 endothelium에 달라붙습니다. 가장 흔한 폐렴알균을 예로 들면, platelet-activating factor (PAF)를 관문 삼아 달라 endothelium에 붙으며, pilus-1까지 내서 붙잡음으로써 더욱 공고히 결속을 합니다. *H. influenzae*는 자신의 outer membrane protein을 endothelium에 갖다 붙입니다. Group B *Streptococcus*는 adhesion molecule을 씀과 동시에 nitric oxide도 사용해서 BBB를 붕괴시켜서 더욱 수월하게 BBB를 통과하려 합니다. *L. monocyto-*

*genes*는 selectin과 adhesin을 사용해서 endothelium에 붙습니다.

이렇게 달라붙는 게 번거로워서 그렇지, 일단 붙었으면 결국 세포 안으로 들어가고, 그 안에서도 살아남으면서 돌파를 하게 됩니다.

거기에다가, 이들 병원체 때문에 염증으로서 동원된 백혈구(특히 neutrophil)가 내는 matrix metalloproteinase-9 (MMP-9)이 BBB 혹은 BCB를 파괴함으로써 상황이 더욱 악화됩니다. 선의로 한 일인데 말이죠.

결과적으로 BBB 혹은 BCB의 투과성(permeability) 증가 내지는 결속력이 파괴된 상황 속에 세균들은 성공적으로 지주막하 공간으로 들어갑니다.

여기서부터 진짜 문제가 생깁니다.

CSF에는 보체(complement)나 항체 등의 방어 수단들이 없기 때문입니다.

따라서 병원체들을 식균하기 위한 필수 전 처치인 opsonization부터 안 되므로, 제 아무리 chemotaxis로 백혈구들이 현장에 잔뜩 달려와도 아무런 의미가 없습니다.

그래서 본격적인 세균의 증식이 별 다른 견제를 받지 않으면서 진행됩니다.

수막염의 염증은 일반 염증과 본질적으로 같습니다. 무슨 얘기인고 하니, 염증 자체가 세균이 파괴 활동을 해서 생겼다기보다는 이들 세균을 우리 면역 체계가 막으려고 투쟁을 하다 보니 오히려 우리가 선의의 피해를 입는 형국이라는 것입니다. 그것도 지나치게 심하게.

세균들이 파괴된 결과 그람 양성균의 경우는 teichoic acid가, 음성균의 경우는 lipopolysaccharide (LPS)가 뇌의 microglia 세포를 도발합니다. 그 결과, 우리가 익히 잘 알고 있는 염증의 기전들이 동시다발로 폭주를 시작합니다.

거기에 있는 endothelial cell을 비롯한 astrocytes, glial cell, monocytes 등에 의해 TNF-α나 IL-1β 같은 각종 inflammatory cytokines와 chemokine 등

이 흘러 넘치게 됩니다. 이로 인해 neutrophil들이 더 잔뜩 몰려옵니다. 이 상황은 다시 악순환으로 들어가 계속 반복되어 CSF 내에서의 cytokine 대잔치가 벌어집니다.

이로 인해 oxygen radicals 내지 nitric oxide 등도 잔뜩 나오게 되어 근방의 뇌 세포들이 죽어 나갑니다.

이들 cytokine 대잔치로 인해 혈관이 헐거워지고 내용물들이 샙니다. 염증으로 인한 삼출물들이 끈적거리면서 CSF의 순환을 물리적으로 방해합니다. 이게 심해지면 아예 CSF의 순환이 막혀서, 극단적으로는 communicating hydrocephalus 및 뇌 부종으로 가고, 뇌압이 상승합니다.

뇌압 상승에 대해 좀 더 자세히 설명하자면, 크게 3가지 기전에 의한 뇌 부종이 있습니다.

BBB 투과성 증가로 인해 혈관에서 진물이 새어 나와서 뇌가 붓는 vasogenic edema, 염증 소동 속에 얽힌 neutrophil이 내는 효소와 세균이 내는 virulence factor로 인해 뇌 세포 자체가 손상을 받는 cytotoxic edema가 있습니다. 즉, astrocyte가 손상을 받으면 주변의 sodium을 비롯한 이온 균형이 깨져서 소금과 물이 세포 안으로 잔뜩 들어와 신경 세포는 그대로 불어 터져서 붓습니다. 따라서 뇌 실질 내 sodium과 물이 세포에게 다 빼앗겨서 고갈이 되므로, 자연스럽게 혈관에 있는 물과 sodium이 잔뜩 뇌 실질로 새어 나감으로써 뇌 실질이 붓습니다. 따지고 보면 cytotoxic edema도 결국 최종 과정은 vasogenic edema의 수순을 밟는 셈입니다.

마지막으로, 염증의 최종 산물로 끈적거리는 삼출물(exudate)로 떡칠이 되다 보면 뇌척수액 순환이 막히게 되어서 역시 붓습니다. 이것이 interstitial edema입니다.

불행히도 수막염은 이들 세 가지 기전 '모두'가 다 작용해서 뇌가 붓습니다.
이렇게 염증과 뇌압 상승이 어울리면 환자는 발열과 두통을 호소하게 됩니다.
뇌압 상승으로 인해, 그리고 삼출물 때문에 혈관염 내지 혈관이 눌리면 뇌로
가는 혈류가 저하되어, 더 심하면 의식이 저하되거나 경련을 일으키거나, 혹은
국소적 마비 증세가 나타나기도 합니다.
수막염은 엄밀히 말해서 지주막하 CSF 바다 속에 생기는 염증이지 뇌 실질까
지 침범하는 것은 아닙니다.
뇌 실질까지 염증이 생긴다면 뇌염이죠. 그러나 그렇다고 해서 뇌 실질에 해
당하는 증상으로부터 자유롭다는 것을 의미하지 않습니다.

지금까지 설명한 바와 같은 수막염의 병리 기전들이 모조리 작용하여 이차적
으로 뇌 실질의 이상 증상(예를 들어 의식 저하나 섬망 등)을 초래할 수 있는
것입니다.
물론 수막을 넘어 실제로 뇌 실질까지 염증을 만들면 그때부터는 더 이상 수
막염이 아니고 수막뇌염(meningoencephalitis)이라 불러야 됩니다.

4. 임상

지금까지 언급한 기전에 따라 발열, 두통, neck stiffness, 그리고 의식 수준 이
상을 보입니다.
Kernig's 혹은 Brudzinski's sign이 나타나면 진단에 도움이 되겠지요.
Kernig's sign은 환자를 똑바로 눕혀 놓고 무릎을 굽혀서 배에 닿게끔 한 뒤,
다시 무릎을 펴 줄 때 "아야얏!"하면 양성입니다. 전형적인 meningeal irrita-
tion 증상이죠. Brudzinski's sign은 이보다 방법이 단순해서, 환자 눕혀 놓고
뒷목 잡아 굽힌 뒤 동시에 무릎과 고관절이 같이 굽혀지면 양성입니다.

하지만 이들 증상이 다 나타나는 건 아닙니다. 예를 들어 neck stiffness는 열 명 중 세 명에서는 안 나타날 수도 있으니, 임상 진단에 있어서 이들 증세에 너무 매달리지 마세요.

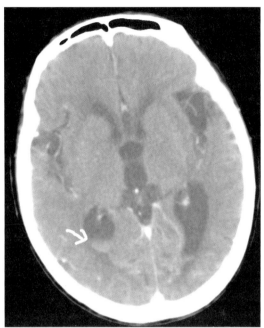

열나고 머리 아프면 무조건 수막염이 아닙니다. 흉내쟁이들이 많아요. 대표적인 게 지주막하 출혈입니다. 이 사진을 보시면 우측 후두부 뇌실에 미묘하게 피가 고여 있는 걸 볼 수 있습니다. 자칫하면 놓쳐요.

경련을 보이는 환자도 있는데, 매우 안 좋은 예후를 시사합니다. 이게 나타날 정도면 기본적인 수막염을 넘어서 뇌 혈관에 허혈 내지 심지어는 경색 혹은 뇌 출혈도 합병되었을 가능성이 있기 때문입니다.

뇌압이 높으면 의식 수준이 저하됩니다. 뇌 CT 촬영해서 뇌 부종이 발견되면 확실하겠습니다만, 그 이전에 미리 알려면 안저를 들여다보아 papilledema를 확인하는 것이 더 낫습니다. 혈압이 높으면서 맥박수가 느리고, 호흡이 불규칙

한(Cushing reflex) 증상도 이를 시사합니다.

높은 뇌압을 방치하면 당연히 큰일납니다. 뇌 herniation까지 가면 그대로 죽음까지 가니까요.

뇌압을 낮추는 조치에 대해서는 치료 대목에서 다시 다루겠습니다.

실전에서는 섬망이 참 많습니다. 섬망이 오기 시작하면 골치 아픕니다. 특히 젊은 환자가 섬망이 오면 진짜 무서워요.

어르신들 섬망은 큰 소리 지르거나 어수선하게 왔다 갔다 하는 수준이라, 같은 병실 쓰는 환자분들의 눈총을 받아도 그 정도는 감수할 수 있습니다.

하지만 젊은이들은 거의 헐크 수준으로 매우 폭력적입니다. 청년은 말할 것도 없고, 연약해 보이던 아가씨들도 엄청 힘이 세지고 난폭해집니다. 뇌 실질에 물리적 병변이 있는 경우는 매우 드뭅니다. 실제 뇌 자기공명 영상을 찍어봐도 실질은 깨끗합니다.

아무래도 수막염의 진행으로 뇌에 2차적인 영향을 주었음에 의한 것으로 추정되지요.

이런 상황에 처한 경우엔 섬망 치료 원칙을 잘 준수하여 신체 구속과 더불어 진정 요법을 잘 해야 합니다.

동시에, 정신건강의학과나 신경과 선생님들을 불러서 같이 해결하도록 합니다.

섬망은 예후가 나쁘진 않으며, 각자 시일이 걸릴 뿐 결국은 회복이 됩니다.

고생하는 기간 동안 환자의 가족들과 면담을 많이 하게 되어서, 사이가 돈독해지는 덤도 있습니다.

교과서에는 별로 언급이 안 되지만 실전에서 의외로 많이 보는 증상으로, 갑자기 소변을 못 누는 환자들이 있습니다. 이는 cauda equina 일부에서 기인하는 합병증입니다.

물론 그 무서운 cauda equina syndrome은 아닙니다.

방광 기능을 관장하는 천골(sacral) 신경에 가역적인 손상이 된 결과로 생긴 현상입니다.

이를 수막염-뇨 정체 증후군(meningitis-urinary retention syndrome)이라 합니다.

감별 진단으로 전립선 질환이나 당뇨성 신증, 길랑바레 증후군, 다발성 경화증, 급성 파종성 뇌염(acute demyelinating encephalitis, ADEM), 척수염 등 뇨 폐색을 일으킬 만한 질환들이 다 배제되어야 합니다.

만약 herpes simplex virus 감염의 증거가 있으면 Elsberg syndrome이라고도 합니다.

이 외에 다른 신경학적 이상이 있으면 안 됩니다. 만약 있다면 최악의 경우 하반신 마비까지도 생길 수 있는 cauda equina syndrome(말총 증후군) 확률이 높아집니다.

그래서 신경학적 진찰을 꼼꼼하게 해서 점검해 보아야 합니다. 하지가 남의 살 같은 이상 감각은 없는지, 다리는 잘 움직이는지(특히 앉은 자세에서 무릎을 굽혀서 올리는 동작) 등을 확인해서 모두 괜찮으면 일단은 배제됩니다. 가장 간단하게 cauda equina syndrome이 아님을 확인하는 방법으로는 환자가 대변을 누는지 여부의 확인입니다. 만약 대변은 눈다면 대변을 누는 신경은 손상받지 않았다는 뜻이며, 이는 예후가 좋다는 의미이기도 합니다. 왜냐하면 meningitis-retention syndrome의 병리 기전은 실처럼 늘어진 말총 가닥들 중에 배뇨를 관장하는 신경 다발 한 줄이 살짝 손상된 것이기 때문입니다. 왜 그런지는 이견이 분분하지만, 아마도 수막염이라는 염증의 과정에서 마치 ADEM처럼 배뇨 관장하는 신경에 있는 신경초가 까져서 그런 것으로 추정되고 있습니다.

대변을 보는지 자백을 받는 것보다 더 정확한 방법은 환자로 하여금 엉덩이를 까고 엎드리게 한 뒤, 항문을 자극하는 것입니다. 원래는 깃털이나 핀으로 하는 것이지만, 그냥 설압자로 해도 됩니다. 자극만 주면 되니까요. 자극에 대하여 항문을 오므리거나, 자극을 안 주더라도 스스로 항문을 오므리면 안심해도 됩니다.

비뇨기과 협진을 같이 보면서 보통은 4-10주 정도 도뇨관을 꽂고 방광에게 휴식을 주면 결국은 다 돌아옵니다.

종종 간과하기 쉬운 게 피부 소견입니다. 만약 수막염 환자인데 사소하게 보이는 점상 출혈(petechiae)이 있다면 그냥 넘어가선 안 됩니다. 수막알균 수막염일 가능성이 있기 때문입니다. 특히나 이 균은 환자뿐 아니라 주변 밀접 접촉자들, 즉 동거 가족과 의료진들에게 2차로 옮을 위험이 높아서 좀 민감하게 잡아내어야 합니다.

5. 진단

진단을 위한 검사로 가장 먼저 해야 할 것은 물론 혈액 배양입니다.

그리고 CSF 검사가 뒤따르지만, 이에 앞서 안저 검사로 papilledema 여부를 보거나 뇌 CT 혹은 MRI를 시행합니다. 뇌 부종, 즉 뇌압 상승이 심해서 lumbar puncture 시 뇌 herniation 위험 가능성을 배제하자는 의도입니다. 물론 의식 수준을 비롯한 신경학적 진찰 결과 괜찮고, 안저 검사가 괜찮으면 사전 촬영이 꼭 필수는 아닙니다.

물론 papilledema가 있거나 촬영 결과 뇌 부종이 너무 심해서 herniation이 걱정된다면 척수 천자는 잠시 미루는 것이 좋겠죠.

세균성 수막염의 CSF 소견을 보면 적어도 100 cells/μL 이상의 백혈구 증가를 보이며 대부분 neutrophil입니다. CSF glucose 농도는 40 mg/dL 미만 혹은 CSF/serum glucose ratio가 0.4 미만이며, CSF protein 농도가 45 mg/dL을 넘어갑니다.

CSF 세균 그람 염색과 배양에서 제대로 자라면 확진이 되며 교과서에서는 70% 이상이 양성이라고 하는데, 실제로는 그리 높지 않습니다. 미국 쪽 자료가 그렇게 나오나 본데, 딱히 그 쪽 진단 검사의학과가 우리나라보다 뛰어난 것 같지도 않으면서 무슨 근거로 그런 우수한 성적이 나오는지 영문을 모르겠습니다. 아마 저치들은 항생제를 전혀 맞지 않은 상태로 내원하나 봅니다.

CSF 검체로 배양뿐 아니라 multiplex PCR로 *S. pneumoniae*, *N. meningitidis*, *L. monocytogenes*, *H. influenzae* 등을 진단할 수 있습니다. 물론 검사의 신뢰도는 완벽하지는 않습니다.

6. 치료

앞서 언급한 진단 과정, 특히 뇌 촬영을 기다리느라 시간이 지체되는 일이 많습니다.
그렇다고 해서 고지식하게 얌전히 기다리고 있으면 곤란하며, 이미 배양과 CSF 검사 등의 기본이 된 상태이니까 지체 없이 항생제를 시작해야 합니다. 수막염 환자를 만나고 항생제를 얼마나 일찍 시작했느냐 여부가 예후에 영향을 끼치기 때문입니다. 심지어 CSF 검사 이전에 항생제를 투여해도 검사 결과에, 특히 미생물 검사 결과에 유의한 영향을 미치지는 않으니까 가능한 빨리 항생제를 투여하도록 합니다.

1) 경험적

항생제는 환자 만나고 가능한 1시간 이내에 줘야 합니다.

겨냥을 해야 하는 균들은 아무래도 폐렴알균이 최우선이겠죠.

우리나라같이 penicillin 내성 폐렴알균이 많은 지역이라면 3세대(ceftriax-one 혹은 cefotaxime) 혹은 4세대 cephalosporin과 vancomycin을 기본적으로 조합합니다. 이 정도면 3대장의 나머지인 수막알균과 *H. influenzae*까지 제입이 가능합니다. 단, cefepime은 경련이나 myoclonus, 심하면 encepha-lopathy가 생길 수도 있으니 유의해야 합니다.

여기에다 dexamethasone을 보조로 주면서 acyclovir까지 주는 분들도 있는데, 과도한 치료라고 비난하지 마세요. 뇌 촬영 및 HSV PCR로 확인되기 전까지는 HSV encephalitis도 가능성이 있거든요. 은근히 많습니다.

노인이나 임산부, 암이나 이식 등의 면역 저하 환자일 경우에는 *L. monocyto-genes*를 의식해서 ampicillin을 추가하는 것이 좋겠습니다. 혹은 meropen-em + vancomycin 조합도 가능합니다.

이비인후과 질환, 즉 중이염이나 부비동염, 유양돌기염(mastoiditis)이 동반되어 있다면 metronidazole을 추가합니다.

신경외과 수술 이후의 수막염이라면 *P. aeruginosa*를 치료 대상으로 추가해야 합니다. 따라서 이때는 ceftazidime 혹은 meropenem + vancomycin 조합으로 갑니다.

2) 원인균을 알 때

(1) 폐렴알균

Penicillin에 듣는지 여부부터 확인합니다. MIC < 0.06 µg/mL이면 듣는 것이고, > 0.12 µg/mL이면 내성입니다.

그 다음으로 cefotaxime 혹은 ceftriaxone 내성 여부도 확인하는데, 0.5 µg/mL 이하면 듣는 것이고, 1 µg/mL 정도면 중간 내성, 2 µg/mL 이상이면 내성입니다. 만약 1 µg/mL을 넘어가면, 즉 중간 내성부터 vancomycin을 추가합니다.

사실 vancomycin은 BBB 통과가 썩 좋지는 않습니다. 그래서 만족스러운 반응을 얻지 못 할 수 있기 때문에 intrathecal로 주는 걸로 변경할 수도 있습니다.

그럴 경우에는 통상 10-20 mg(최소 5 mg, 최대 50 mg)을 하루에 한 번만 intrathecal로 투여합니다.

그 때는 굳이 정맥 주사까지 할 필요는 없습니다.

보통 2주 동안 투여합니다.

(2) 수막알균

역시 penicillin 내성 여부가 중요합니다. 만약 내성이면 cefotaxime이나 ceftriaxone을 주며, 총 7일간 투여합니다. 거듭 강조하지만, 밀접 접촉자들을 대상으로 예방도 동시에 시행해야 합니다.

(3) *Listeria monocytogenes*

적어도 3주동안 ampicillin을 줍니다. 용량은 하루 2 g q 4-6h이고, 너무 중증이면 여기에 gentamicin 2 mg/kg을 먼저 주고 7.5 mg/kg를 하루 3번 나눠서 투여합니다. TMP-SMX를 TMP 기준 15-20 mg/kg로 줄 수도 있습니다.

(4) *S. aureus*

MSSA라면 nafcillin을, MRSA라면 vancomycin을 투여합니다. 앞서 언급했지만 투여 후 이틀 지나도 차도가 없다면 intrathecal로 투여를 합니다.

(5) 그람 음성균

신경외과 수술 및 시술 후에 주로 합병됩니다. MRSA와 *P. aeruginosa*를 감안하여 vancomycin과 더불어 ceftazidime 혹은 meropenem으로 조합하고 3주간 진득하게 투여합니다.

3) 보조

보조 치료, 즉 dexamethasone 같은 스테로이드 치료를 병행합니다. 그 이유는 항생제가 균을 터뜨려서 나오는 내용물이 오히려 염증을 더 유발할 수 있다는 역설에 있습니다. 그 과정은 앞서 병리 기전 대목에서 설명한 바 있습니다. 우리의 면역 작용에 의해 균이 터지나 항생제에 의해 균이 터지나 그 결과는 똑같습니다. 따라서, 수막염 치료에 있어서 치료 원칙의 정석으로 오로지 항생제 치료만을 고집하면 문제가 있습니다.

보통 dexamethasone 10 mg을 항생제 투여 20분 전에 줍니다. 같은 용량으로 매 6시간 주며, 이를 나흘간 계속합니다.

아울러 상승된 뇌압도 떨어뜨려야 합니다. 일단 환자의 머리를 30-45도 정도로 해 놓으며, 필요하면 $PaCO_2$ 25-30 mmHg를 목표로 hyperventilation을 시키고, mannitol을 투여합니다.

7. 예후

수막염의 치명률은 전반적으로 10-15% 선이라 만만치 않습니다. 그래서 가능한 빨리 수막염임을 인지하고 가능한 빨리 항생제 투여가 시작되어야 하며, 가능한 빨리 상승된 뇌압을 정상화시켜야 합니다.

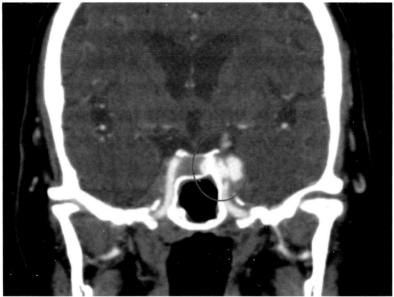

가끔 이렇게 운 나쁘게 cavernous sinus thrombophlebitis가 합병되는 환자분들도 꽤 있습니다. 어느 날 갑자기 환자가 ptosis와 안구 운동 마비를 보이면 이걸 의심하고 신경외과 선생님과 함께 응급으로 진단과 조치를 해야 합니다. 우리는 일단 MRSA에 준해서 항생제를 투여합니다.

예후가 나쁠 위험을 시사하는 인자는 다음과 같습니다:

내원했을 때 이미 의식 수준이 저하되어 있거나, 내원 24시간 내로 경련을 보인 경우, 뇌압 상승 소견이 있거나, 50세 넘는 고령의 환자, 이미 shock이 있거나 인공 호흡기를 달 정도로 상태가 안 좋거나, 치료 시작이 너무 늦은 경우입니다.

살아 남아도 1/4 정도에서 정도의 차이는 있지만 어느 정도 뒤끝이 남습니다. 머리가 나빠진 것 같다거나, 경련, 어지러움증, 보행 이상, 특히 청각 소실 등이 있습니다.

무균성 수막염(Aseptic meningitis)

1. 기본

무균성 수막염은 수막염이되 CSF 배양에서 세균이 증명되지 않은 경우를 말합니다.
가장 많은 원인은 역시 바이러스죠. 하지만 다른 요인들도 제법 됩니다.
크게 감염성과 비감염성으로 나눕니다
그런데, 사실 원인이 안 밝혀지는 경우도 꽤 많습니다.

2. 원인과 진단

감염성 요인으로는 바이러스, 진균, 기생충 등이 있겠습니다. 배양에서 세균이 증명되지 않았을 뿐이지 세균 또한 배제되지는 않습니다. 세균의 경우는 완전히 치료되지 않은 수막염이 있고, *M. pneumoniae, M. tuberculosis, Treponema pallidum*, 그리고 leptospirosis가 있습니다.
참으로 모호한 분류이기도 합니다.

바이러스 중에서는 enterovirus가 주종으로, Coxsackie 혹은 ECHO virus가 있습니다. 그 다음으로 herpes simplex virus-2 (HSV-2)와 varicella-zoster virus (VZV)가 있습니다. 그 밖에 드물지만 adenovirus, influenza virus, rhinovirus, mumps virus, arbovirus, HIV, and lymphocytic choriomeningitis 도 원인이 될 수 있습니다.

진균은 *Candida*, *Cryptococcus neoformans* 등이 있습니다.
기생충은 *Toxoplasma gondii*, *Naegleria fowlerii*, neurocysticercosis, trichinosis 등이 원인이 될 수 있습니다.

비 감염성 원인으로는 류마티스 계열의 질환들이나 약물에 의한 염증, 암의 전이 등이 있습니다.
의외로 subarachnoid hemorrhage가 수막염을 잘 흉내냅니다. 물론 이 경우는 좀 더 갑자기 생기며 두통이 훨씬 심합니다. CSF 소견에서 적혈구가 많이 나오면 traumatic tap과 더불어 subarachnoid hemorrhage도 염두에 두어야 할 것입니다.

무균성 수막염은 완벽한 세균성 수막염과 비교해서 임상적으로 증상이 참 모호한 경우가 많습니다.
무균성 수막염이라 하지만 항상 세균성의 가능성은 의식하면서 임해야 합니다.
완벽하지는 않지만 세균 여부 감별을 위한 방안들이 제시되어 있기는 하며, 이를 적극 활용해 보는 것이 좋겠습니다.

성인의 경우는 다음과 같은 점수 체계가 제시되어 있습니다.
CSF Gram stain (2점), CSF absolute neutrophil count ≥ 1,000/μL (1점), CSF protein ≥80 mg/dL (1점), 말초 혈액 absolute neutrophil count

≥ 10,000/μL (1점), 내원 당시 혹은 내원 이전 경련의 경력(1점).
총점 6점 만점이며, 빵점을 맞아야만 세균성을 완전히 배제할 수 있습니다.

소아의 경우는 다음 링크로 가서 점수를 매기며 감별을 합니다. 사실 위 기준
그대로입니다.

 (https://www.mdcalc.com/bacterial-meningitis-score-children)

이 밖에 procalcitonin, 혈청 CRP, 척수액 lactate 농도도 감별 수단으로 적극
활용합니다.

진단을 위해서는 할 수 있다면 척수액 PCR 내지 next-generation sequenc-
ing까지 시도합니다. 앞서 언급한 세균 진단을 위한 PCR뿐 아니라 바이러스
를 대상으로 한 PCR로 enteroviruses, HSV-1, HSV-2, VZV, CMV, EBV 여부
를 봅니다. 또한 결핵과 매독, HIV에 대한 검사도 시행합니다.

척수 천자 후 CSF 소견을 보면 lymphocyte-dominant pleocytosis(아주 초기
에는 neutrophil이 잠깐 우세합니다만, 곧 lymphocyte 위주로 바뀝니다)에다
glucose는 정상 혹은 살짝 감소되어 있고, protein도 정상 혹은 살짝 증가되어
있지만 200 mg/dL 미만입니다.

3. 치료

대부분의 바이러스 수막염은 특별한 치료법이 있지 않고 대증 치료를 합니다. 그런데, 비전형적이거나 덜 치료된 세균성 수막염을 배제할 수 없기 때문에 항생제를 경험적으로 안 주는 배짱을 부릴 수는 없을 것입니다.

아울러 HSV, VZV 가능성까지 감안해서 acyclovir 또한 주는 것이 안전하겠습니다.

물론 acyclovir는 herpes encephalitis라면 모를까, 유감스럽게도 herpes meningitis에서는 사실 크게 도움되지는 않습니다.

4. 예후

바이러스 수막염은 encephalitis가 동반되지만 않았다면 전반적으로 예후가 좋습니다. 단, herpesviruses 계통으로 진단될 경우 안과 진료는 건강 검진하는 셈치고 한 번 보는 것을 권합니다. 교과서에 나온 내용은 아니지만, 개인적인 경험으로는 망막에 문제가 생기는 일이 가끔 있어서 그렇습니다. 특히 VZV가 그러합니다.

결핵성 수막염(Tuberculous meningitis, TBM)

TBM은 제가 전공의를 하던 1980년대까지만 해도 진짜 자주 만나곤 했습니다. 현재는 전체 결핵의 약 1% 정도로 보기 힘들지만 여전히 힘든 상대라는 사실은 그대로입니다.

왜냐하면 신경학적 후유증이 남아 좋게 끝나지 않는 일이 흔하기 때문입니다. 그래서 조기 진단과 적절한 치료가 중요합니다.

참으로 까다로운 게, 확진이라 할 수 있는 CSF 배양 결과를 얻으려면 두 달 정도는 기다려야 하므로 실용성이 없습니다. 그나마 배양이 되는 경우도 그리 많지 않습니다. 이미 폐 결핵이 있다면 진단에 도움이 되겠지만 말이죠.

임상적인 판단 이외에 뇌 CT 또는 MRI 또한 결핵의 단서를 잡아 진단하는 데 도움이 됩니다.

CSF 검사 소견을 보면 백혈구가 100-1,000/mL 정도로 증가되어 있고, lymphocyte-dominant합니다.

CSF glucose 감소, 혹은 CSF/blood glucose < 0.4-0.5, protein 증가(150-500 mg/dL) 등의 소견을 보입니다. 그러나 이에 너무 매달리지는 마세요.

PCR을 시행해서 양성이 나오면 고마운 겁니다. 민감도는 반 살짝 넘는 정도이지만 특이도가 98%이거든요.

척수액의 adenosine deaminase (ADA)가 5-10 IU/L를 넘을 때도 진단에 도움이 됩니다.

단, neurobrucellosis, listeriosis, lymphoma 등의 가능성도 염두에 두어야 합니다.

IGRA는 너무 믿지 마세요. 저라면 안 믿습니다.

치료는 한 때 INH는 고용량을 줘야 한다는 방침도 있었지만, 결국은 폐결핵과 동일한 조합과 용량으로 시행합니다. 즉, HERZ을 기본으로 합니다. 단, 치료 기간은 6개월은 좀 부족하고, 9-12개월 정도 충분히 투여하는 게 좋겠습니다. 이 밖에 moxifloxacin은 BBB를 잘 통과하므로 또 다른 선택 대상입니다.
신경학적 이상이나 CT에서 뇌 부종이 보인다면 스테로이드를 병용하는 것이 좋겠습니다. 용량은 dexamethasone 하루 12 mg/day 혹은 0.4 mg/kg 첫 3주 동안 투여하고, 그 후 3-5주에 걸쳐서 서서히 줄여 나갑니다.

헤르페스 뇌염(Herpes encephalitis)

1. 기본

앞서 바이러스 수막염을 언급했습니다만, 바이러스 뇌염도 특별한 치료법이 없고 대증 요법을 열심히 해 주면서 진인사대천명 할 수밖에 없습니다. 그런데, 예외가 있습니다.
그게 바로 herpes simplex encephalitis (HSE)입니다.
이건 유일하게 치료제가 있습니다.
그래서 encephalitis 환자를 보게 될 때는 일단 HSE로 간주하면서 치료에 임합니다.
어차피 진인사대천명이므로 최선을 다 하되, 구해낼 수 있는 사람은 최대한 구하자는 방침이 기본적으로 깔려 있습니다.

2. 임상과 진단

HSE는 HSV-1, HSV-2 모두 일으킬 수는 있지만, 사실상 HSV-1이 거의 전담해서 일으킵니다.

의식 수준 저하나 disorientation을 주소로 내원하며 뇌 CT나 MRI를 찍어보면 temporal lobe에 염증이 깔린 걸 볼 수 있습니다. 이는 병리 조직적으로 hemorrhage와 necrotizing meningoencephalitis 병변입니다.

왜 하필이면 temporal lobe일까요?

이는 HSV-1의 생태에 원인이 있습니다.

HSV-1은 아시다시피 구강 속에서 잠복합니다. 좀 더 정확히 말하자면 trigeminal 그리고 facial ganglia에 삽니다. 또한 olfactory nerve도 예외가 아닙니다. 그래서 이 신경을 타고 역주행으로 올라가는데, 자연스럽게 temporal lobe에 도달하는 것입니다.

그럼 temporal lobe는 무슨 일을 하는 곳일까요?

여기는 우리가 인지한 것들을 가지고 의미를 부여하고, 기억을 하며, 언어 능력, 그리고 감정적으로 연관을 시키는 등의 오묘한 일을 하는 곳입니다. 그래서 특히 기억에 있어서 중요합니다.

기억도 단편적인 것들뿐 아니라 체계적인 지식들로 된 기억들입니다.

그래서 여기에 병변이 생긴다면 이러한 기능들이 다 고장나고 오작동을 합니다.

그 결과 HSE 환자는 orientation이 엉망이 되고 횡설수설하며 이상한 냄새가 난다고 불평하는 등의 증상을 보입니다. 가끔 유령이나 귀신을 보거나 유체이탈 경험을 얘기하기도 합니다.

결국 우리에게 알려진 여러 초자연적 현상들은 뇌의 이상 현상에 지나지 않는 것일지도 모릅니다.

확진은 과거엔 뇌 생검으로 HSV를 증명하는 것이었다고 하지만, 오늘날 그런 모험을 시도하는 이는 없을 겁니다. 뇌 척수액 검체로 HSV PCR을 시행해서 양성이 나오면 확진됩니다.

민감도 97%, 특이도 100%니까요.

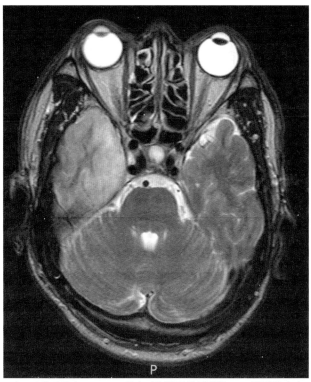

뇌 MRI에서 우측 temporal lobe를 완전히 점령한 HSE 병변입니다.

3. 치료

앞서 언급했듯이 viral encephalitis는 특별한 치료제가 없지만 HSE는 예외입니다.

그러므로 viral encephalitis 환자를 만나면 일단 acyclovir를 주고 봅니다.

용량은 10 mg/Kg를 8시간마다 투여합니다. 소아는 15-20 mg/kg로 좀 더 줍니다.

혼수 상태인 환자라 하더라도 투여 시작하고 하루가 지나면 하나 같이 다 눈을 번쩍 뜨며 깨어납니다.

투여 기간은 최소 2주에서 3주로 잡습니다.

스테로이드는 뇌 부종이 아주 심하지만 않다면 안 주는 것이 좋겠습니다.

4. 예후

연탄 가스 중독과 매우 흡사합니다. 고압 산소 치료하면 극적으로 혼수 상태에서 깨어나서 잘 퇴원하지만, 반년 내로 치매가 오곤 합니다.

HSE도 이와 유사합니다. 잘 치료되어서 퇴원하시더라도 약 30%에서 뒤탈이 납니다.

결국은 치매나 간질에 준하여 신경과 내지 정신 건강의학과 치료를 받는 경우가 빈번합니다.

이 점은 불가항력이라는 것을 치료 과정에서 잘 경고해 주어야 보호자들이 나중에 당황하지 않습니다.

뇌실염(Ventriculitis)

1. 기본

뇌실염이란 뇌실의 내부를 이루는 ependymal lining의 염증을 말합니다. 그래서 ependymitis, ventricular empyema 등으로 불리기도 합니다. 뇌 두면 당연히 치명적이므로 조기 진단과 조기 치료가 중요합니다.

보통 신경외과의 수술이나 시술, 예를 들어 external ventricular drains (EVDs)이나 intraventricular shunts에서 잘 합병됩니다.

2. 임상과 진단

신경외과 선생님들이 시술 후 나는 열로 진료 의뢰를 정말 많이 합니다.
그런데, 상당수는 감염성 원인이 아닐 때가 더 많습니다.
뇌를 건드리는 일이기 때문에 출혈은 필연이고, 온도 조절 중추(시상하부)도 일시적으로 교란되기 때문입니다.
그래서 신경외과 환자에서 열이 날 때 가장 기본적으로 점검해야 하는 검사는 뇌 척수액 검사입니다.
만약 적혈구가 많다면 RBC fever, 즉 적혈구로 인해 유도된 비 감염성 열입니다. 사실 거의 다 이런 경우입니다. 그래서 대증 요법과 필요하면 해열제도 같이 쓰는 게 좋습니다.

그런데 감염성 원인도 이에 못지 않습니다.

사실 실전에서는 감염과 비감염을 구별하기가 쉽지 않으며, 생명에 직접 직결되는 부위라 주치의인 신경외과 선생님들 입장에서는 감염으로 간주하고 치료를 합니다. 그래서 제가 보기엔 비감염성 같아도 항생제 주는 걸 굳이 말리진 않습니다. 사실 출혈이 계속 남아 있는 것 자체가 당장은 괜찮을지 몰라도 결국 감염을 부르기 때문이기도 합니다.

그나마 감염성 여부를 보기 위해 CSF 소견으로 다음과 같이 계산해 보고 감별을 시도합니다.

먼저 cell index가 있습니다.

만약 CSF 백혈구가 증가되어 있다 하더라도 적혈구도 잔뜩 있다면 말초 혈액이 그대로 들어왔을 가능성이 있습니다. 계산식은 다음과 같습니다.

(CSF leukocytes / CSF erythrocytes) / (blood leukocytes / blood erythrocytes).

그냥 혈액이 CSF로 들어온 것이라면 이 비율은 당연히 1 내외일 겁니다.

그렇다면 ventriculitis가 아닙니다.

만약 5를 넘어간다면 이건 완벽한 ventriculitis입니다. 그 사이 값이라면 다음 2번째 식으로 보정을 해 봅니다.

Corrected WBC count = CSF leukocytes - (CSF erythrocytes/1,000).

보시면 아시겠지만, 사실 이 계산은 별로 어렵진 않습니다만, 신경외과 선생님들은 결코 계산을 하지 않습니다. 그래서 제가 계산을 해 드립니다, 하하하..

물론 CSF 배양 또한 중요합니다.

3. 치료

감염으로 판단하고 치료를 시작한다면 MRSA와 *P. aeruginosa*를 겨냥해서 항생제를 조합한다는 원칙은 그대로입니다. 그리고 가능하면 일단 drain을 제거합니다.

그 다음으로, 도대체 언제 다시 삽입하는가가 바로 신경외과 선생님들이 가장 궁금해할 것입니다.

- CSF pleocytosis 이되 배양은 음성이라면 7일 후
- 배양 양성이라면 7-10일간 배양 음성 유지되는 것을 확인 후
- MRSA, GNB가 배양되었다면 치료하면서 배양 음전되고 10일 되면 다시 삽입합니다.

또 한 가지 중요한 문제는 항생제가 뇌 안으로 잘 도달하느냐는 겁니다.
즉, BBB가 문제입니다.

그래서 intrathecal 혹은 intraventricular injection으로 주게 됩니다.
BBB를 잘 통과하는 항생제라면 별 문제가 없지만, 그렇지 않다면 다음 용량으로 주도록 합니다(출처: Nau R, Blei C, Eiffert H. Intrathecal Antibacterial and Antifungal Therapies. Clin Microbiol Rev. 2020 Apr 29;33(3):e00190-19. doi: 10.1128/CMR.00190-19. PMID: 32349999; PMCID: PMC7194852.):

- Gentamicin 4-10 mg (1-20 mg) 매일 1번
- Tobramycin 5-10 mg (5-50 mg) 매일 1번
- Amikacin 30 mg 매일 1번
- Streptomycin 1 mg 매일 1번
- Colistin methanesulfonate (12,500 IU = 1 mg) 10 mg (1.6-40) 매일 1번
- Daptomycin 5-10 mg 매일 1번
- Vancomycin 10-20 mg (5-50 mg) 매일 1번
- Teicoplanin 5-20 mg 매일 1번
- Tigecycline 1-10 mg 매일 1번
- Amphotericin B 0.1-0.5 mg 매일 1번, 혹은 격일
- Liposomal AmB, 1 mg 매일 1번
- Caspofungin 5-10 mg 매일 1번

제33강

복강 감염

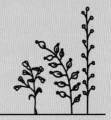

복강 감염

복강은 우리가 통상적으로 일컫는 내장들이 들어 있는 공간입니다.

여기서 내장이란 좁은 의미에서 위장관과 간담도, 비장을 말합니다. 복막 뒤에 자리잡고 있는 콩팥 등의 비뇨기는 이 단원과는 별도로 다루겠습니다.

위장관은 잘 아시다시피 소화가 주요 핵심 기능입니다. 그런데 우리가 간과하는 역할이 하나 더 있습니다. 소화기관이자 면역 및 방어 기관이기도 합니다.

당장 위장만 해도 강산성의 위액이 웬만한 병원체의 침입을 허용하지 않습니다.

장 점막에는 lymphoid tissue를 매복시켜 놓고 침입에 대비합니다. Peyer's patch가 대표적인 예이죠.

만약에 병원체가 장 점막으로 오게 되면 microfold (M) cell이 먼저 인지하여 근처에 있던 macrophage 등의 antigen presenting cell에게 전달하며 방어 기전이 시작됩니다. 물론 대개는 성공적으로 방어를 완수하지만 일부 병원체, 예를 들어 장티푸스 균이나 이질균은 오히려 이를 역이용하기도 합니다(제15강. 그람 음성균 - Enterobacteriaceae에 설명되어 있습니다.). 그리고 장 점막에서 분비되는 IgA, mucin 등이 점막에 두툼하게 발라져 있으면서 기본적인 방어 임무를 묵묵히 수행합니다.

그리고 장은 가만 있지 않고 꾸준히 꿈틀거립니다. 이러한 꿈틀거림을 통해 결국은 병원체들을 똥으로써 밖으로 쫓아 냅니다.

또 하나 중요한 방어 작용이 있지요.
장에 사는 원주민들, 즉 microbiota 구성원들이 우범자에 해당하는 미생물들을 강력하게 견제하는 colonization resistance입니다. 이를 통해 질환 발생을 예방하고 있습니다.

방금 언급했다시피 장에는 microbiota가 있어서 우리 인간들과 공생하고 있습니다. 앞서 언급한 범죄 방지뿐 아니라 우리가 소화할 수 없는 음식들의 소화와 vitamin B12, folate, riboflavin, vitamin K 같은 중요한 물질들의 합성을 대행해 주고 있습니다.
소장에는 주로 lactobacilli, diphtheroids, *Candida* 등이 삽니다. 대장에는 더 다양하고 더 거대한 microbiota가 자리잡고 있습니다. 주로 *Bacteroidetes*, *Prevotella*, *Firmicutes* 계열이 거주하고, 일부 그람 음성균과 진균들이 소수 민족으로 살고 있습니다.

견고한 장의 구조 안에서 이들은 얌전히 자기 할 일을 수행하면서 잘 살지만, 만약 장의 구조가 붕괴되어 난생 처음 보는 새로운 세상으로 균들이 새어 나오게 되면 그 때부터는 병원체로 흑화합니다.
그렇게 될 수 있는 요인으로는 물리적으로 장이 손상되는 경우, 혹은 염증, 허혈 등으로 인하여 새는 경우 등이 있겠습니다. 이렇게 해서 균들이 장 밖의 복강으로 누출되거나 아니면 혈류를 타고 전신으로 퍼지면서 감염 질환이 시작됩니다.

복막염(Peritonitis)

1. 기본

복막(peritoneum)은 복강 내 벽에 도배되어 있는 좀 미끌미끌한 젖은 막입니다. 이는 내장을 잘 싸서 떨어지지 않게 지지해 주고, 각종 혈관이나 신경, lymphatics 등이 들락거리는 길들도 조성해 주는 역할을 합니다.

복막은 두 겹으로 되어 있습니다. 하나는 복벽에 도배되어 있는 parietal peritoneum, 그리고 내장들을 싸는 visceral peritoneum입니다. 요 사이가 peritoneal cavity이며, 정상적으로 50 mL 정도의 액체가 발라져서 미끌미끌 합니다. 이 액체에는 백혈구가 300/uL 미만 정도는 정상적으로 있습니다.

복막은 본질적으로 ligament입니다. 그리고 mesentery가 있습니다.

Mesentery는 두 겹의 막으로, 앞서 언급한 대로 내장을 감싸 안으며, 혈관과 신경도 감싸면서 장기에 바싹 붙입니다. 그러면서 특히 장을 후 복벽에 붙여서 매달리게 합니다. 이게 없으면 장들은 하염없이 밑으로 추락하겠죠. 그리고 지방도 저장하는 역할을 합니다. 소위 내장 비만의 그 지방이죠. 배는 불룩 나오고, 아무리 노력해도 빠지지 않는 철천지 원수! 제 고민거리이기도 합니다, 하하.

또 하나 중요한 것이 lesser & greater omentum입니다. Lesser omentum은 일명 gastrohepatic ligament 혹은 peritoneum으로, 위의 lesser curvature 와 간을 이어주고 있습니다. Greater omentum은 gastrocolic ligament로, 위의 하단인 greater curvature와 transverse colon을 길게 늘어지면서 이어 줍니다.

Lesser omentum으로 경계를 만들면서 위의 뒤 쪽으로 생기는 공간이 lesser sac이고, greater omentum으로 경계지으면서 앞에 생기는 공간이 greater sac입니다. 이 구조들은 결국 내장들을 보호함과 동시에 허물어지지 않도록 어느 정도 고정을 해 주는 역할을 합니다.

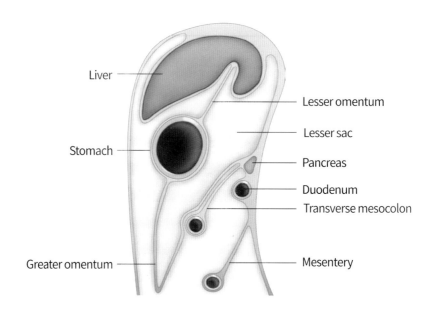

이들이 어울리면서 만드는 각종 공간들이 염증이 발생했을 때 중요한 장소들이 됩니다.

하부 위장관에(주로 충수돌기겠죠) 염증이 생겨서 고름과 더불어 퍼지게 되면, 서 있을 경우 paracolic gutter를 지나서 흐르면서 iliac fossa나 pelvis 쪽의 peritoneum에 고일 것이고, 누워 있을 경우엔 질질 흐르다가 양이 많으면 결국 lesser sac에 가서도 고입니다.

횡경막 아래에도 염증과 고름이 잘 모입니다. 충수돌기염이나 십이지장 천공 같은 경우 우측 subphrenic space로, splenectomy 후 감염이라면 좌측 sub-phrenic space로 고이기 마련입니다.

간과 우측 콩팥 사이에 있는 구조물이 Morrison's pouch인데 정상적으로는 액체가 없어야 합니다. 그런데 초음파나 CT에서 액체가 조금이라도 있다면 그건 완전히 비정상으로 간주할 수 있는 매우 예민한 영역입니다.

그래서 비교적 조기에 복막염이나 복수를 잡아 낼 수 있는 유용한 소견입니다.

Peritoneum이 모든 내장을 싸고 있는 것은 아닙니다. Peritoneum이 감싸는 범위를 벗어난 장기들은 그 뒤쪽에 위치하며 이를 retroperitoneal space라고 합니다. 여기에 해당하는 장기로는 duodenum(시작 부위 2-3 cm 정도만 peritoneum이 감쌉니다), ascending & descending colon, rectum(중간 1/3부터), pancreas (tail은 spleen과 함께 peritoneum에 싸입니다), kidney, adrenal gland, proximal ureters, 혈관들(inferior vena cava, aorta, renal vessels)입니다.

아무 것도 받쳐 주지 않으니 retroperitoneal space의 장기들은 보통 흔들리지 않게 고정되어 있으며, peritoneum에 싸인 장기들은 나름 떨어지지 않게 받쳐지지만 흔들거리며 그네를 탑니다.

2. Primary peritonitis

1) 정의 및 병리 기전
확실한 원인 병소 없이 생긴 복막염입니다.

가장 흔한 원인은 알코올성 간 경화증입니다. 그 밖에 악성 암의 전이, 만성 혹은 급성 간염 등이 원인이 될 수 있고, 간 이외에는 뭔가 물이 들어차는 울혈성 심부전이나 lymphedema, 그리고 SLE 등도 원인이 됩니다.

간이 신통치 않으니 병원체를 거르는 업무도 소홀하여 그대로 혈류를 타고 복막에 염증을 일으키는 것입니다.

그리고 간 경화증 자체가 장의 microbiota에 영향을 미쳐서 Enterobacteriaceae가 활개를 치게 되고, 특히 소장에서 bacterial overgrowth가 초래되면서 translocation이 일어나게 되어 복막까지 오는 것입니다. 이는 장 자체에서 Paneth cell의 defensin 분비 저하, 장 운동 저하, 췌장이나 담도의 분비 불량, portal hypertension에 의한 enteropathy 등도 복합적으로 작용하여 영향을 끼친 결과이기도 합니다.

주요 원인균은 *E. coli*가 가장 많고 가끔 사슬알균이나 장알균 같은 그람 양성균이 원인이 되기도 합니다. 문제는 항생제 사용이 많아지면서 ESBL 생성균이나 다제 내성균이 원인으로 종종 나온다는 것입니다.

2) 임상 및 진단

대부분이 열이 나고, 복수가 선행하거나 이번 복막염으로 새로이 생기거나 합니다. 당연히 배도 아프고 진찰해 보면 muscle guarding 등의 peritoneal irritation sign을 보입니다. 기왕에 간 경변증이 있기 때문에 간성 뇌증도 보이곤 합니다.

복수 천자해서 검사해 보면 neutrophil이 250/uL를 넘어 갑니다.

진단은 다른 특별한 원발 병소가 없다는 것을 확실히 해야 합니다.

조영제 사용한 복부 CT로 복막염이 잡히되, 다른 이상 병소는 없으면 진단을 내릴 수 있습니다.

3) 치료

Enterobacteriaceae를 겨냥한 항생제를 우선으로 하면서 그람 양성균까지 포괄하는 것이 좋겠습니다.

혐기성 균은 글쎄요. 굳이 그것까지 겨냥할 건 아닙니다.

보통 ceftriaxone 혹은 cefotaxime, 또는 piperacillin/tazobactam을 줍니다.

투여 기간은 배양 음전 후 최소 5일을 원칙으로 합니다만, bacteremia까지 동반되어 있다면 음전 후 2주를 주는 것이 좋겠습니다.

3. Secondary peritonitis

1) 정의와 기전

장에 천공 등의 상황이 빚어져서 내용물이 새어 나와서 생기는 복막염입니다. 그러므로 primary peritonitis와 비교해서 원인균의 양상이 조금 다릅니다. 무슨 장기간의 누적된 문제로 microbiota의 양상이 변형되어 있기 보다는 평소의 정상적인 microbiota가 고스란히 장 밖으로 나오기 때문입니다. 그래서 혐기성 균과 일부 그람 음성균의 복합 감염으로 나타납니다.

특히 ligament of Treitz 아래 쪽 장에서 누출이 생겼다면 혐기성 균 감염에 비중을 더 두어야 합니다. Treitz ligament를 중심으로 그 이전이 상부 위장관, 그 이후가 하부 위장관으로 나뉘는데, 하부 위장관의 혐기성 균의 밀도가 호기성균보다 1,000대 1 비율로 훨씬 많기 때문입니다(Treitz 인대는 사실 인대가 아니고 근육입니다. 근육 치고는 실처럼 가느다랗기 때문에 인대로 오해된 것입니다. 원래 횡경막 우측 다리 근육에서 시작하여 길게 늘어지면서 십이지장의 근육층으로 이어지는, 엄연한 실 근육입니다).

2) 임상 및 진단

대표적인 원인 질환이 충수염이 터진 경우일 것입니다. 처음엔 증세가 미미하다가 시간이 갈수록 점차 고통이 심해집니다. 나중엔 너무 아파서 꼼짝도 못하고 꾸부정하게 허리와 다리를 굽히고 누워 있습니다.
배를 누르면 tenderness와 muscle guarding을 보입니다.

복부 CT로 터진 부위를 확인하고 수술로 들어가는데, 활력 증상이 흔들릴 정도로 너무 심하면 CT고 뭐고 곧장 수술실로 끌고 가야 합니다.

3) 치료

수술로 터진 부위를 치료함과 동시에 항생제 투여도 중요합니다.

이는 primary와는 달리 혐기성 균을 반드시 치료해야 합니다.

그래서 metronidazole을 기본으로 깔면서 3세대 cephalosporin이나 fluoro-quinolone을 조합합니다.

중환자일 경우에는 *P. aeruginosa*까지 감안해서 metronidazole에 carbape-nem, piperacillin/tazobactam, ceftazidime, 혹은 cefepime으로 조합을 합니다.

VRE도 나온다면 linezolid를, *Candida*가 나온다면 echinocandin을 줍니다.

4. Tertiary peritonitis

가장 예후가 나쁜 peritonitis입니다.

일단 수술이 선행해야 합니다. 그것도 매우 성공적인 수술.

그 이후에 생긴 복막염으로 48시간 이상 증상이 지속된 것입니다.

그래서 배를 다시 열고 들어가는 상황에서 진단되는 경우가 대부분입니다.

보통 multi-organ failure가 동반된 중환이기 때문에 치료 원칙은 사실상 sepsis 치료와 동일합니다.

수술적 해결이 필요하면 해 줘야 하며, 광범위 항생제뿐 아니라 항진균제까지도 추가해 주어야 합니다.

예후는 아주 안 좋아서 60% 정도나 사망을 합니다.

간 농양(Liver Abscess)

1. 기본

확실히 요즘 들어 불명열 증례들이 예전보다 보기 힘들어졌습니다. 아마도 전 같았으면 불명열로 계속 미궁을 헤매었을 증례들 중 상당수가 CT나 MRI, PCR 등 진단 기법의 발달로 인하여 원인이 규명되는 사례가 급증했기 때문일 겁니다. 대표적인 것이 심내막염과 복강 내 농양일 겁니다.

불명열 정의 그대로 오랜 기간 열에 시달리다가 내원해서 그날로 CT를 찍고 그날로 liver abscess가 포착되면서 불명열 진단은 떨어져 나갑니다.

간은 심장이 박출하는 혈류의 1/4을 받습니다. 거기에 장에서 올라오는 portal vein으로 받는 혈류의 양도 만만치 않습니다. 다른 장기와는 달리, 젖줄을 2개나 받는 특권을 누리지요. 동맥으로부터는 산소를, portal vein으로부터는 각종 영양분을 받으니까요.

원래 번잡한 도시일수록 시골에 비해 치안이 문제가 되는 법입니다.
그래서 간 세포들 사이사이마다 Kupffer cell이 자경단 역할을 하며, 간 세포 자체도 들어온 물질들 중에 해로운 것들은 해독을 시키며 바쁘게 살아갑니다.

하지만 자경단이나 해독단이 감당을 하지 못 할 정도의 인해전술로 밀고 들어오면 어쩔 수 없이 병변이 생깁니다. 게다가 가뜩이나 바쁜 장기이니 확률도 제법 높습니다. 그래서 복강내 장기들 중에 abscess가 가장 빈번하게 생기는 곳이 간입니다.

간 농양이 생기는 경로는 혈류를 타고 오는 경우와 인접 장기에서 오는 경우로 나뉩니다.

혈류를 타고 오는 것은 대개 portal vein을 타고 오므로, 시발점은 장의 문제가 대부분입니다. 장 이외의 복강 내 염증이 간으로 파급되는 경우들도 무시 못할 수준입니다. 최근에는 간에서 가까운 곳, 즉 담도의 문제가 간으로 확장되어 간 농양이 생기는 경우가 많습니다.

그래서 주 원인균은 Enterobacteriaceae 계열과 enterococci가 주종을 이룹니다. 우리나라를 비롯한 아시아 국가는 유난히 K. pneumoniae가 많습니다. 특히 hypervirulent K. pneumoniae (hvKP)가 문제입니다.

혐기성 균은 얼핏 보면 많을 것 같지만, 생각보다 그렇지는 않습니다.

주로 장이나 골반 기관에서 유래할 것이기에, 담도에서 온 것에 비해 혐기균과 그람 음성균 등의 여러 균들이 잡탕으로 섞여서 농양이 생깁니다. 혐기균 중에는 역시 B. fragilis가 가장 많습니다.

항암치료를 받은 면역 저하 환자에서는 Candida 종에 의한 liver abscess도 고려를 해야 합니다.

2. 임상 및 진단

가장 흔한 증상은 물론 발열입니다. 그리고 오로지 발열뿐인 경우가 많습니다. 그래서 불명열로 처음 만나는 경우가 빈번합니다.

혹시라도 복통이나 소화기 증상이 동반되면 도움이 되겠지만, 실전에서 그런 경우는 그리 흔치 않습니다.

처음부터 간 농양을 의심할 수 있을까요? 전 그렇게 못합니다.

불명열의 원인 규명을 위해 다각도로 접근하다가 CT에서 진단이 얻어 걸리는 일이 대부분입니다.

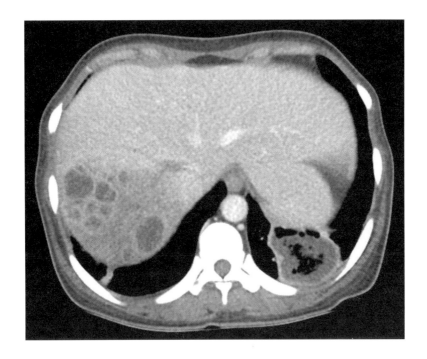

그래도 복부 CT 하기 전에 이를 의심해 볼 만한 실낱 같은 단서가 있긴 합니다.

발열이 있으면서, 간 기능 검사 결과 아주 나쁘진 않지만 정상으로 보기엔 모호하게 살짝 흔들린 소견을 보이면 그 동안의 경험도 있고 해서 간 농양을 한 번쯤은 의심을 해 봅니다.

살짝 비정상 소견이란 AST가 약간 높고, 특히 alkaline phosphatase가 은근히 오른 수치를 보이는 걸 말합니다. 아주 높게 올랐다면 오히려 가능성은 떨어지더군요.

그래도 역시 진단은 복부 CT나 초음파 촬영으로 결판을 봅니다. 불명열 원인 규명의 과정이므로 자연스럽게 찾아내게 됩니다.

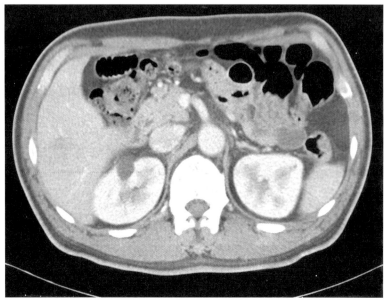

이 복부 CT 사진을 보면 우측에 미묘하게 조영이 덜 되는 부위가 있습니다.
착한 사람 눈에만 보이며, 아닌 분들은 놓칩니다. 이걸 간과하면
진짜배기 간 농양으로 발전해서 환자가 고생합니다. 다행히 이 분은 착한 사람이
미묘한 병변을 잡아내서 조기 치료에 들어가 무난히 치유되었지요.

3. 치료

농양이니까 당연히 배농이 먼저지요.

영상의학과 협조를 얻어 중재 시술로 시행하거나, 외과 선생님의 도움을 받아서 시행합니다. 사실 요즘은 영상의학과 시술이 대부분이겠죠. 동시에 항생제 투여를 합니다.

물론 항생제로만 치료하는 사례도 꽤 됩니다. 배농하기엔 곤란한 상황, 즉 크기가 작거나(보통 5 cm 미만), 덜 익었거나, 너무 다발성이거나, 환자가 거절하는 경우들이겠죠.

경험적 항생제의 선택은 그람 음성균, 혐기균, 일부 사슬알균, 장알균, 그리고 아메바까지 감안해서 정합니다.

가장 무난한 조합은 ceftriaxone + metronidazole이겠고, 그 외 metronida-zole + beta-lactam/beta-lactamase inhibitor, 혹은 beta-lactam + amino-glycoside + metronidazole, fluoroquinolone + metronidazole 조합 등이 있겠습니다.

치료는 2-6주 정도 잡습니다.

반응이 좋으면 경구로 전환하여 치료 기간을 채울 수 있습니다.

담도와 쓸개의 감염 질환

1. 기본

돌발 퀴즈를 하나 내지요.

평소에 담도와 쓸개는 아무런 미생물이 없는 청정 지역일까요, 아니면 거기도 나름 정상 microbiota가 있을까요?

과거에는 '청정 지역이다'가 정답이었습니다. 그리고 실제 임상에서도 그렇게 간주하고 임하는 것이 좋습니다.

하지만 엄밀히 따지면 'microbiota가 있다'가 진짜 정답입니다.

원래 담도와 쓸개의 감염은 세균이 portal vein을 경로로 혈류를 타고 오거나 십이지장에서 역주행하여 침투하면서 시작됩니다. 역주행을 막아주는 역할을 하는 것이 sphincter of Oddi이고, 혈류를 타고 오는 것을 원천 봉쇄하는 것이 간의 Kupffer cell입니다. 그리고 쓸개와 담도 자체에 꾸준히 bile이 철썩거리면서 세균 침입을 봉쇄하기도 합니다. 또한 담도 세포에서 분비되는 점액과 immunoglobulin A가 세균이 달라붙지 못하게 견제를 합니다. 따라서 평소 담도와 쓸개에는 세균이 자리할 기회가 없습니다. 다만 이러한 방어 기전들이 붕괴되는 상황이라면 세균의 침투와 감염, 질환 유발이 가능한 것이지요.

그러나, 동물에서 담즙을 채취해서 배양한 연구 결과들을 보면 일정한 microbiota가 있다는 사실이 밝혀졌습니다. 그러므로 사람도 그럴 가능성이 있다는 걸 시사했지요. 하지만 멀쩡한 인체에서 담즙을 채취할 연구가 그리 용이하게 되기는 힘들었을 겁니다. 그래도 이를 해결한 것이, 건강한 간 이식 공여자들을 대상으로 담즙을 채취한 것이었죠. 그 결과는 그 동안의 통념을 뒤집는 것이었습니다. 16S ribosomal RNA sequencing을 했는데, *Actinobacteria, Firmicutes* 그리고 *Bacteroidetes*가 검출된 겁니다. 소위 "biliary microbiota"의 발견인 셈입니다.
물론 이 균주들은 선량한 원주민으로, 인체에 해를 끼치는 짓은 안 하는 microbiota입니다.

문제는 감염 질환이 생길만한 환경이 조성될 때(앞서 언급한 담도와 쓸개의 방어 기전들이 교란되는 상황) 이들 microbiota의 양상이 달라진다는 것입니다.

Gallstones이 있는 환자들의 경우엔 *Bacteroides, Lachnospiraceae, Faecalibacterium*, Clostridium 등이 주류를 이루고, 담도염이 있는, 혹은 나중에 생기는 환자들의 경우엔 *Pseudomonas, Haemophilus, Streptococcus, Oscillospira, Sutterella, Bacteroides, Prevotella, Streptococcus* 등의 판도가 되더라는 것입니다.

정리하자면, 담도계에는 정상적인 microbiota가 있으며, 질병 상태가 되거나 그럴 징후가 보일 때면 판도가 바뀌고, 아울러 장으로부터 세균의 역주행이나 혹은 혈류 침투라는 상황이 맞아 떨어지면 담도 및 쓸개의 감염 질환이 시작된다고 할 수 있겠습니다.

하나 또 짚어 봐야 할 것은, 세균에게 우호적이지 않은 담즙이지만, 이를 잘 견디어 내는 맷집 좋은 균들이 있다는 것이며, 이들이 결국 담도와 쓸개 감염의 주역이 된다는 사실입니다.

대표적인 균이 바로 *Salmonella*, *E. coli*, *Campylobacter*, *Clostridium* 등입니다.

2. 급성 담관염(Acute cholangitis)

1) 원인과 기전
세균이 담도로 역주행해서 생기는 감염으로, 가장 흔한 원인은 담관 결석 (choledocholithiasis)입니다.
역주행도 역주행이지만 담관이 막히니 담즙이 제대로 세례를 줄 수 없어서 세균 증식이 더 조장되고, 이에 따라 역주행의 반대 방향으로 endotoxin을 비롯한 각종 virulence factor들이 혈류와 lymph를 타고 전신으로 가기도 합니다. 그 결과 담관염 자체로 인한 sepsis와 간 농양까지 합병될 수 있습니다.

담관 결석 이외에도 췌장암이나 ampulla of Vater carcinoma 같은 암, 간흡충이나 회충 같은 기생충이 직접 막는 상황, 쓸개 결석이 common bile duct (CBD)나 common hepatic duct (CHD)를 막는 경우(Mirizzi syndrome),

혹은 peri-ampullary diverticulum이 담도 폐색을 조장하는 경우(Lemmel syndrome) 등이 원인이 되기도 합니다. 물론 endoscopic retrograde cholangiopancreatography (ERCP) 시술 후에 생기는 경우도 빈번합니다.

주요 원인균은 그람 음성균과 혐기균인데, 주로 Enterobacteriaceae 계열입니다.

2) 임상과 진단

주요 증상은 발열, 오한, 복통, 황달, 소양증 등입니다. 심하면 sepsis 양상까지 보입니다.

진찰 시 우상복부 동통이 관찰됩니다.

담관 결석이 있거나 최근 ERCP나 쓸개 절제술 받았거나, AIDS 등의 병력이 임상적 추정에 도움이 됩니다.

담관염을 시사하는 소견인 Charcot triad는 발열, 우상복부 통증, 그리고 황달입니다. 여기에 의식 수준 이상과 sepsis까지 추가하면 Reynolds pentad라고 합니다.

Tokyo guideline은 Charcot triad 중에 2개가 맞고, 백혈구 및 CRP 증가 소견, 그리고 간 기능 이상과 담관 확장 소견이 촬영에서 보일 때, 그리고 담관에 결석이나 stricture, stents 등이 있는 걸로 지침을 삼습니다.

진단을 위한 촬영 수단으로는 역시 복부 초음파가 우선입니다.

담관이 두꺼워져 있고 확장되어 있으며, 거기에다 담관 결석까지 있으면 더 좋습니다.

복부 CT까지 해서 초음파 소견을 보완하여 진단에 만전을 기합니다.

또한 magnetic resonance cholangiopancreatography (MRCP)도 유용한 비중재적 진단법입니다. 중재적인 ERCP는 진단과 동시에 치료도 할 수 있는 수단입니다.

3) 치료

치료의 원칙은 적절한 항생제 투여와 sepsis에 준한 지지 요법입니다.

앞서 언급했듯이 할 수 있다면 ERCP 등을 동원한 biliary drainage까지 할 수 있으면 더욱 좋습니다.

경증이라면 대부분이 내과적 치료만으로 회복이 가능합니다.

그러나 multi-organ failure 양상을 보인다면 내과적 치료에 잘 안 들을 가능성이 높고 예후도 안 좋습니다. 그래서 가능한 한 biliary drainage로 유도할 수 있도록 최선을 다해야 합니다.

적절한 치료를 받지 못하면 절반이 넘는 치명률을 보이기 때문에 초반에 잘 잡아 놓아야 합니다. 특히 고령의 환자이고 신 기능 이상, 간 농양, 혹은 암이 있을 경우 예후가 좋지 않습니다.

3. 급성 담낭염(Acute cholecysitis)

1) 원인과 기전

쓸개의 염증은 기본적으로 cystic duct가 막혀서 초래됩니다.

쓸개 결석이 동반이 되지만, 없는 경우도 적지 않습니다.

결석이 cystic duct를 어쩌다 막으면 통증이 생기며, 이를 biliary colic이라 합니다. 이렇게 막는 것은 대개 영구적이 아니고 일시적입니다. 결석이 다시 cystic duct를 풀어주면 증상이 사라집니다. 만약 이 통증이 6시간 이상 계속된다면 더 이상 biliary colic이 아니고 이제부터는 acute calculous cholecystitis로 간주해야 합니다. 물론 biliary colic인데 결석은 발견 안 되고, 통증은 6시간 이상 지나도 나아질 기미가 없다면 acute acalculous cholecystitis입니다.

이걸 그대로 놔두면 쓸개는 결국 괴사에 빠지고, 여기서부터 gas-forming 혐기성 균들이 감염됩니다. 그런 상황은 acute emphysematous cholecystitis 단계입니다. 가장 최악의 결말은 역시 쓸개가 터지는 일이겠지요.

2) 임상과 진단
진찰 시에 활용하는 것이 Murphy sign입니다. 우상복부를 누르고 있는 상태에서 깊게 숨을 들이 마시게 해서 통증이 유발되면 양성입니다. 복부 초음파나 CT로 촬영을 해서 결석과 쓸개 벽 두꺼워진 소견을 잡아냅니다.

3) 치료
Cholecystostomy 시술과 cholecystectomy를 합니다.
항생제 투여 원칙은 상기 급성 담관염과 동일합니다.

위 장관염 및 대장염

위 장관염(gastroenteritis)은 설사하는 장염을 일컫는 의미로 현장에서 쓰이지만, 좁은 의미로는 소장까지 국한된 염증을 말합니다. 대장염(colitis)은 큰 창자에 생긴 염증이며, 주로 염증성 설사를 위주로 증상을 보입니다.

사실 장염의 가장 흔한 원인은 세균이라기보다는 바이러스입니다.
다만 심한 임상 경과를 보일 경우 세균을 더 의심하게 되는 것입니다.

위 장관염은 장이 비정상적으로 과도하게 꿈틀대면서 설사로 표현되는 질환입니다.
여기서 설사란 하루 동안에 적어도 3번 이상 물 똥을 누거나 혹은 200 g 이상의 똥을 배출하는 증상으로 정의됩니다.
기간이 2주 이하면 급성, 2주부터 1달 미만이면 지속성, 1달 이상 증상이 지속되면 만성이라 합니다. 증상 소실되고 일주일이 지나서 다시 증상이 시작되면 재발성이라 합니다.

세균성은 ETEC, *C. perfringens*, NTS, *Campylobacter* 종들이 원인균의 대다수를 차지합니다.

병리 기전은 adhesion, evasion, invasion, toxin 작용 등의 다양한 정석들을 따릅니다. 이는 제15강, 16강에 자세히 기술한 바 있으니 참조 바랍니다.

설사는 기전과 양상에 따라 염증성과 비 염증성으로 구분되며, 각 구분마다 원인균이 다릅니다. 따라서 설사의 양상에 따라 원인균을 추정할 수 있습니다.

먼저 비 염증성 설사부터 보면, 병변 부위는 소장의 전반부로, 순수한 물 설사를 보입니다. 따라서 설사 변을 검사해 보아도 염증 세포가 보이지 않는 순수한 전해질 용액일 뿐입니다. 즉, 장에서 전해질을 조정하는 펌프가 균의 toxin에 의해서 오작동을 한 결과입니다. 주요 원인균은 주로 toxin으로 장난을 치는 놈들로, 콜레라균, ETEC, *C. perfringens* 등입니다.

염증성 설사는 일명 침습성 설사라고도 칭하며, 주로 소장의 후반부와 대장이 주요 병변 부위입니다. 즉, 대장염이 여기에 해당하겠습니다. 펌프의 오작동보다는 균이 숙주의 염증 반응을 역이용하여 직접 장 점막에 해를 끼침으로써 설사 변을 분석해 보면 neutrophil 등의 염증 세포가 보입니다. 임상적으로는 피똥, 곱똥을 위주로 하는 이질(dysentery) 증상을 주로 보입니다. 원인균은 *Shigella*, NTS, *Campylobacter*, *V. parahaemolyticus*, EHEC, EIEC 등이 있습니다.

이러한 설사 질환은 회식 등의 집단 식사 후에 동시 다발로 발생하는 경우가 많으며, 이를 소위 식중독이라 부릅니다. 식중독은 식사 후 증상이 발생하기까지의 잠복기에 따라 원인균을 추정할 수 있습니다.

잠복기가 가장 짧은 경우(1-6시간)의 원인균은 *S. aureus*와 *B. cereus*가 있습니다. 이렇게 빨리 나타난다는 것은 toxin에 의한 것임을 시사하며, 오심과 구토를 주 증상으로 합니다. 물론 설사도 생길 수 있지만 본격 발현하기엔 시간이 좀 모자라죠? *S. aureus* 식중독은 주로 청소년 입맛 취향의 음식, 예를 들어 햄이나 마요네즈 잔뜩 바른 샐러드, 크림 빵 등을 먹고 생깁니다. *B. cereus*는 쌀을 익히고 관리를 잘 못하여 변질된 걸 먹고 나서 생기지요.

잠복기가 한 나절(6-16시간) 정도 걸리는 경우는 *C. perfringens*, 그리고 역시 *B. cereus*가 주 원인입니다. 이때부터는 시간이 충분하니까 설사와 복통이 본격적으로 나타납니다. 주로 단백질 종류의 음식, 예를 들어 고기나 콩과 식물, 고기에 치는 소스 등을 먹고 생깁니다. 오심, 구토는 보기 힘듭니다.

하루 밤 자고 나서 증상이 시작된다면 이 때부터 원인균들이 매우 다양해집니다. ETEC라면 물 설사 위주겠지만, 이보다는 피똥 곱똥을 보이는 *Shigella*, EHEC, *Campylobacter*, NTS, *V. parahaemolyticus* 등이 원인인 경우도 많습니다.

치료는 특히 물 설사 위주일 때는 수분과 전해질 공급을 제대로 충분히 해 주는 것으로 족합니다.
항생제는 꼭 필요한 것은 아닙니다만, 피똥, 곱똥 양상의 설사이거나, 발열, 하루 6회 이상의 설사, 혹은 입원이 필요할 정도의 중환이라면 EHEC를 제외하고는 주는 것이 좋겠습니다.
주로 tetracycline이나 FQ이 선호됩니다. 자세한 사항은 제15강을 참조하시기 바랍니다.
만약 아메바, 즉 *E. histolytica*가 나온다면 metronidazole은 물론이요, paromomycin도 같이 줘야 합니다. 장 안에 있는 cyst까지 제거해야 하기 때문입니다. 이는 희귀 의약품 센터를 통해 구입하여 투여할 수 있습니다.

먼저 metronidazole 10-14일 주고 나서 paromomycin 투여로 들어갑니다.

바이러스 장염

앞서 말했듯이, 위장관염은 세균보다는 사실 바이러스가 더 흔한 원인입니다. 임상적으로 우리에게 가장 인기 있는(?) 바이러스는 역시 Rotavirus와 Norovirus일 겁니다.

1. Rotavirus

1973년 Ruth Bishop이 소아 설사 환자의 장 조직에서 전자 현미경으로 처음 발견했는데, 마치 바퀴 모양 같이 보여서 rotavirus라고 이름을 붙입니다. 아마 전세계 영유아 거의 다 한 번씩은 경험하는 위장관염 바이러스일 겁니다. 성인에서는 보기 어렵습니다.

가계도를 보면 Order Reovirales Family Reoviridae Genus Rotavirus 가문입니다.

이 바이러스는 좀 유난을 떠는 특징이 2가지 있습니다.
하나는 구조 면에서 RNA 바이러스인 주제에 double stranded RNA 구조라는 겁니다. Envelop가 없는 icosahedral 구조입니다.
또 하나 유난스러운 특징은, 바이러스인 주제에 toxin을 내어서 설사를 주도한다는 겁니다.

참으로 획기적으로 그 동안의 통념을 뒤집어 놓는 특징이라 하겠습니다.

이 바이러스가 내는 nonstructural protein (NSP)들 중에 NSP4가 바로 enterotoxin입니다.

사실 이 NSP4는 설사가 본업이 아닙니다.

세포 내에 바이러스가 성체가 되면 이들을 세포로부터 탈출시키는 역할이 본업입니다.

그런데, 그 과정이 세포 내로 calcium을 집중 농축시키면서 바이러스 아가들이 빠져 나갈 수 있는 개구멍인 viroporin을 만듭니다. 그 와중에 본의 아니게 장 세포가 물을 재흡수하는 sodium glucose cotransporter 2의 기능을 망가뜨리게 됩니다. 그 결과, 물과 chloride가 잔뜩 나가게 됩니다. 즉, 설사죠.

한편 장 세포는 이러한 재앙에 처하면서 파괴가 됩니다. 그렇게 되면 장의 흡수 능력이 제대로 작동 못하여 역시 설사라는 악순환에 빠지는 것입니다.

국내에서는 제4급 감염병으로 지정되어 있습니다. 통계를 보면 소아 환자의 급성 위장관염의 원인 중 40-60%를 차지합니다.

혈청형으로 하는 분류는 마치 독감 바이러스처럼 합니다.

Glycoprotein VP7을 대상으로 G serotype, 그리고 protease-sensitive protein VP4를 대상으로 한 P type을 근간으로 합니다. 임상적으로 중요한 type들로는 G1P[8], G2P[4], G3P[8], G4P[8], G9P[8], G12P[8] 등이 있습니다.

국내는 G1P[8]가 가장 흔하고, G3P[8], G4P[6], G1P[6]의 순으로 많습니다. 보통 유치원, 보육시설, 산후조리원, 초등학교를 중심으로 발생합니다. 국내에 백신이 도입된 이후에는 빈도가 감소하고 있습니다.

치료는 특효약은 없으며, 수액 공급과 전해질 교정 위주로 해 줍니다.

2. Norovirus

영하 20도에서도 살아있기 때문에 냉장 식품이라 해도 질병을 일으킬 수 있고, 그래서 겨울에도 위장관염을 잘 일으키는 바이러스입니다.

가계도를 보면 Order Picornavirales Family Caliciviridae Genus Norovirus Species Norwalk virus입니다.

구조는 nonenveloped nonsegmented (+) ssRNA입니다.

1968년 미 오하이오 주 Norwalk에서 초등학생들 집단 식중독 발생 와중에 전자 현미경으로 발견된 바이러스입니다(사실은 1929년에 처음 기술된 겨울철 구토병의 원인이긴 합니다).

처음엔 Norwalk virus라고 불렀지만 2002년에 norovirus로 정식 명명이 됩니다.

국내에서 종종 발생되는 바이러스 위장관염으로 학교나 어린이 집 등의 집단 시설에서 주로 발생합니다.

특히 생굴을 먹고 발병하는 사례가 빈번하지요.

감염자의 30% 이상은 무증상이며, 증상이 있어도 보통 경증으로, 오심, 구토, 설사, 복통, 근육통, 두통, 발열 등으로 나타납니다. 특히 구토가 잘 나타나지요.

대부분 사흘 정도 앓다가 호전되지만, 1세 미만의 소아나 65세 이상의 고령자는 더 오래 가고 심한 탈수 증상에 빠질 수도 있습니다.

치료는 수분 공급과 전해질 교정 등의 대증 요법으로 합니다.

격리는 증상 소실 후 48-72시간까지 하도록 합니다.

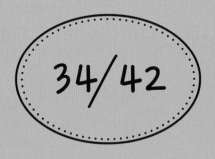

제34강

급성 신우신염

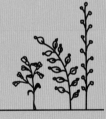

급성 신우신염

1. 기본

비뇨기는 콩팥부터 시작해서 방광까지는 단 한 톨의 미생물도 없으며, 본격적인 정상 microbiota는 방광을 지나 요도부터 나타나기 시작하는 것이라는 게 통념이었습니다. 그러나, 분자생물학적 기법과 ribosomal RNA sequencing을 통해 적어도 방광부터는 microbiota까지는 아니더라도 microbiome이 존재함이 규명되었습니다. 보통 *Prevotella*, *Escherichia*, *Enterococcus*, *Streptococcus*, *Citrobacter* 등으로 이루어져 있는데, 장의 구성만큼은 다양하지 않습니다. 성에 따라 양상이 좀 다르긴 합니다. 남성의 경우는 *Corynebacterium*이나 *Streptococcus*가 여성보다는 더 있는 반면, 여성의 경우엔 *Lactobacillus*가 더 풍부합니다. 아무래도 옆집인 vaginal microbiota의 영향인 듯 합니다.

이러한 정상 양상이 *E. coli*를 비롯한 uropathogen들이 주도하는 판도로 바뀌게 되면 결국은 신우신염 등의 비뇨기 감염 발생의 단초가 되는 것입니다.

급성 신우신염(acute pyelonephritis; APN)은 콩팥의 염증입니다.

주요 원인은 그람 음성균, 특히 *E. coli*가 가장 많습니다. 그 다음으로는 *Staphylococcus saprophyticus*, 그 다음으로는 다시 그람 음성균들로 *Klebsiella*, *Enterobacter*, *Proteus*, *Citrobacter* 등입니다.

균들을 보면 짐작되겠지만, 대변을 구성하는 균들로부터 왔다는 것을 아실 겁니다.

대부분이 이렇게 아마도 항문에서 시작하여 요도를 지나 역주행하며 올라와 콩팥까지 다다른 것입니다. 혈류를 타고 오는 경로도 있지만 이는 매우 드물고, *Staphylococcus*나 *Salmonella* 정도의 능력 있는 일부 균들만 가능합니다.

콩팥은 매 분마다 1리터의 혈류를 받습니다. 즉, 심장 박출량의 1/5이 콩팥으로 집중됩니다. 따라서 제대로 치료를 못하면 전신으로 심각한 상황, 즉 sepsis로 발전할 것은 너무나 자명합니다.

2. 기전

역주행을 한다고 다 감염으로 진행되는 건 아닙니다.
요도에서 올라와 맨 처음 도착하는 곳이 방광입니다.
방광은 그냥 오줌만 담아 놓는 주머니에 지나지 않을까요?
천만의 말씀입니다. 그렇게 만만한 장기가 아닙니다.

방광 자체에 일차적으로 미생물을 쫓아내는 방어 기전이 있으며, 특히 소변을 보기 위해 수시로 오줌을 비우기 때문에 미생물이 방광에 들어온다 해도 아예 물리적으로 쫓겨납니다.

오줌을 비움에도 불구하고 세균이 안 쫓겨나고 방광에 계속 머무르려면, 뭔가 매달려서 버틸 수 있는 기반이 있어야 합니다. 그것이 바로 catheter 같은 기구입니다. 그리고 방광이 오줌을 비우는 능력이 신통치 않아서, 시원하게 못 비우고 오줌이 상당량 남아 있다면, 이 또한 세균이 방광에 버티고 앉아 있게 됩니다. 세균은 버티고 앉아서 시간만 보내는 게 아닙니다. 뭔가를 분비하고, 자기들끼리 뭉치면서 세력을 형성하여 터전을 잡습니다. 소위 biofilm 형성을 통한 세력 구축이며, 이를 통해 본격적으로 발병의 진도를 더 나갑니다.

APN은 남성보다 여성에 더 많습니다. 이건 조물주를 원망해야 할 일입니다. 해부학적으로 요도에서 항문까지의 거리는 여성이 남성보다 훨씬 짧습니다. 따라서 분변의 세균이 요도에 도달할 확률이 남성보다 높습니다. '단지 그대가 여자라는 이유만으로' 불리한 겁니다.

그래서 여성의 경우 vaginal microbiota가 중요합니다.

앞서 언급했듯이, 남성과는 달리 여성의 vagina에는 특히 *Lactobacillus*가 많습니다. 이로 인해 줄곧 산성 환경을 유지함으로써 다른 이방인 세균들이 발을 못 붙이게 합니다. 하지만 끊임없이 침략해 와서 인해전술로 극복해버리면 별 도리가 없습니다. 특히 폐경 이후에는 *Lactobacillus*의 세력이 눈에 띄게 줄어듭니다. 이런저런 악재들이 이렇게 겹치면 감염을 일으키는 균들이 결국은 자리를 잡게 되고, 질병이 찾아옵니다.

성 관계를 한 경우에도 이런 과정이 재현됩니다.

남성의 경우는 이런 재앙이 거의 일어나진 않지만, 전립선 문제나 catheter 거치, neurogenic bladder, vesico-ureteral reflux 같이 절대적 혹은 상대적으로 오줌이 나가는 길목이 막힘으로써 감염 질환이 생깁니다. 물론 상기 원인들은 전립선을 제외하고는 여성에게도 마찬가지로 작용합니다.

어떤 성격을 가진 균들이 침투하느냐의 문제도 질병 진행을 결정합니다.

즉, 균의 virulence factor들이 또 다른 중요한 결정 인자입니다.

항상 강조하는 바이지만, 가장 필수적인 virulence factor는 '달라 붙는' 것입니다.

그래서 질병을 더 잘 일으키는 요소로 P fimbriae나 type I pilus 같은 adhesin이 결정적으로 유리한 무기로서 작용합니다. 그 밖에 이미 언급한 biofilm 생성 능력, 균 생존에 필수적인 철분 채취 및 약탈 능력 또한 중요합니다.

이렇게 조건들이 무르익어서 방광에 성공적으로 정착하면 더 나쁜 상황이 본격적으로 진행되기 시작합니다.

방광에서 버티다 보면 균은 대량 증식을 합니다. 마침 V-U reflux까지 있다면 땡큐입니다. 그렇게 해서 요관을 타고 역주행하여 위로 올라가 마침내 콩팥을 침범합니다.

여기서 좀 이상하다는 생각 안 드십니까?

세균이 위로 올라간다고?

무슨 지능 있는 생명체도 아니고, 마치 눈이라도 있는 듯이 방향을 정하고 위로 올라간다?

그럴 리가 없죠.

실제로 세균이 증식을 하면서 위로만 올라가지는 않을 것이고 아래로 혹은 옆으로 퍼지는 놈들도 있을 겁니다.

한 마디로 모든 방향으로 다 퍼진다는 것입니다.

요도에 있는 놈들은 소변을 보는 과정에서 일부는 내려가서 제거되고 일부는 굳건히 위로 올라가고 있을 겁니다.

방광에 있는 놈들도 마찬가지.

하지만, 오줌이 완전히 비워지지 않거나 아예 막혀 있거나 하면, 공간의 제약 등으로 인해 세균이 자라는 방향은 선택의 여지가 없이 역주행입니다.

요약하자면, 세균이 무슨 지능이나 시각이 있어서 역주행하는 것이 아니고, 모든 방향으로 다 퍼지되 사실상 위쪽으로만 경로가 트여 있기 때문에 우리가 보는 시각에서는 더하기 빼기 해서 역주행하는 것으로 결론을 본 겁니다. 어쨌든 결과적으로 역주행 감염이라고 칭하는 데에는 지장이 없군요.

이렇게 콩팥을 향하여 등산하는 결과, ureter와 renal pelvis에 차례로 염증이 생기고, renal tubule과 interstitium 등의 실질까지 제대로 먹히게 되면서 신우신염이 완성됩니다.

염증이 진행되면서 콩팥은 붓는 것은 기본이고, ischemia와 hypoxia에 시달리며, 심하면 abscess도 생깁니다.

3. 임상 및 진단

임상 증상은 발열과 옆구리 통증입니다. 요도에서 시작된 염증이니 당연히 배뇨통이나 오줌을 자주 누는 등의 증상도 동반됩니다. 의외로 오심이나 구토 같은 소화기 증상으로 먼저 시작하는 분들도 많습니다.

진찰에서 costovertebral angle (CVA)를 치면 통증이 유발됩니다. 단, 이 소견을 잡아낼 때 정말로 주먹으로 치지 마세요. 진정한 신우신염은 CVA를 손 끝으로 지그시 눌러도 충분히 아파합니다. 단, 이 소견은 열이면 열 다 있는 건 아닙니다. 특히 당뇨 환자에서는 이 소견이 저명하지 않은 경우가 꽤 있습니다.

APN 환자를 접할 때는 complicated APN인가, 아닌가를 항상 감별하며 시작하도록 합니다.

일단 임산부는 무조건 complicated APN입니다. 그리고 원내에서 발생했거나, 당뇨, 신장 이식 환자, 비뇨기계 구조가 정상이 아니거나, 신 기능 저하, 면역 저하 환자들 또한 이에 해당합니다.

이를 굳이 구분짓는 이유는 장차 진단과 치료 방침의 방향이 달라지기 때문입니다.

소변 검사에서 pyuria나 bacteriuria 소견 동반되면 일차적인 진단을 합니다. Nitrite 양성은 그람 음성균 감염을 시사합니다.

복부 CT나 초음파 촬영이 진단에 큰 도움이 되지만 모든 의심 환자에게 일괄적으로 하는 것은 아니고 치료 후 3일이 지나도 차도가 없거나 complicated APN에 해당한다고 판단되면 실시합니다.

일반 X선 촬영 소견으로는 psoas muscle 경계 소실 내지 국소적 ileus, 콩팥이 커진 소견 등으로 추정할 수는 있으나, 실제로 그렇게 뚜렷이 나오지는 않습니다.

복부 CT 소견으로는 일단 콩팥의 크기 증가, 조영 증강이 한 박자씩 늦어서 보이는 defect, ureter가 벌어져 있거나 벽이 두꺼워졌거나, 혈류 저하로 인한 ischemia나 renal tubule이 염증으로 막혀서 조영 증강이 잘 안 되거나, 가끔 abscess 혹은 그게 거의 만들어지려 하는 소견을 볼 수 있습니다.

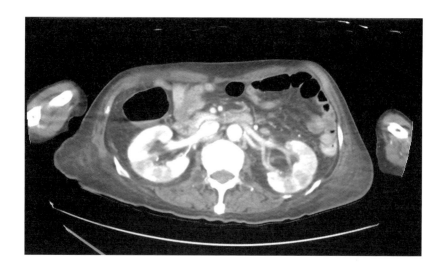

한마디로, 보기만 해도 퉁퉁 부어서 '야, 이거 되게 아프겠다'는 느낌이 들지요.

혈뇨가 있으면 돌멩이도 동반되지 않았는지 신경을 씁니다.

특히 뇨 pH가 8.0 미만으로 알칼리이고 원인균이 *Proteus*나 *Morganella*로 나오면 더욱 돌멩이 동반 가능성을 고려해 보아야 합니다.

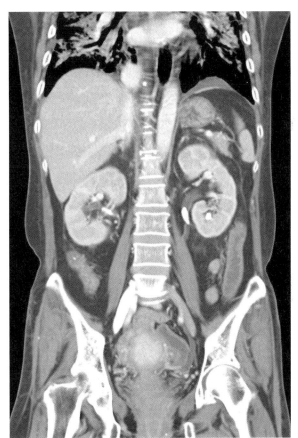

우측 신장과 좌측 요관에 돌멩이가 발견되었습니다. 아니나 다를까,
원인은 *Proteus mirabilis*로 규명되었습니다.

4. 치료

Complicated APN에 해당하지 않는 평소 건강한 젊은 여성이라면(남성이라면 거의 complicated APN이죠) 굳이 입원할 필요까지는 없이 외래에서 항생제 투여로 충분히 치료 가능합니다.

아니라면 당연히 입원 치료해야죠. 어설프게 했다가는 sepsis로 가니까요.

질병관리청과 감염학회를 비롯한 제반 관련 학회들이 합동으로 마련한 지침안을 기준으로 치료 원칙을 보면 다음과 같습니다:

- 입원이 필요하지 않은 단순 급성 신우신염의 초기 경험적 항생제는 ceftri-axone 1-2 g 또는 amikacin 하루 투여한 후, 배양 결과가 확인될 때까지 경구용 fluoroquinolone을 투여합니다.

- 입원이 필요하지 않은 단순 급성 신우신염의 초기 경험적 항생제는 IV cip-rofloxacin 400 mg을 투여한 후, 배양 결과가 확인될 때까지 경구용 cipro-floxacin 500 mg 하루 2회 투여할 수 있습니다.

- 단순 급성 신우신염에서 감수성을 보이는 경구용 항생제로 ciprofloxacin 500 mg 하루 2회 7일간 또는 서방형 ciprofloxacin 1,000 mg 하루 1회 7-14일간 투여합니다. 혹은 levofloxacin 500 mg 하루 1회 7일간 또는 750 mg 하루 1회 5일간, 혹은 TMP/SMX 160/800 mg 하루 2회 14일간, 혹은 경구용 beta-lactam 항생제10-14일간 투여합니다.

- 입원이 필요한 신우신염은 IV fluoroquinolone, aminoglycoside ± am-picillin, 2세대 cephalosporin, 광범위 cephalosporin, beta-lactam/beta-lactamase inhibitor ± aminoglycoside, aminoglycoside ± beta-lactam, carbapenem을 투여할 수 있으며, 해열이 된 후에는 분리된 원인균에 감수성이 있는 경구용 항생제 또는 내성률을 토대로 결정된 경구용 항생제로 변경하여 투여합니다.

- Septic shock 등으로 중환자실 입원이 필요한 급성 신우신염 환자는 국내 내성률 등을 고려하여 piperacillin/tazobactam 또는 carbapenem을 투여합니다.

- Obstruction이 있는 APN이라면, sepsis 동반한 경우와 recurrent PN인 경우 piperacillin/tazobactam, 3세대 또는 4세대 cephalosporin, carbapenem 등을 사용할 수 있습니다. 항생제 내성균 감염의 위험성이 높은 경우에는 광범위 beta-lactam 계열 항생제와 amikacin 병합을 고려할 수 있습니다. 물론 감압을 위한 시술이 동반되어야 합니다. 여기까지 제대로 치료를 확립했다면 치료 기간은 7일에서 14일 정도 잡습니다. 만약 불충분하다면 abscess에 준해서 3주 이상 치료를 연장할 수 있습니다.

- Emphysematous PN 환자는 신장 실질의 침범이 없는 경우는 항생제만 투여하며, 신장 실질을 침범하는 경우는 항생제 투여와 함께 경피적 배농술이나 수술을 시행합니다. 가스 형성이 신장 주변부까지 광범위하게 침범한 경우와 경피적 배농술에도 호전이 없는 경우는 신장 절제술을 고려합니다.

제35강

피부 연조직 감염

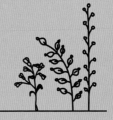

35

피부 연조직 감염

잘 아시다시피 피부에는 미생물들이 서식합니다. 별다른 말썽을 일으키지 않고 얌전하게 지내며, 장에서와 마찬가지로 위해를 가할 소지가 있는 뜨내기 미생물이 오면 적절히 견제해서 쫓아내기도 합니다. 그래서 평화가 유지되고 있습니다.

피부가 어떤 환경이냐에 따라 서식하는 microbiota의 판도가 달라집니다.
비강이나 피부 접히는 부위같이 습한 피부에서는 *Staphylococcus*와 *Coryne-bacterium*이 주로 삽니다.
습하지 않거나 개기름이 흐르는 피부에는 *Propionibacterium*, *Cutibacterium* 등이 주로 서식합니다. 여드름이 괜히 개기름 많은 곳에 생기는 게 아니죠.
피부의 정상 microbiota는 세균만 있는 건 아니고, 바이러스와 진균도 있습니다.
바이러스의 경우는 Papillomaviridae와 Polyomaviridae 등이 주종인데, 무슨 역할을 하는지는 아직 알려진 바가 없습니다. 진균은 *Malassezia*(구 *Pityros-porum*) 위주이며 지루성 피부염이나 어루러기(Tinea versicola) 등의 귀찮은 피부 질환에 일익을 담당하곤 합니다.

피부 상피는 우리 몸에서도 가장 강력한 방어벽입니다.
여기에 빈틈이 생기면 피부 서식 균들이 피하로 들어갑니다. 사실 균 입장에 선 거기가 더 살기가 좋습니다. 먹을 것도 더 많고 생활 환경도 더 편리합니다. 그러므로 균들은 당연히 눌러 앉고 증식을 합니다. 그렇게 해서 감염 과정이 시작됩니다.
특히 모낭을 선호합니다. 증식하기 딱 좋은 먹음직스런 기름기들이 푸짐하게 차려져 있거든요.
결국 피부 연조직 감염(skin and soft tissue infection; SSTI)은 대개는 모낭에 서 시작됩니다.

모낭염(Folliculitis)

모낭에는 원래 sebaceous gland(피지선)가 연결되어 있습니다. 그런데 만약 이 연결 통로가 막혀버린다면 피지가 가득 들어찰 것이고 이는 감염으로 이어 집니다. 물론 피부 붕괴로 인해 들어온 세균들이 모낭에 직접 침투하기도 하 구요.
모낭염의 가장 많은 원인균은 *S. aureus*입니다. 이외에도 *P. aeruginosa*를 비 롯한 그람 음성균도 원인균으로 작용합니다.
그 밖에 진균으로 *Malassezia furfur*가 원인이 될 수 있고, 드물지만 바이러스 중에서는 herpes virus도 원인이 될 수 있습니다.
당뇨나 비만, 면역 저하 환자가 주요 선행 인자입니다.
그리고 HIV 환자에서도 유난히 자주 봅니다.
세균에 의한 모낭염은 대개는 수일 내로 알아서 터지고 알아서 낫습니다.

하지만 잘 낫지 않고 계속 성이 나 있으면 국소 항생제를 발라 주게 됩니다. 주로 mupirocin이나 clindamycin 연고를 씁니다. 그래도 더 곪는 등 악화 소견을 보이면 경구 cephalosporin 제제나 amoxicillin, TMP-SMX, ciprofloxacin (*P. aeruginosa* 의식한다면)를 복용시킵니다.

진균성 모낭염이라면 itraconazole이나 fluconazole을 줍니다.

HSV 모낭염은 경구 acyclovir, valacyclovir, 혹은 famciclovir를 복용시킵니다.

만약 병변이 악화된다면 점차 커지고 융합되면서 화농성 피부 연조직 감염, 즉 furuncle 혹은 carbuncle로 발전하고, 심하면 abscess로까지 발전합니다.

화농성 피부 연조직 감염(Suppurative SSTI)

Furuncle (boil; 종기; 뾰루지)는 모낭염이 심화된 형태로, 고름과 죽은 조직들이 좁은 공간에 빽빽하게 밀집되기 때문에 피부가 국소적으로 붓는데 굉장히 아프죠. 주로 *S. aureus*가 일으키는데, 그 균이 내는 coagulase가 주범입니다. 이름 그래도 피를 응고시키면서 병변을 만들기 때문입니다.

이들 furuncle 들이 여럿 모이면서 연합체를 형성한 것을 carbuncle(큰 종기)라고 합니다.

일이 점점 커지면 피하 더 깊은 곳에 abscess가 형성됩니다.

오늘날의 관점에서 보면 만만해 보이지만, 조선 시대를 다룬 역사 책이나 사극 등을 보면 소위 '등창'이라고 하는 이 종기로 왕들이 목숨을 잃은 사례들이 꽤 많습니다. 왕의 머릿수에 비해 발병률이 너무 높은 감이 있지요? 고려는 모르겠습니다만, 조선의 왕들은 연산군 같은 이를 제외하고는 하루 평균 4시간

밖에 자지 못하는 꽉 짜인 스케줄을 소화해야 하는 과로에 시달렸다고 합니다. 거기에 수라상은 고칼로리 식사였을 것이기에 세종처럼 비만과 당뇨는 기본이었다고 하니 등창에 걸릴 여건은 충분했지요. 예를 들어 문종, 효종, 정조가 종기를 제대로 치료 받지 못하여 사망하였지요. 항생제와 소독의 개념이 없던 시대였으니 참으로 안타깝습니다. 특히 효종은 어의가 침으로 종기를 따다가 과다 출혈을 일으켜서 hypovolemic shock으로 죽는 의료 사고였다고 합니다. 그 어의는 침을 놓을 때 수전증으로 실수를 했다는 죄로 사형을 당했구요. 예나 지금이나 의사들이 교도소 담장 위를 걷는 것은 마찬가지 같습니다.

저도 등에 생겨서 짼 적이 몇 번 있어요. 그래서 제 등에
칼빵이 몇 군데 있지요, 하하.
조선 시대였으면 전 이미 이 세상 사람이 아니었겠죠.

가끔 포도알균 외에 혐기균이 원인이 되기도 합니다. 이는 주로 항문이나 회음부에 생긴 종기의 경우에 그러합니다.

종기가 생길만한 소지는 피부염 등으로 피부 장벽이 깨지는 경우, 당뇨, 비만, 알코올 중독, 영양 실조, 면역 저하 등이 있습니다.

피부 병변은 앞서 언급한 바와 같고, 열이나 무기력함, 주위 림프절 종대 등이 동반되기도 합니다.
주로 두경부 등(조선 왕들이 주로 앓던 곳), 엉덩이, 겨드랑이, 사타구니 같이 모낭이 많고 습하며 위생이 소홀하기 쉬운 곳에 호발합니다.

치료는 기본적으로 절개와 배농입니다. 배농할 때 반드시 균 배양을 나가야 합니다.

배농하고 나면 거즈 packing을 하루 혹은 이틀 동안 단단히 합니다.

항생제는 사실 필수는 아닙니다만, 병변에 cellulitis가 있거나 전신 증상이 동반되어 있다거나, 면역 저하 환자라면 주는 것이 좋겠습니다.

가장 흔한 원인인 S. aureus에 맞춰서 항생제를 선택하는데, MSSA라면 1세대 cephalosporin, amoxicillin/clavulanate, clindamycin을 사용할 수 있으며, MRSA로 배양되거나 과거력이 있거나 혹은 집락이 있었다면 이에 준해서 항생제를 투여합니다. 아, 덮어 놓고 vancomycin을 주라는 얘기가 아닙니다. TMP-SMX, doxycycline, minocycline, clindamycin에 감수성이 있다면 이것들부터 투여를 합니다.

봉소염(Cellulitis; 봉와직염, 연조직염)

진피와 피하 조직까지를 범위로 하는 급성 세균 감염으로, 진피의 상층부에 국한된 것이 단독(erysipelas), 진피 나머지 층부터 피하 조직까지를 cellulitis라고 구분 짓습니다만, 여기선 같이 취급하겠습니다.

대부분이 group A streptococci (GAS)나 S. aureus가 원인입니다.

기저 질환으로 당뇨, 말초 혈관 질환, lymphedema 등의 환자들이 위험군입니다.

피부에 균열이 생기는 모든 상황, 예를 들어 피부 손상, 수술 절개 과정, 주사, 교상 등에서 발생합니다.

만약 개나 고양이가 물어서 생긴 cellulitis라면 Pasteurella multocida, 당뇨 환자라면 P. aeruginosa를 비롯한 그람 음성균 가능성도 고려해야 합니다.

균열 이후 피부 상재 세균이나 다른 병원체가 침투하여 처음엔 피상적인 감염을 일으키다가 점차 피하 조직까지 침투합니다. 피부와 진피도 가만 있지는 않아서 antimicrobial peptides와 keratinocyte 증식 등으로 대응합니다.

GAS는 감염 과정에서 pyrogenic exotoxin을 냅니다. 이러한 제반 작용들이 얽히면서 발적, 열감, 부종 그리고 통증 등의 주 증상으로 나타납니다.

제17, 18강에서 언급한 바 있지만, 이들 toxin은 가끔 superantigen으로 작동하여 보다 심각한 상황으로 진행될 수도 있습니다.

진단은 발적, 부종, 만져서 따뜻하거나 눌러서 통증 유발이라는 4가지 소견들 중 최소 2개만 맞으면 됩니다.

딱 보기만 해도 알 수 있으니, 임상적으로 진단의 난이도가 높지 않습니다.

그래도 꼼꼼하게 살펴 보고 cellulitis의 시발점이 된 손상 부위를 찾아내려 노력해야 합니다.

혹시 근막염이나 골수염이 동반되어 있을지 몰라서 CT나 MRI를 촬영하는 경우가 있는데, 이는 당뇨나 면역 저하자, 교상 같은 위험 요소들이 아니라면 필수는 아닙니다.

항생제 치료로 1세대 cephalosporin, nafcillin, ampicillin/sulbactam, amoxicillin/clavulanate, clindamycin이 권장됩니다.

과거 MRSA 감염, 기존에 MRSA 집락 경력, 혹은 1차 치료에 실패한 경우에는 MRSA를 겨냥해서 항생제를 줍니다.

중증 면역저하자에서 발생한 중증 연조직염 감염이라면 vancomycin + piperacillin/tazobactam, 또는 vancomycin + imipenem or meropenem 병합 요법이 추천됩니다.

보통 투여 기간은 5일이며, 호전이 없거나 합병증이 있을 경우 치료 기간을 연장할 수 있습니다.

만약 부종이 동반되어 있으면 병변 부위를 들어 올리도록 합니다.

보통은 치료 시작하고 이틀 내로 호전이 됩니다.
만약 차도가 없다면 cellulitis 범주를 넘어서는 병변인지 여부를 보기 위한 정밀 진단 검사를 진행해야 합니다. Fascitis나 endocarditis, 혹은 osteomyelitis 라면 수술까지도 고려해야 하기 때문입니다.

괴사성 근막염(Necrotizing fascitis)

괴사성 근막염은 cellulitis 범위를 넘어, 근육을 덮고 있는 근막까지 침범하는 괴사성 연조직 감염입니다.

원인균으로 그람 양성균, 즉 *S. aureus*와 *Streptococcus*가 주종이지만 그람 음성균과 gas 형성하는 *Clostridium*, *Bacteroides*, *Peptostreptococcus* 등의 혐기균도 합세한 polymicrobial infections로 발전합니다.

역시 당뇨와 알콜 중독자가 위험군이며 간 경화증 환자도 잘 이환됩니다.

근막(fascial plane)은 혈관 분포가 적어서, 세균이 한 번 침입하면 별로 견제받지 않고 걷잡을 수 없이 마음껏 퍼져 나갑니다. 그것도 눈에 띄지 않고 질주하기 때문에 임상적으로 진단이 늦어질 수도 있습니다. 이렇게 초반에 놓치면 드디어 극심한 통증과 더불어 피부에 노골적인 증상들이 나타납니다. 발적 정도가 아니고 시퍼렇게, 혹은 더 어두운 색으로 나타나며 부종과 열기가 동반 되며 결국 물집(bullae)과 괴사(gangrene)로 발전합니다.

이쯤 되면 이미 혈관도 막혀 있고, 피하의 통각 신경도 파괴되어 있어서 환자는 오히려 통증 호소를 안 할 수도 있으니 현혹되면 안 됩니다. 이대로 더 진행하면 sepsis로 갑니다.

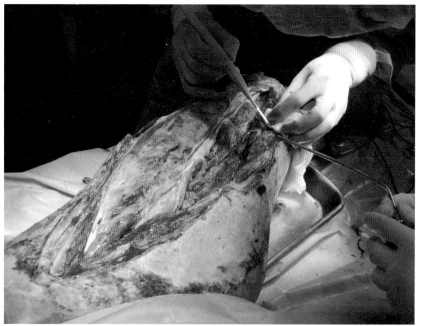

Necrotizing fascitis라면 가능한 빨리 fasciotomy를 들어가야 합니다.

임상 진단 외에 병변에 CT나 MRI 촬영을 함으로써 병변 확인과 동시에 침범 범위를 가늠하여 장차 치료의 지표로 삼습니다.

실전에서는 Laboratory Risk Indicator for Necrotizing Infection (LRINEC) Score로 necrotizing fascitis 여부를 빨리 판단하는 수단으로 사용할 수 있습니다.

기준은 다음 여섯 가지로 판단합니다. ( )는 점수입니다.

- Hemoglobin (g/dl): 11-13.5 (1), < 11 (2)

- 백혈구(cells/uL): 15,000-25,000 (1), > 25000 (2)

- Sodium (mEq/L): < 135 (2)

- Creatinine (mg/dL): > 1.6 (2)

- Glucose (mg/dL): > 180 (1)

- C-reactive protein: > 150 (4)

합산해서 5이하는 50% 미만의 위험도, 6-7점은 중간 위험군, 8점 이상은 75% 이상 확률의 고위험군(사실상 거의 확실)으로 판단합니다.
양성 및 음성 예측도가 90%를 넘어가기 때문에 논란의 여지는 남아 있지만 실전에서 매우 유용합니다.

치료는 항생제 즉시 투여와 수술입니다.
경험적 항생제는 그람 양성균, 그람 음성균, 혐기균까지 포괄하는 광범위 항생제로 투여합니다.
보통 cefepime + metronidazole 조합, piperacillin/tazobactam, carbapenem계열 항생제를 선택하며, MRSA까지 감안해서 vancomycin, linezolid, 혹은 daptomycin을 추가합니다.

원인균이 밝혀지면 조정을 합니다.
MSSA는 cefazolin 또는 nafcillin을, GAS는 penicillin + clindamycin 조합이 권장됩니다. 특히 clindamycin은 자체의 기전인 protein 생성 억제 기전이 toxin 억제로 이어질 수 있기에 유용합니다.

수술은 외과나 정형외과 선생님들의 도움을 받아 가급적 빨리(24시간 이내에) 시행해야 합니다.

대개는 광범위하게 절제하고 죽은 조직들을 걷어내는 대규모 작업이 됩니다. 제대로만 걷어낸다면 환자의 예후는 급격하게 좋아질 것을 기대할 수 있습니다.

물론 손상된 부위 복구를 위해 회복 과정에서는 성형외과 선생님들의 도움을 받게 됩니다.

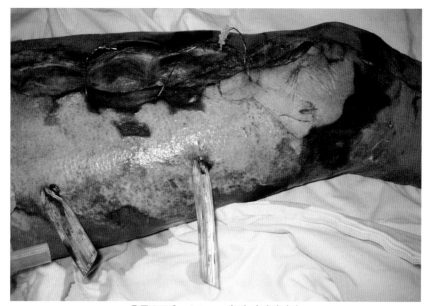

응급으로 fasciotomy 후의 사진입니다.

Intravenous immunoglobulin (IVIG)은 그 효과가 확립된 것은 아니지만, superantigen-elicited T-cell activation 억제와 opsonization 촉진을 목적으로 투여할 수 있습니다.

워낙 중증인 상황이니 무엇이라도 해 주고 싶은 마음에라도 말이죠.

고압 산소 요법도 추천되지만 좀 더 검증이 필요합니다.

예후는 별로 안 좋아서 높은 사망률을 보이는데, 전반적으로 30%를 넘어 갑니다.

당뇨나 고령, 면역 저하 환자의 경우에 특히 예후가 나쁘며 수술이 늦을수록 사망률이 높습니다.

그러므로 빠른 판단과 치료가 필요한 것입니다.

목숨을 건진 환자들의 경우에도 워낙 수술을 거하게 치렀기 때문에 후유증이 만만치 않을 겁니다.

제36강

뼈와 관절 감염

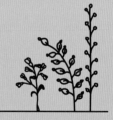

뼈와 관절 감염

골수염(Osteomyelitis)

1. 기본

골수염은 감염으로 뼈에 생긴 염증입니다. 주로 세균이 일으키지만, 진균과 결핵균도 원인이 됩니다.

뼈(bone; osteo-)와 골수(marrow; myelo-)에 염증이 생기는 것이라 osteomyelitis라고 합니다.

이 용어는 1844년 외과 의사 Auguste Nelaton이 처음 명명했습니다.

친숙하지요?

넬라톤 카테터 만든 그 분 맞아요.

그래도 Nelaton을 비롯한 당시 여러 의사 선생님들에겐 난치병이었을 겁니다. 항생제가 없었으니까요. 수술로 긁어내고 잘라내고 하면서 병변을 제거는 했겠지만, 뒤 처리가 깔끔하게 안 되고 sepsis로 가고 사망하는 사례가 굉장히 많았을 테니까요.

골수염은 증상 발생 후 시간 경과에 따라서 급성, 아급성 및 만성으로 일단 나눕니다.

급성은 증상 발생 2주 이내인 것으로 분리된 죽은 뼈(sequestrum 또는 sequestra; 부골편) 생기기 이전을 말하며, sequestra가 생기면 만성으로 분류됩니다. 하지만 이런 분류는 뼈의 부위나 처한 상황에 따라 일관성이 부족합니다. 예를 들어 복합 골절이나 prosthetic device 같은 경우는 시기적으로 급성에 해당하는 2주 이내로 sequestra가 빨리 생깁니다. 척추 골수염(vertebral osteomyelitis)은 sequestra가 나타나는 시기가 훨씬 오래 걸립니다. 그래서 시기로 분류하는 것은 문제성이 있습니다.

기간뿐 아니라 발병 기전, 발병 부위, 뼈에 공급되는 혈류의 상태 등 여러 요소가 복합적으로 얽히고, 이에 따라 치료 방침들이 차별화되기 때문에 좀 더 세밀하게 분류해야 합니다.

골수염은 현재 두 가지 분류법이 주로 쓰이고 있습니다.

하나가 Lew & Waldvogel 분류법입니다.

이는 기간에 따른 급성/만성 분류법에 더해서 발병 경로에 따라 혈행성(hematogenous)과 접촉성(contiguous)으로 구분합니다. 접촉성은 혈관 불량 여부에 따라 다시 둘로 나누었습니다:

- 혈행성 골수염(Hematogenous osteomyelitis)
- 접촉성 골수염(Contiguous osteomyelitis)

: 전신 혈관 질환과 동반된 경우

: 그렇지 않은 경우

- 만성 골수염(Chronic osteomyelitis)

골수염은 발병 경로에 따라 원인균이 구분되기 때문에 이 분류법은 경험적 치료 항생제를 결정하는 데 도움이 됩니다.

나머지 하나가 Cierny-Mader 분류법입니다.
이는 급성/만성 여부는 감안하지 않으며, 감염 부위의 해부학적 특징, 환자의 상태에 영향을 미치는 요인에 따라서 분류합니다.

병변의 해부학적 부위에 따른 유형(Anatomical type)

- Type I: 수질에 생긴 골수염(Medullary) - 염증이 medullary에 국한되며, 주로 초기 혈행성 감염인 경우입니다.

- Type II: Superficial osteomyelitis - 주위 연부조직의 감염에 병발된 형태로 대부분 접촉성 전파로 발생합니다.

- Type III: Localized osteomyelitis - 피질(cortex)이 주로 감염되어 뼈의 안정성은 유지되지만 괴사조직을 제거해야 할 필요가 있습니다.

- Type IV: Diffuse osteomyelitis - 뼈의 전층이 감염되어 감염 부위 전체를 완전히 제거해야 하며, 그 결과 구조적 안정성이 소실될 운명에 처합니다.

환자의 상태(Physiological condition)

- A: 정상
- Bs: 전신적인(systemic) 문제 요인이 있음
- Bl: 국소성(local) 문제가 있음
- Bsl: 둘 다 갖고 있음
- C: 질환 자체보다는 치료 과정에 문제가 있음

여기서 영향 인자들이란

- 전신적 문제(Bs): 영양 실조, 만성 신부전, 간 부전, 당뇨, 만성 저산소증, 신생아, 고령자, 암, 면역 억제제 치료받는 환자, 혹은 면역 저하 환자.
- 국소적 문제(Bl): 만성 림프관 부종, 정맥 정체 혹은 울혈, 큰 혈관들 이상, 동맥염, 반흔이 크게 생기는 경우, 방사선 치료 후의 섬유화, 작은 혈관 질환, 신경병증, 흡연.

이 분류법은 치료 방침 결정과 예후 파악에 유용합니다.

단, 이 분류법은 사실상 long bone에 적용되며, prosthetic device나 척추염에는 적용하지 못합니다.

2. 원인과 기전

사실 정상적인 뼈는 철옹성과 같아서 웬만하면 감염에 걸리지 않습니다. 하지만, 물리적 손상을 받거나 혈관 문제로 허혈성 병변에 시달리거나, 혹은 prosthetic device 같은 이물질이 자리 잡고 있거나 하면 미생물이 침투하기 좋은 여건이 조성됩니다.

뼈를 구성하는 성분 중에 laminin, collagen, fibronectin, sialoglycoprotein 같은 것들은 예를 들어 *S. aureus*라면 달라붙기 좋은 먹음직스러운 대상입니다. 그래서 일단 찰싹 달라붙는 걸로 재앙이 시작됩니다. 좀 더 자세히 들여다보면 osteoblast 내로 들어가고, 거기서 오랜 시간 동안 편안하게 잘 살고 있습니다. 또한 device의 경우엔 거기에 집단으로 모여서 biofilm을 형성합니다. 이렇게 해서 각종 면역 방어 기전에도 잘 버티면서 세력을 불리며 염증을 초래합니다. 심지어 항생제의 공격에도 굳건히 살아 갑니다.

원인균은 나이에 따라 다릅니다.

- 1세 미만의 경우 Group B streptococci, *S. aureus*, *E. coli*가 많습니다.
- 16세까지는 *S. aureus*, GAS, *H. influenzae*(백신 접종 받지 않은 경우)가 주종을 이룹니다.
- 17세 이상 성인부터는 아무래도 의료 환경에 노출되는 확률이 증가함에 따라 좀 더 다양해져서, *S. aureus*, *P. aeruginosa*, *S. marcescens*, *E. coli*, CoNS 등 의료 관련 감염의 비중이 커집니다.

감염 경로별로 보면, 혈행성 골수염은 전체 골수염의 대략 20%를 차지하며 소아에서 주로 발생하고, 특히 장골(long bone)에 호발합니다. 그 이유는 장골의 골간단(metaphysis)에 혈류가 풍족하게 공급되는 반면에 phagocytes가 별로 없기 때문입니다. 장골에 혈관은 중앙 부위로 일단 입장해서 양 끝을 향해 퍼집니다. 양 끝단, 즉 metaphysis에 가까워질수록 혈류는 점차 느려지고, 이에 따라 마침 같이 들어온 세균은 더욱 쉽게 착지를 하게 되겠지요. 비록 수는 적지만 phagocytes는 방어에 최선을 다합니다. 세균과 싸우면서 파괴 효소를 내는데, 이게 세균뿐 아니라 뼈 조직도 파괴를 하는 게 문제입니다. 이로 인해 염증이 조장됩니다.

처절한 싸움의 결과로 균을 끌어안고 장렬히 전사하면 그게 곧 고름이 됩니다. 고름이 점차 많아지면 물리적으로 좁은 뼈 안을 차지하게 되고, 당연히 뼈 내부의 압력이 증가합니다. 그러다 잔뜩 쌓인 고름은 급기야 cortex를 뚫고 periosteum으로 터져 나갑니다. 이로 인해 그 곳에 공급되던 혈류 수급이 차질을 빚게 되어 뼈는 허혈 상태가 되고 결국 괴사에 빠지게 됩니다. 죽은 뼈 조각은 고름을 머금으며 떨어져 나갑니다. 그게 바로 sequestrum입니다. 그 부위에 부랴부랴 졸속으로 뼈 조직이 새로 생겨서 때우는데, 이를 골구(involucrum)라 합니다. 죽은 sequestrum은 누공(sinus tract)을 만듭니다.

한편, 성인의 혈행성 골수염은 주로 척추에 옵니다.

보통 인접한 vertebral end plate 둘을 동시에 먹습니다. 왜냐하면 end plate에 가는 혈관은 항상 둘로 나뉘어서 인접한 end plate 둘에 공평하게 나누어 공급해 주기 때문입니다.

척추 혈관 구조에서 또 하나 주목할 것은 바로 Batson's plexus입니다.

이는 골반과 흉곽의 정맥으로부터 혈류를 받습니다. 이게 척추에 있어서 특별한 정맥 구조인 이유는 바로 valve가 없기 때문입니다. 따라서 무엇이 흘러와도 아무런 제지를 받지 않습니다. 가장 대표적인 것이 암의 전이일 것입니다. 주로 직장이나 전립선에서 시작된 암이 척추로 잘 전이되고, 궁극적으로 뇌까지 퍼지는 이유입니다.

하물며 세균은 어떨까요?

특히 노인 환자에서 신우신염 같은 비뇨기 감염이 있을 경우 엉뚱하게 골수염으로 발전하는 일이 종종 있는 이유도 바로 이 때문입니다.

반면에 접촉성 골수염은 전체 골수염의 약 80%를 차지하며 성인에 많습니다. 또한 혈행성과 비교해서 polymicrobial infection인 경우도 많습니다. 의료 관련 감염의 양상이라 관절 수술이나 욕창에서 잘 동반됩니다.

혈류 불량으로 생기는 골수염은 주로 당뇨 환자에 많으며 하지에 주로 생깁니다. 특히 감각 신경에 장애가 있는 경우가 많아 이로 인해 하지(주로 발) 피부의 손상과 궤양이 생기면서 동반되는 일이 빈번합니다. 소위 당뇨 발의 문제지요.

이런 기저 질환 없이도 개방성 골절이나 뼈 재건 수술이나 device를 넣는 시술 등으로 세균이 직접 들어와서 골수염이 생길 수도 있습니다.

36강

3. 임상과 진단

급성 골수염은 '급성'이라는 명칭에 어울리지 않게 의외로 증상이 서서히 나타납니다. 단, 천천히 나타나되 2주 이내로 저명해진다는 것이죠. 장골의 경우 열감, 발적, 부종 등을 동반한 통증으로 나타나는데, 척추, 고관절, 골반의 경우엔 통증, 관절의 운동 범위 제한 소견 외에는 특별한 증상이 동반되지 않는 경우가 많습니다. 종종 septic arthritis도 동반됩니다.
목이나 등에 열과 각종 염증 지표의 상승이 동반되어 통증이 생기고 bacteremia까지 있다면 척추 골수염을 의심하기에 충분합니다. 통증 부위를 눌러 봐서 매우 아파하면 더욱 의심을 해야 합니다.

만성 골수염은 증상이 저명해지기까지 2주 이상이 걸립니다. 병변부 만성 통증과 부종, 발적만 있고 열을 비롯한 전신 증상은 별로 없으며, 병변에 누공이 있되 만약 이게 막힌다면 농양까지 발견될 수 있습니다.

특히 당뇨를 비롯한 만성 기저 질환자이면서 피부(특히 하지)에 수주 이상 지속된 깊은 궤양이 있고 잘 낫지도 않는다면 만성 골수염 동반 가능성을 강력하게 의심해야 합니다. 궤양에 탐침을 넣어 봐서 그 끝이 뼈까지 닿는다면 골수염 확률은 더 높아집니다(the probe to bone test). 이 정도까지 가면 확진을 위해 촬영과 생검으로 진도를 나가야 합니다.

일반 X선 검사는 가장 기본이긴 합니다만, 골수염 소견이 저명하게 나타난다면 이미 뼈가 파괴되고 2주가 지난 시점이라 조기 진단에는 적합하지 않습니다. 그런 소견이 나타났을 때는 적어도 병변 부위의 절반에서 3/4 정도가 파괴되었다는 의미입니다. 그래서 MRI를 시행하는 것이 좋습니다.

MRI는 골수염 조기 진단에 가장 민감한 촬영 검사입니다. 음성 예측도가 매우 높으므로, MRI에서 아니면 진짜 아닌 것으로 간주해도 무방할 것입니다. 만약 금속성 prosthetic device가 있다면 technetium-99 bone scintigraphy를 실시합니다. 단, 특이도가 낮으므로 해석에 유의를 요합니다. CT는 괴사된 뼈 절편을 잡아내는 것과 파괴된 범위를 파악하여 생검의 지표로 삼기에 유용합니다.

혈액 배양은 당연히 해야 합니다. 이와 더불어 뼈 조직 생검과 배양 검사를 시행합니다.

생검 전 2-3일 동안은 항생제를 잠시 중단하기도 하지만 꼭 그럴 필요는 없습니다. 어차피 병변 부위는 혈관 문제로 혈액이 잘 가지 않는 상태이므로, 항생제를 계속 주고 있어도 배양에서 잘 나오는 경우가 많기 때문입니다.

생검은 기왕이면 병변을 열어서 하는 게 좋겠고, 경피로 시행할 때는 CT의 인도 아래 정상적인 피부를 통해서 시행하도록 합니다.

누공에 면봉을 넣고 시행하는 배양 검사는 신뢰도가 떨어집니다.

결핵이 뼈나 관절에 오는 경우, 척추 결핵(Pott's disease)이 약 절반을 차지합니다. 왜냐하면 vertebral body에 혈관이 풍부하기 때문입니다. 특히 흉추에서 가장 많이 발생합니다. 주로 추간판과 인접한 척추뼈를 파괴하며 psoas abscess가 합병되곤 합니다. 심하면 척수 압박으로 인한 척추뼈 collapse 등의 합병증까지 갈 수 있습니다.

만약 골수염이 흉추에 있고 세균 배양 음성이라면 특히나 우리나라에선 결핵을 의심해 볼 가치가 있습니다.

할 수 있으면 뼈 생검으로 확인하는 것이 좋겠습니다.

4. 치료

적절한 항생제 투여가 중요하며, 농양이나 괴사가 확인되거나(항생제가 미처 도달 못 함을 의미) 항생제 투여에도 차도가 없으면 수술을 시행해야 합니다.

수술 여부와 항생제 투여 기간은 Cierny-Mader 분류를 기반으로 삼아서 판단합니다.

통상적으로 수술 후 4-6주 항생제를 투여하지만, 분류 유형별 환자의 상태에 따라 주치의는 투여 기간을 자율 판단하에 조정할 수 있습니다.

원인 균이 아직 밝혀지지 않았을 때 경험적 항균제 치료는 다음과 같습니다:

- 의료 관련 감염이 아닌 골수염이라면 MSSA를 겨냥하여 nafcillin 또는 1세대 cephalosporin을 줍니다.
- 당뇨 등의 만성 기저 질환자라서 그람 음성균 감염을 배제할 수 없다면 ceftriaxone으로 선택합니다.
- 의료 관련 감염으로서의 골수염이라면 MRSA를 겨냥하여 vancomycin 또는 teicoplanin을 선택합니다. 역시 당뇨 등의 만성 기저 질환자라서 그람 음성균을 배제할 수 없다면 여기에 piperacillin/tazobactam 혹은 ceftriaxone을 추가한 조합으로 투여합니다.

원인균이 진단되면 다음과 같이 항생제를 줍니다:

- MSSA는 nafcillin 또는 1세대 cephalosporin을 줍니다. Vancomycin은 1세대 cephalosporin보다 오히려 성능이 떨어져서 재발률도 높습니다.
- MRSA는 vancomycin 혹은 teicoplanin을 줍니다. Vancomycin은 혈중 농도를 모니터해야 하며 최저 혈중 농도는 15-20 ug/mL로 유지합니다.
- 포도알균 치료가 잘 돼서 경구로 바꾼다면 rifampin을 기본으로 하고 ciprofloxacin, levofloxacin, 또는 TMP-SMX를 추가한 조합으로 복용시킵니다.
- 포도알균 치료 처음부터 rifampin을 추가할 필요는 없습니다.
- *P. aeruginosa*라면 anti-pseudomonal β-lactam + aminoglycoside를 조합해서 드립니다. 처음부터 FQ를 주는 건 내성 유발때문에라도 지양하는 것이 좋겠습니다.

만성 골수염에서는 고농도 산소 치료도 보조적 요법으로서 사용할 수 있습니다.

척추 골수염은 별도로 더 언급을 하겠습니다. 원칙적으로 수술 및 항생제 치료와 함께 물리 치료와 외부 고정 등을 보조적으로 병행합니다. 수술은 무조건 다 시행하는 것은 아닙니다. 수술은 확진 목적과 더불어, 신경 압박에 의한 마비 소견(응급입니다. 24-36시간 내로 수술해야 합니다), 과도한 파괴로 인한 불안정 발생, 심한 척추 후만증 등의 기형, 농양, 항생제 치료 실패의 경우에 시행합니다. 논란의 여지가 있지만 약을 비롯한 비수술적 방법에도 호전되지 않는 통증의 경우에도 수술 대상으로 삼기도 합니다. 무엇보다 prosthetic device 감염이라면 대부분 수술이 필요합니다. Device 삽입 수술 후 한 달이 지나서 생겼다면 제거를 원칙으로 합니다.

36강

항생제 투여 기간은 6-12주로 잡습니다.

필수로 권장하는 건 아니지만, 인공 관절 감염증이나 만성 골수염에서 항생제 함입 뼈 시멘트를 사용하기도 합니다.

급성 골수염이야 조기 치료를 제대로 하면 예후가 좋습니다.
그러나 만성의 경우 보통 기저 질환이 동반되어 있기 때문에 재발의 소지가 매우 높습니다. 당뇨 발을 예로 들면, 생활하다가 발에 몇 번쯤은 손상이 생길 일이 없을까요? 1년 내로 다시 생기는 경우가 30%이며, 특히 *P. aeruginosa* 골수염이라면 거의 절반이 재발합니다. 그래서 치료 후 외래를 다니며 정기적으로 잘 관리하는 것이 중요합니다. 물론 근력 회복을 위해 재활도 철저히 시켜야 합니다.

뼈 결핵의 경우 6-9개월 동안 치료를 합니다만, 필요에 따라서 연장할 수 있습니다.
항결핵제에 반응이 없고 감염이 진행하는 증거가 있거나, 신경 손상 증상이 있으면 수술을 고려합니다.

화농성 관절염(Septic arthritis)

1. 기본

화농성 관절염은 이미 관절염을 앓고 있거나 prosthetic device 수술을 받았거나, 당뇨, 고령자, HIV 감염인 등에서 잘 생기는데, 특히 침 시술이나 관절 내 주사를 맞은 경력이 가장 많습니다.

사실상 포도알균 감염이라고 보면 거의 맞습니다.
그 밖에 사슬알균이 나머지 지분을 차지합니다.
그리고 성 관계에 의해 gonococcus 관절염이 발생할 수 있으며 외상에 의했을 경우 혐기성 균이 원인이 되기도 합니다.

고령자나 재발성 요로 감염, 최근의 복부 수술 병력, 면역저하 환자라면 그람 음성균도 의심해 보아야 합니다.

2. 임상과 진단

주 증상은 관절 부위의 열감, 압통 및 아파서 잘 움직이지 못하는 양상입니다.
발열 등의 전신 증상이 동반되지 않는 경우도 많습니다.
주로 큰 관절들인 무릎이나 고관절에 생기는 경우가 대부분입니다. 보통 단일 관절을 침범하지만 2개 이상의 관절에 생긴다면 gonococcus를 의심해 볼 필요도 있습니다.

기본적인 검사들과 혈액 배양과 더불어, 관절액 검사가 중요합니다. 배양과 그람 염색을 시행하며 성분 분석을 합니다. 결핵과 진균 감염 검사도 추가하며, 편광 현미경 검사도 시행합니다.

백혈구가 50,000 이상 나오면서 90% neutrophil predominance라면 세균성을 시사합니다. 만약 세균까지 관절액에서 증명된다면 확진입니다.

인공 관절일 경우 백혈구 1,000을 넘고 neutrophil 60% 이상이면 세균성 관절염으로 판단할 수 있습니다.

백혈구 수치가 기준에 미처 못 미치더라도, 아주 조기에 내원했거나 gono-coccus 관절염 의심되거나 피 검사에서 백혈구 감소증이 있다면 아직 화농성 관절염을 배제해서는 안 됩니다.

단순 X선 촬영에서 관절 공간이 비정상적으로 넓어져 있거나 뼈의 파괴 소견이 있다면 진단에 도움이 되겠지만, 사실 이 정도까지 나오려면 2주 정도는 지나야 합니다. MRI는 화농성 관절염의 조기 진단뿐 아니라 골수염 동반 여부 확인에 유용하며 이는 곧 수술 여부의 결정으로 이어집니다.

Bone scan은 진단 가치가 높지는 않지만 고관절 및 천장관절의 감염을 보는 데에는 유용합니다.

3. 치료

가능한 조기에 배액을 충분히 시행하고 경험적 항생제를 투여하는데, 보통은 cefazolin이나 ampicillin/sulbactam, nafcillin을 줍니다.

MRSA를 시사하는 위험 인자가 있다면(과거력, 비강 배양 양성, 집락 등) van-comycin이나 teicoplanin을 줍니다. 당뇨나 다른 만성 질환 등의 위험군이라면 ceftriaxone을 줍니다.

관절 천자를 시행하고 24-48시간 후 필요하면 반복 시행합니다. 항생제 치료에도 호전이 없으면 수술로 들어갑니다.

항생제는 4-6주 동안 주도록 합니다.

치료가 끝나고 나면 재활을 확실하게 해 줘야 근 위축을 예방할 수 있습니다. 인공 관절이라면 적극적으로 병변 치료 및 필요하면 제거를 하며 이후 항생제 함유된 시멘트와 함께 새 관절로 갈아줍니다.

예후는 의외로 좋지는 않은 편으로, 심하면 10% 내외의 사망률을 보입니다. 사망하지 않더라도 관절 운동 제한 등의 후유증이 환자의 1/3 정도에서 있으므로 치료 후 재활 치료가 매우 중요합니다.

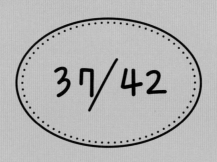

제37강

멀레어리아(Malaria)!

멀레어리아(Malaria)!

1. 기본

국가 지정 제3급 감염병 말라리아(malaria)는 나쁠 mal에 공기 aria가 합쳐진 용어로, 나쁜 공기를 쐬어서 걸리는 병이라는 의미입니다. 이는 germ theory 가 나오기 전까지 병의 기원을 나쁜 공기(miasma) 때문이라고 간주하던 시절 이 반영된 용어입니다. 말라리아는 늪 지대에서 잘 걸리곤 해서, 아마도 습하 고 나쁜 공기 때문에 생긴다고 유추했을 것입니다. 장구 벌레가 늪 지대에 많 이 서식하다가 모기로 성장하니 당연한 일이죠.

이런 잘못된 개념은 1880년 Alphonse Laveran이 환자의 혈액에서 원충을 발 견함으로써 바로 잡히기 시작합니다. 1889년엔 이탈리아의 Camillo Golgi경 이 malarian paroxysm (3일열, 4일열) 패턴을 파악해 냅니다.
1890년대엔 영국의 Ronald Ross가 Anopheles 모기 위장관에서 원충을 발견 함으로써, 말라리아를 모기가 매개한다는 결정적인 사실을 밝혀냅니다.

결국 말라리아는 *Plasmodium* 원충이 일으키는 질환입니다.

인체 감염 가능한 Plasmodium 원충은 3일열 원충(*P. vivax*), 열대열 원충(*P. falciparum*), 4일열 원충(*P. malariae*), 원래 원숭이 원충인 *P. knowlesi*, 난형열원충(*P. ovale*)에 속한 두 가지인 *P. ovale curtisi*와 *P. ovale wallikeri*, 그리고 *P. cynomolgi*입니다.

2. 현황

세계적으로 가장 관심을 받는 질환입니다. 규모를 보세요. 매년 2억 명이 감염되고 60만 명이 사망하는 질환으로 전 세계 인구의 절반 정도가 87개의 말라리아 위험 국가에 살고 있습니다. 빌 게이츠가 괜히 이 질환 퇴치에 집중하는 게 아닙니다.

우리나라에서도 1960년대까지 흔했고, '학질'이라고 불렸습니다. '학을 뗀다'는 표현의 원조일 정도.

하지만 생활 수준과 환경 위생이 나아지면서 거의 자취를 감추었습니다만, 1993년 이래로 휴전선을 중심으로 다시 나타나기 시작합니다. 당시 파주 지역 비무장지대에 복무 중이던 군인 1명이 말라리아로 진단된 이후 급증하여 2000년에는 4천 명을 넘어갑니다.

하지만 정부의 강력한 퇴치사업으로 매년 감소 추세를 보이고 있습니다.

지역별로는 경기, 인천, 강원을 중심으로 꾸준히 환자가 나오고 있는데, 주로 5-10월 사이에 대부분이 발생하고 있습니다.

3. 임상 및 기전

아시다시피 말라리아 원충에 감염된 암컷 Anopheles 모기가 인체를 흡혈하는 과정에서 전파됩니다. 매우 드물지만, 수혈이나 주사기 공동 사용 등에 의하여 감염될 수도 있습니다.

말라리아는 모기 체내와 인체 내 각각의 생활사로 나뉩니다.

크게 인체와 모기의 체내에서 일생을 보내는데, 모기 체내에서 무슨 짓을 하며 보내는지는 우리 임상가들 입장에서는 알 필요 없습니다. 왜냐하면 우리 임상가들은 오로지 인간의 치료만을 추구하지, 모기까지 치료할 일이 없기 때문입니다.

모기 체내에서는 짝짓기(유성 생식), 딱 그거 하나입니다. 그래서 만들어지는 게 sporozoite이고 모기 침샘에 집결합니다. 그래서 모기가 사람에게 내려 앉아서 흡혈하면 sporozoite 떼는 일제히 인체 내로 쏟아져 들어오고, 수 시간 동안 인체 피하를 기어서 혈류에 도달하면 간으로 이동합니다.

간으로 간 원충들은 증식을 하는데, 대략 1만에서 3만 마리 정도의 merozoite가 형성됩니다.

1-2주 정도면 어느 정도 수준이 갖춰져서 다시 혈류로 나가게 되는데, *P. falciparum*, *P. malariae*는 모조리 다 나가지만, P. ovale나 P. vivax는 더 지체하면서 잠을 자며 기다리면서(hypnozoite) 수개월에서 수년을 잠복하기도 합니다. 그래서 군에서 말라리아에 걸리되 증상 발현이 안 되다가, 전역하고 사회 복귀하고 나서야 뒤늦게 발병하는 경우들이 종종 있는 것입니다.

일단 혈류로 나간 merozoite 떼들은 적혈구 안으로 침투해 들어가고, 거기서 trophozoite (hemoglobin 포식해서 영양 상태가 좋으니까)가 되고 schizont

로서 열심히 분열과 증식을 합니다. 머리 수가 감당할 수 없게 많아지면 결국 적혈구를 터뜨리고 다시 merozoite(적혈구 하나당 24-32마리)로 나와 새 적혈구로 다시 침투해 들어가면서 다시 이 증식 과정을 되풀이합니다.

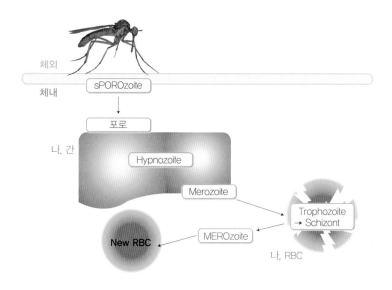

말라리아의 생활사 – 인간에게만 집중한

적혈구를 일제히 터뜨리고 나오면 같이 흘러나오는 내용물과 merozoite 자체로 인해 인체의 면역능이 발동됩니다. 그렇게 모여든 세포들 중에 monocytes 가 내는 cytokine, 특히 TNF-alpha에 의해 섭씨 40도에 달하는 고열이 나는 것입니다.

이 고열이 꼭 나쁜 것만은 아닌 게, 40도 정도면 원충이 위축되는 효과가 있지만, 그와 동시에 사람이 괴롭다는 게 문제지요. 그래서 위 아랫니가 딱딱 부딪히는 오한으로 시작하여 고열이 나고 땀을 한 말을 쏟은 후 해열되면서 탈진하는 양상, 소위 말하는 malaria paroxysm의 양상이 나타나는 것입니다.

이는 주기적으로 나타나는데, *P. vivax*, *P. ovale*는 48시간마다(tertian fever), *P. malariae*는 72시간마다(quartan fever) 어김없이 나타납니다.

*P. falciparum*은 48시간이 원칙이지만, 실제로는 너무나 수가 넘쳐서 시도 때도 없이 일어날 때가 더 많습니다.

혈류로 나와 적혈구로 침입한 merozoite들은 적혈구 내부의 단백질들을 마음껏 섭취하고 고갈시킵니다.

단백질들 중에 특히 hemoglobin을 약탈하는데(특히 *P. falciparum*은 전체 hemoglobin의 무려 80%를 잡아먹습니다. 왜 열대 말라리아가 더 지독한지 설명이 됩니다.), 여기서 생기는 위험성을 피하기 위해 약간의 조정을 하게 됩니다. 왜냐하면 globin이 떨어지고 남는 heme이 원충에게는 독이기 때문입니다.

이 heme 자체는 철분(iron)을 끼우는 일종의 케이스 같은 것인데, 철분 자체가 전자를 내거나 뺏아 오거나 하는 식의 행동을 수시로 보이거든요. 그 결과 radical이 만들어집니다.

이를 Fenton's reaction이라고 합니다.

이 radical들이 주위를 무차별적으로 마구 파괴하므로, 원충들은 무슨 조치를 취하지 않으면 식사를 즐기는 도중에 영문도 모르고 죽을 것입니다.

그래서 원충들은 지질(lipid)을 매개로 해서 이 heme들을 뭉치로 만들어 버림으로써 얌전한 물질인 hemozoin으로 전환해 버립니다(hemozoin biocrystallization).

이는 현미경으로 관찰하면 적혈구 내에 색소가 침착된 모양으로 나타나는데 이를 malaria pigment라고 부릅니다. 즉, malaria pigment = hemozoin.

다시 말해 말라리아 원충이 hemozoin을 만들지 못하게 하면 죽일 수 있다는 얘기도 됩니다.

37강

바로 이런 작용을 하는 약제가 quinine, chloroquine, hydroxychloroquine과 mefloquine입니다.

이는 치료 편에서 다시 다루겠습니다.

말라리아 원충이 적혈구를 침범하는 바람에 적혈구 막은 쭈글쭈글 부실해집니다.

그래서 평소 적혈구 막을 통해 필요한 물질들이 들락날락하는 과정들에 문제가 생깁니다.

또한 적혈구 막 속에 푹 파묻혀 있던 구조물들이 노출되어 자가 항체의 공격을 받으며, 말라리아 원충의 단백질도 군데군데 박힙니다. 그 결과 적혈구는 더 주름살이 많아져 더 쭈글쭈글해지고 막에 유연성이 없어서 혈관이 조금만 좁아도 원활히 빠져나가지 못하고 막게 됩니다.

현미경으로 보면 이러한 적혈구들은 표면에 오돌토돌 돌기(knob)들이 많이도 돋아나 있는데 이들은 pfEMP1 (*P. falciparum* erythrocyte membrane adhesive protein)에 의해 생긴 겁니다.

이런 적혈구가 혈류를 타고 가다가 ICAM-1 (intercellular adhesion molecule) 등의 수용체를 매개로 모세혈관 내피 세포에 달라붙어서 막히게 하는 것입니다.

그리하여 혈관 경색에 의한 증상들이 초래되며, 적혈구 자체도 오래 살지 못합니다.

당연히 각 혈관이 혈류를 공급하는 영역은 기능 부전에 빠집니다.

그 영역이 뇌라면 뇌 기능이 엉망이 되고(cerebral malaria), 콩팥이라면 신부전(renal failure)이 되는 것입니다.

또한 멀쩡한 적혈구를 둘러싸고 달라붙기도 하고(rosette 형성), 감염된 적혈구들끼리 서로 눌러 붙어서 여기저기 막아대기도 합니다(agglutination).

이 모든 재앙들을 통틀어서 sequestration이라 합니다.

다행히도, 거의 *P. falciparum*에서만 일어나며, 우리나라에서 생기는 *P. vivax*를 비롯한 다른 *Plasmodium* 종에서는 안 일어납니다.

*P. vivax*와 *P. ovale*는 주로 어린 적혈구를, *P. malariae*는 주로 젊은 적혈구를 선호하는 반면, *P. falciparum*은 노소를 가리지 않습니다. 그래서 parasitemia level이 다른 종들보다 월등히 높은 것입니다.

인체는 이러한 만행에 다음과 같이 대응합니다.

일단 spleen에서 감염된 적혈구(나중엔 rosette으로 둘러싸인 멀쩡한 적혈구까지)들을 걸러내고 제거합니다.

하지만 처리할 수 있는 업무량에 한계가 있어서, 결국은 대부분을 놓치고 맙니다.

참으로 곤란한 것이, 적혈구에는 major histocompatibility antigen complex (MHC)가 없습니다.

이는 세포 매개 면역이 작동하기가 원천적으로 어렵다는 뜻입니다.

그래서, 인체의 면역능이 원충에게 작용하기 가장 적절한 시기는 적혈구가 깨지는 순간이 유일합니다.

깨져서 나오는 원충들을 항체들이 공격하는 와중에, 흘러나온 내용물에 의해 면역 세포들도 일제히 몰려오며, 이들이 내는 cytokine, 특히 TNF-alpha에 의해 40도를 넘나드는 고열이 유발되는 것입니다.

인체는 아예 적혈구나 hemoglobin을 변형시켜서 말라리아 원충의 침입을 저지하기도 합니다.

그 결과가 겸상적혈구증 빈혈(sickle cell anemia), Thalassemia, HbC, HbE 등입니다.

말라리아가 풍토병인 아프리카 사람들에서 이 혈액 질환들이 많은 이유입니다.

하지만 인체 면역 기전은 전반적으로 총평을 하자면 말라리아를 제압하는 데에는 턱없이 모자랍니다.

말라리아는 발열, 오한 등의 증상을 주로 보이지만, 의외로 피부 발진은 없습니다.
물론 혈소판 감소가 지나쳐서 점상 출혈이 있을 수는 있지만 국내 말라리아에서 그런 현상을 보이는 일은 매우 드뭅니다.

그러나 *P. falciparum*은 일단 parasitemia level이 다른 종보다 훨씬 높고, 혈관 경색을 훨씬 더 많이 일으키는 심각한 증상을 보입니다. 그래서 cerebral malaria가 흔하며, 산소가 부족한 환경이 조성되니, 당을 산소 없이 대사 처리해야 하기에 lactic acidosis가 흔합니다.
이는 신기능 부전이 동반됨에 의해 더욱 악화됩니다.
저혈당도 자주 오는데, 말라리아 자체가 당을 다 고갈시키거나 간의 gluconeogenesis를 방해하기 때문입니다. 역설적이게도, 치료에 쓰인 quinine은 췌장에 영향을 끼쳐서 insulin 분비를 촉진시키기 때문에 저혈당이 유도되기도 합니다.
폐 부종도 종종 옵니다.
이 밖에, 임산부의 경우 유산의 원인이 됩니다.
다른 세균, 특히 *Salmonella*가 잘 침범하여 패혈증을 일으키기도 합니다.

종합적으로 *P. falciparum*은 황달, 응고 장애, 신부전, 간 부전, 쇼크, 급성 뇌증 등의 중증 임상 경과를 보입니다.

4. 진단

진단은 국내의 경우 전형적인 3일열 양상으로 어느 정도 감을 잡을 수 있습니다.

거기에 최근 군 복무 경력, 혹은 야외에 갔다 온 적 있다던가 하는 개인력이 추가되면 더 진실에 접근할 수 있습니다. 야외 노출의 경우 특히 남성분들은 밤낚시 갔다 온 분들이 유난히 많더군요. 아무래도 밤인데다가 물이 많은 환경이라 조건이 잘 맞은 듯합니다.

결국은 혈액 도말을 하여 말라리아 원충을 증명하면 확진됩니다.

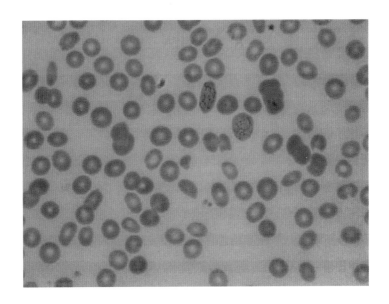

이 외에 rapid antigen test나 PCR 등의 분자 수준의 진단법도 사용합니다.

5. 치료

1) 항 말라리아 약제

(1) Quinine 계

이 계열에 해당하는 것이 quinine, chloroquine, hydroxychloroquine, mefloquine입니다.

이들 구조의 모체는 quinoline입니다.

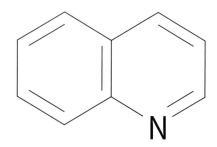

이게 참 재미있는 게, 이 모체에서 지금부터 설명할 말라리아 약은 물론이고, 부정맥 치료제인 quinidine, 항생제 quinolone이 나왔습니다.

먼저 Quinine, 그 유명한 키니네부터 봅시다.

Cinchona tree에서 만든 alkaloid로 이 나무는 특히 남미 페루에 많습니다.

유럽인들이 제국주의 열풍으로 영토를 넓힐 당시 말라리아에 엄청 시달렸는데 이 키니네가 특효약인 것을 원주민으로부터 알게 되어 사용되기 시작했습니다. 하지만 독성도 강했고(부정맥 치료에도 쓰인다는 점을 감안해 봅시다) 자연에서 얻는 물질이라 공급량이 항상 부족했었습니다.

그러다가 화학 구조 파악을 통해 1944년에 드디어 인위적으로 합성하는 데 성공했으며, 여세를 몰아 만들어진 것이 chloroquine입니다(1947년). 이후 hydroxychloroquine (HCQ)이 개발되고, 1975년 Walter Reed 병원 부속 연구소에서 mefloquine이 만들어집니다. 특기할 만한 것은 임상 시험 당시에 워낙 효과가 좋아서 미 FDA에서 이례적으로 3상을 생략하는 특혜를 주면서 곧장 시장으로 나온 약이기도 합니다.

앞서 병리 기전에서 언급했듯이 말라리아 원충이 쓰는 꼼수인 hemozoin biocrystallization을 억제함으로써 그들이 벌이는 잔치 와중에 흘러나온 heme이 유발한 radical이 그들을 몰살시키게끔 조장하는 것이 주된 작용 기전입니다.

이러한 hemozoin 생성 방해는 lysosomal pH를 높이는 작용과 관련이 있으며, Toll-like receptor 9을 방해하는 작용도 해서 항 염증 작용도 발휘합니다. 그런 연유에서 이들 약제는 관절염에 사용하기도 합니다.
코로나 19 치료제로도 시도가 되었습니다만 좀 더 검증이 필요합니다.

Primaquine도 quinine 구조를 한 약제인데, 주로 간에서 잠복하는 원충을 죽이는 용도로 사용됩니다.
작용 기전은 역시 산소 radical을 매개로 한 원충 살상이나, 확실히 규명되지는 않았습니다.
주로 HCQ 치료 직후 역할을 교대받아 간 잠복 원충 제거용으로 사용됩니다.

(2) Artemisinin
이 약제 개발의 발단은 베트남 전쟁이었습니다. 전쟁 와중에 열대 말라리아에 시달리던 베트남의 호치민이 중국의 모택동에게 도움을 요청한 것을 계기로, 1967년 5월 23일에 500여명의 과학자로 구성된 Project 523이 시작되고, 중국 전역의 천연 약재들을 수집하여 치료제를 찾기 시작합니다.

처음 2천여종으로 시작했던 대규모 작업은 훗날 2015년에 노벨상을 수상하는 Tu YouYou (屠呦呦)에 의해 개똥쑥(青蒿素; qing hao su; Artemisia annua)이 최종 선정됩니다.

이후 1972년에 artemisinin 성분이 추출되고, 1979년에 항말라리아 효과가 증명됩니다.

그리고 마침내 1990년에 임상에 활용되기 시작합니다.

Artemisinin은 sesquiterpene lactone 구조입니다.

그 구조의 ring 안에 안경처럼 자리잡고 있는 peroxide (endoperoxide) 부위가 말라리아 원충을 죽이는 핵심입니다.

Artemisinin이 heme이나 철분을 만나면 반응을 일으켜서 endoperoxide가 떨어져 나오는 와중에 radicals가 생성되어 원충을 죽입니다.

여기에 속하는 것으로 artesunate, artemether, arteether가 있으며 혈류 내의 원충들을 제대로 죽이지만 간 속에 암약하는 원충에는 작용을 못합니다.

작용시간이 짧은 편이라 내성도 방지할 겸, 긴 작용시간을 가진 다른 종류의 항말라리아 약제와 짝을 이루어서 사용하도록 권장되고 있습니다.

이를 ACT (Artemisinin combination therapy)라 합니다.

예를 들어 Artemether-lumefantrine, Artesunate-mefloquine, dihydroartemisinin-piperaquine가 있습니다.

이는 동남아시아에서도 artemisinin과 mefloquine 내성 말라리아가 있는 지역에 특히 써야 하는 조합입니다.

(3) Atovaquone

Hydroxy naphtho quinone 구조로, 주요 기전은 oxidative phosphorylation을 억제하는 것입니다.

특히 electron transport를 하는 4가지 cytochrome 중에서 3번째인 cytochrome b-c1 complex를 차단합니다.

간에 잠복하는 경우만 제외하고 모든 생활사에 다 들으며, 특히 적혈구에 숨은 trophozoite를 잘 죽입니다.

그러나 1차 약제보다는 2차 약제로 더 선호됩니다.

이 약은 쓰임새가 매우 넓습니다.

말라리아뿐 아니라, pyrimethamine과 합쳐지면 toxoplasmosis를, azithro-mycin과 손잡으면 babesiosis를, 그리고 *Pneumocystis jirovecii* 치료에도 유용하게 쓰입니다.

(4) Proguanil

Proguanil은 dihydrofolate reductase를 억제함으로써 항말라리아 작용을 합니다.

Proguanil과 손잡은 제품이 바로 malarone인데 chloroquine 및 mefloquine 내성 *P. falciparum*이 성행하는 지역을 여행할 때 예방약으로 쓰입니다.

2) 치료 원칙

(1) Chloroquine에 듣는 *P. vivax, P. malariae, P. ovale, P. falciparum*

- Chloroquine 10 mg of base/kg 즉시 주고 이후 12, 24, 36시간에 5 mg/kg 투여, 혹은 24시간에 10 mg/kg 주고 나서 48시간에 5 mg/kg 복용
- HCQ 처음에 800 mg을 주고 6-8시간 후 400 mg, 이후 하루 한 번 400 mg씩 이틀을 더 복용(8-4-4-4)
- Amodiaquine 10-12 mg of base/kg 하루 1번 총 3일
- 여기까지 하고 *P. vivax, P. ovale*의 경우, 이어서 primaquine 0.25-0.5 mg of base/kg 하루 한 번 총 14일 투여하여 간 잠복 원충까지 말살합니다. 단, G6PD deficiency 환자는 0.75 mg of base/kg 일주일에 1번씩 총 8주를 줄 수 있으나 경증에 한해서이고, 중증이라면 절대 투여 금지입니다.

그리고 예외적인 경우는 수혈로 말라리아가 감염되었을 때입니다. 이는 간에서 잠복하는 단계를 생략하고 속성으로 온 몸에 퍼지는 것이니까 굳이 pri-maquine으로 잔당 소탕할 필요까지는 없습니다.

(2) Chloroquine 안 듣는 *P. falciparum*

- Artesunate 4 mg/kg 하루 한 번 총 3일 + sulfadoxine 25 mg/kg/pyri-methamine 1.25 mg/kg 한 번
- Artesunate 4 mg/kg 하루 한 번 총 3일 + amodiaquine 10 mg of base/kg 하루 한 번 총 3일
- Artemether-lumefantrine 1.5/9 mg/kg 하루 2번 총 3일, 식사와 함께
- Artesunate 4 mg/kg 하루 한 번 총 3일 + mefloquine 24-25 mg of base/kg (8 mg/kg 하루 한 번 총 3일 혹은 2일째에 15 mg/kg, 3일째에 10 mg/kg)
- DHA (dihydroartemisinin)-piperaquine
  체중 25 kg 미만이면 4/24 mg/kg 하루 한 번 총 3일, 넘으면 4/18 mg/kg 하루 한 번 총 3일
- Artesunate-pyronaridined 4/12 mg/kg 하루 한 번 총 3일

(3) 2차 선택 약제

- Artesunate 2 mg/kg 하루 1번 총 일주일 혹은 quinine 10 mg of salt/kg 하루 3번 총 일주일
  여기에 Tetracycline 4 mg/kg 하루 4번, 혹은 Doxycycline 3 mg/kg 하루 1번, 또는 Clindamycin 10 mg/kg 하루 2번 총 1주일 조합으로 추가
- Atovaquone-proguanil 20/8 mg/kg 하루 1번 총 3일, 식사와 함께

(4) 중증 열대열 말라리아

- Artesunate 2.4 mg/kg 즉시 IV, 이후 2.4 mg/kg을 12시간, 24시간에 추가하고, 이후 매일 주사
- Artemether 3.2 mg/kg 즉시 IM 이후 1.6 mg/kg 매일
- Quinine dihydrochloride 20 mg of salt/kg 4시간에 걸쳐 주사, 이후 10 mg of salt/kg을 2-8시간에 걸쳐 주사하는 걸 매 8시간마다

5. 예방

유행 지역에 여행하게 되면 예방적 화학 요법을 해 줘야 합니다.

1) Chloroquine 감수성 지역 여행 시

- Chloroquine을 여행 1주일 전-귀국 후 4주간, 주 1회 복용합니다.

2) Chloroquine 내성 지역 여행 시

- Mefloquine을 여행 1주일 전-귀국 후 4주간, 주 1회 복용합니다.
- Doxycycline 100 mg 하루 1알을 여행 1-2일 전부터 시작해서 귀국 후 4주간 매일 복용합니다.

3) Mefloquine 내성 지역 여행 시

- Atovaquone-proguanil (malarone)을 여행 1-2일 전-귀국 후 1주간, 매일 복용합니다.
- Doxycycline 100 mg 하루 1알을 여행 1-2일 전부터 시작해서 귀국 후 4주간 매일 복용합니다.

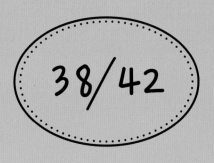

38/42

제38강

쯔쯔가 무시, 렙토스피라증, 중증 열성 혈소판 감소 증후군

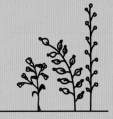

쯔쯔가 무시, 렙토스피라증, 중증 열성 혈소판 감소 증후군

쯔쯔가 무시(Tsutsugamushi)

1. 기본

Orientia tsutsugamushi에 감염된 털진드기의 유충에 물려서 전신 혈관염 양상으로 나타나는 급성 질환입니다.

쯔쯔가무시는 양충(恙蟲)의 일본식 발음입니다. 그러니까 발음할 때 "쯔쯔·가무시"가 아니고(흔히들 하는 발음) "쯔쯔가·무시"라고 부르는 게 엄밀히 말해서 맞습니다.

양(恙)은 병 혹은 근심스럽다는 뜻입니다. 괴질을 앓으니 근심스러울 수밖에 없지요.

원인 병원체는 *Orientia tsutsugamushi*와 *O. chuto*입니다.

가계도를 보면 Order Rickettsiales, Family Rickettsiaceae, Genus *Orientia* 입니다.

즉, 원래는 Rickettsia 가문이었다가 딴 살림을 차리고 나간 종입니다.

이 Rickettsia 균이 참 흥미롭습니다.

그람 음성균으로, non-motile, non-spore-forming(즉, 잠복하거나 암약하진 않는다는 뜻), obligate intracelluar 균입니다. 특히 감염될 때 혈관 내피세포 (endothelial cell)를 선호합니다.

그래서 이 균에 의한 질환은 혈관염(vasculitis) 양상을 보이게 되는 것입니다.

외모는 cocci 모양이다가도(0.1 μm), 10배쯤 슬그머니 늘어나서 rod 모양도 되고(1-4 μm), 엿가락 늘리듯이 더 늘어나서 실 모양이 되기도 합니다.

통상적으로 세균을 키우는 배지에서는 자라지 못하며 tissue culture나 embryo cell 같이 living cells에서만 배양이 가능합니다. 그래서 한 때 세균이 아니라 바이러스로 오인되기도 했습니다.

그러나 Krebs cycle이나 oxidative phosphorylation 같이 ATP를 자체 생산하는 시설을 완벽하게 갖추고 있다는 점에서 엄연한 세균입니다.

사실 Rickettsia 와 가장 닮은 미생물은 우리 몸 세포 속의 mitochondria입니다. 쉽게 말해서, Rickettsia는 심술궂은 mitochondria라고 여기는 게 가장 잘 이해될 것입니다.

Rickettsia는 일으키는 질환에 따라 편의상 다음 3가지로 분류됩니다:

- Typhus group: 예를 들어 *R. prowazekii* (epidemic typhus; typhus fever), *R. typhi* (endemic typhus; murine typhus).
- Scrub typhus group: *Orientia tsutsugamushi, O. chuto.*
- Spotted fever group: *R. rickettsi*를 비롯한 나머지 모두.

Rickettsia 종마다 이를 매개하는 절지 동물들은 다음과 같습니다:

먼저, spotted fever group은 hard tick (*Ixodid*)입니다. 대표적인 예가 Rocky Mountain Spotted Fever (RMSF by *R. rickettsii*)입니다. 딱딱한 돌산과 딱딱한 hard tick이 어딘지 모르게 서로 연관이 되지요?

벼룩은 *R. typhi*를 옮깁니다.

*R. prowazekii*는 이(lice)가 매개합니다.

그리고 나머지가 다 진드기(mite)입니다.

고로, tsutsugamushi를 매개하는 것은 mite입니다.

다시 *O. tsutsugamushi*로 돌아옵시다.

여러 혈청형이 있는데, 절반 정도는 Karp가 차지하며, 그 뒤를 Gilliam이 1/4 정도, Kato 형이 10% 미만, 나머지가 Kawasaki, 그리고 우리나라 Boryong 형 등이 있습니다. 하지만 우리나라의 주요 혈청형은 Boryong입니다.

그리고 *O. tsutsugamushi*만 유일한 원인균이 아닙니다. 적어도 2006년까지는 그랬습니다만, 이후 *O. chuto*(아랍 에미레이트, 즉 중동에서 발견되어 일본식 한자 발음 chuto로 명명된 것임)가 발견되어 이제는 원인균이 둘입니다.

주요 매개종은 털진드기(Trombiculid)의 유충(chigger)입니다. 국내 보고된 털진드기 14속 51종 중 *O. tsutsugamushi*의 매개체는 총 8종으로 대잎털진드기(*Leptotrombidium* pallidum), 활순털진드기(*L. scutellare*), 수염털진드기(*L. palpale*), 동양털진드기(*L. orientale*), 반도털진드기(*L. zetum*), 사륙털진드기(*Neotrombicula japonica*), 조선방망이털진드기(*Euschoengastia koreaensis*), 들꿩털진드기(*Helenicula miyagawai*)입니다.

이 절지 동물은 알(egg) → 유충(larva) → nymph → 성충의 4단계 일생을 거칩니다.

이 중에서 tsutsugamushi를 매개하는 놈이 바로 유충이며, chigger라고 불립니다.

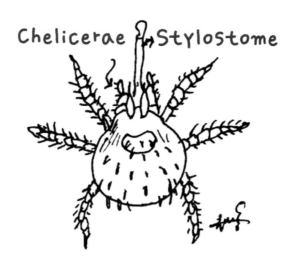

크기는 매우 작아서(0.17-0.21 mm), 동전 하나 놓고 보면 조그만 점 하나입니다.

일단 다리가 여섯 개입니다.

이 놈은 장차 nymph(이때부터 다리 여덟 개)로 성장하기 위해 일생에 딱 한 번 설치류(쥐)를 물어서 필수 영양분을 빨아먹어야 합니다(피를 빠는 게 아니고 체액을 빨아먹는 겁니다).

그런데, 어쩌다가 사람을 물 때가 있습니다.

그렇게 되면 물린 사람뿐 아니라 chigger 자신도 앞으로의 삶이 꼬여버립니다.

사람을 빨아서는 nymph로 결코 성장하지 못하고 도태되기 때문이죠.

제대로 설치류를 잡아서 체액을 충분히 빨아먹었다면 땅에 떨어져서 nymph가 되고, 1-3주 후 성충이 되며, 이때부터는 설치류 등의 동물은 거들떠도 안 보고 식물에 달라붙어서 총 6개월의 수명을 마칠 때까지 채식주의자가 됩니다. 물론 알도 낳고, 그러면 8월경 정도 되고, 알에서 깨어난 유충들이 본격 활약을 시작할 때쯤이 바로 벌초와 성묘의 시기와 정확하게 맞아 떨어집니다. 이 시기에 멍청하게도 설치류가 아닌 사람을 물면 사람도 앓고 진드기는 '이번 생은 글렀다'가 되는 겁니다.

2. 현황

1951년 주한 UN군에서 처음 국내 환자 발생 보고가 되었고 1986년에 진해 내과 개원의 선생님과 서울대학교에서 한 달 시차를 두고 혈청학적으로 확인된 증례들로 공식 보고를 하였습니다.
매년 10만 명당 10-20명 수준으로 주로 10-11월에 집중해서 꾸준히 발생해 왔으며, 2016년 이후부터 수년 동안 감소 추세입니다.

3. 임상 및 진단

감염내과나 피부과 선생님들 외에는 의외로 잘 놓칩니다.
추석 이후, 온 몸 발진, 고열, 두통이라는 소견이 있으면 최대한 의심을 품고 접근합니다.
물론 eschar가 발견되면 확실하지만, 매번 찾아낼 수 있는 것도 아닙니다.

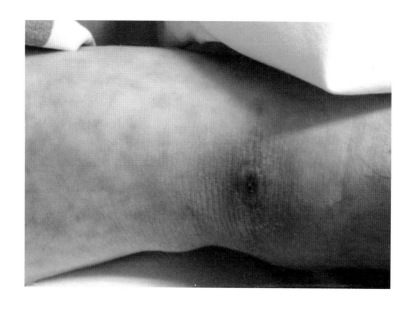

실전에서는 이렇게 접근합니다.

"열도 열이지만 머리가 쏟아질 듯이 아파요."가 환자들이 흔히 하는 호소입니다. 아니면 "머리가 쏟아질 듯이 아프지 않아요?"하고 물어보는 것도 좋습니다. 머리가 뻐근하거나, 관자놀이에서 맥동하거나 하는 식은 tsutsugamushi가 아닐 가능성으로 기울어집니다.

이 질환은 근본적으로 혈관염이라서 고열, 발진 외에도 다른 질환들을 흉내내는 경우가 빈번합니다.

따라서 다른 질환들로 오인되기도 하므로 주의를 요합니다.

두통이 가장 흔해서 수막염으로 오인되기 쉽고, 특히 acute cholecystitis를 잘 흉내 내기도 하므로, 추석 이후에 담낭염 환자를 만나면 한 번만 더 tsutsugamushi 아닌지 의심해 주시면 좋겠습니다.

발진은 마치 붉은 포도주를 뿌린 것 같은 모양입니다.

왜냐하면 혈관염의 양상이라 울긋불긋 전신에 돋아나 있기 때문입니다.

Eschar 여부는 자백을 유도하는 게 가장 좋습니다.

"혹시 최근에 어디 딱지 앉은 데 없어요?"

"아, 여기요.." 라고 열에 일곱 여덟 분은 순순히 자백합니다.

그 eschar를 찾아내서 지적해 주면 공통적으로 보이는 반응들은 다음과 같습니다:

"에이~~ 얼마 전에 긁었다가 생긴 딱지입니다."

"에이~~ 그거 속옷에 쓸려서 생긴 딱지인데요?"

"에이~~ 그거 옛날부터 있던 건데요?"

그러나 혈관염에 의한 전형적인 붉은 포도주 뿌린 듯한 발진과 더불어, 발열과 특히 두통 등의 전형적인 증상, 밤 주우러 간 전력(왜 꼭 밤일까? 도토리도 있고, 감도 있는데..), doxycycline 복용시키고 나서 급격하게 호전, 그리고 나중에 serologic test 강 양성까지 나오는데도 불구하고 말이죠.

실전 진찰에서 eschar 찾는 순서를 제안하자면,

남자는 하체, 여자는 상체를 먼저 수색합니다.

이건 어디까지나 가설이지만, 아마도 야외에서 남성들과 여성들의 용변 보는 패턴의 차이가 원인이 아닐까 합니다.

그 다음으로 접힌 곳 내지 습한 곳을 수색합니다.

그 근처 림프절 만져지는 건 없는지를 확인합니다.

마지막으로 머리카락을 헤집어 보고, 환자의 양해 하에 성기 부위와 항문을 봅니다. 의외로 거기서 꽤 많이 잡힙니다.

그래도 못 찾으면?

깨끗이 포기합니다.

그래도 질병관리청이나 지역별 보건환경 연구원에 검사 의뢰를 하여 확진을 받으면 됩니다.

덤으로 유행성 출혈열과 렙토스피라증까지 진단해 주니 아주 좋습니다.

임상 경과는 발열, 오한, 두통으로 고생하다가 치료 일주일 정도면 회복이 됩니다. 그러나 일부는 중증으로 진행하여 간질성 폐렴, 심근염, 위장관 출혈, 급성 신 부전, 수막뇌염(원래 초기에 중추 신경계로도 침범합니다), shock 등의 합병증이 생길 수 있습니다.

4. 치료

치료는 다들 아시다시피 doxycycline, minocycline 같은 tetracycline 계열로 5일 투여하면 충분합니다.

임산부는 macrolide나 rifampicin을 복용합니다.

Fluoroquinolone은 잘 들을 것 같지만, 사실은 잘 안 듣습니다.

예후는 지역에 따라 편차가 있는 것 같습니다.

특히 경기 북부나 강원도 북부, 즉 휴전선에 접근할수록 예후가 위중해지는 경향이 있어요.

운 없게 shock이나 ARDS까지 진행되어 중환자실 신세를 지는 사례는 제 경우엔 일년에 한두 번 정도 겪는데,

경기 북부, 강원도에 계신 감염내과 선생님들은 tsutsugamushi = 중환자실인 경우가 훨씬 더 많습니다.

아무래도 지역마다 서식하는 혈청형의 차이 때문인 듯합니다.

이 tsutsugamushi disease 치료가 성공적으로 완료된 환자분들 중에 외래 와서 가끔 던지는 질문이 있습니다.

"전 이제 한번 제대로 앓아 면역이 됐으니, 앞으로 털진드기에 다시 물려도 발병 안 하겠지요?"

유감스럽게도, 정답은 "No"입니다.

이번에 앓은 *O. tsutsugamushi* 유형에 대해서는 면역이 생기는 게 맞습니다만, 그 혈청형에 국한해서입니다.

각 혈청형들은 각자에 대한 면역성이 호환되지 않습니다(No Crossimmunity). 그래서, 예를 들어 Karp 형에 감염되었던 환자는 이후에 재수없게 Gilliam 형에 감염되면 꼼짝없이 발병합니다.

렙토스피라증(Leptospirosis)

38강

1. 기본

렙토스피라균(*Leptospira interrogans* 등)에 의해 발생하는 인수 공통 감염병입니다.

Leptospirosis는 Weil's disease라고도 불립니다. 이 명칭은 1886년 독일의 Adolph Weil이 황달, 비장 종대, 신장염이 동반된 질환을 보고한 데서 비롯되었습니다. 참고로 Weil-Felix reaction의 Weil은 Edmund Weil로, 다른 사람입니다.

*Leptospira species*는 두 개의 flagella를 축으로 몸체가 16-20회 감겨 있고 양 끝에 고리가 달린 매우 가느다란 그람 음성 나선균입니다. Lepto는 그리스어로 fine 혹은 thin, 즉 가느다랗다는 뜻이고 spira는 라틴어로 coil, 즉 나선형을 뜻합니다.

제38강 쯔쯔가 무시, 렙토스피라증, 중증 열성 혈소판 감소 증후군 **559**

너무 가늘어서 통상적인 현미경으로 관찰하기 어렵기 때문에 배경을 아주 어둡게 해서 봐야 합니다. 그래서 암시야 현미경으로 균을 관찰할 수 있는데, 이 때 flagella를 사용한 활발한 운동성을 관찰할 수 있습니다.

21가지 종이 있고, 그 밑으로 각각 수많은 혈청형(serovar)이 있습니다. Species 중 일부가 병원성이며, 우리나라의 경우는 *L. interrogans* 혈청군 *Icterohaemorragiae*에서 혈청형 serovar Lai와 canicola가 대부분이고 그 밖에 hongchun, yeonchon형도 분리되어 보고된 바 있습니다.

서식에 있어서 습기 높고 중성 pH인 곳을 선호합니다.
즉, 논이나 물 고인 웅덩이, 연못, 늪, 호수 같은 곳을 좋아하기에 이런 곳에서 접하기 쉽습니다.
야외 동물에서 만성적인 신장 감염을 일으켜 놓고 거기서 안주하다가 소변으로 나가서 주변 환경을 오염시키고, 마침 근처에 있던 사람에게 옮겨붙습니다.

2. 현황

생각보다 역사가 꽤 오래 되어서, 나폴레옹이 이집트 원정 갔다가 곤욕을 치렀고, 미국 남북전쟁, 축축한 참호전으로 대표되는 제1차 세계대전의 격전지인 갈리폴리 전투 등등에서 집단 발생했던 사례가 있습니다.
국내에서는 1975년 경기, 충북 지역 벼농사 작업자들을 중심으로 유행 사례가 있어 당시 유행성 폐 출혈열로 불렸으나, 1984년도에 렙토스피라균에 의한 감염병임이 확인되었습니다.

주로 장마, 태풍, 홍수가 있는 6-9월초에 균에 노출되어 2주 이내의 잠복기를 거쳐 7-11월에 잘 발생합니다.

3. 임상 및 진단

임상적으로 감염자의 90%는 무증상이지만 10%가 본격적으로 앓습니다.

병리기전은 가을철 열성 질환들의 공통적인 특징인 혈관염의 경로를 밟습니다.
체내에 들어가면 혈류를 타고 혈관염을 일으키면서 전신으로 퍼집니다.
폐로 가면 폐 출혈, 신장으로 가면 신 부전, 간 담도로 가면 간 세포의 파괴와 황달을 초래합니다.

10일 정도의 incubation 기간을 지나서 첫 주는 균혈증 시기로 시작합니다.
갑자기 고열, 전신통, 소화기 증상, 호흡기 증상이 나타나며 혈액에서 *Leptospira*가 분리됩니다. 이후 시차를 두고 이후 뇌척수액, 소변의 차례대로 분리가 됩니다. 단, 소변에서 분리되는 건 면역기일 때입니다.
그리고 잠깐 소강 상태가 되었다가 일주일 정도 되면 면역기로 접어드는데, 이 시기에 가장 심하게 앓습니다.
이 시기가 바로 Weil's disease인 것입니다.
전반적으로 뇌수막염, 결막 충혈, 포도막염, 신 부전, 황달, 심기능 이상 등, 여러 장기에 걸친 심각한 양상으로 나타납니다. 여기까지 가면 치명률이 5-40%선까지 갈 수도 있습니다. 그래도 요즘은 조기에 항생제를 비롯한 적절한 치료가 이루어지기 때문에 이 정도 수준까지 가는 일은 흔하지 않습니다.

4. 치료

대증적인 치료와 동시에 항생제를 투여하는데, 항생제는 가능한 한 조기에 투여합니다.

경증은 doxycycline, amoxicillin으로 충분하며, 중증은 penicillin, ampicillin, ceftriaxone을 투여합니다. 치료 기간은 1주일입니다.

이 균도 매독균처럼 spirocheta 계열이므로 항생제 첫 투여 후 수 시간 내에 Jarisch-Herxheimer reaction이 나타날 수 있음을 잊지 맙시다. 물론 매우 드문 일이긴 합니다.

신 부전 등의 심각한 양상으로 가면 투석 등의 적극적 supportive care가 더 중요합니다.

중증 열성 혈소판 감소 증후군

1. 기본

중증 열성 혈소판 감소 증후군(severe fever with thrombocytopenia syndrome; SFTS)은 최근 국내에서 급부상한 질환입니다. 원인은 SFTS virus (SFTSV)로 알고 있습니다만, 정식 명칭은 Dabie bandavirus입니다. 또 다른 이름으로 Huaiyangshan Banyangvirus도 있습니다.

이 바이러스에 대해 유전자 분석으로 추적을 해 보니 1918년-1995년 사이에 중국 다볘산(大別山; The Dabie Mountains)에서 유래한 것으로 결론이 나와 그 산 이름을 따서 명명되었습니다. 참고로, 하늘과 땅을 분간한다고 해서 대별산이라 하더군요. 안휘성을 끼고 회하와 장강(양자강)의 분수령에 위치하고 있는 거대한 풍광을 자랑하는 산입니다.

2009년 중국 후베이와 허난에서 처음 보고되었으며 이제는 우리나라와 일본, 대만, 베트남에서도 발생이 보고되고 있습니다.

가계도를 보면 Order Bunyavirales, Family Phenuiviridae, Genus *Bandavirus*, Species *Dabie bandavirus*입니다.
바이러스 유전자는 L (large), M (medium), S (small) 3개의 절편으로 구성되어 있으며 RNA dependent RNA polymerase (RdRp), glycoprotein N (Gn), glycoprotein C (Gc), nuclear protein (NP) 그리고 non-structural protein (NSPs)까지 총 5가지 종류의 단백질을 만들어냅니다.

38강

2. 현황

국내에서는 2012년 8월 발열, 백혈구 감소증, 혈소판 감소증을 동반한 다발성 장기부전으로 사망한 환자의 혈액에서 SFTS 바이러스를 분리하여 첫 환자가 보고되었습니다. 이후 2013년 9월 법정 감염병으로 지정되었으며 이후 매년 200여 명씩 꾸준히 발생하고 있습니다. 주로 시골 지역의 50대 이상에서 5-10월에 주로 발생합니다.

3. 임상 및 진단

주요 감염 경로는 바이러스에 감염된 진드기가 사람을 물어서 이루어집니다. 작은소피참진드기(*Haemaphysalis longicornis*), 개피참진드기(*Hamaphysalis flava*), 뭉뚝참진드기(*Amblyomma testudinarium*), 일본참진드기(*Ixodes nipponensis*) 등이 매개합니다.

감염자의 혈액이나 체액과 접촉하면 사람끼리의 전파도 가능하긴 합니다.

잠복기는 4-15일이며, 주요 증상은 발열과 구토, 설사 등의 소화기 증상, 혈소판 감소, 백혈구 감소, 간 기능 이상, 림프절 종대가 있으며 약 2주 가까이 지속됩니다.

심하면 신 기능 이상, 혈뇨, 간 기능 악화, 혈변, 출혈 경향에 더해 multi-organ failure로 갈 수 있습니다.

이러한 악화 양상은 cytokine storm에 의한 것으로 추정되고 있습니다.

정리하자면, 첫 1주일간 고열기, 그 다음 2주간이 고비로 multi-organ failure 시기, 그리고 회복기를 거칩니다. 물론 증상 발현 2주에 가장 많이 사망합니다.

질병 관리청 혹은 지역별 보건환경연구원에 의뢰한 SFTS 검사로 확진을 받습니다만, 실전에서는 당장 SFTS 여부를 판단해야 합니다. 외양만 보면 tsutsugamushi나 유행성 출혈열과 감별하기 쉽지 않습니다.

2020년에 서울대에서 환자 증례들을 모아 회귀분석을 해서 얻은 변수들을 바탕으로 감별 진단을 위한 점수 체계를 제안한 바 있습니다.

신경학적 이상, 설사, 말초 혈액 백혈구 4,000/uL 미만, C-reactive protein 수치 정상이라는 4가지를 기반으로 하여 둘 이상이 해당하면 SFTS 가능성이 높다고 추정합니다.

국제 공인 지표는 아닙니다만, 실전에서 꽤 유용하다고 봅니다(출처: Heo DH, Kang YM, Song KH, Seo JW, Kim JH, Chun JY, Jun KI, Kang CK, Moon SM, Choe PG, Park WB, Bang JH, Kim ES, Kim HB, Park SW, Oh WS, Kim NJ, Oh MD. Clinical Score System to Differentiate Severe Fever with Thrombocytopenia Syndrome Patients from Patients with Scrub Typhus or Hemorrhagic Fever with Renal Syndrome in Korea. J Korean Med Sci. 2020 Mar 23;35(11):e77. doi: 10.3346/jkms.2020.35.e77.).

4. 치료

이 바이러스에 특별히 작용할 효과적인 항바이러스제는 없기 때문에 증상에 따른 최선의 대증적 치료를 해 드립니다. 예후가 썩 좋은 편은 아니라서, 국내 보고 자료에 의하면 치명률이 약 18%입니다.

환자를 볼 경우 혈액, 체액 노출로 의료기관 내에 전파될 수 있으므로 표준주의 지침을 준수하면서 음압 병실 또는 1인실 격리가 필요할 수 있습니다.

제39강

HIV/AIDS 총론

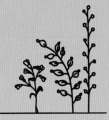

HIV/AIDS 총론

39

1. 기본 – 역전사(Reverse transcription)

HIV/AIDS 얘기를 하기에 앞서서 먼저 잡아야 할 개념은 역전사(reverse tran-scription; RT)입니다.

역전사라는 용어를 접할 때마다 저는 일종의 쾌감을 느끼곤 합니다.

왜냐하면 고정 관념을 통쾌하게 부수는 개념이거든요.

Watson-Crick 이래 소위 central dogma라고 해서, "항상 DNA에서 RNA로, RNA에서 단백질로 간다"는 게 한동안 고정 관념이었죠. 이는 1970년에 re-verse transcriptase(역전사 효소)가 발견되면서 보기 좋게 깨집니다.

역전사란 RNA에서 DNA가 만들어지는 것을 말합니다.

좀 더 자세히 기술하자면, RNA template를 기반으로 complementary DNA (cDNA)가 만들어지는 것입니다.

이를 매개하는 효소가 reverse transcriptase입니다.

역전사를 행할 수 있는 바이러스는 RNA 바이러스만이 아닙니다. DNA 바이러스도 하는 놈이 있습니다.
이 또한 조그만 고정 관념 보개기입니다.

RNA 바이러스는 대표적인 게 human immunodeficiency virus (HIV)이고, DNA 바이러스는 hepatitis B virus (HBV)입니다.
바이러스 이외에도 역전사를 행하는 건 더 있습니다.
평소 남의 DNA에 짱 박혀 있다가 자기가 증식하면서 만든 cDNA를 빈대 붙던 DNA의 다른 부위로 꽂아 넣는 retrotransposon도 역전사를 통해서 그런 짓을 합니다(반면에 DNA transposon은 증식을 하는 게 아니라 답답해서 자기가 몸소 움직여 남의 DNA에 파고 듭니다).
Eukaryotes의 경우에도 telomere를 증식 생성하는 과정에 역전사를 사용합니다.

역전사는 다음 3가지 효소가 차례대로 일을 해야만 매조지가 제대로 됩니다:

먼저 RNA-dependent DNA polymerase가 DNA 한 가닥을 만듭니다.
그렇게 해서 생긴 RNA:DNA hybrid를 ribonuclease H가 분리시킵니다.
마지막으로, DNA-dependent DNA polymerase가 나머지 한 가닥 DNA를 짝꿍으로서 만들어 줍니다.

그리하여 최종 결과는 double-stranded cDNA가 되고, integrase의 매개를 통해 숙주 DNA로 위장 잠입을 하게 되는 것입니다.

Retrovirus는 이렇게 3가지 효소들의 앙상블로 역전사를 하지만, HIV가 가진 reverse transcriptase의 경우는 이들 세 효소의 작용을 다 가지고 있어서, 지원군의 도움뿐 아니라 혼자서도 훌륭하게 다 수행해 냅니다.

이 과정들은 RNA가 개입되는 것이라 오독이 매우 빈번합니다. 이게 의미하는 것은 돌연변이가 잘 일어나서 약제에 대한 내성의 원인이 된다는 뜻이죠.

Retrovirus로 우리에게 유명한 것은 HIV와 human T-cell lymphotropic virus (HTLV)일 것입니다.
HTLV는 leukemia 등을 일으키는 바이러스입니다. HTLV-1과 2는 미국의 Robert Gallo 박사가 발견했는데, 이후 프랑스의 Luc Montagnier 박사가 발견한 HIV에 별도로 HTLV-3라는 이름을 붙여 주기도 합니다. 이대로 갔으면 오늘날의 HIV는 HTLV-3로 불릴 뻔 했습니다만, 진위 논쟁 끝에 첫 발견자로 Montagnier 측이 공인되어, HTLV-3라는 명칭은 폐기됩니다. 하지만, 2015년에 카메룬에서 HTLV-3, 4가 발견되어 현재에도 많은 혼란을 주고 있긴 합니다. 다시 강조하지만, HTLV-3, 4는 HIV의 옛 이름이 아니고 엄연한 HTLV의 새 식구들입니다.

2. 역사

HIV가 처음 주목을 받은 계기는 미 질병관리본부(Centers for Disease Control; CDC)에서 정기 발행하는 Morbidity and Mortality Weekly Report (MMWR) 1981년 6월 5일자에 실린 PJP 동시 다발 발생 보고부터였습니다. 이들은 모두 동성애자 남성이며 CMV 감염과 oral candidiasis가 동반되었다는 공통점을 가지고 있었습니다.

한 달도 안되어 Kaposi's sarcoma (KS) 환자가 비정상적으로 많이 발생했음이 MMWR에 보고됩니다.

KS는 원래 매년 10만 명당 0.02 내지 0.06명 발생하는 매우 드문 질환이고 고령층에 호발하는 질병임에도 불구하고, 이 보고에서는 평균 39세(29-51세) 연령의 뉴욕과 캘리포니아 소재 동성애자 남성들 26명에서 발생한 것이었습니다.

이러한 평소와 다른 괴상한 현상은 각 환자마다 세포 면역을 붕괴시키는 불길한 새 질환이 나타났음을 시사하며 공포심과 함께 본격적으로 관심을 받기 시작합니다.

결국 이는 프랑스 파스퇴르 연구소의 Luc Montagnier 연구진에 의하여 원인 바이러스가 규명되고, 1986년 human immunodeficiency Virus (HIV)로 정식 명명됩니다.

미국에서 처음 보고가 되며 시작되었지만, HIV 감염은 실제로는 이미 1900년대 초 아프리카에서 원숭이 바이러스가 인간에게 전염되어 정착한 사건이 진짜 시초입니다.

공식적으로는 1950년대 말 콩고에서 원인 모를 병으로 사망한 어느 환자의 혈액을 수십 년 뒤에 검사해서 HIV를 검출해낸 것이 사실상 첫 증례입니다.

HIV/AIDS는 본질적으로 인수 공통 감염병(zoonosis)입니다.

유인원의 retrovirus인 simian immunodeficiency virus (SIV)가 변형되어 HIV가 되어 인간에게 건너왔습니다.

SIV에는 여러 종류가 있는데, 그 중에서도 침팬지의 바이러스(SIVcpz)가 HIV에 가장 밀접하게 이어져 있습니다. 염기 서열로 추적을 해 본 결과, 침팬지는 Mona monkey (SIVmon)와 Red-capped mangabey (SIVrcm)로부터 변형된 retrovirus를 받았습니다.

SIVcpz는 고릴라에게도 옮아서 SIVgor가 나왔으며, 이 SIVgor 또한 HIV-1의 생성에 기여합니다.

한편 Sooty mangabey의 SIVsmm에서는 HIV-2가 유래되었습니다.

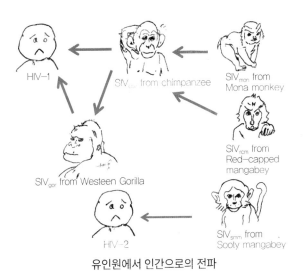

유인원에서 인간으로의 전파

3. 바이러스

HIV는 가계도를 보면 Family Retroviridae, Genus Lentivirus (slow virus라는 뜻입니다)에 해당합니다.

반면에 친척벌인 HTLV는 Family Retroviridae, Genus Deltaretrovirus죠.

구조를 보면 서로 떨어진 2개의 (+) ssRNA가 기본이며, 이는 p24 단백으로 구성된 capsid에 싸여 있습니다. 모양은 icosahedral 구조이며, 외부는 2개의 envelope를 입고 있으면서 밖으로 gp120과 gp41을 뾰족하게 내밀고 있습니다. 이는 숙주 세포에 달라붙을 때 주요 수단으로 사용합니다.

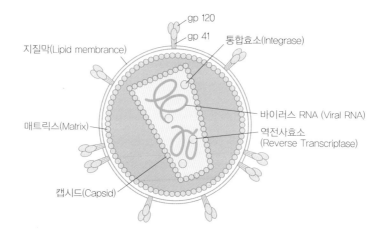

HIV 구조 모식도

외투 바로 밑으로 살집에 해당하는 matrix 구조인데, 이는 p17이 주성분입니다.

더 속으로는 진짜 핵심들이 숨어있습니다. 앞서 언급한 바이러스 RNA 두 개, 그리고 틈나는 대로 역전사를 해서 만들어 놓은 DNA 조각들, RT, integrase, protease 등등을 꾸러미로 싸 놓고 있습니다.

HIV의 유전체(genome)에는 여러 유전자들이 있습니다.

크게 structural proteins을 만들어내는 genes와 nonstructural proteins를 만들어내는 genes로 대별됩니다.

구조물을 생성하는 것으로는 p24를 비롯한 바이러스의 핵심 구조를 만들어내는 *gag* (group-specific antigen), 각종 효소들의 공장인 *pol* (RT, RNase H, integrase, protease), 외투 구성분인 *env* (envelope → gp160 → gp120 & gp41)가 있습니다.

구조물 이외에 HIV의 생활을 조절해주는 것으로 *tat* (HIV trans-activator)이 있는데, 이는 RT의 작용이 효율적으로 돌아가도록 해 줍니다. 한편 *rev* (regulator of expression of virion proteins)는 주요 바이러스 단백의 생성과 증식에 일익을 담당합니다.

그 밖에 *vpr* (lentivirus protein R)은 숙주 DNA에 잠입할 cDNA 덩어리인 preintegration complex가 핵으로 들어가게 해 주는 역할을 합니다. 숙주 세포의 세포 주기를 일부로 G2 phase로 정지시켜 놓는데, 이로 인해 숙주 세포가 쓸데없이 DNA 수리 작업을 시작하면서 바이러스 cDNA가 얼떨결에 덩달아 잠입해 들어갈 기회를 조성하는 것입니다. 그리고 *vif*는 virion의 감염성 부여에 관여합니다. 일명 negative factor인 *nef*는 바이러스의 감염력 무장과 숙주 세포의 apoptosis 유발에 관여하는 것으로 추정되고 있습니다. HIV-1에만 있는 *vpu* (Virus protein U)는 CD4 폐기에 관여하며, 나중에 virion이 숙주 세포에서 도망칠 때 결정적 역할을 합니다.

4. 생활사 및 기전

HIV는 gp120으로 숙주의 CD4에 결합합니다. CD4는 helper T cell에 주로 있으며, monocyte/macrophage와 dendritic cell에도 있습니다. Dendritic cell의 경우는 DC-SIGN에 gp120이 결합합니다. 그러고 나면 gp120은 모양이 변하면서 길게 늘어나 CD4 옆에 있는 보조 수용체(co-receptor)인 CCR5 혹은 CXCR4에 결합합니다. 이 과정이 HIV 입장에선 매우 중요한데, CD4에만 결합해서는 침투가 성립되지 못하며, co-receptor에까지 결합해야만 비로소 세포 내로 들어갈 수 있기 때문이죠. 그 다음으로 gp120 뒤에 숨어 있던 gp41이 툭 튀어나오면서 세포막에 슬그머니 융합되고, 결국 관통하게 되면서 virion이 꿈틀대며 세포 안으로 침투해 들어갑니다.

세포 안으로 들어오는 데 성공하고 나면 cDNA로 변신해야 하므로, HIV가 휴대하고 있던 RT를 사용해서 증식을 시작합니다. 그 결과 바이러스 DNA뿐 아니라 여러 HIV 단백질들, p17을 비롯한 matrix 단백들, 그리고 효소들(RT, integrase) 등등이 모입니다. 이는 숙주의 DNA로 잠입하기 직전의 꾸러미라 해서 pre-integration complex라 합니다. 이것으로 본격적인 잠입 준비가 끝납니다.

이 pre-integration complex는 integrase를 사용하여 핵을 통과하고, 숙주의 DNA에 마치 한 가족인 것처럼 위장 잠입합니다. 그리고 나서 잠복기를 가지며 언젠가 재기하라는 신호가 올 때까지 조용히 지냅니다.

숙주 DNA에 잠복해 있던 HIV는 다시 활동하라는 시그널이 오면 도망갈 준비를 시작합니다. 자기 유전자들로 전사(transcription)를 하여 mRNA를 만들어 내고, 바이러스 RNA와 각종 단백, 그리고 효소들을 마련합니다.
이 모든 것들을 다 모아서 바이러스 완전체 직전까지 만든 뒤, 최후의 퍼즐 조각으로서 외투까지 입고 나면 도망갈 준비가 완료됩니다.

세포에서 완전히 탈출하려면 족쇄를 끊어야 합니다. 여기서 작동하는 것이 protease입니다. 이 효소는 gag-pol precursor를 잘라내어 비로소 완전한 virion을 만들어 줌으로써 세포를 탈출합니다.

여기까지가 HIV가 세포 내로 침투하여 벌이는 생활사입니다.

CD4+ receptor와 co-receptor에 결합
및 융합하여 들어감

5) Entry 억제제

Reverse transcription (역전사)로 증식

1) NRTI
2) NNRTI

Integration: 숙주 유전체에 침투하여 통합 됨

3) InSTIs

잠복하다가 mRNA 생성 과정을 거쳐 바이러스 입자 생성
Protease로 다듬은 뒤

4) Protease 억제제

숙주 밖으로 나감

HIV의 생활사 요약. 그리고 각 단계마다 작용하는 치료제

이제 HIV가 체내로 들어와서 어떤 식으로 우리 면역계를 교란시켜서 질병에 이르게 하는지 하나하나 짚어 봅시다.

HIV는 혈액을 비롯한 체액으로 전염되지만, 증식은 혈액이 아니라 림프절 등에서 합니다.

HIV는 인체 내로 침투하면 일단 점막에서 Langerhans cell을 택시 삼아 잡아타고 수시간 내로 무사히 통과합니다. 이후 CD4+ 세포가 집중적으로 모여 있는 곳, 즉 림프절 등의 lymphoid organ을 향해 갑니다.

CD4+ 세포는 조용히 쉬고 있는 세포(resting CD4+ cells)와 활발히 활동하는 세포(activated CD4+ cells) 2가지가 있습니다.

전자의 경우는 후자보다 수가 더 많지만, 새 바이러스들을 생성해 내는 능률 면에서는 후자가 훨씬 높습니다.

증식을 어느 정도 하고 나면 장 조직에 연결된 GALT (gut-associated lymphoid tissue)로 들어갑니다.

여기서 대규모의 바이러스 증식이 폭발적으로 일어나며, 이 단계까지 오면 HIV 감염은 완전히 확립됩니다.

HIV 감염된 환자가 맨 처음 보이는 급성 HIV 감염 증후군(acute HIV infection syndrome) 증상을 나타내는 시점이 바로 이 때입니다.

수혈 등으로 직접 인체 내로 들어오는 경우는 점막에서의 일차 적응 과정을 생략하고 곧장 지름길을 탑니다.

일단 혈류 내에서 macrophage 등의 식균 작용하는 면역세포들에 의해 모두 삼켜집니다. 그러나 각 세포들 속에서 죽지 않고 무사히 살아 남아 lymphoid organ에 도달하고, 잔뜩 모인 CD4$^+$ 세포들을 만나 폭발적으로 증식합니다.

성행위로 인해 HIV 걸리는 확률보다 수혈에 의해 걸리는 확률이 훨씬 더 높은 것이죠.

급성기를 지나고 대략 12주쯤, HIV는 잠복기에 들어갑니다. 잠복기로 들어가는 이유는 HIV가 더 착취할 거리가 떨어지고, 인간도 어느 정도 반격을 시작하기 때문입니다.

그래서 자연스럽게 양자 간에 일종의 타협이 이루어집니다.

문제는 인체의 반격, 즉 면역능을 통한 바이러스 제거가 속 시원히 완벽하게 완수된 게 아니라는 겁니다. 물론 어느 정도는 되지만, HIV는 여전히 건재하며, 동시에 면역능은 계속 들떠 있는 상태(chronic immune activation)입니다.

게다가 HIV의 입장에서는 숙주의 면역능이 활성화되어 있는 것이 증식과 유지에 오히려 더 유리합니다.

그리고 활성화된 면역능은 올바르게 작동하는 게 아니고 엉뚱하고 엇나가는 방향으로 유도됩니다(aberrant immune activation).

그와 동시에 바이러스는 암암리에 CD4$^+$ 세포를 꾸준히 죽이면서 10년 내외의 긴 세월 동안 숙주의 면역능을 눈치 못 채게 고갈시킵니다.

그리하여 겉보기엔 아무 일도 안 일어나는 평화로운 잠복기 같지만, 사실은 가짜 잠복기를 보냅니다.

이를 병원체가 진짜로 아무 짓도 안 하는 진짜 잠복기인 microbiological latency와 구분짓기 위해 임상적 잠복기(clinical latency)라 합니다. 사실상의 가짜 잠복기인 셈이죠.

잠복기 동안 HIV는 CD4$^+$ 세포를 꾸준히 죽이는 것과 더불어, 숙주의 면역이 계속 시도하는 단속으로부터 미꾸라지처럼 살살 빠져나오는 짓(evasion)이 주종입니다.

바이러스는 다음과 같은 꼼수들을 쓰면서 immune evasion을 행합니다:

먼저, 돌연변이로 숙주 면역을 회피합니다.

맨 처음에 침입해 들어온 바이러스인 founder virus는 이후 계속 증식하면서 그 자손들은 점점 조상과 유전자 염기서열이 다른 부류로 변해갑니다. 원래 역전사가 오독 투성이의 작업이기 때문에 이는 당연합니다. 세대가 바뀔수록 원본과의 오차가 점차 늘어나고 축적되는 것이죠. 매 세대마다 이들을 CD8$^+$ 세포들이 죽이는데, 그 와중에 살아남는 돌연변이들이 나오면서 점차 축적되고 그 수가 늘어날 것입니다. 이런 기전이 지속되다 보면 인체 면역의 반격 속도보다 바이러스의 변이가 더 빠르고 양적으로도 많아져서, 이 경주의 최종 승자는 바이러스가 됩니다. 세포 면역분 아니라 바이러스들을 중화시키는 항체들 또한 바이러스 신세대 출현이 반복되다 보면 무용지물이 되고 그냥 진단 수단으로만 전락합니다.

그리고 CD8⁺ 세포 자체가 고갈됩니다.

바이러스에 감염된 세포는 HLA-class I의 매개로 CD8⁺ 세포를 불러서 바이러스를 품은 자기를 죽이게끔 합니다.

그러나, 인해전술에는 장사가 없는 법입니다. CD8⁺ 세포의 증가세보다 바이러스의 증가 속도와 규모가 더 압도적이고, CD8⁺ 세포가 미처 인지하지 못하여 처리하지 못하는 돌연변이 바이러스의 규모까지 더해져서, '불완전'하게 처리하게 됩니다. 이것이 축적되다 보면 결국 바이러스가 승리합니다.

또한 꾸준한 바이러스 증식의 영향으로 필요 이상의 면역 활성화가 되어 CD8⁺ 세포가 과로에 시달려서 오작동을 합니다.

게다가, 감염된 세포를 죽이는 과정은 그 세포와 CD8⁺ 세포가 같이 죽는 것임을 의미합니다. 그 과정에서 PD-1 (programmed death) molecule의 매개로 CD8⁺ 세포가 apoptosis로 가는 것입니다. 그 결과 CD8⁺ 세포들이 씨가 마릅니다. 한마디로 전투에서는 분명히 이겼는데, 전사자가 너무 많아서 결과적으로는 승자도 패망하는 '피로스의 승리(Pyrrhic victory)' 현상인 셈이죠.

또한 바이러스는 안전가옥(immunologically privileged sites)에 숨어서 무사히 지냅니다. 원래 침입 초기에는 상당수가 숙주 면역이 작동하지 않는 비무장 지대로 먼저 들어가는데, 이런 안전 가옥의 대표적인 장소가 중추신경계입니다. 그래서, 만에 하나 뇌를 제외한 신체의 모든 곳에서 HIV가 완전히 전멸하는 사태가 벌어지더라도(실제로 그런 일은 안 일어나지만), 최후의 저항군은 남아 있게 마련입니다. 또한, 중추신경계에 자리잡은 HIV는 훗날 에이즈 치매의 원인이 됩니다.

그리고 HLA 역할을 무력화시키는 꼼수도 있습니다.

앞서 언급했듯이, 바이러스에 감염된 세포는 HLA-Class I molecule을 통해 자신이 감염되었음을 알리고 CD8⁺ 세포를 부릅니다. 그러나 HIV도 가만히 있지는 않아서, Nef, Tat, Vpu 단백질 등을 통하여 HLA를 세포 표면에 내밀지 못하게 막습니다.

그 결과, CD8$^+$ 세포는 감염된 세포를 인지 못하고 그냥 지나칩니다.

물론 숙주도 바보가 아니어서, HLA-class I molecule이 돋아 나오지 않은 세포는 자연살해세포(natural killer cell; NK cell)가 처리하는 걸로 보완하기는 합니다만, 중과부적입니다.

또한 중화 항체의 표적인 gp120과 gp41을 보호하기 위해 envelope의 단백 서열을 과도하게 바꾸거나, glycosylation, 즉 탄수화물을 envelope에 과도할 정도로 칠을 해서 최대한 감춥니다. 또한 항체가 와서 결합할 항원, 즉 neutralizing epitopes를 항체가 인지하지 못하게 최대한 가립니다.

한편 인체, 즉 숙주는 여전히 면역 활성화와 염증으로 반격을 합니다. 하지만 바이러스가 이런 식으로 정면 대결을 피하기 때문에 숙주의 면역능은 임무를 다 끝내지 못하고 끊임없이 바이러스의 게릴라 전에 시달려서 지루한 장기전에 들어갑니다. 이러한 장기전은 HIV뿐 아니라, 그의 동맹군들, 예를 들어 herpes virus 계통들, adenovirus, B형 간염 바이러스, 결핵균 등도 게릴라 역할을 하기 때문에 면역계는 이로 인한 만성적인 면역 자극을 받음으로써 피로에 지쳐갑니다. 또한 바이러스의 출발점인 점막 장벽의 교란에 의하여 장 점막에 사는 균들이 쓸데없이 점막을 떠나 전신으로 퍼지는데, 이를 microbial translocation이라 합니다. 그 결과로 이 균들에 의하여 또한 중단 없는 면역 자극을 받게 되는 것이며, 피로는 더욱 가중됩니다.

한편 면역능이 어긋나게 작용하면서 일종의 자가면역 질환 현상이 나타나며, 심혈관계나 간, 신장, 중추 신경계 등이 만성 질환에 시달리고, 암이나 당뇨도 동반될 수 있습니다.

이렇게 바이러스가 각종 꼼수를 써 가며 숙주의 면역으로부터 도피 행각을 하는 동안 CD4⁺ 세포는 HIV에 의해 꾸준히 살해당하고 있으며, 그렇게 세월이 지나면서 빠르면 2년, 늦으면 10년쯤 해서 파국이 오는 임계점을 향해 서서히 다가갑니다.

5. 임상 및 진단

감염 초기에 환자는 급성 HIV 증후군을 앓습니다.
HIV가 체내에 침투해 들어와서 정착을 하고 전신에 퍼지면 약 12주에 걸쳐 비특이적인 전신 증상이 나타납니다. 증상으로는 열 나고 림프절이 커져서 여기저기 만져지고, 온 몸이 아프고, 만성 설사로 나타납니다. 이 시기가 지나면 다시 조용한 잠복기가 이어집니다.

잠복기엔 앞서 기전에서 설명했듯이, 증상만 안 나타날 뿐이지 HIV는 은밀하게 신체를 갉아먹습니다. 짧게는 2년, 길게는 10여 년을 조금씩 갉아먹으니 눈치를 챌 수 없지요. 결국 이렇게 축적되어 CD4⁺ 세포가 더 이상 버틸 수 없는 임계점까지 도달합니다.
임계점이란, CD4⁺ 세포 200/uL 미만이 되는 순간을 말합니다.
그 순간 잠복기는 끝나고 진짜 AIDS가 시작됩니다.

이 순간부터 각종 기회 감염, 기회 질환이 터지며, 여기서부터 비로소 AIDS라는 호칭이 붙습니다. 예를 들어 *Pneumocystis* 폐렴 등 각종 기회 감염에 시달리다가 결국 죽음을 맞이합니다.

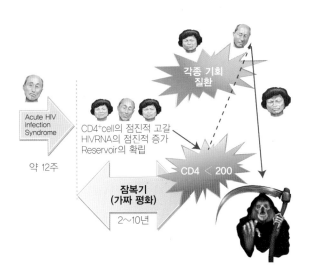

환자의 일생 모식도

HIV/AIDS의 진단은

기준 1. 일단 HIV가 확정되어야 하고

기준 2. 다음 기준이 맞으면 AIDS (= Stage 3)입니다.

: CD4$^+$ 세포가 200/μL 미만(혹은 14% 미만)이거나

: AIDS defining illness에 하나라도 해당하거나.

기준 1만 맞고 기준 2가 안 맞으면 AIDS가 아니고 HIV 감염인입니다.

Stage 1은 CD4$^+$ 세포 수가 500/μL 이상(≥26%),

Stage 2는 CD4$^+$ 세포 수가 200-499/μL (14-25%)입니다.

Stage 3에 들기 위한 AIDS defining illness는 다음과 같습니다:

- 다발성, 혹은 재발하는 세균 감염(6세 미만 한정).

- 기관지나 폐의 칸디다증.

- 식도 칸디다증.

- 침습성 자궁 경부암(6세 이상부터).

- 전신성 혹은 폐 이외의 coccidioidomycosis, 혹은 histoplasmosis(국내엔 없음).

- 폐 이외의 cryptococcosis.

- 한 달 넘게 가는 만성 장 cryptosporidiosis나 isosporiasis.

- 1개월 넘은 나이대의 cytomegalovirus 질환(간, 비장, 림프절 제외)

- 실명이 동반된 cytomegalovirus 망막염.

- HIV로 인한 encephalopathy.

- 1개월 넘게 가는 herpes simplex virus에 의한 만성 궤양, 혹은 1개월 넘은 나이대의 HSV 기관지염, 간질성 폐렴, 식도염.

- Kaposi's sarcoma.

- Lymphoma: Burkitt's 혹은 immunoblastic 혹은 뇌에 먼저 생긴 lymphoma.

- 전신 혹은 폐 이외에 생긴 *Mycobacterium* avium complex 혹은 *Mycobacterium kansasii*

- *Mycobacterium tuberculosis*는 모두 다.

- 완전히 동정이 안 된 전신성 혹은 폐 이외의 *Mycobacterium* 감염.

- *Pneumocystis jirovecii* pneumonia.

- 6세 이상의 환자에서 재발하는 폐렴.

- Progressive multifocal leukoencephalopathy.

- 자꾸 재발하는 *Salmonella* 균혈증 내지 패혈증.

- 1개월 넘는 나이대부터 뇌의 toxoplasmosis.

- HIV로 인한 전신 소모성 쇠약증.

HIV 검사는 1차로 ELISA를 시행합니다.

양성이 나오면 한 차례 더 하고, 계속 양성이면 Western blot 검사로 확진 여부를 정합니다.

HIV-ELISA에서 음성이면 그걸로 상황 끝.

그래도 불안해서 잠복기 진입 직전의 12주에도 검사해서 음성이면 역시 상황 끝.

HIV ELISA는 민감도, 특이도가 100%에 수렴하므로 거짓 음성이 거의 제로, 음성 예측도 또한 100%에 가깝기 때문입니다

Western blot에서 음성이면 역시 상황 끝이며 양성이면 감염 확정입니다.

여기서 주의해야 할 점은, HIV ELISA 양성이라 해서 HIV 감염자로 속단하면 안 된다는 것입니다. 민감도와 특이도가 모두 97-99%에 달하는 우수한 검사임에도 불구하고 말이죠.

39강

얼핏 보면 이렇게 높은 민감도 특이도 때문에 그냥 진짜 양성자로 확정해도 될 것처럼 보이지만, 실제로는 그렇게 간단하지 않아요.

주된 이유는 검사 대상 질환의 유병률이 높지 않기 때문입니다.

그래서, 검사가 양성이 나오더라도 진짜로 그 질환에 걸렸을 확률을 구하려면, 유병률(prevalence; PR)까지 고려한 post-test probability로 계산해 봐야 합니다.

식은 다음과 같습니다:

Post-test probability = (PR x sensitivity)/[PR x sensitivity+ (1-PR) x FPR]

PR: prevalence,

FPR(거짓 양성 혹은 위양성률): false-positive rate = 1- specificity.

예를 들어, HIV ELISA의 민감도가 100%, 특이도가 95%로 매우 우수하다고 합시다.

위양성률은 1-특이도= 5%입니다

HIV 국내 유병률은 인구 5천만 명당 10,000명, 즉 0.02%라 가정합시다.

그러면, post-test probability = $(0.0002 \times 1.0)/\{0.0002 \times 1.0 + (1-0.0002) \times 0.05\}$ = 0.004.

즉, 이 검사에서 양성일 때 실제로 HIV에 걸렸을 확률은 0.4%.

따라서, 1차 HIV ELISA에서 양성이 나온 환자가 있으면 조용히 Western blot 검사를 의뢰하고, 최종 결과가 나올 때까지 해당 환자는 다른 환자와 차이 없이 무덤덤하게 대해 드립니다.

Western blot은 HIV의 핵심적인 단백질들을 잡아내는 것으로, 양성이면 확진입니다.

대상인 p24, gp41, gp120/160 중 2개만 맞으면 양성으로 판정되며, p31이 음성이면 위양성일 가능성이 높습니다.

Western blot이 확진되고 나면 HIV 감염인으로 확정되어 본격적인 치료를 시작합니다.

맨 처음 치료 시작하기 전에 환자에 대해서는 다음 사항들을 우선 점검합니다:

당연히 $CD4^+$ T lymphocyte count와 plasma HIV RNA level을 측정하는 건 물론이고, 기본적인 CBC, blood chemistry(간 기능, 신 기능, 당, 지질), urinalysis를 검사합니다. 아울러 HIV resistance testing, HLA-B5701 screening, 매독 검사, Anti-Toxoplasma antibody titer, 결핵에 대한 PPD skin test 혹은 IFN-γ release assay, hepatitis A ~ C에 대한 serologic test (A나 B가 음성이면 예방 접종 실시), 그리고 Mini-Mental Status Examination을 합니다. 필요

하면 pneumococcal, influenza, HPV vaccine도 접종해 줍니다.

진료 지침에는 환자가 어떤 연유로 병에 걸리게 되었는지 등의 사적인 것도 파악은 하라고 하지만, 저는 그렇게 생각하지 않습니다. 어디까지나 사적인 영역입니다. 환자 본인의 의향에 따라 공개하는 것이지, 악착같이 알아내려 하지 마시길. 어차피 진료하면서 지내다 친밀한 관계(rapport)가 생기면 알아서 다 얘기해 주는 경우가 많습니다.

6. 역학 및 전파 경로

국내 현황을 보면, 국가 지정 제3급 감염병으로 매년 1,000명 이상 보고됩니다. 현재까지 축적된 환자 수를 보면 만 명은 이미 넘었으며, 아마도 총 2만 명 시대가 머지 않은 것 같습니다.

HIV는 오로지 혈액과 체액으로만 전염이 되며 공기로는 절대로 전염되지 않습니다.

체액이라 해도 침이나 땀으로 전염되는 건 불가능합니다. 왜냐하면 HIV가 전염되려면 상당한 양의 바이러스 용량이 필요하기 때문이죠.

따라서 환자와 악수를 하거나 포옹을 해도 전염될 염려를 할 필요가 없습니다.

혈액을 비롯한 체액으로 전염되는 경로에는 다음과 같은 경로들이 있습니다:

성접촉

감염 확률이 생각보다 높지 않습니다.

항문 성교일 때는 10,000회당 11건(삽입하는 입장)에서 138건(삽입당하는 입장)이고, 남녀 교합일 경우는 10,000회당 4건(남)-8건(여), 구강일 경우는 거의 희박합니다.

하지만 그렇다고 해서 방심하면 안 되죠. 구강의 경우는 herpesvirus, gonorrhea, 그리고 human papilloma virus가 전염되기 딱 좋습니다.

주사기를 통해 혈관에 직접 침투되는 경우

수혈은 만 번의 노출에서 9,250건의 확률이므로 가장 높습니다. 성교와는 비교도 안 될 정도로 막대한 양의 바이러스가 직접 들어오기 때문이죠. 또한, 앞서 병리기전에서 설명했듯이, 바이러스는 CD4$^+$ 세포를 조종해서 최대한 증폭하는데, 혈류로 곧장 들어옴으로써 이 CD4$^+$ 세포들이 드문드문 있는 점막에서의 체류 과정을 생략하고 곧장 lymphoid organ(점막보다 CD4$^+$ 세포가 훨씬 오밀조밀하게 집중적으로 모여 있음)으로 직행하여 더욱 크게 증폭이 되기 때문이기도 합니다.

수혈에 의한 감염의 대표적 예로 미국의 세계적인 테니스 선수이자 국가대표 감독까지 역임했던 아서 애쉬의 사례가 있습니다. 그의 사후에 수혈에 의한 에이즈 예방에 힘쓰는 아서 애쉬 재단이 설립되는 계기가 되었으며, 사전 점검을 철저하게 시행하는 체계가 정립됨으로써 현재는 수혈로 인한 감염 사례는 극히 드물게 되었습니다.

약물 남용과 주사기 공유의 경우는 63건/10,000회로 수혈보다는 들어오는 바이러스의 양이 적어서 상대적으로 낮지만, 성교에 의해 들어오는 양보다는 훨씬 많기 때문에 감염 확률이 꽤 높습니다.

의료진의 주사바늘 찔림 사고는 23건/10,000회 확률입니다.

출산

위의 다른 항목들은 임신 기간 동안 바이러스가 태반을 침투하는 게 아니고, 출산하는 순간에 집중하여 태아에게 전염됩니다. 그러므로, 출산 전후해서 집중적으로 예방하는 것이 핵심입니다.

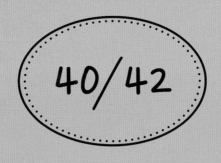

제40강

HIV/AIDS 치료와 예방

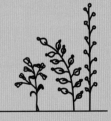

HIV/AIDS 치료와 예방

40

항 레트로바이러스 치료 약제

HIV는 retrovirus이므로 항 레트로바이러스 치료(antiretroviral treatment; ART)를 시행합니다.

ART에 쓰이는 약제는 다음과 같은 기전으로 나뉩니다:

- 바이러스의 증식을 억제: NRTI, NNRTI
- 바이러스의 생활사 각 단계들마다 개입해서 그 다음 단계로 진전하지 못하게 함.

1. NRTI & NNRTI

NRTI (nucleoside or nucleotide analogue reverse transcriptase inhibitor) 와 NNRTI (non-NRTI)는 역전사(reverse transcription)를 저지하는 약제입니다.

NRTI는 역전사로 차곡차곡 쌓이는 과정 중간에 개입하여, nucleoside와 유사한 가짜 nucleoside (analogue)를 들이 밀어서 더 이상 nucleoside가 쌓이지 않도록 역전사 효소를 방해하는 약제입니다.

NNRTI는 nucleoside와는 무관하며, 이 약제 자체가 효소를 직접 억제합니다.

NRTI가 nucleoside 증식을 방해하는 이유는, sugar-base의 기본 골격에서 3' 에 아예 아무런 기가 없거나 -OH 대신 엉뚱한 기가 붙어 있어서 5' → 3' 증식이 원천 봉쇄되기 때문입니다. 이런 nucleoside analogue가 증식이 진행 중인 바이러스에게 가서 끼어들게 되면, 진품과 서로 경쟁을 하게 됩니다. 게다가 이 가짜 nucleoside는 효소에 달라붙는 친화도가 매우 높으니 승산 또한 매우 높지요. 이렇게 가짜가 일단 달라붙고 나면 더 이상의 증식은 사실상 중단되고, 그 결과 바이러스는 죽을 수밖에 없습니다.

그런데, NRTI는 미토콘드리아에 있는 mitochodrial DNA (mtDNA) poly-merase에도 작용합니다. 이 효소는 mtDNA polymerase-γ (pol-γ)라고 하며 이것이 제대로 작동이 안 되면 미토콘드리아에서 해 줘야 할 일들이 모두 차질을 빚게 됩니다. 그 결과, 산소를 처리하는 oxidative phosphorylation이 마비되어 lactic acid가 잔뜩 만들어져 쌓이고, 결국 lactic acidosis가 초래됩니다.

더 심각한 문제는 oxidative phosphorylation의 최종 산물인 ATP가 제대로 생산되지 못 한다는 겁니다. 이로 인해 신체 내 각종 기관에 에너지 공급이 절대

부족하게 되어 모두 다 제대로 작동을 못하게 됩니다. 게다가 reactive oxygen species (ROS)도 잔뜩 만들어져서 각종 세포에 치명적인 손상을 가합니다. 신경 세포에 에너지가 제대로 못 가고 유독 물질만 왕창 나와서 손상까지 되었으니 neuropathy가 초래되고, 근육 세포들이 힘을 못 쓰니 myopathy가 옵니다.

그리고 지질(lipid) 대사가 제대로 처리가 안 되어 쓸데없이 기름이 쌓여서 lipodystrophy, hepatic steatosis 등이 초래됩니다.

이 밖에도 미토콘드리아 고장으로 인한 더 많은 장애들이 생깁니다.

NRTI 약제들 중에 미토콘드리아를 고장 나게 하는 건 d로 시작하는 약제들(dideoxy-nucleoside)일수록 특히 심합니다. 고장내는 순서대로 나열해 보자면, ddC (Zalcitabine) > ddI (didanosine) > d4T (Stavudine) > zidovudine ≫ lamivudine/emtricitabine입니다. 그래서 오늘날 ddC, ddI, d4T는 사용되지 않습니다.

NRTI는 nucleoside 유사품이기 때문에 기본적으로 adenine, guanine, thymine, cytosine 가문 중 하나에 소속되어 있습니다.

가장 먼저 NRTI를 배출한 가문은 thymine 가문이었고, 이후 다양한 NRTI들이 속속 배출됩니다.

1) Thymine 가문의 Zidovudine

1987년에 처음 선 보인 약제입니다.

3'-azido-3'-deoxythymidine 구조로, 처음엔 azidothymidine (AZT)로 불렸고 현재는 zidovudine (ZDV)이라 불립니다. Hydroxyl (-OH) 기가 있어야 할 3'에 엉뚱하게 질소 3형제인 azide기가 붙어 있습니다.

Thymidine　　　　**Zidovudine**

당연히 thymidine과 경쟁을 하며, 앞서 언급했듯이 효소의 핵심 부위에 대한 친화도가 매우 높기 때문에 승리하는 경우가 많습니다.

최초로 나온 항 에이즈 약이라 처음에는 단독 투여로만 사용되었습니다.

그래서 분명히 치료 성공률 0%에서 벗어나기는 했으나, 기대만큼 치유율이 별로 높지는 않았고, 또한 단독 사용에 따라 불가피하게 약제 내성으로 점차 안 듣는 사례들이 많아졌으며, 미토콘드리아에 작용하는 독성으로 인한 부작용도 만만치 않았습니다.

특히 zidovudine은 빈혈과 neutropenia가 잘 생깁니다. 그나마 cytochrome P450과는 무관합니다.

이러한 제반 문제점들은 이후에 나오게 되는 후배 약들과의 병합으로 해결을 하게 됩니다.

대표적인 제형이 lamivudine과 손을 잡은 Combivir입니다.

이제는 고전적인 약이지만, 초창기 때부터 저와 함께 해 온 환자들 중 일부는 아직도 이 약을 잘 드시고 있습니다. 신약으로 바꿔드리려고 했지만 정상 생활을 잘 유지하기 때문에 굳이 변경을 원하지 않아서 그래요.

2) Cytosine 가문: Lamivudine과 emtricitabine

Lamivudine (2', 3'-dideoxy-3'-thiacytidine, 3TC)와 이후에 나온 emtricit-abine (FluoroTC, FTC)는 cytosine을 기반으로 하고 있습니다.

따라서 이 두 형제 약제는 성격이 거의 비슷하다고 보면 됩니다.

HIV뿐 아니라 hepatitis B virus (HBV)의 치료에도 사용됩니다.

당연히 cytidine과 경쟁을 합니다.

Cytidine   Lamivudine   Emtricitabine

미토콘드리아의 pol-γ에는 거의 작용을 하지 않아서 그나마 부작용이 NRTI 중엔 매우 낮은 편입니다.

특히 다른 약제와의 조합에서 항상 기용되는 약제입니다.

굳이 둘의 차이를 논하자면, lamivudine이 참여한 조합(예: Combivir, kivexa, Triumeq)보다는 emtricitabine이 합류한 조합(예: TruVada, Stribild) 쪽이 치료 효과 면에서 좀 더 우세합니다. 형보다 나은 아우인 셈이죠.

3) Guanine 가문: Abacavir

Abacavir는 guanine을 기반으로 합니다.

Guanosine

Abacavir

HIV를 사이에 두고 guanosine과 경쟁을 합니다.

단독으로 사용되기도 하지만, 대개는 lamivudine과의 조합인 Kivexa, 혹은 dolutegravir와 lamivudine과의 조합인 Triumeq 제제가 주로 쓰입니다.

Abacavir에서 가장 신경을 써야 하는 것은 환자가 HLA-B*5701을 가지고 있는지 여부입니다. 만약 있다면 피부 발진으로 시작하는 심한 allergy 내지는 analphylaxis의 위험이 높습니다. 단, 아시아인들에게는 매우 드뭅니다. 간 기능이 안 좋은 경우에도 이 약제는 금기입니다.

4) Adenine 가문: Tenofovir

Tenofovir는 adenine에서 유래되었으며, 다른 NRTI 약제와는 달리 phosphate를 이미 갖고 있어서 nucleotide로 분류됩니다.

Adenosine　　　　　　　　　　Tenofovir

그리고 ribose 구조가 불완전합니다.

이 약제 또한 HBV에도 효과가 있습니다.

원래는 경구 흡수가 매우 불량하여 주사제로만 쓰일 운명이었습니다.

그러나 disoproxil fumarate를 붙여서(TDF) 장 흡수가 잘 되게 함으로써 경구 복용이 가능하게 되었습니다.

FTC와의 궁합이 가장 치료 성적이 우수하여 Truvada 혹은 Stribild (TDF + FTC + elvitegravir + cobicistat)로 사용됩니다.

문제는 신장 독성과 골다공증의 위험 소지.

신장에서 대사가 주로 되면서 축적되다 보면 신 독성을 일으킬 수 있기 때문이죠.

이 신 독성 문제를 해결한 제품이 tenofovir alafenamide (TAF)입니다.

이 약제는 lymphoid organ에서 활성화되어 모든 대사를 그 안에서만 끝 마쳐서 신장까지 가서 축적될 일이 없기 때문에 신 독성 문제로부터 자유롭습니다.

기존 Stribild에서 TDF를 TAF로 대체한 약제가 Genvoya입니다.

5) NNRTIs

NNRTI에 해당하는 약제로는 efavirenz, etravirine, nevirapine, rilpivirine 등이 있습니다.

NNRTI는 역전사 효소의 핵심 작용부위(active site)에서 동 떨어진 곳에 부딪혀서 달라붙습니다. 그 결과 효소가 conformational change를 초래하고, 이로 인해 효소가 제대로 작동을 못하게 됩니다.

반감기가 매우 길어서 체내에 오래 머무르며, HIV-1에만 효과가 있습니다. 즉, HIV-2 환자에는 쓰면 안 됩니다.

Cytochrome P450의 영향을 받으며 lipid 대사 이상도 초래할 수 있습니다.

이 약제는 중추신경계로 잘 침투하기 때문에 대낮에 복용하면 곤란하고, 반드시 취침 전에 드시도록 합니다.

중추신경계에 작용하는 약이니 당연히 부작용도 중추신경계 쪽으로 나타납니다.

졸리는 건 기본이고, 정신과적인 양상을 나타낼 수도 있습니다.

그리고 개인적으로는 "자꾸 악몽을 꿔서 괴로워요." 하는 환자들이 좀 있어서 어쩔 수 없이 다른 약으로 바꾼 사례도 꽤 있습니다.

이 약제는 신경 정신과적으로 문제가 있을 것 같은 느낌을 주는 환자에게는 주지 않는 것이 좋을 듯합니다.

이 밖에 선천성 기형으로 신생아에서 neural tube defect를 유발할 수 있다고 하므로 혹시 드물지만 가임기 여성 에이즈 환자를 진료할 때는 고려해야 할 것입니다.

최근 나온 신약으로 rilpivirine이 있습니다.

Etravirine과 더불어 NNRTI 내성 바이러스의 치료에 쓰이며, efavirenz보다 먹기는 좋으나 HIV RNA 카피수가 10만/mL 넘는 경우엔 치료 실패로 끝나는 일이 많습니다.

2. Protease inhibitors (PIs)

PI는 HIV-1 protease에 달라붙어서 바이러스 입자 생성의 마지막 단계인 Gag와 Gag-Pol 단백을 자르는 과정에 중요한 aspartyl protease를 저지합니다. 이 단백들이 제대로 잘리면 완성된 바이러스 입자가 되지만, 억제돼서 제대로 마무리가 안 되면 겉만 멀쩡하지 전염성은 전혀 없는 바이러스 입자에 불과한 무용지물이 됩니다.

해당 약제로는 atazanavir, darunavir, fosamprenavir, ritonavir, saquinavir, tipranavir, lopinavir 등이 있습니다.

이 약제는 에이즈 치료 역사에서 한 획을 그은 약제입니다.

한 가지 약제만 주던 기존의 치료 방침에서, 복수의 약을 조합해서 주는 방식으로 전환하게 한 약제이기 때문이죠.

1995년에 Saquinavir와 ritonavir가 처음 나왔는데, 이 약을 사용한 이후부터 에이즈 환자의 사망률이 극저으로 감소하기 시작합니다.

이러한 성과에 고무된 전문가들은 NRTI와 이 PI를 조합해서 투약하는 것에 주목을 하기 시작했고, David Ho에 의해 정립이 됩니다.

당시에는 이런 조합법을 'Cocktail'이라고 불렀는데, 이후 'highly active antiretroviral treatment (HAART)'로 불리다가 'combination Antiretroviral Treatment (cART)'로 바꿔 불렀습니다. 지금은 그냥 ART (antiretroviral treatment)로 부릅니다.

PI는 - navir 돌림 가문과 -previr 돌림 가문이 있는데, 전자의 경우가 HIV 치료제이고, 후자는 hepatitis C virus (HCV) 치료제입니다.

여러 PI 제제들 중에서 먼저 주목해야 하는 것이 ritonavir입니다.

원래 용도는 물론 항 HIV 약제이지만, CYP3A4를 매우 강력하게 억제하는 능력을 가지고 있어서, 다른 PI 약제와 같이 투여되면 파트너 약제가 덜 대사되어 높은 혈중 농도를 장시간 유지할 수 있게끔 해주며, 이에 따라 항 HIV 능력도 쑥쑥 올려주는 도움까지 줍니다.

이를 booster라고 하며, 특히 Lopinavir와 짝을 이룬 Kaletra (Lo/r)가 대표적인 약제입니다. 코로나 치료제로 개발된 Paxlovid도 바로 이 ritonavir의 특징을 이용한 것이죠.

PI는 체내 대사, 특히 인슐린과 지질 대사에 영향을 미쳐서, 제2형 당뇨나 고지질 혈증을 유발할 수 있습니다. 또한 신 결석도 중요한 부작용 중 하나이며, indinavir 를 사용하는 경우에 빈번합니다.

실제 임상에서 가장 흔히 보는 부작용은 설사인데, 얼핏 보면 별거 아닌 것 같지만 이 때문에 약을 바꿔야 하는 일도 꽤 있습니다.

PI는 NRTI나 integrase와 비교해서 내성이 잘 생기지 않습니다. HIV가 PI에 말을 안 들으려면, 다른 종류의 약제에 대해서보다 훨씬 더 많은 돌연변이를 동시다발로 일으켜야 하기 때문입니다. 즉, 사실상 PI 내성을 수립하기가 쉽지 않다는 뜻입니다.

그래서, 내성으로 약 처방을 전면 교체해야 할 경우에 일단 PI는 기본으로 잡아놓고 나서 고민을 시작하는 것이 좋습니다.

3. Integrase Inhibitors & Pharmacokinetic Enhancers

바이러스가 인체 DNA로 삽입해 들어가는 과정에 사용하는 효소인 integrase를 억제하는 약제입니다.

2007년 들어 2NRTI + NNRTI 혹은 2NRTI + PI로 구성해 오던 항 에이즈 치료 체제에 새로운 조합을 만들 신약이 출현하는데 그게 바로 integrase 억제제, 정확히는 Integrase strand transfer inhibitor (InSTI)로 분류되는 raltegravir 입니다.

이를 기점으로 2NRTI + InSTI라는 새로운 조합이 만들어지며, 항 에이즈 치료에 있어서 최우선 순위로 올라섭니다.

그리고 Elvitegravir가 나옵니다.

이는 기존의 TDF, FTC, 그리고 cobicistat와 어우러져서, 드디어 1알짜리 복합제제인 Stribild가 탄생합니다.

Stribild의 핵심은 pharmacokinetic enhancer인 cobicistat인데, 이것이 CYP3A를 강력히 억제함으로써 elvitegravir가 체내에 오래 머물 수 있게 하여 1알 짜리가 가능하게 만든 것입니다. Cytochrome 을 억제하는 기전 면에선 ritonavir 와 동일한데, 사실 cobicistat는 ritonavir에서 유래했습니다.

Ritonavir의 구조를 변형시키되, 항바이러스 작용을 거세함으로써 내성이 생길 여지를 하나라도 더 줄였다는 의의도 있습니다.

그 동안 많은 수의 알약을 삼켜야 했던(pill burden) 에이즈 환자들 입장에선 하루에 딱 한 알만 먹어도 되니, 최고의 희소식이 되었을 것입니다. 확실히 한 알짜리로 전환해서 주기 시작한 다음부터 약 잘 안 먹고 게으름 피우던 제 환자들 중 상당수가 이제는 꼬박꼬박 잘 먹는 모범생으로 개과천선하긴 했어요.

이후에 나온 또 다른 InSTI인 dolutegravir는 cytochrome P450과는 무관하며, 체내 혈중에서 오래 버티기 때문에 cobicistat 같은 booster도 필요 없습니다. 그래서 ABC, 3-TC와 더불어 한 몸이 됨으로써, 또 다른 한 알짜리 약인 Triumeq이 나오게 됩니다.

이후 나온 Bictegravir는 Biktarvy (TAF/FTC+Bictegravir) single pill의 구성분이며, 기존 genvoya를 대체하고 있습니다.

Cabotegravir (Vocabria)는 월간으로 줄 수 있는 약제입니다.

파트너로 rilpivirine과 함께하는데, 첫 1개월은 경구로 30 mg + 25 mg rilpivirine을 주면서 준비를 시키고, 600 mg (3 mL) IM + 900 mg (3 mL) rilpivirine IM, 그리고 나서 매달 한 번씩 400 mg (2 mL) IM + 600 mg (2 mL) rilpivirine IM으로 유지해 줍니다.

4. Entry inhibitor

HIV가 감염되는 맨 처음 단계는 바이러스가 CD4$^+$ 세포와 만나는 순간입니다.
바로 이 첫 만남을 원천 봉쇄하는 약제가 entry inhibitor입니다.
Entry 과정을 좀 더 세분해서 보면:

- 먼저 달라붙는 단계인 attachment
- 반드시 거쳐야 할 chemokine co-receptor에의 결합
- 최종 단계인 fusion입니다.

Fusion inhibitors (FIs)로는 enfuvirtide가 있습니다. 바로 gp41에 결합하여
막에 달라붙는 과정을 봉쇄합니다.
구조는 보기만 해도 어지러울 정도로 매우 기나긴, 무려 36개의 아미노산으로
이뤄져서 gp41을 흉내내는 구조입니다.
이 약제는 피하주사로 투여하며, 백약이 무효할 때 마지막으로 시도합니다. 그
러나 내성이 잘 유도되기 때문에 1차 약제로는 부적합하죠. 국내에서는 희귀
의약품 센터를 통해서 구해 씁니다.

한편, T cell의 CCR5 Antagonist인 maraviroc (Selzentry, Celsentri)이 있습
니다.
이 약제의 주된 부작용은 간 독성이므로 간 기능 이상 시에는 사용을 지양합
니다.

Attachment를 억제하는 약제로는 fostemsavir와 ibalizumab이 있습니다.
이 중에서 fostemsavir는 gp120이 CD4와 만나는 초기 단계를 막습니다.

한편 ibalizumab은 CD4에 결합하여 gp120이 달라붙는 것을 저지하는 단일 클론 항체입니다. 이는 CCR5, CXCR4에 붙는 바이러스 모두에 효과가 있습니다.

치료의 원칙과 조정

과거에는 CD4$^+$ 세포 수에 따라 치료 시작 시점을 정하곤 했습니다만, 현 시점에서 치료는 HIV로 진단되는 순간 시작합니다. 치료 시작 시점의 CD4$^+$ 세포수가 높을수록 예후가 좋다는 것이 검증되었기에, 기다릴 이유가 없어졌지요. ART 치료를 잠시 미루는 경우는 뒤에 설명드릴 IRIS에 대한 우려 정도? 지금까지 소개한 약들 중에 어느 약을 먼저 선택하고 어느 약들끼리 조합을 하면 좋을까요?

이 고민의 해결을 위해 HIV의 생활사를 다시 되짚어 봅시다.
첫 만남에 이은 침투, 이후 세포 내에서 역전사를 통한 증식, 숙주 유전자로 위장 잠입, 잠복기를 거친 후 살림살이 챙겨서 도망의 과정으로 요약되는데, 이 단계들 중에서 어느 것을 맨 먼저 공략해야 할까요?
학생들이나 전공의들에게 이 질문을 하면 열에 아홉은 첫 만남의 저지, 즉 entry inhibitor를 쓰자고 대답합니다.

물론 가장 이상적인 답변이지만 현실을 생각해 봅시다.
지금 나에게 HIV 감염된 환자가 왔다면 그 환자의 체내에서 진행된 HIV의 생활사는 이미 첫 만남을 완료하고 세포 내에 들어와 있음을 의미합니다. 즉, 일차 침입을 막는 것은 이미 늦었으며, 일단 세포 내에 들어온 바이러스가 활개치는 것을 최대한 막아야 한다는 것이죠.

바이러스가 침입해 들어와서 맨 처음 하는 짓은 무엇이다? 역전사 효소를 사용해서 무리의 숫자를 늘리는 증식 과정입니다.

따라서 이 역전사 증식 과정을 최대한 저지하는 것이 최우선 선결 과제입니다.

그래서 역전사 효소 억제제를 일순위 무기로 꺼내 드는 것입니다.

NRTI는 바이러스의 nucleotide와 경쟁을 합니다.

공정한 경쟁이라고 치면 서로의 승산은 50대 50이겠죠(물론 실제로는 NRTI가 효소에 달라붙는 친화력이 훨씬 더 높지만).

약제 쪽의 승산을 더 높이려면?

한 가지를 더 추가해서 조금 비겁하지만 2대 1로 싸우면 됩니다.

그래서 NRTI는 2개를 마련합니다.

40강

여기에 더해서 protease inhibitor나 InSTI, 혹은 NNRTI 하나를 파트너로 붙여주면 완벽한 호흡을 자랑하는 팀이 되어 바이러스를 제압하게 됩니다.

그래서 NRTI 2개에 InSTI 조합을 최우선으로 권장하면서, 2NRTI + PI나 2NRTI + NNRTI도 권장되고 있습니다. 예를 들자면 다음과 같습니다:

Bictegravir + tenofovir + emtricitabine;

Dolutegravir + tenofovir + emtricitabine;

Raltegravir + tenofovir + emtricitabine;

Elvitegravir + cobicistat + tenofovir + emtricitabine;

Dolutegravir + abacavir + lamivudine.

치료 시작하고 첫 2-4주에는 $CD4^+$ 세포 수와 HIV RNA 양을 첫 평가로서 확인해야 합니다. 저는 보통 4주차에 검사합니다.

첫 1달에 $CD4^+$ 세포 수는 증가해 있어야 합니다.

정확한 기준은 없고, 좀 너그럽게 봐서 첫 1년에 50-150개/μL 정도 늘어나면 족합니다. 실제로는 대부분 반응이 좋습니다. 1-3개월 내로 200/μL 이상 수준으로 회복되거든요. 요즘 약이 좋긴 좋습니다.

그와 동시에 HIV RNA 양은 최소 1 log는 떨어져야 합니다. 이후 6개월 내지 1년 내로 200 copies/mL 미만을 성취해야 하는데, 이에 도달하지 못하면 내성에 의한 치료 실패로 간주하고 첫 ART 조합을 갈아 엎고 약제 감수성 검사를 다시 시행한 후, 이를 바탕으로 다른 조합을 강구해야 하는 골치 아픈 상황이 됩니다.

또한 CD4$^+$ 세포 수가 ART에도 반응 안 하고 꾸준히 떨어지고 있거나, ART 구성 약제에 유의한 부작용이 있을 경우, 혹은 임상적으로 악화되고 있다고 판단되는 경우에도 첫 ART 조합을 갈아 엎어야 합니다.

물론 antiretroviral drugs의 감수성 검사에서 현 조합의 약이 내성으로 나올 경우에도 조합의 변경이 필요합니다.

IRIS (Immune reconstitution inflammatory syndrome)

IRIS는 기회질환이 합병된 HIV 환자에게 항레트로바이러스 치료를 시작하고 나면 CD4$^+$ 세포 수가 늘어나는 등 제반 면역력이 돌아오는데, 이에 따라 염증 반응 능력도 회복되면서 역설적으로 임상적으로 악화를 보이는 현상입니다.

대개는 경미한 증세를 보이다가 소실되지만, 심하면 사망까지 이를 수도 있습니다.

CNS 병변이 있는 Cryptococcus 감염, 혹은 결핵균 감염이 동반되어 있는 경우가 가장 많으며 이 밖에 PJP 치료 등에서도 이 IRIS에 당할 수 있습니다.

특히 치료 시작 시점에서 CD4$^+$ 세포 수가 50/μL 미만일 경우 IRIS에 당할 위험이 높습니다.

주된 이유는 결핵이나 Cryptococcus 같은 기회감염 병원체가 침투해 들어 왔을 경우, 제때 제때 처리를 못하기 때문입니다.

체내에 침투해 온 병원체는 CD4$^+$ 세포의 총 지휘 아래 monocyte/macrophage, CD8$^+$ 세포 등등 전 면역 체계가 일사불란하게 움직여서 제압해야 합니다.
그런데 CD4$^+$ 세포가 거의 씨가 말랐다면?

들어와서 횡포부리는 병원체들의 전횡을 그냥 바라만 보고 있을 수밖에 없습니다.
그렇게 시간이 가다 보면 모든 면역 체계들의 울분이 쌓이고 또 쌓입니다.
그런 와중에 마침 ART가 시작되어 CD4$^+$ 그리고 CD8$^+$ 세포들의 수가 회복되고 "얘들아, 형 돌아 왔다! 이제 반격을 하자꾸나!"하면 일제히 신나게 바이러스에게 보복을 시작합니다.

그것도 필요 이상으로 과도한 한풀이를 하게 되는데, 그 와중에 바이러스뿐만 아니라 바이러스가 침투해 있는 체내 기관들도 본의 아니게 파괴가 됩니다.

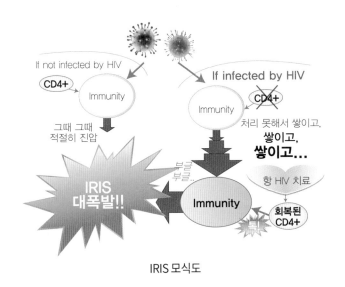

IRIS 모식도

그 결과, 역설적으로 염증이 더 심해지는 것입니다.

문제는 환자의 악화되는 임상 양상이 IRIS로 인한 것인지, 아니면 에이즈 자체로 인한 것인지 구분하기가 쉽지 않다는 사실입니다.

그럼에도 불구하고 다음과 같은 기준을 바탕으로 IRIS 여부를 판단합니다:

HIV 환자가 ART를 받은 후 HIV-1 RNA가 유의하게 CD4$^+$ 세포가 유의하게 증가했다는 전제가 먼저 깔립니다. 임상 증상은 염증 양상이되, 이미 진단이 된 기회 감염의 임상 양상이어선 안 되고(이 부분이 가장 고민되는 지점이긴 합니다), ART나 치료 약제의 부작용도 아니어야 합니다(이 부분도 만만치 않습니다).

다시 말해, ART에 의한 개선이 분명히 있음에도 불구하고 임상적으로 나빠지고 있다면 IRIS 확률이 높을 것이다, 이겁니다.

이 IRIS를 방지하기 위해서는 기회 감염이 합병된 환자를 치료할 때는 ART 첫날부터 시작하지 말고, 기회 감염만 우선 치료하기 시작하도록 합니다.
그리고 상황을 봐서 적절한 시일이 흐른 후에 ART를 시작합니다.

현재까지 ART의 시간차 공격 시기는 정립된 것은 없으나, 전반적으로는 2주 내외에서 시작하는 걸로 권장되고 있습니다.
단, cryptococcosis의 경우는 2-10주 정도 좀 더 묵혀놨다가 시작함이 좋을 것으로 권장되는데, 특히 중추신경계 질환일 때는 최대한 늦추는 것이 낫겠습니다.
항결핵제 투여 시에도 ART 시작 시기는 조정해야 합니다. CD4$^+$ lymphocytes < 50/μL라면 치료 시작 2주 내로, ≥ 50이라면 치료 시작 8주 이내에 ART를

시작합니다. 결핵성 수막염 환자는 항결핵제 투여 8주 후에 ART를 시작합니다.

완치가 되는가? – 난치병인 이유는 reservoir 때문

정답부터 말하자면, 지독한 행운이 있다면 완치가 가능하긴 합니다.

2020년 Timothy Brown이라는 조혈모 세포 이식을 받은 환자가 백혈병이 재발하여 호스피스 병동에서 세상을 떠납니다.
이 환자는 의학사에서 매우 중요한 인물입니다.
다름 아니라, HIV/AIDS 환자로서 사상 최초로 완치를 받은 환자이기 때문입니다.
베를린에서 이식을 받았기 때문에 소위 'The Berlin Patient(베를린 환자)'로 불렸습니다.

40강

그는 기회 질환으로 백혈병에도 걸려서 이식을 받았는데, 완전히 회복된 이후 어찌된 셈인지 HIV도 더 이상 검출이 안 되는 완치 상태 판정을 받습니다.
알고 보니 그에게 조혈모 세포를 공여한 사람이 선천적으로 CCR5 Δ32에 돌연변이가 있는 이였습니다.
이게 의미하는 것은 CCR5 coreceptor가 제대로 마련되지 않아 HIV 감염의 첫 단계인 entry에서부터 침입이 원천 봉쇄되었다는 뜻입니다.
이 기가 막힌 행운으로 Timothy Brown은 사상 첫 번째 에이즈 완치자가 되었습니다.
이 상황의 의의는 환자 한 명의 행운으로 끝난 게 아니라, 유전자 영역에서 HIV 완치를 도모할 수 있는 단서를 하나 제공했다는 데 있습니다.

Timothy Brown에 이은 골수 이식에 의한 완치자들이 이후 더 나옵니다.
두 번째 완치자는 소위 "The London Patient"로 불리는 Adam Castillejo로,

Hodgkin's lymphoma 치료를 위한 골수 이식을 받았는데, donor의 골수가 CCR5-Δ32 mutation된 것이었습니다.

Timothy Brown만큼 운 좋은 수준은 아니지만, 완치 방법에 또 다른 단서를 시사해 주는 일부 집단이 있습니다.
이름하여 long-term nonprogressor (LTNP)라고 통칭하는 극소수의 환자들인데, 10년이상 감염 중이고 항 HIV 치료를 받지 않은 상태에서 $CD4^+$ 세포 수가 정상 범위이며, 수년간 안정상태를 유지하는 이들을 말합니다.
즉, 특별히 치료를 받지 않음에도 불구하고 자기 힘으로 혈중 바이러스 수치를 억제하며 정상 면역 반응을 유지하는 환자들이죠.

특히 이들 중에서 바이러스 수치가 50 copies/mL 미만인 이들을 elite controller라고 합니다.

왜 이런 현상을 보이는지에 대해서는 아직 규명이 안 되어 있으나, 확실한 것은 이들 소수 LTNP 환자들은 각자 자체 내에서 HIV를 효과적으로 제어하면서 일상 생활에 별 문제 없이 잘 공존한다는 사실입니다. 따라서 HIV를 제어하는 그 무엇이 이들 체내에 있다는 뜻이므로, HIV 완치에 있어서 단서를 던져주고 있습니다.

그래도 완치의 희망은 거의 불가능에 가까울 정도로 희박합니다.
여기서 완치 여부를 왈가왈부하지 말고, 진짜 중요한 화두를 올려 봅시다:

도대체 왜 HIV/AIDS는 완치가 사실상 불가능한가?

이 화두에 대해서도 정답 먼저 말하겠습니다.
왜냐하면!

체내에 들어온 바이러스를 문자 그대로 전멸시킬 방도가 없기 때문입니다.
HIV/AIDS로 처음 진단될 때 측정된 바이러스 RNA 수치가 수백만 copies/mL
를 상회하더라도, 치료를 시작하고 한 달이면 대부분 바닥을 치며, 잘 유지만
되면 정기적으로 측정해도 20 copies/mL 미만으로 꾸준히 잘 억제됩니다.

이걸로 해결된 걸까요?

아닙니다.

여기서의 함정은 20 copies/mL 미만이라는 수치가 말초 혈액에서 얻은 성적
이라는 것입니다.

즉, 혈액이 아닌 곳에서 실제 바이러스의 양이 얼마인지는 제대로 반영이 안
된다는 것.
다시 말해서, 환자의 몸을 혈액과 혈액이 아닌 곳으로 나눠서 본다고 하면,
HIV와의 첫 번째 전쟁에서 거둔 개가는 어디까지나 말초 혈액에 나와 까불거
리고 있는 경솔한 바이러스들을 몰살시킨 것에 지나지 않는 것입니다.

이보다 더 거대한 용량을 가지고 혈액 아닌 심산유곡에 숨어서 암약하는 놈들
은 빨치산이 되어 환자와 함께 은밀하고 위대하게 평생을 같이 갑니다.

이 거대한 빨치산들을 소위 latent reservoir라고 부릅니다.
설사 ART 약제가 reservoir까지 도달한다 하더라도, 이 reservoir를 구성하는
바이러스와 이 바이러스들이 숨은 잠자는 CD4$^+$ 세포들에게는 아무런 영향이
가지 않습니다.
약제가 작용하려면 바이러스가 어느 정도는 역전사와 증식 같은 활동을 해야
하며, 이 바이러스를 품은 세포들도 어느 정도 움직여줘야 합니다.

그러나 reservoir에서는 세포도, 바이러스도 모두 쿨쿨 자고 있기 때문에 약제가 도달해 와도 머쓱해 하다가 아무 것도 못하고 그냥 사라집니다.

사실, 엄밀히 말해서는 조금이나마 약효는 보입니다.

그런데, 약효를 보이면서 이 reservoir를 모조리 다 섬멸할 때까지 걸리는 시간이 무려 70년 이상입니다.

인간의 평균 수명이 100세 이상이라면 모를까, 사실상 다 따져 보면 아무 것도 못하는 것이나 마찬가지인 셈이죠.

그럼 reservoir는 잠복하면서 잠만 자는가?

그렇다면야 환자에게 해를 안 끼치면서 평생을 같이 하겠지만, 실제로는 정중동, 즉, 고요한 가운데 은밀하고 위대하게 움직입니다:

약제 폭격 동안은 쥐 죽은 듯이 숨어 있지만, 말초 혈액에서 유지해야 될 바이러스의 최소 농도 수준을 나름 책정해 놓고 있습니다.

그래서, 만약 말초 혈액에서의 바이러스 수치가 기준치 미만으로 떨어지면 즉시 이를 알아채고, 잠자는 동지들 일부를 깨워서 튀지 않을 정도로만 말초로 내 보냅니다.

가끔 이 수준 유지를 못하고 튀는 경우가 있는데, 이를 blip이라고 합니다.

이는 일시적인 현상이며 내성을 의미하는 걸로 오해하면 안 됩니다.

또한 이러한 과정 중에 새로운 CD4$^+$ T 세포에 침투하여 신규 회원 등록이 이루어집니다.

아마도 외부로 나간 만큼 손실된 reservoir 양을 이걸로 벌충하는 듯합니다.

결국 완치를 위해서는 이 반응 없는 reservoir가 반응을 하도록 하는 데에 성패가 달려 있을 겁니다.

잠자는 세포를 깨우는 방법이 가장 먼저 생각해 낼 수 있는 전략이지만, 실제 시도해 보니 cytokine storm이 와서 오히려 환자의 목숨만 위험해지는 상황들이 초래되었습니다.

그래서 일단 이 전략은 폐기됩니다.

그 다음이 자고 있는 바이러스를 깨우는 것입니다.

주요 target이 바로 HDAC (histone deacetylase)입니다. 이를 억제하는 약제 (HDACi)를 쓰면 바이러스의 transcription이 재개되어 바이러스가 활성화될 것입니다.

이를 위해 처음에 시도된 것이 항 경련제인 valproic acid였으나 결국 실패합니다.

현재는 cutaneous T cell lymphoma 치료에 쓰이는 Vorinostat (SAHA)가 검토 중에 있으며, 이 밖에 panobinostat, romidepsin, oxamflatin 등이 있습니다.

또 다른 target 이 DNA methylation inhibitor인데 decitabine, disulfiram 등이 검증 중입니다.

이래 저래 HIV/AIDS 완치의 길은 멀고도 험합니다.

예방

1. 노출 후 예방(Postexposure prophylaxis, PEP)

HIV 환자의 체액에 오염된 주사 바늘에 찔리거나 혈액을 철썩하고 맞을 경우엔 공포에 떨지 말고 곧장 예방 조치를 받도록 합니다.

사실 HIV 감염되려면 바늘에 찔린 경우는 0.3%(만 번의 사고 중에 두세 건), 피를 맞을 경우, 그것도 점막(예: 눈)에 직접 맞을 경우는 0.09%로 매우 희박한 확률입니다.

반면에 B형 간염 혈액에 오염된 주사 바늘에 찔린 경우는 30%의 확률로 훨씬 높아요.

그러므로, 바늘에 찔리면 HIV보다는 HBV를 먼저 걱정하세요.

만에 하나 HIV가 체내에 들어갔다 하더라도 완전히 자리를 잡으려면 2-3일은 걸리므로, 그 전에 항 레트로바이러스 제제를 복용하면 예방이 됩니다.

과거에는 깊이 찔리면 3개, 얕게 찔리면 2개의 항 레트로바이러스 약제를 주는 방침이었으나, 현재는 그냥 3가지 약제를 다 주는 것으로 지침이 확립되었습니다.

예를 들어 tenofovir DF + emtricitabine + raltegravir.

약제는 4주 동안 복용하며, 6주, 12주, 6개월에 HIV 여부를 점검하는 걸로 완료합니다.

2. 노출 전 예방(Pre-exposure prophylaxis, PrEP)

요즘 핫 이슈로 떠오르고 있는 주제인데, HIV에 걸리지 않은 위험군에게 미리 항 레트로바이러스 제제를 줘서 예방하자는 방침입니다.

보통 TDF + emtricitabine을 처방하는데, 꾸준히 먹거나, 일을 치를 때마다 간헐적으로(당일에 2알, 이후 이틀간 하루 1알) 복용하는 용법이 있습니다.

이렇게 취지는 괜찮으나, 제 생각으로는 우리나라에선 과연 제대로 수행될 수 있을지 의문이긴 합니다.

동성애자인 경우 자기가 커밍 아웃하면서 생면부지의 의사에게 찾아온다는 것이 쉽지 않을 것이며, 무엇보다 HIV에 걸리지 않은 입장이므로 약제 구입에 아무런 혜택이 없어서 비싼 돈을 지불해야 하기 때문입니다.

이 방침이 국내에서 원활히 시행될지는 좀 더 두고 봐야 할 것입니다.

일단 시작을 했으면 예방 대상자는 매 3개월마다 HIV와 성매개 감염 검사 그리고 신 기능 검사를 시행하며 모니터링합니다.

40강

제41강

HIV/AIDS의 기회 감염

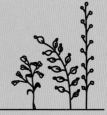

41

HIV/AIDS의 기회 감염

HIV의 기회 질환은 항암요법이나 조혈모세포 이식을 받고 면역능이 바닥을 치는 백혈병 등의 혈액종양 환자들의 기회 감염과는 좀 다르게 봐야 합니다. 후자는 면역능이 한 순간에 다 바닥난 상황이며, 특히 선천 면역(innate immunity)이 다 탕진된 상태입니다. 물론 특히 이식의 경우 adaptive immunity 도 완전히 고갈되어 있습니다.

반면에 HIV/AIDS는 어느 날 갑자기 면역 능력이 다 사라졌다기보다는 장기간 에 걸쳐서 서서히 몰락한 것입니다.

부자가 망해도 3년이라고, 정말 극단적인 경우가 아니라면 innate immunity 가 조금은 남아 있습니다. 그러나 adaptive immunity는 완전 엉망이 되어 있 기 때문에, 세포 매개 면역으로 막아내던 질환들, 예컨대 결핵이나 거대세포 바이러스 감염증, *Pneumocystis* 감염, 심지어는 암(주로 lymphoma, leuke-mia)까지 저지를 받지 않고 활개를 치게 되는 것입니다. 이들을 통틀어 기회 질환이라 합니다.

이 단원에서는 기회 질환들 중에 감염증, 즉 기회 감염(opportunistic infec-tion; OI)에 한하여 다루도록 하겠습니다.

HIV/AIDS 환자가 걸릴 수 있는 OI의 종류는 다양합니다만, 제 개인적으로 실제 임상에서 만난 OI들은 PJP나 CMV retinitis가 대부분을 차지했고, 나머지는 좀처럼 접하기 힘들었습니다. HIV/AIDS 치료 체계가 제대로 잡히기 전에는 지금보다 OI가 다양하게 속출했었지만, ART가 정립된 오늘날에는 극소수 몇 가지 OI만 제외하고 나머지들은 이름 그대로 볼 '기회'가 매우 희박해진 것도 사실입니다.

세포 매개 면역의 총 지휘관은 CD4$^+$ T lymphocyte입니다.
하필이면 바로 이 지휘관을 HIV가 집중 공략해서 망가뜨립니다.
그래서 CD4$^+$ 세포가 얼마나 남아 있느냐에 따라 호발하는 OI가 다양하게 나옵니다.
CD4$^+$를 지표로 삼는 이유는, 처음 만난 HIV/AIDS 환자가 뭔가를 심하게 앓고 있는데 아직 원인 파악이 안 됐을 때, CD4$^+$ 세포 수를 단서로 하여 무슨 OI에 걸렸을지 미리 예단하고 조치를 취할 수 있기 때문입니다.

1. CD4$^+$ 세포 〈 200 cells/μL에서의 OI

1) Pneumocystis jirovecii pneumonia (PJP)
PJP에 대해서는 제25강 주요 진균 감염에서 자세히 설명 드린 바 있습니다.

2) Mucocutaneous candidiasis:
Candida albicans에 의해 생기며, 정말 자주 봅니다. 그래서 이 oral thrush로 왔다가 나중에 HIV로 진단되는 사례도 많습니다.
구강 점막에 끼는 백태로 나타납니다. 원래 병변이 아프진 않습니다만, 범위가 더 확대되어 식도로 가면 굉장히 아파합니다. 즉, HIV 환자가 입 안에 thrush

가 꼈는데, 통증까지 있고 특히 음식 먹을 때 심하다면 식도염까지 동반되었다고 생각하면 됩니다.

내시경으로 확인하고 치료를 합니다.

가장 간단하게는 nystatin 양치를 하면 됩니다.

그래도 CD4$^+$ 세포 수가 바닥을 치는 이상 전신 치료를 하는 게 좋겠습니다.

경구 fluconazole 투여면 무난하고, 식도염까지 있으면 2-3주 정도 좀 오래 줍니다.

대안으로 itraconazole 혹은 posaconazole solution도 있습니다.

2. CD4$^+$ < 100 cells/μL에서의 OI

1) *Cryptococcus neoformans*

강적입니다.

Cryptococcosis는 HIV/AIDS 환자가 걸렸다 하면 과반수가 사망합니다.

특히 중추신경계를 침범하는 cryptococcal meningitis 혹은 meningoencephalitis는 90%가 사망합니다.

제가 경험한 cryptococcosis의 경우는 처음부터 원인 모를 고열과 혼수 상태로 응급실로 실려와 중환자실로 입원하여 집중 치료를 했음에도 불구하고 보람없이 하루 이틀 내로 하늘나라로 가시곤 했습니다. 그리고 나서 뒤늦게 cryptococcal 항원 양성 결과를 받아 들고, 또한 거의 일 주일 되어서야 *Cryptococcus neoformans*가 뇌척수액과 혈액에서 배양되었다는 보고를 받곤 했습니다.

이렇게 당하고들 나니까, 앞으로 HIV 환자가 느닷없이 고열과 혼수 상태로 실려오면 광범위 항생제와 더불어 아예 cryptococcosis에 대한 치료도 눈 감고 그냥 때려버리겠다고 벼르고 있습니다. 그런데.. 이후로 cryptococcosis 증례가 제게 오지 않고 있어요. 에이즈 초창기 때와는 달리 치료 체계가 잘 잡히다 보니 cryptococcosis도 잘 안 생기는 탓입니다.

Cryptococcosis의 치료는 HIV 환자의 경우 IRIS를 의식해서 ART는 2-10주 정도 연기했다가 시작하는 것이 권장됩니다.
중추 신경계 질환이 아니라면 fluconazole 200-400 mg +/- flucytosine 10주 투여 후 fluconazole 200 mg을 평생 복용시킵니다.
중추 신경계 질환이라면 amphotericin B 0.7-1 mg/kg + flucytosine 2주 동안 일차 치료를 마친 후 fluconazole 400 mg 10주로 굳히기를 하고, 이후 fluconazole을 평생 복용하도록 합니다.
Echinocandin 계열 약들은 쓰지 마세요.

2) Kaposi's sarcoma

Kaposi sarcoma라고 하면 영화 '필라델피아'에서 톰 행크스가 보여준 증상인 온 몸에 시커멓게 돋아난 혈관종을 연상할 것입니다. 에이즈 발흥 초기에는 이런 양상을 보이는 환자가 많지만, ART 체계가 잘 잡힌 오늘날에는 보기가 쉽지 않습니다. 그래도 가끔은 발생하고 있고, 실제로는 작은 병변으로 나타납니다.

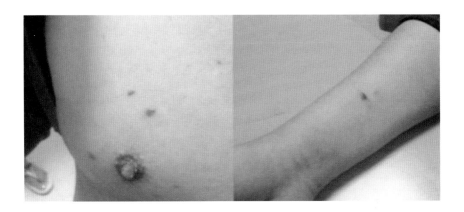

이 피부 병변과 감별해야 하는 또 다른 기회 질환으로는 bacillary angioma-tosis가 있습니다(육안으로는 구별이 불가능하므로 조직 생검으로 감별합니다).

그리고 sarcoma라는 이름을 가지고 있지만, 사실은 악성 종양이 아닙니다. 그래서, 치료는 병변이 정상 생활에 물리적으로 지장을 줄 정도이거나 미관상 심하게 안 좋은 경우가 아니라면 굳이 할 필요까지는 없습니다. ART만 잘 받아도 병변이 좋아지기 때문이기도 합니다.
치료해야 한다면 cryotherapy나 방사선 조사, 적외선 응고 치료로 해결합니다. 상황에 따라 항암 요법이 필요할 수도 있습니다.

3) Herpes simplex viruses (HSV)
주로 구강인두염, 각막염, 결막염, 성기 감염증, 직장 궤양과 염증, 재수 없으면 뇌염까지 생길 수 있습니다.

치료는 acyclovir, valacyclovir, famciclovir를 5-10일 투여합니다. 너무 심하면 acyclovir는 정맥 주사로 투여합니다.

4) Cryptosporidiosis

원충인 *Cryptosporidium*에 의해 생깁니다.

소장에 병변이 생기므로 주요 증상은 설사입니다. 심하면 전신 증상으로 발전할 수도 있습니다.

IRIS 걱정하지 마시고, ART는 동시에 시작해야 합니다. 그렇게 해서 면역능을 하루라도 빨리 회복시켜야 cryptosporidiasis도 덩달아 제대로 치료가 됩니다.

5) Microsporidiosis

같은 이름 아래 있지만, 전혀 다른 임상 질환들의 집합체입니다.

또 하나 유의할 점은, 이름에 현혹되지 마세요.

종 이름만 보면 영락없는 기생충으로 오인하기 쉽지만, 사실은 진균입니다!

*Enterocytozoon bieneusi*는 주로 소화기 계통의 질환인 설사, 흡수 부전, 담관염을 일으킵니다.

*Encephalolitozoon intestinalis*는 이름과는 달리 설사, 각막염, 결막염 등을 일으키며 전신 감염도 생깁니다.

*E. cuniculi*는 주로 간염, 뇌염, 전신 감염으로 나타납니다.

*E. hellem*은 각막염, 결막염, 부비동염, 전립선염 내지 농양, 그리고 전신 감염을 보입니다.

*Anncaliia*와 *Trachipleistophora* 종은 각막염, 결막염, 근염, 뇌염 등으로 나타납니다.

치료 원칙은 무엇보다 먼저 ART 시작이 최우선입니다.

6) JC virus

이 바이러스는 progressive multifocal leukoencephalopathy (PML)의 원인입니다.

국소적으로 신경 수초(myelin)가 까지는 것이 주요 병변입니다. 그 결과, 마치 뇌졸중처럼 반신 마비, 언어 장애 등으로 증상이 나타납니다.

신기한 게, 시신경은 건드리지 않아요.

척수도 건드리는 경우가 드뭅니다.

ART 시작 후 IRIS 증세로 나타나기도 합니다만, 그래도 ART를 철저히 해서 면역 능력을 회복시키는 데에 주력하는 것이 좋겠습니다.

3. CD4$^+$ < 50 cells/μL에서의 OI

1) Cytomegalovirus (CMV)

CMV는 단순히 잠복의 표현인지 아니면 진짜 질환인지 진단하기 모호하고, 치료 판단과 종결 기준 정하기도 어렵고, 완치라는 면에서는 뒤 끝이 너무 많아 안 좋은 추억들이 많습니다. 그래서 제 개인적으로 무척 싫어하는 감염 질환입니다.

PJP와 더불어 가장 흔히 보는 것이 CMV retinitis입니다.

특히 CD4$^+$ 세포 수가 50/μL 미만으로 바닥을 치면 거의 틀림없다고 보고, 아예 안과 선생님께 의뢰해서 한 번 점검해 보는 것이 좋습니다.

그 밖에 장염, 식도염, 뇌실염, 뇌염 등을 일으키며 폐렴은 의외로 많지는 않습니다. 그러나 PJP와 자주 동반되어 있어서, 이것이 진짜 CMV 폐렴의 공존인지, 아니면 잠복해 있으면서 말썽 안 부리고 있음에도 불구하고 누명을 쓴 것인지 감별이 불분명하곤 합니다. 제 경우는 CMV 정량에서 1,000 copies/mL 넘어가면 같이 치료해 줍니다만, 정석은 아닙니다. 그리고 CMV 폐렴 치료의 정량 기준은 통일되어 있지 않아요. 사실은 가톨릭의대 성모병원의 조혈모 이식 환자의 기준을 따 와서 적용한 것뿐입니다. 그래도 없는 것보단 낫습니다.

폐렴 치료를 언제까지 하느냐가 문제인데, 일단은 3주로 잡습니다.

종료 기준은 임상적으로 호전되고 촬영으로 봐도 호전이 확실한 걸로 정해놓기는 하는데, 정량 PCR DNA copies가 문제입니다. 이 수치가 0이 될 때까지 해야 하느냐는 주치의 입장에서 정합니다. 결국 병원 별로 각자 정하는 게 답입니다.

CMV retinitis는 ganciclovir를 5 mg/kg 하루 2번 정맥 주사로 3주간 투여하고, 경구 valganciclovir 900 mg 하루 2번으로 주다가 하루 1번으로 CD4$^+$ 세포 수가 정상화될 때까지 유지합니다. 이 질환은 혼자 하지 말고 반드시 안과 선생님과 합동으로 하셔야 합니다.

CMV colitis는 retinitis와 동일한 치료 원칙을 적용하는데, 증상이 소실될 때까지 해야 하므로 6주까지 연장될 수도 있습니다. 재발만 안 한다면 망막염과는 달리 유지 치료는 굳이 할 필요 없습니다.

Ganciclovir가 안 들면 2차 약제로 foscarnet 혹은 cidofovir를 줍니다.

2) *Mycobacterium avium* complex (MAC)

CD4$^+$ 세포 수가 50/μL 미만일 때 합병되는 가장 대표적인 OI가 바로 MAC입니다.

이 상황에서 폐에 cavitary lesion이 있으면 강력히 의심해 볼 가치가 있습니다.

아시다시피 치료는 clarithromycin이나 azithromycin을 기본 뼈대로 해서 ethambutol과 rifabutin으로 조합을 구성합니다.

4번째 조합으로 levofloxacin이나 moxifloxacin을 추가할 수도 있습니다.

Clofazimine은 원래 MAC 치료 약제이지만, HIV 환자의 경우는 예후가 안 좋은 것으로 결론이 나 있으므로 추가하면 안 됩니다.

3) *Toxoplasma gondii*

이것도 생각보다 꽤 많습니다. 제대로 발현되면 뇌염으로 나타납니다.

발열, 두통, 편마비, 의식 수준 이상, 심하면 경련까지 보일 수 있습니다.

뇌 MRI 촬영을 해 보면 다발성 병변을 보입니다.

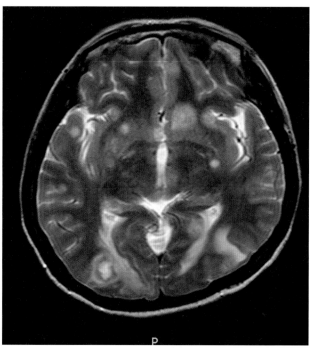

뇌에 다발성으로 생긴 toxoplasmosis. 처음에는 원인 모를 암의 뇌 전이로 의심되었으나 HIV 진단됨과 동시에 IgG Toxoplasma 양성 나와서 진단되었습니다.

*T. gondii*에 대한 IgG 항체가 양성이면 거의 확실하다고 보면 됩니다. 만약 음성이라면 가능성은 10% 미만으로 급락합니다.

물론 확진은 뇌 조직 생검으로 증명하면 되지요. 그러나 이 시술 자체가 위험성을 많이 안고 있기 때문에 섣불리 시행하지는 못합니다. 단, Toxoplasmosis를 의심해서 2-4주 동안 경험적 치료를 했음에도 불구하고 개선이 없다면 확인하는 의미에서 시행을 하도록 합니다.

치료로는 sulfadiazine 2-4 g/day (1g q 6h), pyrimethamine 200 mg 먼저 주고 이후 매일 50-75 mg, 그리고 leukovorin (folinic acid입니다, folic acid가 아니고! 제25강 '주요 진균 감염'을 참조하세요) 매일 5-20 mg을 보충해 줍니다. 치료 기간은 4-6주 정도로 잡습니다. Clindamycin 혹은 atovaquone + pyrimethamine, 또는 azithromycin + pyrimethamine + rifabutin이 있습니다. 재발을 잘 하므로 *Toxoplasma* 뇌염 경력이 있는 환자라면 이 조합을 CD4$^+$ 세포 수가 200/μL를 넘을 때까지 계속 유지하는 것이 권장됩니다. 다시 말해서 적어도 반 년은 주라는 얘기가 되겠습니다.

예방은 TMP-SMX로 하는데, 마침 CD4$^+$ < 200/μL이면 어차피 PJP 예방을 위해 투여가 되므로, 겸사겸사 이것도 예방이 되는 혜택을 누릴 수 있습니다.

4) Bartonellosis:

주로 bacillary angiomatosis나 peliosis hepatitis로 나타납니다.

*Bartonella henselae*와 *B. quintana*가 주 원인균입니다.

특히 피부에 나타난 bacillary angiomatosis는 Kaposi's sarcoma와 육안으로 구분이 불가능합니다. 이 둘은 치료 방침이 다르므로, 반드시 조직 생검으로 감별해 주도록 합니다.

치료는 doxycycline과 erythromycin을 적어도 3개월 투여합니다. 만약 중추 신경계를 침범했다면 rifampin을 추가할 수 있습니다. 대안으로 azithromycin이 있습니다.

4. CD4⁺ 세포 수와 무관하게 발생하는 감염 질환

결핵이 대표적입니다.
이에 대해서는 제21, 22강에서 설명하였으니 참조 바랍니다.

5. HIV에 동반되는 감염 질환

은근히 많습니다.
HIV에 동반된다 함은 사실상 성 매개 감염이란 뜻입니다

특히 매독(syphilis)을 동반하고 오는 환자들이 많습니다.
1차 매독은 chancre를 특징으로 합니다만, HIV 환자에서는 아예 없는 경우도 많습니다.
의외로 2차 매독이 자주 있는데, 미열, 림프절염, 그리고 피부와 점막에 발진이 다발성으로 나타납니다. 그래서 멀쩡히 잘 다니던 HIV 환자가 어느 날 전신 피부 발진으로 온다면 매독부터 감별해야 합니다. 대략 성 접촉하고 2-8주 정도에 나타나므로 성 관계 관련 병력 청취를 이에 준해서 잘 하도록 합니다.
치료는 일반 매독 환자와 동일한 원칙으로 Benzathine penicillin 240만 단위 근육 주사를 합니다.

문제는 3기, 즉 신경매독입니다.
HIV 환자는 특히나 신경 매독 여부를 항상 염두에 두어야 합니다.
원래 HIV 아닌 환자의 무증상 신경매독 진단 기준은 CSF 백혈구 세포 수 5개/μL, 단백 45 mg/dL를 경계선으로 하지만, HIV 환자가 VDRL 혹은 RPR titer

가 1:32 이상이며 CD4 세포 수가 350/μL 미만이면 증상이 없더라도 뇌척수액(CSF) 검사 소견이 비정상으로 나타나는 경우가 많습니다. 그래서 일부에서는 CSF 백혈구 수 20개/μL를 기준으로 삼자는 주장도 있긴 합니다. 그렇다고 해서 그런 소견이 꼭 신경 매독을 의미하는 것은 아니며 HIV 자체로도 나타날 수 있기 때문에 속단은 금물입니다.

신경학적 이상 증상이 없다면 신경 매독의 가능성은 높지는 않습니다.

만약 신경학적 이상은 있는데 CSF VDRL이 음성이라면 CSF FTA-ABS를 추가로 시행합니다. 이는 특이도가 썩 만족스럽진 않지만 민감도가 워낙 좋아서, 만약 음성으로 나온다면 신경매독 가능성은 희박해집니다. CSF에서 PCR이나 RPR 측정은 별로 도움이 안 됩니다.

치료는 penicillin G 3-4백만 단위를 하루 4시간마다 총 10-14일간 투여합니다. 완료 후에는 3개월, 반년, 1년, 2년, 3년까지의 순서로 혈청 VDRL 혹은 RPR 값이 적어도 처음의 1/4로 떨어지는지 여부를 모니터하며, 매 6개월마다 척수액 검사를 실시합니다. 물론 척수액 소견이 정상화되면 종결.

Human papillomavirus는 구강과 성기의 사마귀로 나타나며, 잘 알려져 있다시피 자궁 경부암의 원인이기도 합니다.

사마귀는 치료가 까다롭습니다. Podophyllotoxin, imiquimod, cryotherapy, trichloroacetic acid (TCA), bichloroacetic acid 등이 사용됩니다만 효과는 천차만별입니다. 제거 시술도 동시에 시행하는데, electrocautery로 지지거나, tangential shave excision, curettage, tangential scissor excision, electrosurgery, infrared coagulation 등이 있습니다.

Hepatitis B와 C virus 감염도 동반되는 경우가 많습니다.

6. 기회 감염의 예방

OI의 예방은 환자의 CD4$^+$ 세포 수를 기준으로 삼아서 결정합니다.
200/μL 미만일 경우에는 PJP를 의식해서 TMP-SMX single 혹은 double
strength로 매일 투여합니다. 이는 100/μL 미만일 경우에 방지해야 할 toxo-
plasmosis까지 덩달아 예방할 수 있습니다. 50/μL 미만일 때에는 MAC을 의
식하여 azithromycin 하루 한 알을 투여하는 걸로 예방을 합니다.

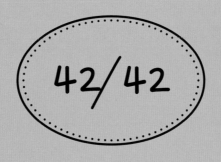

제42강

생물 테러

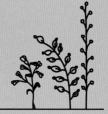

생물 테러

생물 테러는 인간에게 치명적인 생물(주로 미생물) 혹은 독(toxin)을 사용하여 행하는 테러를 일컫습니다.

이러한 생물학 무기는 얼핏 보기엔 저비용 고효율이기 때문에 일명 '가난한 자의 핵무기'라고도 불립니다만, 실상은 그렇지 않습니다.

실제로는 무기화하기 위한 생산 과정이 상당히 까다롭기 때문에 결국은 잘 살고 과학 분야의 수준, 그리고 생산 능력이 갖춰진 나라, 쉽게 말해서 선진국이 아니면 못 만들어냅니다.

생물학 무기가 되려면 여러 까다로운 조건들을 충족해야 합니다.

인체에 접촉 즉시 발병하는 병원체는 무기로서 부적절합니다. 무엇보다 가능한 널리 퍼져야 하는데, 잠복기가 너무 짧으면 병원체를 살포하는 순간 상당수가 다 죽어버리며 희석되니까요. 같은 이유로, 잠복기가 몇 달, 몇 년씩 너무 길어도 부적합합니다.

그리고 전염력이 상당히 강해야 합니다.

또한 당연한 조건이지만 치명률이 매우 높아야 합니다.

무엇보다 짧은 시간에 쉽게 대량 생산을 할 수 있어야 합니다.

그리고 생물학 무기는 눈 먼 무기이기 때문에 어디로 튈지 짐작할 수 없습니다. 미생물 분말을 대량 뿌렸는데, 만약 바람이 아군 쪽으로 분다면 완전 낭패입니다. 이에 대비해서 해당 미생물에 대한 백신이나 항 독소, 치료제 등이 갖춰져 있어야 합니다.

무협 소설에 보면 독을 사용하는 사천당문은 반드시 해독제를 갖추고 있는 것과 같은 이치입니다.

결론적으로 생물 테러는 아무나 할 수 있는 것이 아닙니다.

이슬람 테러 집단들이 생물 테러를 할 수 있을까요?

한 마디로 웃기는 소리입니다.

미국 CDC로 잠입해 들어가서 치명적 미생물들을 훔쳐내 올 수 있다면 모를까, 그쪽 과학 수준으로는 일단 생산부터 불가능입니다. 강탈해 왔다 하더라도 효율적으로 사용할 수 있는 역량도 안 됩니다.

역사적으로 봐도 실제 생물 테러를 자행한 국가들은 다 구미 선진국들이었습니다.

이래저래 핵뿐 아니라 생물 테러도 어느 정도는 잘 살아야 할 수 있는 더러운 세상인 셈이죠.

오해해서는 안 되는 게, 생물 테러를 하는 목적은 적들을 대량 살상하겠다는 데에 있지 않습니다.

그보다는 사실 공포감 조성을 통해 사기 저하와 전투력 상실이 진짜 목적입니다.

솔직하게 말할까요?

개인적인 생각으로는 이게 과연 얼마나 우리 국가와 사회에 치명적인 결과를 가져올 지에 대해서는 매우 회의적입니다.

그럼에도 불구하고, 생물 테러가 만약 일어난다면 이로 인한 우리 사회의 동요와 불안감 팽배 등의 영향을 무시할 수는 없기에 정부에서 생물 테러에 대해 진지하게 대하는 것 같습니다.

그렇다면 과연 어떤 병원체들이 생물학 무기로 이용될 수 있는지, 만에 하나 생물 테러 발생으로 병원에 실려온 환자들에게 우리 의료인들은 어떻게 조치를 취할 수 있는지에 대해서 기본적인 지식들은 갖추고 있어야 할 것입니다.

생물학 무기는 미 CDC에서 각 병원체들의 치명도에 따라 3가지 서열로 분류했습니다.

먼저 category A는 가장 위중한 등급으로, 제대로 발생하면 빠른 전파력에 높은 치명률로 국가 안보에 막대한 지장을 초래하고 국민들이 공포에 빠질 수 있는 병원체들이 해당합니다.

이에 해당하는 것으로는 anthrax, smallpox, Bubonic plague, Tularemia, SARS, Botulinum toxin, viral hemorrhagic fever가 있습니다.

그 다음으로 category B는 category A와 비교해서 치명률이 높지 않고, 전파력도 아주 높지는 않은 병원체들입니다.

이에 해당하는 것으로는 *Brucella*, *Clostridium perfringens*의 toxin, 음식에 풀어서 해를 끼칠 수 있는 미생물로서 *Salmonella* 종, *E coli* O157:H7, *Shigella*, *S. aureus* 등, 수인성 질병을 일으킬 수 있는 미생물로서 예를 들어 *Vibrio cholerae*나 *Cryptosporidium parvum*, *Burkholderia mallei*와 *B. pseudomallei*, *Chlamydia psittaci*, *Coxiella burnetii*, *Ricinus communis*의 toxin, *Abrus precatorius*의 toxin, Staphylococcal enterotoxin B, *Rickettsia prowazekii*, encephalitis 일으키는 바이러스들이 있습니다.

마지막으로 category C는 치명률은 충분히 높지만 아직 대량 질병 발생 무기로서의 개발은 가능성만 남겨 놓고 있는 미생물입니다. 간단히 말해서, 자질은 좋은데 그냥 거기까지라는 얘기입니다. 예를 들어 Nipah virus나 Hantavirus가 있습니다.

이제 이들 중에 우리가 임상가로서 어느 정도는 알고 있어야 할 것들을 몇 가지만 추려서 짚어 보기로 하겠습니다. 일부는 지난 단원에서 이미 자세히 다루었으므로 여기서 더 중복 언급하지는 않겠습니다.

1. Anthrax(탄저)

1) 기본

*Bacillus anthracis*가 원인균입니다.

아마도 가장 이상적인 생물학 무기라 할 수 있습니다.

잠복기 적당하고, 치명률 높고, 대량 생산 기능하니끼요.

덤으로, 포자 형태이므로 상대방 진영에 한 번 뿌리고 나면 십 년이고 백 년이고 잔존할 수 있어서 더욱 오랜 기간 동안 동요와 불안감이 팽배하게 할 수 있습니다.

탄저는 각종 매체에서도 즐겨 다루는 소재입니다.

가장 비근한 예로 2022년도 오스카 감독상을 받은 영화 'The Power of the Dog'은 결국 탄저균을 이용한 계획적 살인을 다루고 있습니다. 아, 이거 스포일러인가요?

Aldous Huxley의 대표작인 '멋진 신세계'에서도 인류가 한 차례 멸망을 겪은 이유가 탄저균을 이용한 생물학 무기를 사용한 전쟁 탓이라는 설정으로 시작을 하지요.

실제 사례들로 대표적인 사건은 2001년에 있었던 탄저균 우편물 테러를 들 수 있겠습니다.

2) 현황

탄저는 국가 지정 제1급 감염병으로 국내는 1952-1968년까지 4번의 집단 발생으로 총 85명의 환자가 발생하였었습니다.

이후 1992년까지는 발생이 없다가, 폐사한 소를 익히지 않고 먹어서 집단 발병하는 사례들이 산발적으로 보고됩니다. 2000년 이래로 2022년 현재까지 발생 보고는 없습니다.

전 세계적으로 아프리카와 아시아에서 매년 2,000-20,000건이 발생합니다. 미국에서는 2000년대 초반에 실험실에서 잘못 다루었다가 탄저에 감염된 사례들이 있었습니다.

3) 탄저균

탄저균은 감염학의 역사에서 매우 중요한 의미를 가진 균입니다.

다름 아닌 로베르토 코흐가 탄저균을 규명하는 과정에서 germ theory가 시작되었으니까요.

원인균인 *B. anthracis*는 aerobic 혹은 facultatively-anaerobic인 그람 양성 간균입니다. Capsule을 두르고 있고, 특히 포자를 형성하는 것이 특징입니다. Anthrax라는 이름은 그리스어 'anthrakis'에서 유래했는데, 검은색이라는 뜻입니다. 피부 탄저의 병변이 괴사에 의해 새까만 데서 붙인 명칭입니다.

가계도를 보면 Order: Bacillales, Family: Bacillaceae, Genus: Bacillus 가문입니다.

4) 병리 기전

탄저균의 위력은 두껍게 두르고 있는 capsule과 이들이 내는 외독소(exotoxin)들에서 나옵니다.

Capsule은 인체 면역 세포의 식균 작용에 굳건히 저항을 하는 기반입니다.

쉽사리 잡아 먹히지 않으니 탄저균은 자기가 하고 싶은 짓은 다 할 수 있습니다.

그 짓은 다름 아닌 독소입니다.

탄저균 독소의 핵심은 3가지입니다: protective antigen (PA), edema factor (EF), 그리고 lethal factor (LF).

PA는 세포에 결합하면서 EF와 LF를 은밀하게 세포 안으로 들여보내 주는 트로이 목마 역할을 합니다. 탄저 백신의 과녁이기도 합니다.

EF는 calmodulin 의존성 adenylate cyclase입니다. 따라서 세포 내 cAMP를 증가시킴으로써 세포 내 수분의 평형을 교란합니다. 그 결과, 세포 내부 signal pathway에 지장을 초래하고 특히 macrophage를 고장냅니다. 그러면 탄저균을 견제할 방어선이 무너지지요.

LF는 zinc 의존성 protease로서 세포 내부 signal pathway를 지지함과 동시에 세포의 apoptosis를 초래합니다. 그 결과, macrophage가 죽고, 조직이 괴사합니다.

탄저균이 인체로 침투하는 경로는 크게 3가지가 있습니다:

하나가 흡입입니다. 이 경로로 생기는 탄저가 inhalation anthrax죠.

흡입으로 들어온 포자들은 폐포에 축적됩니다. 이는 그 부위 림프절로 옮겨지고, 거기서 포자 껍질을 깨고 다시 균으로 자라나며 증식을 합니다. 균이 되살아 났으니 당연히 앞서 언급한 독소들도 신나게 분비하며, 이러한 결과로 전신 침투가 시작되고 septic shock까지 갑니다.

피부 탄저는 약간이라도 피부에 손상이 있으면 포자가 기어들어 옵니다. 역시 거기서 재생하고 증식하며 독소를 분비하면서 피부 부종과 괴사가 초래됩니다.

영화 'The Power of the Dog'에서 피부 탄저에 걸리는 과정이 바로 이것이었습니다.

손에 상처가 있다는 걸 알고서 일부러 탄저균 오염물을 만지게 한 것이었죠.

또 스포일러 해서 죄송합니다.

위장관 탄저는 탄저균 포자에 오염된 육류를 섭취해서 생깁니다. 우리나라에서 보고된 탄저 집단 발병 사례가 여기에 해당합니다.

사실은 경로가 하나 더 있습니다.

북유럽의 사례인데, 약물 중독자들이 주사 바늘을 공유하다가 피부 탄저가 생긴 사례가 있었습니다.

5) 임상 증상

임상 증상은 어느 경로로 들어왔느냐에 따라 나타납니다. 빠르면 당일에도 나타날 수 있지만 포자의 특성상 두서너 달 있다가 뒤늦게 나타날 수도 있습니다.

제대로 치료받지 못하면 당연히 전신으로 퍼지고 사망에 이릅니다.

피부 탄저는 탄저병의 95%를 차지합니다.

노출되고 빠르면 당일, 늦어도 일주일 내로 증상이 발현됩니다.

피부 병변 양상이며 까만 괴사 병변(eschar)을 특징으로 합니다.

처음엔 가려운 발진으로 시작했다가 점차 악화되어 무통성 궤양이 되고 결국 괴사가 됩니다. 괴사 병변은 약 2주 정도 갑니다.

치료를 제대로 못 받으면 20% 정도가 사망합니다.

흡입에 의한 탄저는 호흡기를 침범하므로 가장 치명적입니다.

따라서 생물 테러를 한다면 바로 이 경로를 선호하겠죠.

하루에서 1주일 정도의 잠복기를 거쳐 증상이 시작됩니다.

처음엔 미열, 무기력, 오심, 구토, 가슴 통증, 기침 등으로 시작합니다.

균이 증식을 하면서 종격동 림프절들이 붓게 되어 출혈성 림프절염과 종격동염으로 발전합니다.

그래서 이때 흉부 X선을 찍어보면 종격동 음영이 넓어져 있는 것을 발견할 수 있습니다. 이 단계까지 오면 bacteremia로 가는 건 시간 문제이며, 절반에서 수막염이 동반됩니다. 증상 시작되고 하루에서 열흘 사이에 사망합니다.

위장관 탄저는 매우 드물지만 이 또한 치명적입니다.

발열과 오한이 있으면서 목이 부어오르고, 아파서 음식을 못 삼키며, 쉰 목소리를 내고 오심과 구토, 토혈(위장관 궤양 때문), 설사, 복부 팽만 혹은 복수 등을 보입니다.

제대로 치료를 못 받으면 역시 bacteremia로 가서 환자의 25-60%가 사망하는 치명적인 결과가 빚어집니다.

6) 치료

망설이면 안 됩니다.

의심되면 즉각 항생제 투여를 시작합니다.

안 그러면 환자 죽습니다.

Ciprofloxacin + clindamycin 혹은 linezolid 조합을 우선 선택합니다.

그러나 수막염까지 있다면 항생제는 3개를 써야 해서, 여기에 beta-lactam을 추가합니다. 적어도 3세대 이상의 cephalosporin이나 meropenem을 선택해야 하겠죠.

항독소는 만약 구할 수 있다면 같이 주도록 합니다.

그러나 유감스럽게도 아직 국내에는 없습니다.

치료 기간은 최소 60일입니다.

포자이기 때문에 그 정도로 긴 기간 동안은 줘야 하니까요.

생물 테러로 탄저균에 노출된 사람에게는 탄저균 백신과 더불어 ciprofloxacin + doxycycline을 60일 동안 복용하도록 합니다.

환자는 확진되지 않았더라도 의심이 된다면 입원 및 격리 치료를 합니다.

격리는 피부 탄저는 접촉 주의에 준해서 하며, 흡입 탄저의 경우 표준 주의로 합니다.

42강

7) 예방

미국에는 AVA (anthrax vaccine adsorbed)가, 영국에서는 AVP (anthrax vaccine precipitated)가, 러시아에서는 LAAV (live anthrax attenuated vaccine)가 있습니다.

백신이 있다는 것은 해당 균에 대한 제어 능력이 있다는 것입니다. 서두에 무협 소설 설정으로 한 비유 잊지 않으셨죠?

이게 의미하는 것은 미국, 영국, 러시아가 탄저균을 무기로
사용할 능력이 있다는 뜻도 됩니다. 참으로 역설적이죠?
유감스럽게도 2022년 현재 국내에 백신은 없습니다.

2. *Brucella* species (Brucellosis)

국가 지정 제3급 감염병으로 국내에서는 연간 10건 이내로 발생합니다.
동물 브루셀라병은 2000년부터 매년 1,000건 미만으로 발생합니다.
주로 가축을 다루는 이들에서 발생하는데 축산업자가 가장 많습니다.
외국에서는 지중해 지역과 중남미, 카리브해, 중동, 아프리카, 아시아에서 주로 발생합니다.

원인균은 크게 4가지 종입니다: *B. suis, B. abortus, B. melitensis*, 그리고 *B. canis.*
그람 음성 coccobacilli로 세포 내에서 잘 살아갑니다.
탄저균과는 달리 포자나 toxin을 생성하지는 않습니다.
임상 양상이 꽤 험악하다는 점을 감안하면 그나마 다행이죠.

임상 증상은 정말 다양합니다.

전신 어디서나 증상이 나타납니다.

예를 들어 수막염, 뇌염, 척수염, 심내막염, 골수염, 간 농양, 폐렴, 폐 농양 등입니다. 특히 중추 신경계 침범이 심각한데(neurobrucellosis), Guillain-Barre syndrome 내지 지주막하 출혈도 생길 수 있습니다.

피부에도 염증이나 농양, 결절성 홍반, panniculitis 양상으로 나타납니다.

치료 원칙은 세포 내 감염이라는 점을 감안하면 세포 내 침투가 우수한 항균제로 2개 이상을 사용하는 걸로 정하고 있습니다.

일단 doxycycline을 기본으로 해서 aminoglycoside, rifampin, TMP-SMX를 조합합니다.

Neurobrucellosis, endocarditis, osteomyelitis, myelitis의 경우에는 항생제를 3가지 줘야 하며 적어도 8주 동안 치료를 해야 합니다. 사실은 이보다 더 오래 투여를 합니다.

환자는 격리를 굳이 할 필요는 없으나, 치료 끝나고 최소 2년 동안은 절대로 헌혈을 하면 안 됩니다.

Brucella균은 aerosol로 만들기 용이하기에 무기화가 이미 되어 있습니다, 미국에서요. 거 봐요. 제가 뭐랬습니까.

하지만 치명률은 5% 정도로 높지는 않습니다. 따라서 생물학 무기로 쓰기엔 뭔가 좀 미흡합니다. 그래서 category B이겠죠.

3. *Franciscella tularensis* (tularemia; 야토병)

국가 지정 제1급 감염병으로, 인수공통 감염병입니다.

1911년 캘리포니아에서 처음 분리된 이후, 북미와 스칸디나비아 반도를 포함한 북반구에서 주로 발생이 보고되고 있습니다.

사람 간의 전파는 없습니다.

그람 음성 coccobacilli로 전염력이 매우 높습니다.

일단 진드기나 파리, 모기 등의 곤충에 의해 감염되지만, 그 밖에 aerosol 흡입 (생물 테러에 사용한다면 이 경로이겠죠), 손상된 피부와의 직접 접촉, 섭취 등으로도 감염되는 등 다양한 경로로 이루어집니다.

국내에서는 1996년 포항 지역에서 야생 토끼를 요리하던 중 상처 감염으로 보고된 증례와 2015년 경북 지역의 소아에서 발생한 폐렴 1례가 다입니다.

주로 코소보와 북유럽을 중심으로 전 세계적으로 발생하고 있으며, 연간 50만 건의 발생 사례가 보고됩니다.

중국과 일본에서도 드물게 발생이 보고되고 있습니다.

임상 증상은 탄저처럼 어떤 경로로 감염되었느냐에 따라 다양하게 나타납니다.

피부로 감염되었다면 궤양과 림프절 종대로 나타나고, 흡입에 의한 것이라면 폐렴으로 나타납니다. 섭취에 의한 것이라면 인두염이나 편도선염, 경부 림프절염을 보입니다. 혹은 그런 증상 없이 마치 장티푸스를 연상케 할 만큼 불명열 양상으로만 증상을 보이는 경우도 있습니다.

치명률은 2-24%입니다. 약간의 불운이 작용하는데, 어떤 strain을 만나느냐에 따라 달라지기 때문입니다. 특히 type A strain을 만나면 사망률이 올라갑니다.

진단은 쉽지 않습니다. 환자의 병력과 임상 양상에 따라 담당의가 주관적으로 판단을 내려야 하는 경우가 많습니다.

혈청 검사가 중요한데, 처음부터 1:160 나오거나 첫 수치와 회복기 수치가 4배 차이 나면 진단됩니다.

항생제 치료는 aminoglycoside가 우선이고 FQ가 차선입니다. 그러나 FQ는 type A strain에 의한 중증에는 적절치 않습니다.

총 치료 기간은 7-14일입니다.

단, 뇌수막염과 심내막염이라면 21일 이상 줘야 합니다.

Tetracycline도 사용할 수는 있지만 bacteriostatic 작용이라 썩 권장되지는 않습니다.

만약 생물 테러로 노출이 된다면 24시간 이내로 ciprofloxacin 500 mg 하루 2번 혹은 doxycycline 100 mg 하루 2번을 총 14일간 투여하면서 증상 발현하는지 감시 관찰을 받아야 합니다.

4. *Yersinia pestis* (plague; 흑사병; 페스트)

1) 기본

페스트는 국가 지정 제1급 감염병입니다.

역사적으로 보면 아주 고대부터 있었겠지만, 정식으로 기록된 역사 문헌만으로 보자면 6세기에 비잔틴 왕국에서 무려 4천만 명의 희생자를 냈던 사건을 시작으로 인류 역사에서 특기할 만큼 대규모로 폭발했던 적이 서너 차례 있었습니다.

죽을 때쯤 되면 신체 여러 부위가 새까맣게 괴사되면서 사망하게 되어 'the Black Death (흑사병)'이라고 불리게 된 것입니다.

1850년대에는 중국 위난에서 대규모 발생을 한 것을 계기로 Alexandre Yersin이 원인균 규명에 착수하여 1894년에 드디어 원인균을 알아냅니다.
처음엔 파스퇴르에 대한 존경의 표시로 *Pasteurella pestis*로 명명하였으나, 나중에 Yersin의 이름을 따서 *Yersinia pestis*로 개명됩니다.

1898년엔 Paul-Louis Simond가 이 균의 매개체가 쥐 벼룩(flea)임을 밝혀 냅니다.
페스트의 첫 발상지는 중국이며, 이를 기점으로 전 세계로 퍼져나갔음이 최근 유전자 연구에서 밝혀진 바 있습니다.
그러나 20세기 전반기 동안은 주로 인도에서 페스트가 발생하며 천만 명 정도가 사망하였고, 1960년대에는 월남전에서 유행을 하기도 하였습니다.

2) 현황
오늘날 국내에서는 발생 사례가 없으나, 오세아니아를 제외한 전 대륙에서 발생하며 현재 가장 많은 발생이 있는 지역은 마다가스카르, 콩고민주공화국, 페루 등으로 전 세계 페스트 발생의 90%를 차지합니다. 2010-2015년까지 3,248명의 감염 사례가 있었고 584명이 사망한 것으로 알려져 있습니다.
2017년 마다가스카르에서 다시 페스트 유행이 있었습니다.
최근 2020년 6월에는 콩고민주공화국에서 또 다발적으로 발생했습니다.

3) 균
*Yersinia pestis*는 그람 음성균으로, Giemsa 염색을 하면 안전핀처럼 bipolar staining 모양을 보입니다.

가계도를 보면 Order: Enterobacterales, Family: Yersiniaceae 가문입니다.
다행히도 포자를 만들지 않습니다.

4) 기전

매개체는 *Xenopsylla cheopis*이며 일부는 *X. braziliensis*도 매개합니다.

벼룩은 주로 쥐(Rattus rattus 검은 쥐, R. norvegicus 갈색 쥐)를 비롯한
설치류(Spermophilus 땅다람쥐, Tamias 줄무늬다람쥐 chipmunk, Cyno-
mus 뽀뽀대장 prairie dogs)의 피를 빨면서 살아갑니다.
가끔 돼지나 새 등에도 서식합니다.

즉, 사람은 accidental host입니다.

벼룩의 소화기관은 피를 빠는 입에서 시작하여 식도, 그리고 위장으로 이어집
니다.
식도와 위장의 경계부위에 proventriculus라는 기관이 있는데, 일종의 밸브입
니다. 이 밸브의 역할은 피를 실컷 빨아서 위장이 빵빵해지면 다시 역류할 위
험을 막아주는 겁니다.
그런데 페스트 균에 벼룩이 감염되면 피와 페스트 균이 섞이고 뭉치면서 혈전
이 만들어짐과 동시에 페스트 균은 biofilm을 내면서 더 큰 뭉치가 형성됩니다.
그 결과, 식도에서 위장에 걸쳐 거대한 피떡이 만들어지면서 위장으로 들어가
는 입구를 틀어막습니다. 그 과정에서 밸브는 무용지물이 됩니다.
이렇게 된 불행한 벼룩을 blocked flea라고 합니다.
이후부터 빠는 피는 식도에서 페스트균과 섞이면서 맴돌기만 할 뿐이지, 위장
안으로 들어가지 못합니다.
그렇다면?
토할 수밖에 없지요.

그래서 페스트균이 잔뜩 섞인 피가 벼룩이 빨던 동물(쥐)에게 곧장 들어가게 됩니다.

그 결과 쥐들은 페스트에 걸리게 됩니다.

한편 벼룩은?

백날 피를 빨아 봐야 위장에 안 들어가고 죄다 토하니 항상 배가 고파서 어쩔 줄 몰라합니다.

그래서 피를 애타게 갈구하며 보이는 대로 마구잡이로 달려들어 피를 빨아대는 헛심을 씁니다.

시간이 지나면 벼룩의 주 고객인 쥐들이 페스트로 몰살당합니다.

그래서 벼룩은 다른 먹거리를 찾아 헤맵니다.

쥐들과 거리적으로 가까운 곳에 있는 동물은?

그게 바로 사람이죠.

그래서 사람도 페스트에 걸립니다.

벼룩의 운명은 비참합니다. 결국 굶어 죽으니까요.

한편, 사람과 쥐는 페스트 패혈증으로 죽습니다.

페스트 균이 혹독한 양상을 몰고 오는 이유는 20여 가지의 virulence factors 를 내기 때문입니다.

그런데, 좀 독특한 것이 온도에 따라 내는 메뉴가 다릅니다.

벼룩의 체온(섭씨 20-28도)에서 생성되는 독성 인자들과 쥐나 사람의 체온 (섭씨 36도-37도)에서 생성되는 독성 인자들의 메뉴가 다르다는 것이죠.

벼룩의 체온에서 생성되는 virulence factors는 주로 증식 및 소화기관 폐색 용입니다.

- Fibrinolysin, phospholipase 같이 주로 벼룩 체내에서 증식을 위한 용도.

- Coagulase, polysaccharide (biofilm용) 같이 벼룩의 proventriculus를 폐 색시키는 용도.

이렇게 잘 지내다가 벼룩이 흡혈 과정에서 토하면 페스트 균은 갑자기 평소보 다 높은 온도(20도 대에서 37도로)인 체온이라는 환경에 노출됩니다.

이를 감지하고 나면 새로운 메뉴의 독소들을 만들어 내기 시작합니다.

쥐나 사람의 체온에서 생성되는 virulence factor는 주로 침습, 즉, 달라붙고 파괴하는 용도들입니다.

그래서 다음 4가지를 냅니다:

- F1 capsule: 즉, phagocytosis에 저항하는 용도

- Plasminogen activator (PLa)는 주위를 녹이면서 길을 내며 전진하는 용도, 즉 전신으로 퍼져나가기 위한 용도입니다.

- Yops: Yop A, B 등의 집단이며, 직접 파괴를 일삼거나, type III secretion system, 즉 주사기로 host cell에 직접 주입해서 세균 자신을 해코지 못하도 록 조종합니다.

- LPS (lipopolysaccharides): 내독소 endotoxin입니다.

그리하여 항상 그렇듯이 antigen presenting cell을 택시 삼아 lymphatics를 타고 reticular endothelial system (RES)에 도착합니다. 거기서, 특히 lymph node에서 분탕질을 치면 'hemorrhagic' suppurative lymphadenitis, 즉 소위 말하는 bubo를 조성합니다. 더 나아가 결국 혈류로 침투하여 전신에 퍼진다. 그것도 매우 빨리.

이렇게 전신에 퍼지면 Yops 와 LPS 가 진가를 발휘하여 패혈증이 본격 발현되고, 폐로 가서 정착하면 폐렴을 일으키고 피를 토하게 합니다.

5) 임상

임상적으로 크게 3가지 유형이 있습니다:

Bubonic plague

- Bubo는 swelling of regional lymph nodes, 즉 가래톳을 의미합니다.
  사타구니나 겨드랑이, 목 등에서 림프절이 염증으로 거대하게 붓습니다.
  이는 벼룩이 물은 자리에서 곧장 생긴 것입니다.
  느닷없이 갑자기 고열과 오한으로 시작되며 본격적으로 페스트가 시작됨을 알리는 불길한 증상입니다.

Septicemic plague

- Bubo에서 더 악화하여 나타나기도 하지만, bubo 없이 느닷없이 진행되기도 합니다. 그래서 배양에서 페스트균이 증명되기 전까지는 감도 못 잡을 수 있습니다.
  그래서 bubo와 비교해서 사망 확률이 훨씬 높습니다.
  제대로 치료가 안 되면 손, 발, 코끝, 귓볼 등의 혈관이 막혀서 까맣게 괴사가 일어나며 죽습니다. 'Black death(흑사병)'라 불리게 된 이유죠.

Pneumonic plague

- 이는 primary와 secondary로 구별됩니다.

  폐렴형 페스트 환자에게 옮아서 생기는 것이 Primary이고, bubo에서 진행되어 혈류를 타고 폐까지 침투해서 생기는 것이 secondary입니다. 헷갈리죠? 보통 bubo 시작하고 5-6일 내로 생기며, 3-4일 내로 사망합니다.

6) 치료

지체하지 말고 항생제를 줘야 합니다.

만약 발견하고 하루 이내로 치료를 시작하지 않으면 bubonic plague은 절반이 죽고, septicemic plague은 거의 다 죽기 때문입니다.

Streptomycin 1.0 g씩 하루 2번 근육주사로 7일간(10일?), 혹은 열 떨어지고 나서 적어도 3일간 줍니다.

Gentamicin 5 mg/kg로 하루 한번 혹은 2 mg/kg로 loading 해서 기선 제압 후 7 mg/kg로 하루 세 번 줍니다.

Ciprofloxacin은 400 mg을 하루 2번 정맥 주사.

Doxycycline은 200 mg을 12시간 간격으로 첫 날 주고, 이후 100 mg을 12시간 간격으로 줍니다.

TMP-SMX, macrolide, beta-lactams는 효과가 검증되진 않아서 권장되지 않습니다.

환자는 항생제를 시작하고 48시간 동안 비말 주의에 준한 격리를 시행합니다. 특히 폐렴형이면 더욱 신경을 써야 합니다.

밀접 접촉자는 능동감시를 시행하고 예방적 항생제를 투여하는데, ciprofloxacin 500 mg을 하루 2번 경구로 7일간, 혹은 doxycycline 100 mg을 하루 2번 경구로 7일간 복용시킵니다.

42강

감시 기간은 확진자와의 최종 접촉일 또는 위험 요인의 최종 노출일로부터 7일입니다.

생물학 무기로 쓰인다면 위력이 공포 수준입니다.

추산하기를, 500만 명이 사는 도시 하나에 페스트균 aerosol 50 kg을 살포하면 15만 명의 폐렴 페스트가 생기고 36,000명이 사망할 것으로 예상된다고 합니다.

어느 도시에서 느닷없이 피를 토하는 전격성 폐렴 환자들이 폭발적으로 발생하면 페스트에 의한 생물테러를 의심해 볼 필요가 있습니다.

5. 두창(천연두; 마마; Variola Major; Smallpox)

인류 역사에서 가장 많은 사망자를 낸 감염병은 무엇일까요?

아마 열에 아홉은 "흑사병입니다!"라고 대답할 겁니다.

땡!

흑사병은 넘버 2 정도 됩니다.

진짜 1위는 바로 천연두 되시겠습니다.

축적 사망자 수가 무려 10억 명.

1980년대에 비디오 볼 때면 항상 맨 처음에 영화 '네버 엔딩 스토리' OST가 배경 음악으로 깔리며 나오던 "옛날 어린이들은 호환, 마마 ..." 어쩌고 하던 대사의 '마마'가 바로 천연두입니다.

국가 지정 제1급 감염병이며 우리나라에서는 마지막 증례가 1961년 보고된 이래 현재까지 발병이 없습니다.

1967년 세계보건기구는 두창 박멸 사업을 시작하였고, 1980년 5월 8일 박멸을 선언했지요.

1975년 방글라데시와 1977년 소말리아에서 마지막 두창 환자 발생이 보고된 이래 현재까지 추가적인 공식 보고 사례는 없습니다.

천연두를 일으키는 바이러스는 variola virus로, 가계도를 보면 Family: Poxviridae, Genus: Orthopoxvirus, Species: Variola virus입니다.

구조를 보면 double stranded DNA로, envelope를 갖추고 있는 것과 안 갖고 있는 것도 있습니다. 전염력 있기는 마찬가지입니다.

강력한 전염력으로 유추할 수 있듯이 공기로 전파됩니다.

인체에 들어오면 1차 viremia를 거쳐 대략 일주일쯤 다시 2차 viremia 단계로 가면서 갑자기 발열과 두통, 소화기 증상과 더불어 피부 발진이 시작됩니다.

발진은 centrifugal 양상이라 얼굴, 인두, 몸통을 거쳐 사지, 손발바닥으로 퍼져 나갑니다.

발진 시작 일주일 정도가 가장 전염력이 강할 때입니다.

나중에 발진에 모두 딱지가 앉으면 비로소 전염력이 사라집니다.

출혈성 천연두 양상이면 예후가 가장 나쁩니다.

아시다시피 지금은 예방 접종 사업의 성과로 멸절되었지만, 실험실 유출이나 생물 테러의 위험 소지는 있습니다.

만약 두창 환자를 실제로 보게 될 때, 어쩌면 수두와 혼동할 가능성도 높습니다.

감별점은 다음과 같습니다.

먼저, 수두는 웬만하면 손바닥, 발바닥에는 잘 안 생깁니다. 꼭 그런 건 아니지만요.

그리고, 수두의 발진은 다양하죠. 두창 같이 한날 한시에 우당탕탕 우영우로 돋아나는 게 아니고, 중구난방으로 돋아나기 때문입니다. 그래서 어떤 놈은 그냥 발적, 어떤 놈은 농포 하는 식이죠. 마지막으로 수두는 중앙으로 모이는 경향을 보이는 반면에(centripetal), 두창은 몸의 외곽까지 퍼지는 경향(centrifugal)을 보입니다.

원숭이 두창과 사람 두창은 발진 자체로는 구분이 어렵습니다만, 원숭이 두창은 유난히 림프절 종대가 두드러진다는 점을 감별점으로 잡는 것이 좋겠습니다.

다행히도 치료제가 있긴 해요.

2018년 7월 미국에서는 tecovirimat (Tpoxx) 약제가 치료제로 FDA 승인을 받았습니다. 이 약제의 작용 기전은 바이러스의 envelope protein인 VP37을 방해하여 바이러스의 세포 내 생활사의 마지막 단계를 저지함으로써 바이러스가 세포를 탈출하지 못하게 하는 것입니다.

이 약제는 smallpox뿐 아니라 사촌인 원숭이 두창(monkey pox)에도 유효합니다.

아직 실전 경험이 없어서 확실하다고는 못하지만, 현재까지 임상 시험에서 인체에 별 부작용이 없는 것으로 밝혀져 있습니다.

이 약제는 미 정부에서 생물 테러에 대비하여 다량 비축하고 있습니다.

그 밖에 cidofovir나 brincidofovir도 시도해 볼 여지가 있으나, 역시 검증된 것은 아닙니다.

만약 환자가 발생한다면, 진단 즉시 국가지정입원 치료병상으로 공기 주의에 준한 격리 조치에 들어갑니다. 격리 기간은 모든 가피가 피부 병변에서 탈락된 후 48시간이 지나고, 검체에서 24시간 이상 간격으로 2회 연속 음성으로 확인될 때까지입니다.

밀접 접촉자는 예방 접종과 함께 능동 감시와 격리 조치를 합니다.

일상 접촉자나 2차 접촉자는 예방 접종과 함께 수동감시를 합니다.

백신은 바이러스 노출 전 혹은 노출 후 3일 이내, 늦이도 일주일 이내에 접종해야 합니다. 백신의 효과는 3-5년으로 추정되며, 필요시에는 추가 접종을 고려합니다.

만약 감시 중 38℃ 이상의 열이 나는 경우에는 환자로 간주합니다.

격리 기간은 17일이고 최장 20일까지 발병 여부를 관찰합니다.

에필로그

5번째 eponymous moniker를 세상에 선 보이며

자, 이렇게 또 나의 5번째 자식을 험한 강호로 내 보낸다.

2018년 첫 저서 '이야기로 풀어보는 감염학'을 출간하면서 '과연 나는 앞으로 몇 권의 저서를 낼 수 있을까?'하는 소박한 의문을 떠올렸었다.

명색이 의대 교수이지만, 내가 알아야 얼마나 알겠는가? 그나마 나름 내 머리 속에 있는 잡다한 지식들을 모조리 쏟아부었다고 자부하면서 낸 첫 책이라서, 잘 팔려도 원 히트 원더 정도일 걸로 치부하고 있었다.

그래도 참, 늦바람이 무섭다고, 한 번 저서를 내고 나니 나름 드라이브가 걸렸다.

그래서 또 하나, 또 하나 하며 내다보니 어느덧 다섯 권의 저서를 출간하게 되었다.

이제 와서 하는 얘기지만, 특히 2019년 두 번째 저서 '항생제 열전'을 낼 때만 해도 '혹시 이게 내 유작이 될지도?'하는 주책스러운 심정을 가지기도 했다.

본격 노화에 접어들었던 당시에 개인 건강이 최악이었거든. 집필하는 내내 수시로 가슴이 내려 앉는 부정맥 때문에 자연스럽게 든 공포심이었다. 그래도 내가 사랑하는 이들의 격려 덕분에 나름 호전되어 무사히 책을 낼 수 있었고 어느새 내 나이도 환갑을 넘겼다. 육십갑자가 한 번 돌았으니 무슨 여한이 있으랴.

이제는 '앞으로 몇 권이나 낼까?'하는 식의 조바심과 쓸데없는 생각은 하지 않는다.

이 책이 마지막이라면 마지막이고, 혹시 또 한 권을 더 낸다면 더 내는 것이고.

왜냐하면 인생이란 흘러가는 것이기 때문이다.

흘러가는 인생에 나를 맡기고, 과거에 미련을 갖지 말고, 오지도 않은 미래를 걱정할 필요는 없는 것이다.

생각해 보니 나의 좌우명은 'Living in day-tight compartments'이다.

내가 존경하는 故 윌리엄 오슬러 경의 교훈 어록이다. 유명하게 만든 건 데일 카네기이지만.

하루 하루를 감사히 여기며, 내게 주어진 '현재'라는 시간에 충실히 사는 것.

그게 하나뿐인 인생을 사는 나의 자세이며, 나의 행복이다.

그 행복의 산물인 이 책을 내면서 나는 정말 행복하다.

110년만의 폭우를 용케도 견디어 낸 후
더위도 가신 8월말 복사골에서

유진홍

참고문헌

참고 자료들 간단히 소개하겠습니다.

Harrison's Principles of Internal Medicine. 20th ed. McGraw Hill.

가장 근본이 되는 참고 자료 겸 교과서입니다. 오랜만에 다시 샅샅이 읽어 보게 되었습니다만,

Harrison's Principles of Internal Medicine. 21st ed. McGraw Hill.

집필 도중이던 2022년 4월에 개정판이 나왔네요. 거의 4년여 만에 나온 것이니 전례 없이 빠르게 개정판이 나왔습니다. 그래서 혹시 개정된 새 내용 반영 못 한 게 있는지 다시 샅샅이 읽어보느라 곤욕을 치렀네요. 이번 개정판에는 코로나 19에 대한 내용이 자세히 추가되었습니다. 가장 신경을 썼던 HIV/AIDS는 역학 변화, 신약 몇 개와 병리 기전 약간 정도로 예상보다 큰 개정은 아니었습니다.

Mandell, Douglas and Bennett's Principles and Practice of Infectious Diseases. 9th ed. Elsevier.

감염 전공자들의 바이블입니다. 실물은 수 천 페이지짜리로 두 권인데 완전히 벽돌입니다. 웬만한 약간 가벼운 아령 무게로 가끔 이걸로 근력 운동도 할 수 있을 정도입니다. 집필하면서 필요한 chapters들을 골라서 읽으며 참조했습니다. 조금 지나칠 정도로 자세하게 기술되어 있습니다만, 해리슨의 감염 chapter도 이 책에 꿀리진 않습니다.

대한감염학회. 감염학(개정판). 군자출판사.

대한감염학회의 정통 교과서입니다. 전종휘/정희영 교수님의 고전 '감염' 교과서의 명맥을 이어받아 제가 편집위원장을 하면서 전국의 감염 전문 교수님들 100여 명을 초빙하여 만든 교과서이며, 현재 개정판까지 나와 있습니다.

대한감염학회. 항생제의 길잡이(4판). 군자출판사.

역시 대한감염학회/항균요법학회의 정통 교과서입니다. 정희영 교수님의 고전 '항생제의 길잡이'의 명맥을 이어받아 제가 편집위원장을 하면서 전국의 감염 전문 교수님들 100여 명을 초빙하여 만든 교과서이며, 이번에 참조한 것은 4판입니다. 보시면 아시겠지만 표지와 제본이 상당히 예쁩니다.

대한감염학회 & 질병관리청. 감염병의 역학과 관리(2021년).

국가 지정 감염병들을 총 정리한 지침서입니다.

질병관리청. 2022년 의료관련감염병 예방관리사업 지침.

(https://www.iccon.or.kr/rang_board/list.html?num=1500&
code=iccons_guide)

대한결핵및호흡기학회 & 질병관리청. 결핵진료지침(4판).

대한감염학회. 감염 질환별 가이드라인.

임상에서 접할 수 있는 중요한 감염 질환들에 대한 우리 나라 사정에 맞춘
유용한 진료 지침들이 모여 있습니다. 이 저서에서도 상당 부분 참조를 했습
니다.

(https://www.ksid.or.kr/data/sub01.html)

Infectious Diseaes Society of America. IDSA practice guidelines.

전 세계 감염 질환 진료의 표준이라 할 수 있으니 당연히 기본적으로 참조했
습니다.

(https://www.idsociety.org/practice-guideline/practice-guide-
lines#/+/0/date_na_dt/desc/)

Centers for Disease Control & Prevention. CDC infection control guidelines.

의료관련 감염관리 지침의 기본이라 할 수 있습니다.

(https://www.cdc.gov/infectioncontrol/guidelines/index.html)

대한의료관련감염관리학회 & 질병관리청. 의료관련감염 표준예방지침(2017).
제가 대한의료관련감염관리학회 회장 재직 시 전국의 감염 전문 인력과 질병관리청과의 협업으로 처음 만든 국가 지침입니다. 워낙 공들여 만들며 고생도 많이 했던 작품이라 개인적으로 상당히 애착을 갖고 있는 지침서입니다.

제가 쓴 이야기 감염학 시리즈 4권. 군자출판사.
음, 낯 간지럽습니다만, 2018년부터 현재까지 제가 감염 관련해서 저술한 저서 4권입니다. 이번 저서에서도 겹치는 주제는 기존 4권의 내용을 많이 반영했습니다. 딱딱한 교과서의 진입 장벽을 최대한 낮추려 노력한 '친절하고 다정한' 교양서입니다.

참고로 '항생제 열전'과 '열, 패혈증, 염증'은 각각 2019년과 2020년 문화체육부 우수 학술도서(세종 우수 학술도서)에 선정되었고, '내 곁의 적'은 2021년 대한민국 학술원 우수도서에 선정되었습니다.

네, 자랑하는 거 맞습니다.

- 유진홍 교수의 이야기로 풀어보는 감염학(1판)
- 항생제열전
- 열, 패혈증, 염증
- 내 곁의 적

그 밖에 각 chapter별로 각종 journal을 참조했고, 나머지는 제 머리 속에 있는 지식들과 뇌피셜들을 최대한 끄집어 내서 반영했습니다.

중간 중간 각 chapter 관련 과학 교양서들과 소설, 영화 등도 소개하고 있는데, 이들 또한 참고문헌으로 간주하시면 되겠습니다.

임상각론

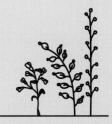

MSCRAMMS   114, 116
MSSA   121, 423, 448, 507, 526
Multidrug-resistant *A. baumannii*   83
Mupirocin   505

N

Normal flora   70
Norovirus   323, 486

O

Outbreak   40
Outer membrane protein   56, 83, 437
Outer membrane protein A   82

P

Pantotea agglomerans   48
Pathogenicity islands   83
PBP   22, 76, 142, 150
Penicillin binding protein   150
Pheromone   151
PhoP/PhoQ   54
Plasma   131, 586
Plasmid   24, 31, 46, 74, 81, 151
PMC   254, 257
Porin   17, 73, 76, 83, 95
Porin channel   83
Precaution   84, 89, 262
Pseudomembranous colitis   244, 254
Pseudomonas aeruginosa   82
Pyocyanin   72
Pyoverdin   72

Q

Quarantine   362
Quorum sensing   72, 114

R

Radical   72, 95, 112, 200, 239, 306, 439, 537, 543
RdRp   371, 563
REGIII-γ   150
Remdesivir   364
Resistance   73, 84, 149, 241, 255, 307, 466, 586
Rifaximin   34, 261

RNA-dependent RNA polymerase   371

저자 유진홍 교수

가톨릭의과대학 졸업
대한의료관련감염관리학회 회장(2015–2017)
대한감염학회장(2019–2022)
대한의학회 이사(2021–2023)
대한감염학회 교과서 편찬위원회 위원장
현 가톨릭대학교 의과대학 내과학교실 감염내과 교수
현 Deputy editor of Journal of Korean Medical Science.

< 저서 >
이야기로 풀어보는 감염학, 항생제 열전(2019 세종 우수 학술도서),
열, 패혈증, 염증(2020 세종 우수 학술도서),
내 곁의 적(2021 대한민국학술원 우수 학술도서),
감염학(대표저자), 항생제의 길잡이(대표저자),
성인예방접종(대표저자), 한국전염병사 II(대표저자)
https://blog.naver.com/mogulkor

Cartoon 및 이모티콘 유여진

2020. 일본 타마 미술대학 졸업